Quellen und Forschungen
zur Reformationsgeschichte

Herausgegeben vom

Verein für Reformationsgeschichte

———

Band XLIV

GÜTERSLOHER VERLAGSHAUS GERD MOHN

FRIEDER SCHULZ

Die Gebete Luthers

Edition,
Bibliographie und Wirkungsgeschichte

GÜTERSLOHER VERLAGSHAUS GERD MOHN

CIP-Kurztitelaufnahme der Deutschen Bibliothek

Schulz, Frieder
Die Gebete Luthers: Edition, Bibliographie und Wirkungsgeschichte.
1. Auflage — Gütersloh: Gütersloher Verlagshaus Mohn, 1976.
   (Quellen und Forschungen zur Reformationsgeschichte; Bd. 44)
   ISBN 3-579-04147-9

NE: Luther, Martin: Die Gebete

ISBN 3-579-04147-9
© Verein für Reformationsgeschichte, Heidelberg 1976
Gesamtherstellung: Buchdruckerei Heinrich Schneider, Karlsruhe
Printed in Germany

VENERABILI
UNIVERSITATIS LITTERARUM
RUPERTO-CAROLAE HEIDELBERGENSIS
S·THEOLOGIAE FACULTATI
OB SUMMUM IN EADEM DISCIPLINA
HONOREM SIBI OBLATUM
HUNC LIBRUM GRATO ANIMO
D·D·D
FRIDERICUS SCHULZ

Inhaltsverzeichnis

8

Vorwort

Die Anfänge der vorliegenden Arbeit liegen über 20 Jahre zurück. Bei der Herstellung des Quellenverzeichnisses für das Allgemeine Evangelische Gebetbuch wandte ich mich damals wegen einiger unter Luthers Namen überlieferter Gebete an die zuständigen Fachleute und erhielt die Auskunft, für Luthers Gebete gäbe es weder eine Edition mit Initienregister noch Forschungen und Quellenstudien. Daraufhin beschäftigte ich mich mit den seit Löhe in der evangelischen Gebetsliteratur vorkommenden Luthergebeten. Im Jahrbuch für Liturgik und Hymnologie Bd. 10 (1965) erschien dann meine Studie „Außerliturgische Luthergebete" als erstes Stück einer Reihe von Beiträgen „Forschungen zur evangelischen Gebetsliteratur".

Aufgrund dieser Studie forderte mich der damalige Präsident der Kommission zur Herausgabe der Werke Martin Luthers, mein ehemaliger Universitätslehrer Prof. D. Rückert — Tübingen, auf, die Bearbeitung der Gebete Luthers für die WA zu übernehmen. Im Laufe der auf vollständige Erfassung der Texte und Quellen ausgerichteten Arbeit, die sich über eine Reihe von Jahren erstreckte, zeigte sich die Notwendigkeit, den quellenmäßig festgestellten Gebetstexten ausführliche Bibliographien und weitere Erschließungshilfen beizugeben, da das Thema bisher noch nie monographisch behandelt worden war.

Nach Fertigstellung und Vorlage des Manuskriptes sah sich freilich die WA-Kommission aus verlagstechnischen Gründen infolge veränderter äußerer Umstände nicht mehr in der Lage, die monographische Arbeit im Rahmen der in der DDR erscheinenden Schlußbände der WA zum Druck zu bringen. Der derzeitige Präsident, Herr Professor D. Dr. Ebeling — Zürich, gab daher das Manuskript zur selbständigen Veröffentlichung an anderer Stelle frei. Es erscheint nunmehr im Rahmen der Quellen und Forschungen zur Reformationsgeschichte; dem Herausgeber, Herrn Professor D. Dr. Bornkamm — Heidelberg, bin ich wegen der Übernahme in die Publikationsreihe zu großem Dank verpflichtet.

Bei der Bearbeitung der gestellten Aufgabe konnte ich mich der besonderen Unterstützung von Herrn D. Dr. Volz — Göttingen, dem Leiter der WA-Arbeitsstelle Göttingen, erfreuen, der mit seiner Sachkunde, Erfahrung und unermüdlichen Hilfsbereitschaft wesentlich zum Gelingen der Arbeit beigetragen hat. Ihm in erster Linie habe ich für die Förderung und freundschaftliche Teilnahme zu danken, die auch nach Ausgliederung aus der WA uneigennützig fortgesetzt wurde.

Bei der mühsamen Beschaffung der z. T. seltenen Titel waren die staatlichen und kirchlichen Bibliotheken des In- und Auslandes in bewährter Weise behilflich.

12

Besonderen Dank schulde ich den Mitarbeitern der Universitäts-Bibliothek Heidelberg sowie der Herzog-August-Bibliothek in Wolfenbüttel. Die Drucklegung wurde durch finanzielle Beiträge aller Landeskirchen der EKD ermöglicht, denen eine gutachtliche Empfehlung von Herrn Professor Ebeling vorlag. Auch für diese Hilfe sei verbindlichst gedankt.

Die Beschäftigung mit Luthers Gebeten und ihrer Wirkungsgeschichte, die über den Kreis der theologischen Fachleute hinausreicht, hat all die Jahre hindurch nicht nur darin ihren Reiz gehabt, daß eine Forschungslücke geschlossen werden konnte; die Arbeit war zugleich eine Quelle innerer Bereicherung. Es ist meine Überzeugung, daß gerade die Bemühungen der Gegenwart um die Wiedergewinnung einer evangelischen Frömmigkeit an dem aus der Bibel genährten Beten Luthers und an der in seinen Gebetstexten vorliegenden Ausprägung des reformatorischen Glaubens nicht vorübergehen können.

Heidelberg, Pfingsten 1976   D. Frieder Schulz

Abkürzungen für mehrfach zitierte Titel

ADB   Allgemeine Deutsche Biographie 56 Bde., München 1875—1912.

Aland   *K. Aland*, Hilfsbuch zum Lutherstudium (Witten ³1970).

Albrecht   *O. Albrecht*, in: ThStKR Bd. 98/99 (1926), S. 124—133.

Althaus   *P. Althaus* d. Ä., Forschungen zur evangelischen Gebetsliteratur (Gütersloh 1927; Neudruck: Hildesheim 1966).

Beck   *H. Beck*, Die Erbauungsliteratur der evangelischen Kirche Deutschlands (Erlangen 1883).

BM   *British Museum*, General Catalogue of Printed Books (London 1965 ff.).

Bruylants   *P. Bruylants*, Les Oraisons du Missel Romain, Bd. 2 (Löwen 1952).

Calw   Betbüchlein ... Dr. M. Luther, hsg. vom Calwer Verlagsverein (Calw-Stuttgart 1883).

Cosack   *C. J. Cosack*, Zur Geschichte der evangelischen ascetischen Literatur in Deutschland, aus dem Nachlaß hsg. von B. Weiß (Basel und Ludwigsburg 1871).

Dietz   *Ph. Dietz*, Wörterbuch zu Dr. Martin Luthers deutschen Schriften Bd. 1 und Bd. 2 Lfg. 1 (Leipzig 1870—72).

Drews   *P. Drews*, Beiträge zu Luthers liturgischen Reformen, in: Studien zur Geschichte des Gottesdienstes und des gottesdienstlichen Lebens, Heft 4 und 5 (Tübingen 1910).

D. Wb.   *J.* und *W. Grimm*, Deutsches Wörterbuch Bd. 1—16 (Leipzig 1854—1960; 2. Aufl. 1965 ff.).

Fabricius   *J. A. Fabricius*, Centifolium Lutheranum sive Notitia Litteraria scriptorum omnis generis de B. D. Luthero 2 Bde. (Hamburg 1728).

Feuerlein   *J. W. Feuerlein*, Bibliotheca symbolica evangelica lutherana, 2. Aufl. hsg. von J. B. Riederer (Nürnberg 1768).

Franke   *K. Franke*, Grundzüge der Schriftsprache Luthers Bd. 1—3 (Halle ²1913—1922).

Georgi   *Th. Georgi*, Allgemeines Europäisches Bücher-Lexicon, 4 Bde. (Leipzig 1742).

Große   Die Alten Tröster, hsg. von *C. Große* (Hermannsburg 1900).

Heinsius   *W. Heinsius*, Allgemeines Bücher-Lexikon (Leipzig 1812 ff.).

Jöcher   *Chr. G. Jöcher*, Allgemeines Gelehrten-Lexikon 4 Bde. (Leipzig 1750/51).

Jöcher-Adelung   Fortsetzung von Jöcher: *J. Chr. Adelung* und H. W. Rotermund 7 Bde. (Leipzig 1784 ff.).

Köstlin-Kawerau   *J. Köstlin — G. Kawerau*, Martin Luther (Berlin ⁵1903).

Kraußold   Das Betbüchlein Lutheri, hsg. von *L. Kraußold* (Nürnberg 1833).

Kulp   *H. Kulp*, Die Kollektengebete, in: Der Gottesdienst an Sonn- und Feiertagen, Untersuchungen zur Kirchenagende I, von J. Beckmann u. a. (Gütersloh 1949).

14

Lipenius	*M. Lipenius*, Bibliotheca Realis Theologica (Frankfurt/M. 1685).
NUC	The *National Union Catalog* (London/Chicago 1968 ff.).
Preuß	*H. Preuß*, Martin Luther. Der Christenmensch (Gütersloh 1942).
RN	Revisions-Nachtrag zur WA (bisher zu Bd. 30^{II}, 30^{III}, 32, 33, 41 u. 48).
Schulz	*F. Schulz*, Außerliturgische Luthergebete, in: Jahrbuch für Liturgik und Hymnologie, Bd. 10 (1965), S. 117—127.
Schwedler	*J. Chr. Schwedler*, An- und Vorrede zur Neuausgabe des Betglöckleins von Treuer 1591 (1704), siehe Bibliographie I, 2 C.
Sehling	*E. Sehling*, Die evangelischen Kirchenordnungen der Reformationszeit, Bd. 1—5 (Leipzig 1902—1913), Bd. 6 ff. (Tübingen 1955 ff.).
Uhden	Gebetbuch . . ., hsg. vom evang. Bücherverein (1. Aufl. Berlin 1849).
Vg	Vulgata.
Vorwerk	*D. Vorwerk*, Gebet und Gebetserziehung (Schwerin 1913), Bd. 1 (Buch 1, 1. Abschnitt: Luther als Beter und Gebetserzieher).
WA	Weimarer Lutherausgabe Bd. 1 ff. (Weimar 1883 ff.).
WA Br.	Weimarer Lutherausgabe, Briefe Bd. 1—14 (Weimar 1930—1970).
WA *TR*	Weimarer Lutherausgabe, Tischreden Bd. 1—6 (Weimar 1912—1921).
Wackernagel	*Ph. Wackernagel*, Bibliographie zur Geschichte des deutschen Kirchenliedes im XVI. Jh. (Frankfurt a. M. 1855; Neudruck: Hildesheim 1964).
Walch[1] 10	D. M. Luthers . . . Sämtliche Schriften, hsg. von *J. G. Walch* (1. Auflage) Bd. 10 (Halle 1744).
Walch[1] 24	Dass. (1. Auflage) Bd. 24 (Halle 1750).
Wander	Deutsches Sprichwörter-Lexikon, hsg. von *K. F. W. Wander* Bd. 1—5 (Leipzig 1867—80; Neudruck: Berlin 1964).
Zedler	Großes Vollständiges Universal-Lexicon, Verlag *J. H. Zedler*, 64 Bde. (Leipzig 1732—1750); Supplement 4 Bde. (Leipzig 1751—1754).
Zuchold	*E. A. Zuchold*, Bibliotheca Theologica, 2 Bände (Göttingen 1864).
* (Stern)	Der Titel wurde eingesehen.

Einleitung

1. Die Gebete Luthers[1]

„Eine kritische Sammlung der Gebete Luthers fehlt uns noch", schrieb O. Albrecht anläßlich der Ausgabe verschiedener Luthertexte in den Nachträgen von WA Bd. 48. Wer diese Aufgabe in Angriff nimmt, ist geneigt, zunächst einmal Luthers Betbüchlein durchzuprüfen, weil ja ein Gebetbuch herkömmlich eine Sammlung formulierter Gebete enthält. Aber Luthers Betbüchlein enttäuscht diese Erwartung. Es enthält in seiner ursprünglichen Form im Gegensatz zu Spalatins Betbüchlein von 1522, das wahrscheinlich Luther zur Herausgabe eines eigenen Betbüchleins veranlaßt hat, keine Gebetsformeln, sondern biblische Texte, Psalmen und Paraphrasen der drei Hauptstücke des Katechismus, später auch Sermone über das Leiden Christi, über Beichte, Abendmahl und Taufe sowie über die Bereitung zum Sterben. Das Betbüchlein erweist sich somit eher als Einführung in den Glauben. Was das Beten anlangt, so wollte Luther die verbreiteten Gebetbücher aus der spätmittelalterlichen Tradition durch eine evangelische Gebetslehre ersetzen. Diesem Ziel diente der Sermon vom Gebet und die Auslegung des Vaterunser in Gebetsform. In der Vorrede ermahnte er denn auch die Leser, sich an das Vaterunser als das „gemeine, einfältige christliche Gebet" zu gewöhnen in der Gewißheit, „daß ein Christenmensch überflüssig gebetet hat, wenn er das Vaterunser recht betet, wie oft er will und welches Stück er will". Wer sich mit den Gebeten Luthers beschäftigt, wird also genötigt, sich zunächst mit dem Beten Luthers, näherhin mit den Vaterunserparaphrasen zu beschäftigen, die als Gebetslehre und Anstoß zu eigenem Beten auch weiterhin ein Grundstock der Luthergebetbücher geblieben sind. Die Bedeutung dieser Paraphrasen geht auch daraus hervor, daß insgesamt 10 solcher exemplarischer Gebetserklärungen des Vaterunsers erschienen

---

1. Soweit die katechetischen und liturgischen Schriften Luthers auch Gebetsformulare enthielten, ergab sich seine Verfasserschaft aus dem Titel dieser unter seinem Namen erschienenen Schriften. Daneben sind Einzelgebete unter ausdrücklicher Nennung Luthers als des Verfassers überliefert. Liturgische Gebete waren herkömmlich anonym; das gilt auch weithin von Gebeten in den Gebetbüchern des späten Mittelalters. Doch versah man zunehmend bestimmte Gebete mit den Namen bekannter Lehrer der Kirche als der vermeintlichen oder tatsächlichen Verfasser, vgl. Gebetbuch von Fleury (1. Hälfte 9. Jh.): Oratio S. Ambrosii, Augustini, Hilarii, Martini, Hieronymi, Ephraem diaconi, Gregorii, Isidori, Anselmi (MPL 101, 1383 ff.); Officia per ferias (etwa 850): Oratio Benedicti, Cypriani, Columbani u. a. (MPL 101, 509 ff.).

sind[2]. Als der Kleine Katechismus später die früheren katechetischen Schriften verdrängte, blieben doch jene Stücke der Gebetsschule Luthers lebendig, teilweise wurden einzelne Abschnitte aus dem Zusammenhang gelöst und dann auch als selbständige Gebetsformulare weiter überliefert[3]. Als charakteristische Eigenart Luthers bleibt zu beachten, daß die Vaterunserauslegungen in Gebetsform aus Predigten über das Vaterunser entstanden sind. Die dialogische Lebendigkeit des gepredigten Wortes forderte die Antwort in der unmittelbaren Gebetsanrede geradezu heraus. Das ist auch bei den später gesammelten Gebeten aus Luthers meist das biblische Wort entfaltenden Schriften zu beobachten.

Die exemplarischen Vaterunserparaphrasen waren eine Schule des privaten Betens, sie haben demgemäß zu einem einfältigen, herzhaften und originalen Beten des Einzelnen führen wollen und haben daher vermieden, bequeme Gebetsformeln anzubieten, die ein Gebets-„Werk" ermöglichten, auch wenn das Herz nicht vom Glauben „erwärmt" war. Daneben hat Luther auch liturgische Gebete geschaffen, also Gebete für den Gottesdienst der versammelten Gemeinde, die, wie die Kirchenlieder, in geprägter Form und Sprache verfaßt und daher auf die Wiederholbarkeit angelegt waren. Demgemäß wurden die meisten dieser Gebete erstmals im Gesangbuch abgedruckt, wenn sie nicht Bestandteil liturgischer Ordnungen waren. Die 30 liturgischen Gebete Luthers (Deutsche Messe 2, Litanei 5, Gesangbücher 12, Taufbüchlein 4, Traubüchlein 1, Katechismus 4, Ordination 1, ferner das in einem Brief überlieferte Exorzismusgebet) folgen fast durchweg dem Strukturmodell der Kollekte. Daß gerade diese Form des öffentlichen Gemeindegebets von Luther übernommen wurde, dürfte nicht nur darin begründet sein, daß die alten Kollekten in ihrer knappen und auf die Grundaussagen des Glaubens konzentrierten Form der Aufweichung und Überfremdung widerstanden hatten, sondern auch darin, daß die Form dieses Gebetsmodells dem reformatorischen Ansatz durchaus entsprach: die knappe Bitte war wie beim Vaterunser eingebettet in die vorausgehende Prädikation, die den Rechtstitel des Betens nannte, und die doxologische Konklusion, in der sich die Gewißheit der Erhörung aussprach. Auch im Inhalt hat sich Luther durchweg an überlieferte Texte gehalten, was nicht hinderte, daß er gelegentlich im Wortlaut variierte und kombinierte, ja auch völlig neue Texte schuf, in denen sich die reformatorische Glaubenserkenntnis aussprach. Die liturgischen Gebete sind also nicht so sehr originale Texte als vielmehr Beispiele lebendiger Aufnahme der liturgischen Tradition und Zeugnisse für die sprachliche Meisterschaft Luthers. Die Aufnahme dieser Gebete in Gesangbuch, Katechismus u. ä. zeigt, daß Luther für das gemeinsame Beten der Gemeinde und für das tägliche Beten des Einzelnen formulierte Gebete für notwendig hielt und um der Wiederholbarkeit willen besonders sorgfältig ausformte. So kann man gerade bei Luther feststellen, wie das Beten nach formulierten Texten, von denen natürlich in erster Linie das Vaterunser zu nennen ist, sich auf das freie, persönliche Beten auswirkt, es bei der Sache und in Zucht hält, und wie andrerseits das geistgewirkte freie Be-

---

2. Vgl. S. 373 ff.
3. Vgl. Gebete Nr. 183. 367. 368. 418. 426. 454. 648. 650. 651.

ten des Herzens die Gebetsformeln immer wieder neu belebt und davor bewahrt, zum „Plappern der Heiden" zu entarten.

Neben den liturgischen Gebeten sind von Luther 11 Gebete, meist für einen einzelnen Beter, überliefert, die Luthers eigenes Beten bei einem bestimmten Anlaß (Worms 1521, Coburg 1530), in bestimmten Nöten (Pest, Sterben) oder in einer immer wiederkehrenden Situation (Morgen, Beichte) festhalten. Bei den Beichtgebeten oder den täglichen Gebeten ist anzunehmen, daß Luther einem Ratsuchenden den Gebetstext als Beispiel und Formular überlassen hat. In anderen Fällen mag eine vergleichbare Situation dazu geführt haben, daß das Gebetsbeispiel Luthers einfach übernommen wurde. Die aus historischem Anlaß entstandenen Gebete haben ihre Bedeutung aus der Tatsache gewonnen, daß das Besondere und Einmalige der Person Luthers als eines glaubensstarken Christenmenschen in ihnen zum Ausdruck kam.

Die Mehrzahl der von Luther überlieferten Gebetstexte findet sich in den Tischreden. Von den bisher genannten unterscheiden sich diese Gebete dadurch, daß sie aus dem Augenblick geboren und nur durch die protokollierende Tätigkeit der Tischgenossen für die Nachwelt festgehalten worden sind. Neben ganz kurzen, oft temperamentvollen, ja polemischen Stoßgebeten wurden in den Tischreden auch Gebete aus besonderem Anlaß (um gute Witterung, Fürbitte in Krankheitsnot) oder auch in besonderen Situationen der Lebensgeschichte Luthers (Krankheit, Anfechtung) gesammelt. Es überrascht nicht, daß auch einzelne Gebete aus Luthers Predigten, die ja auch in Nachschriften festgehalten wurden, als Beispiele freien Betens aus bestimmtem Anlaß oder aufgrund eines ausgelegten Bibeltextes in den Tischreden auftauchen. Wie für alle Tischreden, so gilt auch für die in ihrem Korpus stehenden Gebetstexte, daß der Wortlaut, ähnlich wie bei den Predigten, die Spuren redaktioneller Bearbeitung und Abrundung trägt. In ihrem substantiellen Kern sind die Gebete gewiß auf Luther zurückzuführen. Das Interesse an den Gebetstexten Luthers kam bereits in der Tischredensammlung von Aurifaber zum Ausdruck, der bei der systematischen Ordnung des Stoffs im Kapitel „Vom Gebet" nicht nur Äußerungen Luthers über das Gebet, sondern auch Gebetsformulare zusammenstellte.

Aus dem Gesamtbestand der 84 „authentischen Gebete Luthers" (30 liturgische, 11 einzeln überlieferte und 43 Tischreden-Gebete) sind 48 in Peter Treuers „Betglöcklein" (1579) übergegangen, weitere 12 Gebete wurden bis zum 18. Jahrhundert rezipiert.

2. Luthergebete in den Gebetbüchern des 16. Jahrhunderts[4]

Da Luther in seinem 1522 ff. erschienenen „Betbüchlein" (WA 10^{II}) keine Gebetsformulare, sondern eine Gebetsschule aufgrund des biblischen Wortes anbot, konnten die evangelischen Gebetbücher zunächst nur auf seine liturgischen Gebete zu-

---

4. Vgl. Bibliographie II.

rückgreifen, die in den Gesangbüchern abgedruckt waren, vor allem auf die Kollekten zur Litanei (WA 30^{III}) und die Gebete im Kleinen Katechismus (WA 30^I). Daneben verbreiteten sich in steigendem Maße Gebete aus besonderem Anlaß, die zur Wiederholung bei der Wiederkehr dieses Anlasses geeignet waren, beispielsweise das Türkengebet, ein Morgengebet oder Gebetsworte Luthers in Anfechtung, Krankheit und Todesnot. Auch die Vaterunserparaphrasen wurden nach dem Beispiel des Betbüchleins wenigstens teilweise rezipiert[5]. Vereinzelt tauchten auch Gebete aus Predigten auf[6]. Das 1565 erschienene „Neue Betbüchlein" von Otto bezeichnete den nächsten Schritt der Entwicklung, indem es die katechetischen Stücke des Luther'schen „Betbüchleins" mit einer ersten Sammlung von 17 nichtliturgischen Einzelgebeten Luthers verband. Natürlich war eine systematische, nicht mehr bloß zufällige und beiläufige Sammlung von Luthergebeten erst durch die inzwischen erschienenen Bände der Wittenberger und Jenaer Lutherausgabe ermöglicht, wie man an den Quellenangaben in den speziellen Luthergebetbüchern von Otto und Treuer erkennen kann.

Über die charakteristischen Eigenarten der Gebetbücher des 16. Jahrhunderts, in denen sich einzelne Luthergebete finden, sei folgendes bemerkt. Das „Feuerzeug christlicher Andacht" (1537 ff.), entstanden aus einem handschriftlichen Gebetbuch, das Herzog Albrecht von Preußen für seine Gemahlin Dorothea zusammengestellt und durch selbstverfaßte Gebetstexte ergänzt hatte, enthielt neben katechetischen Stücken Einzelgebete verschiedenster Herkunft. An mehreren Stellen wurde deutlich, daß das Buch bestimmt war, einer Frau als Gebetbuch zu dienen.

Das „Betbüchlein für allerlei gemeine Anliegen" (1543 ff.) enthielt außer Paraphrasen über 13 ausgewählte Psalmen von *Georg Schmaltzing*[7] 5 Gebete von *Jakob Otter*[8], 5 Gebete des katholischen Erasmus-Schülers *Friedrich Nausea*[9], 6 Kollekten von *Johann Brenz* (früher *Andreas Althamer* zugeschrieben) aus der Brandenburg-Nürnbergischen Kirchenordnung 1533 (in Ich-Form)[10], 4 Vaterunser-Paraphrasen und einzelne weitere Gebete.

---

5. Vgl. S. 373 ff. Anm. 7. 8. 10. 12.

6. Vgl. Gebet Nr. 88. 154. 323. 625.

7. (1491—1554): Der Psalter Davids ... in Gebetsweis ..., Zwickau 1527. Vgl. Althaus, S. 16. Der Vf. wurde 1511 Rektor, 1515 Kaplan in Bayreuth, war 1526—1530 in Bamberg gefangen, besuchte 1530 die Universität Wittenberg, wurde 1532 zum Magister promoviert, 1532 Diakonus in Bayreuth, 1534—1548 und 1550—1554 Pfarrer in Kitzingen. Vgl. M. Simon, Bayreuthisches Pfarrerbuch (München 1930), S. 290 Nr. 2196.

8. (um 1485—1547), Pfarrer in Eßlingen: Betbüchlein für allerley gemeyn Anligen der Kirchen, Straßburg 1537; weitere Ausgaben: 1541. 1546. Vgl. Althaus, S. 46 ff.; zum Vf. vgl. RGG³ 4, 1746.

9. (1480—1552), Bischof von Wien: Christlich Bettbüchlein, Leipzig 1538. Vgl. Althaus, S. 72 f.; vgl. RGG³ 4, 1384.

10. Vgl. F. Cohrs, Die Evangelischen Katechismusversuche vor Luthers Enchiridion Bd. 3 (Berlin 1902), S. 34 ff. Den Nachweis darüber, daß die Gebete von Brenz verfaßt sind, gibt M. Brecht in: Zeitschrift der Savigny-Stiftung für Rechtsgeschichte Bd. 86, Kanonist. Abt. 55, 1969, S. 327.

Die „Gebete des Kurfürsten *Johann Friedrich*" (1557 ff.) waren wie das „Feuerzeug" ein Fürstengebetbuch, das über die Hälfte seines Bestandes dem „Betbüchlein für allerlei gemeine Anliegen" entnahm. Weitere Gebete aus verschiedenen Quellen (*Johann Odenbach*[11], Nürnberger Gebetbuch 1543[12], *Jakob Otter*[13], *Caspar Huberinus*[14], *Georg Witzel*[15], *Leonhard Jacobi*[16]) ergänzten die fürstlichen Familiengebete.

Das „Trostbüchlein" von *Georg Walther* (1558) brachte in einem Gebetsanhang Gebete von *Johann Odenbach*[17], 18 Kollekten von *Veit Dietrich*[18] und einzelne weitere Gebete, darunter solche aus der Tradition des Mittelalters.

Das „Lehr-, Trost-, Beicht- und Gebetbüchlein" von *Wendel Schemp* (1561) vereinigte Gebete zum Kirchenjahr, Beicht- und Abendmahlsgebete mit Reimgebeten und einer Psalmenkette. In der Verbreitung konnte es sich mit keinem der vorher genannten Gebetbücher messen. Im ganzen hatte es einen weniger persönlichen Charakter.

Das Gebetbüchlein von *Petrus Glaser* (1566 ff.) war als Erbauungsbuch für Kranke und Sterbende bestimmt und bestand vorwiegend aus Trostpredigten, Bibelsprüchen und Auslegungen. Eine kleine Gebetssammlung (Gebete von *Johann Odenbach*[19] und *Leonhard Jacobi*[20]) fügte sich in diesen Rahmen ein.

Auch das „Trostbüchlein" von *Jacob Ortel* (1586) war ein Krankenbüchlein und

---

11. (gest. 1555): Ein Trostbüchlein für die Sterbenden …, Straßburg 1530 und 9 weitere Ausgaben. Vgl. Althaus, S. 37 ff. und G. Franz, Huberinus—Rhegius—Holbein (Niewkoop 1973), S. 215. Der Vf. wurde 1528 Pfarrer in Obermoschel, 1548 in Lauterecken. Vgl. G. Biundo, Die evangelischen Geistlichen der Pfalz (Neustadt/Aisch 1968), S. 332 Nr. 3864.

12. Vgl. Althaus, S. 53.

13. Vgl. Anm. 8.

14. (1500—1553), Prediger in Augsburg: Wie man die Kranken trösten soll, Augsburg 1542; weitere Ausgaben: Nürnberg 1560. 1567. Vgl. Althaus, S. 49 f.; zum Vf. vgl. RGG³, 463 f. sowie G. Franz, Huberinus—Rhegius—Holbein (Nieuwkoop 1973).

15. (1501—1537), kath. Pfarrer und Schriftsteller: Ein Betbüchlein, beide dem Alter und der Jugend nützbar, Eisleben 1534; weitere Ausgaben: Leipzig 1537. Mainz 1541. Vgl. Althaus, S. 83 f. 190; zum Vf. vgl. RGG³ 6, 1787 f.

16. (um 1515 — nach 1553): Tröstliche Erinnerungen in der heiligen Schrift gegründet, Leipzig 1551. Vgl. Althaus, S. 104. Der Vf. besuchte 1533 die Universität Erfurt, wurde 1538 Schulmeister in (Tal-)Mansfeld, 1540 in Halberstadt, 1542 zum Magister promoviert und ordiniert, dann Diakonus in Nordhausen, 1544 Pfarrer in Laucha/Unstrut, 1545 eingekerkert, im Herbst 1545 Pfarrer in Magdeburg, seit 1547/8 Pfarrer in Calbe/Saale. Vgl. E. Matthias in: Zschr. des Harz-Vereins für Geschichte und Altertumskunde Bd. 21 (1888), S. 370 ff. 397; G. Buchwald, Wittenberger Ordiniertenbuch Bd. 1 (Leipzig 1894), S. 28 Nr. 439; G. Kawerau, Briefwechsel des Justus Jonas Bd. 2 (Halle 1885), S. 152. 154.

17. Vgl. Anm. 11.

18. (1506—1549), Prediger in Nürnberg: Kollekten aus: Summaria Christlicher lehr …, Nürnberg 1546 und: Kinderpredig … in 3 Teilen, Nürnberg 1546. Vgl. Althaus, S. 55; zum Vf. vgl. RGG³ Bd. 2, Sp. 195.

19. Vgl. Anm. 11.

20. Vgl. Anm. 16.

bestand fast ganz aus biblischen Betrachtungen zum Trost in Krankheiten. Bei den abgedruckten Luthergebeten ist die Abhängigkeit von Glaser unverkennbar.

Bei dem Magdeburger Betbüchlein (1587) hat der Herausgeber „Gebete der alten Kirchenväter" (Augustin, Ambrosius, Cyrill, Bernhard, Chrysostomus) in deutscher Sprache gesammelt. Erstmals wurde neben einigen liturgischen und kasuellen Gebeten Luthers auch eine kleinere neue Auswahl aus Luthers Psalmenauslegungen (Ps. 90, 127, 132) beigegeben. Im Rückgriff auf die „alten Lehrer" der Kirche war das Gebetbuch offensichtlich von den Gebetbüchern des *Andreas Musculus* (1553 ff.)[21] abhängig.

Das letzte der Gebetbücher des 16. Jahrhunderts, die einzelne Gebete Luthers abgedruckt haben, war die von *Johann Weniger* 1597 herausgegebene Sammlung von Gebeten, die wiederum Gebete von Augustin und Bernhard mit solchen der evangelischen Überlieferung zusammenstellte.

Die Überlieferung von Luthergebeten erfolgte in der zweiten Hälfte des 16. Jahrhunderts dann zunehmend in den Luthergebetbüchern von Otto und Treuer, die inzwischen bis 1600 in 13 Ausgaben erschienen waren. Größere Abschnitte aus Treuer brachte außerdem Melissanders Gebetbuch (große Ausgabe), Portas Pastorale Lutheri und das Gebetbuch von Probus. Die eigentlichen Luthergebetbücher sollen nun im folgenden eingehender besprochen werden.

3. Die Luthergebetbücher des 16. Jahrhunderts[22]

Otto (1565)

Wie aus der Vorrede des Nordhäuser Pfarrers Antonius Otto hervorgeht, ist das im Jahr 1565 erschienene erste Luthergebetbuch, „das ein guter freund vor sich und sein Weib und Kinder, ihm selber zum Trost und wem es mehr gefällt, zusamen bracht", aus der privaten Initiative „einer Gottliebenden und Christlichen personen, in einer Reichstadt wohnhaftig" (so Johann Aurifaber in seinem Nachwort), also wohl eines Nordhäuser Bürgers erwachsen. Der Titel „Ein neues Betbüchlein" nahm offensichtlich Bezug auf das frühere „Betbüchlein" Luthers (1522 ff.) und erwähnte neben den „Geisttrost und lebendigen Worten des seligen und teuren Man Gottes Doctoris Martini Lutheri" auch die „Tomi", d. h. die in den Jahren 1555/58 erschienenen Bände der Jenaer Lutherausgabe, aus denen der Sammler geschöpft hatte. Neu gegenüber dem früheren Betbüchlein waren die zehn Bet-, Trost- und Dankpsalmen, Haupt- und Trostsprüche aus der Bibel, eine

---

21. Precandi formulae piae et selectae ex veterum Ecclesiae sanctorum doctorum scriptis ... Frankfurt/O. 1553; in den zahlreichen späteren Ausgaben lautet der Titel: Precationes ex veteris orthodoxis doctoribus ... collectae. — Ferner: Betbüchlein (deutsche Texte auf der Grundlage des vorigen), Frankfurt/O. 1559. Vgl. Althaus, S. 98 ff. Zum Vf. vgl. Anm. 39.

22. Vgl. Bibliographie I, 1—2.

Sammlung von Summarien und Trostlehren aus Luthers Werken, ein Anhang mit
Stücken von Luther, Nikolaus von Amsdorf und Stoltz, den Aurifaber beigefügt
hatte, vor allem aber die gleich zu Anfang abgedruckten „Etlichen Kurtzen und
herrlichen Gebetlin D. Martin Luthers", bei denen der jeweilige Fundort in den
Bänden der deutschen (Bd. 2, 3, 5 bis 7) bzw. lateinischen (Bd. 4) Jenaer Ausgabe der Werke Luthers vermerkt war. Mit den Gebeten in Ottos „Neuem Betbüchlein" beginnt die Überlieferungsgeschichte der aus den Schriften Luthers ent-
nommenen Luthergebete. Die Gebetstexte stammen aus Predigten (5), Tischreden (1), Schriftauslegungen (2), dem Bericht von Luthers Tod (1) und anderen
Schriften (7). Die von Aurifaber im Anhang abgedruckte „Beicht, so D. M. Luther
teglich gesprochen hat, ehe denn er ist zu bette gangen", erschien hier erstmals im
Druck. Zehn Ausgaben des „Neuen Betbüchleins" innerhalb der Jahre 1566—1600
zeugen von der guten Aufnahme, die das offenbar erwünschte Buch gefunden hat.
Die Neuausgabe im kleinen Taschenformat 1591 wurde von dem mit verschieden-
artigen weltlichen Aufgaben im Dienste des Pommernherzogs Bogislaw XIII. be-
trauten Martin Marstaller besorgt, der in der Vorrede befürchtete, daß er, „als der
ich professione kein Theologus ... von den geistlichen Criticis und anderen, so
sich unzeitiges urtheilen nicht enthalten können, möcht getadelt werden[23]".

Treuer (1579)

1579 — vierzehn Jahre nach dem ersten Erscheinen des „Neuen Betbüchleins"
(Otto) — stellte der damals im Straßburger Exil lebende ehemals mansfeldische
Pfarrer Petrus Treuer das reichhaltigste aller Luthergebetbücher zusammen und
gab es unter dem Titel „Betglöcklein Lutheri" im Druck heraus. Weitere Ausgaben
erschienen in Straßburg 1580 und 1591.

Exkurs: Zur Bibliographie des „Betglöcklein"

Seit dem 1849 erschienenen Gebetbuch des ev. Büchervereins (Uhden) wird in der Literatur
eine Ausgabe von 1571 erwähnt (so von Beck, Große, Althaus, Preuß), die aber nirgends
nachzuweisen ist. Bei der Überprüfung dieser Angabe hat sich herausgestellt, daß hier ein
Irrtum in den Exzerpten des Hamburger Diakonus Ludwig Heinrich Kunhardt vorliegt,
der in den vierziger Jahren des 19. Jahrhunderts eingehende Quellenstudien zur evang.
Erbauungsliteratur betrieben hatte. Jedenfalls taucht an einer Stelle seiner unübersicht-
lichen Notizen die Jahreszahl 1571 auf, die vorher in der Literatur nirgends vorkommt.
Wahrscheinlich liegt ein Schreibfehler Kunhardts vor (Verwechslung mit der Jahreszahl
1591 [= 3. Straßburger Ausgabe]). Daß der Fehler ungeprüft weiter überliefert wurde,
mag auch damit zusammenhängen, daß sich im Titel des „Betglöckleins" der Passus findet:
„Treulich und auffs neu zugericht", was für eine Erstausgabe tatsächlich merkwürdig
klingt. Nun hat Treuer alle 17 Luthergebete des „Neuen Betbüchleins" (Otto) und zwar

---

23. Über den in dieser Ausgabe beigefügten Anhang mit weiteren 37 Luthergebeten
vgl. unten S. 27.

meist unter wörtlicher Übernahme der dort abgedruckten Quellenangaben (aus den Bänden der Jenaer Ausgabe) oder auch unter ausdrücklichem Hinweis auf das „Betbüchlein Lutheri" in sein Betglöcklein aufgenommen. Es ist daher anzunehmen, daß sich Treuer auf jenes Betbüchlein bezogen hat, dessen Beispiel er vor Augen hatte, als er mit fachkundigem Sammeleifer das Prinzip einer Anthologie von Gebetszitaten konsequent (eben „treulich und auffs neu") durchführte. Für 1579 als Erscheinungsjahr der Erstausgabe spricht auch die Reihe der Straßburger Ausgaben: 1579, 1580 (mit gleichem Druckbild und, infolge nachträglicher Einfügung eines Gebets, geringfügig verändertem Umbruch), 1591. Die nach Treuers Tod von dem Jenaer Theologieprofessor Petrus Piscator 1610 besorgte Neuauflage wandelte dann den Titel ab: „Betbüchlein ... von allen Geistreichen ... Gebeten ... zusammengezogen ..." (also nicht mehr: „Betglöcklein ... von allen wolklingenden ... Gebetten ... zusammen gestimmet") und vermerkte „Itzt auffs neue ubersehen". Diese Jenaer Ausgabe ist also die erste neue Ausgabe nach den Straßburger Drucken.

Treuer konnte die von ihm gesammelten 500 Luthergebete (ohne Katechismus-Paraphrasen) nicht mehr, wie noch in Ottos „Neuem Betbüchlein" geschehen, einfach hintereinander abdrucken. Für die systematische Ordnung in 3 Teile legte er den Schluß des „Täglichen Gebets Doctoris Martini Lutheri" zugrunde:
„Nach disem Gebettlein wird folgendes Gebettbuch inn trei unterschidene theyl abgetheylet, und GOTT darinnen angeruffen umb gnade. Erstlich: Sein heyliges Wort wol zu lehren. Zum anderen: Christlich darnach zu leben. Zum dritten: seliglich drauff zusterben." Daraus ergab sich folgender Gesamtaufriß (mit den Ziffern der Gebete in unserer Sammlung):

A. *Einleitung*

I. Vorbereitung zum Gebet.
1. Gebet läßt sich durch die Sünde nicht hindern (101).
2. Gebet sieht nicht auf eigene Würdigkeit (102—106).
3. Gebet läßt sich durch die Gedanken von der Erwählung nicht hindern (107—108).
4. Gebet gründet sich auf drei Stücke (109—113).
5. Gebet merkt auf das ... Zeugnis des gnädigen ... Willens Gottes (114).
6. Gebet hält sich allein an den Mittler Christum (115—120).
7. Gebet geschieht in und durch den Namen Jesu Christi (121—125).
8. Kurze Stoßgebetlein in Nöten (126—129).
9. Gebet hat herzliches Verlangen nach der Hilfe (130—131).
10. Gebet bittet, sucht, klopft, hält an (132—134).
11. Gebet ist nach den Worten gerichtet, die uns Christus selbst gelehrt hat (135).

II. Etliche Formen und Weisen des Vaterunser ... zu betrachten.
1. Kurzer Begriff 1519 (136—144).
2. Kurze Form 1520 (145—152).
3. Paraphrase aus der Deutschen Messe 1526 (153).

4. Vom Hausstand (561—589).
5. Vom täglichen Brot (590—609).

III. Selig sterben.
   Sterbensläufte, Todesnot, Jüngster Tag (610—634).

C. *Abschluß:* Litanei als Summe des Betens (635—637)

Das Vertriebenenschicksal des Flacianers Treuer kam in dem geradezu apokalyptischen Ernst seiner Vorrede, in der er Luther als den dritten Elias rühmte, in den ausführlichen Rubriken seines Betglöckleins (Feinde der Christenheit, Verfolger, falsche Brüder), vor allem aber in der Tatsache zum Ausdruck, daß sein Buch in Straßburg, am Ort seines Exils, gedruckt wurde. Lutheranthologien wie die von Treuer entstanden damals gerade in flacianischen Kreisen, die sich für die genuine lutherische Lehre gegen alle Verfälschung und Aufweichung ereiferten.

Exkurs: Zu den Luther-Florilegien der Flaciner

Eine Parallele zu Treuers „Beteglöcklein" bildet eine im Jahre 1578 von dem Flacius-drucker Nikolaus Henricus in Oberursel herausgebrachte, mehrere hundert Texte des Reformators umfassende Sammlung thematisch geordneter (und zum Teil in deutscher Übersetzung wiedergegebener) „Warhafftiger Prophezeiungen des thewren Propheten, vnd heiligen Manns Gottes, D. Martini Lutheri seliger Gedechtnis. Darinnen er den jetzigen kleglichen Zustandt Deutscher Nation, die Zerstörunge der Kirchen, Verfelschunge der Lere, vielerley grewliche Straffen Gottes, den Jüngsten tag, vnd anders dergleichen mehr gar eygentlich zuuor verkündiget hat" (vorh. Göttingen SUB). Der Herausgeber, der sich auf dieselbe Quellengrundlage wie Treuer stützte, war dessen Gesinnungsgenosse, der aus Einbeck gebürtige Geistliche (seit 1566) *Johannes Lap(p)aeus* († 1606), der — am 13. April 1570 als Flacianer seines Nordhäuser Predigtamtes entsetzt — vom Sommer 1571 bis Sommer 1573 in Saalfeld als Diakonus bzw. Archidiakonus unter dem damaligen Flaciusanhänger, dem Pfarrer und Superintendenten *Georg Autumnus* (Herbst) († 1598), gewirkt hatte und dann (zusammen mit diesem) von der kursächsischen Vormundschaftsregierung wiederum vertrieben worden war. Nachdem er „vmb der Warheit willen viel gelidten, verfolget vnd verjagt worden ist" (Michael Neander), fand er noch im gleichen Jahr (wie schon vor ihm 1566/71 Autumnus) in den Reußischen Landen ein Unterkommen und eine Anstellung als Pfarrer, und zwar zunächst in Langenberg (bei Gera) und seit 1581 in Schönbach (bei Greiz). Während seiner Langenberger Amtszeit gab er dann die „Warhafftigen Prophezeiungen" heraus, ein alle früheren derartigen Sammlungen (u. a. auch die von Anton Otto [1552]) an Umfang weit übertreffendes Florilegium; bei dessen Drucklegung unterstützten ihn sein „affinis", der Rektor der berühmten Ilfelder Klosterschule *Michael Neander*, sowie Autumnus, damals Pfarrer in dem in Schaumbergischem Besitz befindlichen Dorf Thundorf (Ufr.), der zu dem Buche seines einstigen „lieben vnd getreuwen Mitgehülffen" auch eine empfehlende Vorrede beisteuerte. Vierzehn Jahre später (1592) veröffentlichte Lapaeus — wiederum unter Neanders tätiger Mithilfe und nunmehr mit dessen Vorrede — eine umgearbeitete und verkürzte Neuauflage: „Prophezeiung Des Thewren vnd seligen Mannes Gottes D. Martini Lutheri[24]". Eine weitere Auflage

---

24. Eisleben, bei Urban Gaubisch (vorh. Braunschweig StB).

kam noch (nach Lapaeus' Tod) 1608 in Erfurt auf den Buchmarkt. Schließlich wurde unter dem Titel: „Sylva vaticiniorum Lutheri" auch eine lateinische Übersetzung dieser Sammlung veranstaltet[25]. (Mitgeteilt von D. Dr. Hans Volz — Göttingen.)

Charakteristisch für Treuers Sammlung ist die Aufnahme auch ganz kurzer „Gebets-Seufzer". Gerade von ihnen gilt, was er in seiner Vorrede schrieb: „Ob nun wol sonsten vil nutzlicher Bettbüchlin vorhanden, die ich in jhrem werth gern lassen will, so müssen doch geübte und bewährte Christen bekennen, das die Lutherischen gebettlein baß hertzen und wärmen und gleich als feurige flammen von sich geben, das eynem das hertz im leibe für grosen freuden brennen möchte." Im Nachwort äußerte sich Treuer nochmals über die Kürze der Gebete, offenbar weil diese dem üblichen Stil der damaligen Gebetbücher nicht entsprachen: „Ob auch wol etlich Gebet kurtz abgesprochen und gering scheinen, so wölle doch eyn frommer Christ zu rucke dencken und zu gemüt füren, was für eyn Geistreicher Gottesman der liebe Luther gewesen ... und steckt offt unter eynem geringen wort, wie es scheinet, grosse Krafft." Über seine Arbeit berichtete Treuer, daß er „zu trost allen angefochtenen, welchen preces und suspiria die beste arbeyt ist, auß allen Büchern Doctoris Martini Lutheri, soviel derselben in öffentlichem truck vorhanden, Teutsch und Lateinisch, allerlei Geystreiche gebettlin auß seinen deß Doctors lebendigen worten herauß geklaubet." Bei Gebeten aus lateinischen Schriften Luthers druckte Treuer den (gegebenenfalls von ihm bereits zum Gebet umgeformten) lateinischen Text ab und fügte eine (wohl meist eigene) deutsche Übersetzung bei. Im Nachwort wies er darauf hin, daß er wegen der unterschiedlichen Paginierung in den verschiedenen Auflagen der Wittenberger oder Jenaer Bände jeweils nur die Lutherschrift und die Bandnummer an den Rand gesetzt habe. Auch das ist nicht ohne Lücken geschehen. Diese summarische Angabe des Fundortes sollte den Benützer ermuntern, die Gebetstexte im originalen Zusammenhang zu überprüfen.

Nach Treuers Tod veranstaltete Petrus Piscator im Einvernehmen mit Treuers Sohn Christoph eine neue Ausgabe des (nunmehr „Betbüchlein" genannten) Betglöckleins (Jena 1610). In seinem Vorwort begründete Piscator den Druck damit, daß das kostbare Buch in der Zwischenzeit in Vergessenheit geraten sei, und äußerte die Hoffnung, die Gebete Luthers würden auch als Einführung in seine Schriften dienen können. Seit der Ausgabe von 1621 ließ man, den geänderten Bedürfnissen entsprechend, die lateinischen Gebetstexte weg. Ein Nachdruck der von Piscator eingeleiteten Ausgabe erschien mit dem alten Titel „Betglöcklein" (in kleinem Format) 1632 noch einmal in Straßburg. Auf dem Titelblatt der Kie-

25. Vgl. H. Kind, Die Lutherdrucke des 16. Jh. ... der Niedersächsischen Staats- und Universitätsbibliothek Göttingen, Göttingen 1967, S. 35 f. Nr. 26; H. Preuß, Luther. Der Prophet, Gütersloh 1932, S. 162; Fabricius, S. 375. — Zu Lapaeus vgl. R. Jauernigs maschinenschriftliche Thüringische Pfarrerkartei (LKArchiv Eisenach), ferner die Vorreden von Autumnus und Neander sowie Saalfeldische Historien des Kaspar Sagittarius, hsg. von E. Devrient (Saalfeld 1904). — Über Autumnus vgl. R. Grünberg, Sächsisches Pfarrerbuch Bd. 2 (Freiburg 1940), S. 335. — Zu Neander vgl. Anm. 29.

ler Ausgabe von 1696, „Durch eine Hohe Person auffs neue zum Druck befodert", war Treuer nicht genannt, der Inhalt blieb unverändert. Zuletzt gab Georg Friedrich Stieber nochmals 1710 (laut Vorwort) einen um 50 Gebete verminderten Nachdruck des Treuerschen Buches mit einem umfangreichen eigenen Vorwort über das rechte Beten (unter Weglassung der alten Vorreden von Treuer und Piscator) heraus. Im Titel („Betbüchlein" statt „Betglöcklein") erschien wieder Treuers Name; auch wurde auf die Ausgabe von 1696 hingewiesen[26].

4. Luthergebetsammlungen des 16. und 17. Jahrhunderts[27]

Melissander (1582)

Schon in der 1582 erschienenen 1. (großen) Ausgabe des Betbüchleins von dem damaligen Altenburger Superintendenten Caspar Melissander waren „schöne auserlesene Gebete Doctor Luthers" enthalten. Da dieser Druck nicht aufzufinden ist, läßt sich nur indirekt feststellen, um welche Gebete es sich handelte. Die 2. (große) Ausgabe des Betbüchleins von 1586 brachte jedenfalls im 7. Abschnitt „hundert außerlesene, kurtze und Geistreiche Gebetlein, aus des heiligen Mannes Gottes, D. Mart. Luthers Schrifften zusammengetragen". Diese 100 Luthergebete waren dem Betglöcklein von P. Treuer entnommen, wie sich aus der völlig übereinstimmenden Reihenfolge und den Anklängen an das Betglöcklein („geistreichen", „aus ... des Mannes Gottes ... Büchern zusammengestimmet") ergibt.
Melissander war also der erste, der Treuers Sammlung verwertete, freilich ohne Treuer zu nennen. Wahrscheinlich war die Erwähnung des Flacianers Treuer für Melissander, den Altenburger Superintendenten, angesichts der Konkordienformel von 1577 nicht opportun. In der Vorrede der 2. (großen) Ausgabe von 1586 berichtete Melissander über die Entstehung des als Kommunikantenbüchlein gedachten Beicht- und Betbüchleins, das er „vor 15 Jahren", also 1571, in seiner Eigenschaft als Präzeptor des späteren Herzogs Friedrich Wilhelm in Weimar zusammengetragen und auf Drängen von Kollegen und „hohen Standespersonen" dann 1582 zum Druck gegeben habe. Von der 1. und 2. (großen) Ausgabe stellte er „zu bequemerem Handbrauch" eine gekürzte Ausgabe „gleich einem Extract" her. Im Vorwort der 1. (kleinen) Ausgabe von 1583 wies Melissander darauf hin, daß daneben das „andere größere Büchlein", nämlich die 1. (große) Ausgabe von 1582, seinen Wert behalte, „um des anderen Teils willen, der schönen auserlesenen Gebete Doct. Luthers und anderer gelehrter und gottseliger Leute". Da diese Formulierung wörtliche Anklänge an den Abschnittstitel der 2. (großen) Ausgabe des Betbüchleins enthält („auserlesene ... Gebetlein ... D. Mart. Luthers"), ist mit ziemlicher Sicherheit anzunehmen, daß auch die 1. (große) Ausgabe schon die

---

26. Über den 1704 erschienenen Neudruck der Ausgabe von 1591 vgl. Bibliographie I, 10.

27. Vgl. Bibliographie I, 3 bis 8 und 13.

100 Luthergebete aus Treuers „Betglöcklein" enthalten hatte. Melissander müßte dann bereits die 1. oder 2. Ausgabe des in Straßburg 1579 bzw. 1580 erschienenen Betglöckleins benützt haben. Die bis 1632 erschienenen acht nach Melissanders Tod nicht mehr veränderten Drucke der 2. (großen) Ausgabe seines Betbüchleins haben sicher erheblichen Anteil an der Verbreitung eines größeren Bestandes von Luthergebeten aus Treuers Sammlung. Als Ottos „Neues Betbüchlein" im Jahre 1591 auf Anweisung des Herzogs Bogislaw XIII. von Pommern durch Martin Marstaller erneut zum Druck gegeben wurde, ergaben sich, wie dieser in einem kurzen Nachwort erklärte, Schwierigkeiten in der Raumausnützung: „So hatt ... dieses Format (6 x 9,5 cm) und kleine schrifften, so wegen des Formats hat müssen gebraucht werden, verursachet, das ich unnötige spildung (= Spaltung, Aufteilung) des Papirs zuvormeiden, nachfolgende gebettlein, so gleichwol eben des auctoris und nicht minder geist- und Trostreich als die vorgehenden, habe hier anhengen lassen müssen, und zwar nicht an seinem ortt, dieweil ichs all zu spät erfaren, das der letzte bogen uber die helfte vacieren werde". Es folgte dann noch eine höfliche Entschuldigung bei dem geneigten Leser. Die zur Ausnützung der leeren Seiten danach als Anhang abgedruckten 37 Luthergebete waren sämtlich aus den in Melissanders Betbüchlein abgedruckten Luthergebeten ausgewählt, was aus der gleichen Reihenfolge und den gleichen Überschriften hervorgeht. Auch Marstallers Anhang ging also über Melissander auf Treuers Betglöcklein zurück. Aus dem Erscheinungsjahr 1591 ist zu schließen, daß Marstaller Melissanders Betbüchlein in der Fassung der 2. (großen) Ausgabe von 1586 benützt hat.

Porta (1582)

Im gleichen Jahr wie Melissanders Betbüchlein erschien das Pastorale Lutheri, ein von dem Eislebener Pfarrer Conrad Porta aus den Schriften Luthers zusammengestelltes Handbuch für den Dienst des Pfarrers. An zwei Stellen, im Kapitel über das Beten und über den Krankenbesuch, fügte Porta insgesamt 40 Luthergebete ein, die in gleicher Abgrenzung und teilweise gleicher Reihenfolge dem Betglöcklein von Treuer entnommen waren. Der Abdruck der Luthergebete war lediglich als Hinweis und Kostprobe gedacht: „Und ist das Betbuch Lutheri zu dreien Malen unterschiedlich ausgangen, derhalben ichs an diesem Ort desto kürzer gemacht, auf daß fleißige Prediger so viel mehr Ursachen haben, selber nachzusuchen." Da Porta bei den Krankengebeten ausdrücklich auf den 3. Teil des Betglöcklein Lutheri verwies (ohne den Namen des Herausgebers Treuer zu nennen), dachte er bei den anderen „unterschiedlichen" Ausgaben offensichtlich an Luthers Betbüchlein von 1522 und an das Neue Betbüchlein von Otto. Aus der Sicht des Zeitgenossen bestätigt Porta also den oben geschilderten Überlieferungszusammenhang zwischen den frühesten Luthergebetbüchern, unbeschadet der dabei eingetretenen inhaltlichen Veränderungen. Portas Handbuch kam bis 1729 in weiteren 6 Ausgaben heraus und wurde noch im 19. Jahrhundert zweimal nachgedruckt.

Probus (1592)

Auch das von dem Weimarer Superintendenten Anton Probus 1592 herausgegebene Betbüchlein „Gebette, wie sich ein Christ schicken und bereiten soll, zur Beicht, Absolution, Abendmal ..." war wie Melissanders Betbüchlein ein Kommunikantenbüchlein. Schon der Titel „... aus D. Mart. Luth. unnd andern Gebettbüchlein ..." machte auf die darin enthaltenen Luthergebete aufmerksam. Insgesamt 110 Luthergebete um Sündenerkenntnis, Sündenvergebung, Glauben und Trost aus den Sakramenten waren im ersten Teil dieser neuen Sammlung abgedruckt; sie wurden in gleicher systematischer Ordnung lückenlos aus dem „Betglöcklein" von Treuer übernommen, ohne daß die Quelle genannt ist. Probus stellte das Büchlein im Auftrag der seit 1573 verwitweten Herzogin Dorothea Susanne zusammen und brachte es zum Christ- und Neujahrsgeschenk 1591/92 deren drei Kindern dar, zugleich als Ermunterung zur Treue „in der reinen Lutherischen Lehre", was mit der Intention von Treuers „Betglöcklein" ganz übereinstimmte. Johann Christfried Sagittarius, der Herausgeber der 1663 erschienenen zweiten Ausgabe des Betbüchleins von Probus, machte in seiner zusätzlich abgedruckten Vorrede Angaben über die Entstehung des Werkes. Danach hatte die verwitwete Fürstin „in ihrem damals kümmerlichen Wittibenstande aus den Schrifften Lutheri und anderen Gebetbüchern viel Gebete zusammengetragen", worauf auch schon die Bemerkung im Titel der Ausgabe 1591 hinwies: „Durch eine Christliche, Fürstliche Person ... mit Fleiß zusammen gebracht". Es lag nahe, daß Sagittarius, der Herausgeber der Altenburger Lutherausgabe[28], bei den Luthergebeten den Fundort in dieser neuen Lutherausgabe vermerkte, worauf er am Schluß seines Vorwortes ausdrücklich hinwies, „damit Christliche Hertzen ... die aus denen Schrifften Lutheri gezogenen Gebete aufsuchen könnten".

Beck (1648)

In dem 1648 von dem damaligen Stuttgarter Diakonus Johann Jakob Beck herausgegebenen umfangreichen Gebetbuch „Himmelsleiter", das seinen Stoff in 7 Kapitel mit der Bezeichnung „1. bis 7. Sprosse" einteilte, finden sich 133 Luthergebete, jedoch nicht als geschlossener Komplex, sondern „hin und wider in diesem Bettbuch eingemenget", und zwar mit Angabe des Verfassers und des Bandes der Jenaer oder Wittenberger Lutherausgabe, der Postillen und Tischreden sowie der Eislebener Ergänzungsbände. In der Vorrede bezeichnete Beck die Luthergebete als Vorbild zur Erlernung der Betkunst und rühmte Luther als den rechten Meister im Beten. Becks Erbauungsbuch spiegelte die veränderte Situation des 17. Jahrhunderts wieder, insofern es neben den Gebeten Luthers und der reformatorischen Tradition auch solche aus der Tradition der mittelalterlichen Erbauungsliteratur und dazu zahlreiche Beispiele der neuen Gattung der „Reim-

---

28. Vgl. Kurzbiographien Nr. 14; WA Br. Bd. 14, S. 451 f.

gebetlein" aufnahm. Die Nachprüfung der Luthergebete im einzelnen ergibt, daß auch Beck — wie bereits alle seine Vorgänger — Treuers „Betglöcklein" als Vorlage benützt hat, ohne jedoch seine Quelle anzugeben.

Gruber (1665)

Von 1665 an ließ der Regensburger Prediger Erasmus Gruber die umfänglichste aller Auswahlausgaben aus Luthers Werken mit dem Titel „Lutherus Redivivus" erscheinen. Den Anstoß dazu hatte ein Luther-Kompendium gegeben, das von dem Rektor der berühmten Ilfelder Schule, Michael Neander, 1581 erstmals herausgegeben worden war[29]. Die unsystematische Ordnung in Neanders Sammelband bewog später drei Theologen aus der Grafschaft Waldeck, das Werk in der Weise zu bearbeiten, daß die Texte alle verdeutscht und in eine systematische Ordnung gebracht wurden. Man trat nun an Gruber heran und veranlaßte ihn, die neue Bearbeitung als Herausgeber drucken zu lassen. Das Werk erschien dann auch unter Grubers Namen mit dem Titel „Theologia Lutheri" 1657 in Regensburg[30]. Doch war das für Gruber nur eine Zwischenlösung. In seinem Vorwort stellte er

---

29. (1525—1595): Theologia Megalandri Lutheri. Sive Aphorismi breves et sententiosi ... de ipsius monumentis ordine tomorum primae editionis Jenensis descripti ..., Eisleben 1581 (vorh. Wolfenbüttel HAB YG 41. 8° Helmst.*). Weitere Ausgabe: Wittenberg 1584 (vorh. Braunschweig Bibl. Pred. Sem. A 30*; Emden Bibl. Gr. Kirche Theol. 8° 342*; Stuttgart LB Theol. 8° 12775*; Wolfenbüttel HAB YF 25. 8° Helmst.*). Lutherzitate finden sich auch in Neanders Werk: Theologia Christiana, S. Scripturae Patrum Graecorum Graecis et Latinorum Latinis e fontibus ipsorum, et tandem Theandri Lutheri dictis et testimoniis illustrata et exposita ..., Leipzig 1595. Zitiert: Fabricius, S. 310; Lindner, Vorrede § 7; Georgi Bd. 3, S. 119; Jöcher Bd. 3, Sp. 840 f.; Beck, S. 57; BM Bd. 146, Sp. 776 und 169, Sp. 331. Zum Hsg. vgl. ADB Bd. 23, S. 344; RGG³ Bd. 4, Sp. 1389.

30. Theologia Lutheri, | Das ist: | Kurtze, Geist-, Lehr- und trostreiche Sprüche, | genommen auß den Lateinischen und Teutschen | Schrifften des seeligen Mannes | D. Martini Lutheri, | von den Articuln Christ- | licher Lehr, | Erstesmahls in den Druck außgelassen von Michaele | Neandro, weiland Rectore der Schulen zu Ilfelden. | Nachgehends in die Teutsche Sprach alle übersetzt, | und unter gewisse Articul Christlicher Lehr, einge- | teilt, durch drey Evangelische Prediger in der Hochlöblichen Grafschafft Waldeck. | Nunmehr aber | Auff begehren von newem übersehen, gebessert, | und zu dem Druck zubereitet. | Durch | ERASMUM GRUBERUM, Evangelischen | Prediger zu Regenspurg. | ... Regenspurg, | Gedruckt bey Christoff Fischer, 1657. |.

Vorhanden: Braunschweig Bibl.Pred.Sem. (O 89)*; Leipzig ULB (Ges. th. W. 178)*; Regensburg SN (Theol. syst. 680)*.

Bei Walch¹ Bd. 24, Sp. 688 wird noch eine Neuauflage des Lutherus Redivivus (Frankfurt 1685) erwähnt, die aber nicht auffindbar ist. Zur Würdigung der Arbeit Grubers, der einen Ersatz für die nach dem Dreißigjährigen Krieg nicht verfügbaren oder zu teuren Bände der Gesamtausgaben liefern wollte, vgl. G. H. Goetze, De Memoria Erasmi Gruberi de scriptis Lutheri praeclare meriti (Lübeck 1721); Blätter für Württembergische Kirchengeschichte, Neue Folge Bd. 33 (1929), S. 235 Anm. 156.

fest, daß das Dargebotene nur „ein Hand- oder Löffel voll Wassers aus einem großen Meer" sei, und erklärte sich bereit, falls die Leser auf den Geschmack kämen, „was man jetzt nur gleich als in einem Kostgläslein zum Kosten und Versuchen darbiete, alsdann mit größerer Maß auszugeben". Acht Jahre später begann dann wirklich die große Auswahl-Ausgabe zu erscheinen. In der Wahl des neuen Titels „Lutherus Redivivus" hatte Gruber freilich Vorgänger und Nachfolger.

Exkurs: Bibliographie der Ausgaben mit dem Titel: Lutherus Redivivus

Grubers Werk darf mit folgenden unter dem gleichen Titel erschienenen Luther-Auswahlausgaben und -Kompendien nicht verwechselt werden:

Andreas Praetorius (1578–1616): Lutherus Redivivus. Das ist: Herzenssaft Lutheri und nützlicher Auszug aus den deutschen Wittebergischen Tomis ... des Mannes Gottes D. Martini Lutheri ..., Leipzig 1611 (vorh. Leipzig UB Ges. theol. Wke 332ᵐ*; Wolfenbüttel HAB Li 5279*); Lutherus Posthumus sive Cor Lutheri. Das ist: Das Lutherische Herz, oder nützlicher Auszug aus den deutschen Eislebischen Tomis und Büchern D. Martini Lutheri ..., Leipzig 1613 (vorh. Braunschweig Bibl. Pred. Sem. S. 221, 1*; Wolfenbüttel HAB Li 5279*); Prodromus Lutheri oder nützlicher Auszug des Kerns und Safts aus den deutschen Jenischen Tomis D. Martini Lutheri ..., Leipzig 1611 (nicht auffindbar)[31].

Caspar Finck (1578–1631): Lutherus Redivivus, d. i. Widerlegung aller Argumente, so die Calvinisten zur Bemäntelung ihres Irrtums aus Herrn Luthero vom heiligen Abendmahl anführen, Frankfurt 1614 (vorh. Wolfenbüttel HAB Yf 1 Helmst 12°*)[32].

Martin Statius (1589–1655): Lutherus Redivius. Das ist Lutheri Christentum ... aus allen deutschen Tom. Jenens., Tom. I Witteb., Kirchen-, Fest- und Hauspostille ..., Thorn 1626 (vorh. Tübingen Bibl. Ev. Stift q 995*). Weitere Ausgaben: Stettin 1654 (vorh. Hamburg LKB Mi 756*; Halle Bibl. Waisenh. 5 E 16*; Michelstadt KBibl. H 1768 IX, 5*; Wolfenbüttel HAB Li 5282*); Frankfurt 1721 (vorh. Halle Marien-Bibl. Hof 76 Okt.*). Frankfurt und Leipzig 1724 (vorh. Halle Bibl. Waisenh. 52 M 12*) und 1732 (vgl. NUC Bd. 346, S. 401). Neue Ausgabe: Reutlingen 1837 (vgl. NUC Bd. 346, 495)

31. Zitiert: Lipenius Bd. 2, S. 205; Schwedler, S. 154; Fabricius, S. 311; Jöcher Bd. 3, Sp. 1744; Jöcher-Adelung Bd. 6, Sp. 785; Beck, S. 58. Der Hsg. besuchte das Gymnasium in Görlitz und die Universität Frankfurt/Oder, wurde 1602 Hofdiakonus in Sorau und 1604 Schloßpfarrer in Dobrilugk. Vgl. ADB Bd. 26, S. 514; O. Fischer, Evang. Pfarrerbuch für die Mark Brandenburg Bd. II, 2 (Berlin 1941), S. 651.

32. Zitiert: Lipenius Bd. I, Sp. 312; Fabricius, S. 451; Jöcher Bd. 2, Sp. 613. Zum Hsg. vgl. ADB Bd. 7, S. 11. Es handelt sich um eine Neuausgabe von: Petrus Glaser, Lehre Lutheri wider die Sacramentierer, Dresden 1582. 1598. Neue Ausgabe durch seinen Sohn Theophilus Glaser (1553–1603): Dresden 1603 (zitiert: Fabricius, S. 451). Zu P. Glaser vgl. Kurzbiographien Nr. 4.

und 1850 (vorh. Herborn Bibl. Theol. Sem. HXI 1131*; Tübingen UB Gf 2562*). Norwegische Ausgabe: Stavanger 1861[33].

John Troughton (1637—1681): Lutherus Redivivus or the Protestant doctrine of Justification of faith only ... 2 Teile, London 1677/78 (nicht auffindbar)[34].

Anonymus [= *Christoph Matthias Seidel* (1668—1723)]: Lutherus Redivivus, oder des fürnehmsten Lehrers der Augsburgischen Confession Herrn D. Martin Luthers, Theologi zu Wittenberg, hinterlassene schriftliche Erklärungen ... durch einen Liebhaber des noch in seinen Schriften lebenden Lutheri. Mit einer Vorrede D. Philipp Jacob Speners, Halle 1697 (vorh. Clausthal-Zellerfeld UB Calvör D 257*; Halle ULB Jb 3430*; Wolfenbüttel HAB Li 5285*). Weitere Ausgabe: Halle 1702 (vgl. NUC Bd. 346, S. 402; vorh. Erlangen UB 4° Thl. XV, 211*)[35].

Johannes Michaelis (1638 — nach 1704): Lutherus Redivivus, 4 Teile 1710 (vorh. Minnesota/USA UB; vgl. NUC Bd. 346, S. 565, wo die Titel der 4 Bände verzeichnet sind)[36].

Gruber brachte zunächst 8 Bände und einen Registerband dazu heraus, worin er Auszüge aus den 8 Bänden der Jenaer Ausgabe der deutschen Schriften Luthers in einem „Schatzkästlein" mit jeweils „zwölf Fächlein" sammelte. Die Arbeit fand offenbar solchen Zuspruch, daß weitere 6 Ergänzungsbände erscheinen konnten, in denen die 12 Bände der Wittenberger Lutherausgabe, ferner die Genesis-Vorlesung, die Haus-Postille, die 2 Eislebischen Ergänzungsbände, die Kirchenpostille und schließlich die noch nicht erfaßten lateinischen Schriften ausgewertet wurden. Drei dieser zusätzlichen Bände wurden von anderen Herausgebern bearbeitet. Auch zu den 6 zusätzlichen Bänden erschien ein Registerband. Grubers Werk, das umfänglichste dieser Art, bot zunächst einmal Ersatz für die nicht mehr ausreichend vorhandenen alten Lutherausgaben; dieser Mangel wurde allerdings auch durch die seit 1661 erscheinende Altenburger Ausgabe behoben. Vor allem aber dienten die handlich perikopierten und systematisch geordneten Kernstellen aus Luthers unübersehbarem Schrifttum der praktischen Lehre und Erbauung.

---

33. Zitiert: Lipenius Bd. 2, S. 206; Schwedler, S. 155; Fabricius, S. 313 und 402; Lindner, Vorrede § 8; Georgi Bd. 4, S. 136; Jöcher Bd. 4, Sp. 786; Beck, S. 58. Der Hsg. wurde in Naugard/Pommern geboren, war seit 1617 Diakonus in Danzig und wurde 1653 emeritiert. Vgl. Cosack Seite 72 ff.
34. Zitiert: Lindner, Vorrede § 9; Statius, Vorrede; Maius, Vorrede; BM Bd. 241, Sp. 750; Der Hsg. wurde in Coventry geboren und war seit dem 4. Lebensjahr blind; nach theologischen Studien war er Lehrer in Bicester, predigte in Konventikeln und wurde schließlich presbyterianischer Prediger in Oxford. Bei seinem Begräbnis hielt ein blinder Schul-Rektor die Leichenrede. Vgl. Dict. Nat. Biogr. Bd. 57, S. 260.
35. Zitiert: Schwedler, S. 154; Fabricius, S. 403 und 806; Lindner, Vorrede § 9; Jöcher Bd. 4, Sp. 483. Zum Hsg. vgl. ADB Bd. 23, S. 616.
Zu Spener vgl. RGG³ Bd. 6, Sp. 238 f.; vgl. auch Anm. 47.
36. Zitiert: Fabricius, S. 859 und 916; Lindner, Vorrede § 9; Jöcher Bd. 3, Sp. 513; Statius, Vorrede. Vgl. Unschuldige Nachrichten 1710, S. 527 ff. Zum Hsg. vgl. ADB Bd. 21, S. 673.

Als 8. Fächlein bot Gruber in allen Bänden (außer dem Bd. 14) die Gebetstexte, die er jeweils gefunden hatte. Das ergab schließlich eine Sammlung von 123 Luthergebeten, von denen 38 erstmals als selbständige Texte veröffentlicht waren. Gruber war als erster von Treuer unabhängig geblieben; seine Gebetssammlung aus Luthers Schriften entstand ja als Nebenprodukt bei der Herstellung der Auszüge für die Bände des Lutherus Redivivus. Insofern dürften die bei Gruber aufgeführten Luthergebete nur in dem Maße wie die anderen Luthertexte seines Werkes Beachtung und Verwendung gefunden haben. Für die praktische Gebetsübung waren die Bände zu unhandlich.

Veiel (1669)

Eine ähnliche Absicht wie Gruber leitete auch den Ulmer Münsterprediger, Professor und Superintendenten Elias Veiel bei der Herausgabe seiner Luther-Anthologie: „Ein güldenes Kleinod" (1669). In seiner Vorrede kam er darauf zu sprechen, daß er „selber gesinnet gewesen, etliche Gebetlein Lutheri zu sammeln", aber dann Treuers „Betglöcklein" in der zweiten Ausgabe 1580 in die Hände bekommen habe. Veiel wählte aus Treuer 117 Luthergebete aus und stellte sie in gleicher Textgestalt und Anordnung ohne weitere eigene Zutaten zu einem besonderen Teil seines Werkes zusammen. Bemerkenswerterweise war Veiel der einzige, der vor der Walch'schen Lutherausgabe Bd. 10 (1744) überhaupt Peter Treuer, den eigentlichen Sammler der Luthergebete, ausdrücklich erwähnte.

Thering (1683)

Das von dem Berlin-Cöllner Diakonus Lukas Heinrich Thering 1683 herausgegebene Erbauungsbuch: „Der verborgene und wiedergefundene Schatz zur wahrhaftigen Glaubens und Communions-Übung" wollte dem Vielerlei „der Communion-Bücher und die sonst zur Erbauung (wie mans nennet) dienen sollen", eine Sammlung aus „des theuren Gottes Mannes D. Martini Lutheri Schrifften" entgegenstellen. Er meinte, daß „durchs bösen Geistes Getrieb die Leuthe, auch Prediger selbst von Lesung und Betrachtung der heiligen Schrift und alter nützlicher Schrifften abgehalten werden durch so viel in die Welt fliegende Scharteken". Auch Thering hatte für sein Kommunikantenbüchlein die 33 Luthergebete aus Treuers umfangreicher Sammlung entnommen, was unter anderem daraus hervorgeht, daß die zum Thema Beichte, Abendmahl usw. gehörenden Gebete genau in der von Treuer gegebenen Reihenfolge abgedruckt sind. Im fünften Abschnitt, der die Beicht- und Kommuniongebete enthält, ist denn auch zwar in der Überschrift vermerkt, daß die Gebete „aus dem Bet-Glöcklein D. Lutheri" stammen, aber Treuers Name wird nicht genannt.

5. Die Luthergebetbücher des 18. und 19. Jahrhunderts[37]

Reuchel (1704)

Im Leipziger Bücherkatalog für die Ostermesse 1703 wurde erstmals auf ein neues Luthergebetbuch mit dem Titel: „Doctor Martin Luthers geistreiches Gebeth-Buch, aus dessen Schrifften zusammengetragen, etc. nebst dessen Gesangbuch, Chemnitz bey Conrad Stößeln" hingewiesen. Das Buch mit dem endgültigen Titel: „Der andächtig betende Lutherus" kam dann 1704 heraus, bearbeitet von dem Zschopauer Pfarrer Johann Christian Reuchel. Seit Treuer erschien damit erstmals wieder ein reines Luthergebetbuch, „in welchem Alle und jede Gebete und Seuffzer, die in des seel. D. Martin Luthers Geistreichen Schrifften zu finden, enthalten" waren. Der Herausgeber sah sich vor die Aufgabe gestellt, die 388 Einzelgebete systematisch zu ordnen, und bildete nun drei Abschnitte: Gebete 1) Zu allen Zeiten (Vorbereitung — Tägliche Gebete — Katechismusgebete — Kirchengebete — Festgebete) 2) In allen Nöten (Beichte — Kommunion — Notgebete) 3) Für alle Menschen (alle = geistl./weltl./häusl. Stand). In seiner Vorrede berichtete er, daß er beim Durchlesen der Schriften Luthers (Haus- und Kirchenpostille, Tischreden und der Bände der Altenburger Ausgabe) sich die Seufzer und Stoßgebete angemerkt und daraus „Collectaneen" für die private Andacht hergestellt habe. Von Freunden sei er gebeten worden, die Sammlung zu vervollständigen und zum Druck zu geben, und er habe diesem Wunsche Folge geleistet, „sowohl zur Beförderung der Ehre Gottes, als auch zur Andacht frommer Christen und nicht minder zur Erhaltung des andächtigen Lutheri schuldigen Gedächtniß". Diesem Gedächtnis diente auch der beigefügte Lebenslauf Luthers. Reuchel stellte also seine Arbeit als originale Leistung hin, ohne auf etwaige Vorgänger Bezug zu nehmen. Die Nachprüfung im Einzelnen zeigt aber, daß ihm Treuers „Betglöcklein" vorgelegen haben muß, da Reuchel in zwei Fällen die gleichen Dubletten wie Treuer bringt und die oft ganz kurzen Gebete bei Treuer in der gleichen Abgrenzung und Reihenfolge zu einem längeren Gebet zusammenfügt[38].

Obwohl Reuchel in seiner Vorrede auf den Wert der kurzen Gebete nach Luthers Vorbild Wert legte, blieb er dem Sprachstil seiner Zeit verhaftet und gestaltete 45 Luthergebete mosaikartig aus kürzeren, im Urtext nicht unmittelbar zusammenhängenden Gebeten — ein Verfahren, das man auch bei der Zusammenstellung von Bibelstellen in alter und neuer Zeit findet. Stammt also der Großteil der Gebete (286 Luthergebete) eben doch wieder aus dem unentbehrlichen „Betglöcklein" von Treuer, so hat doch Reuchel 50 neue Luthergebete, vorwiegend aus den Postillen oder aus ursprünglich lateinischen Schriftauslegungen Luthers in der von der Altenburger Ausgabe gebotenen paraphrasierenden (und daher nicht authentischen) deutschen Übersetzung in sein Gebetbuch aufgenommen.

---

37. Vgl. Bibliographie I, 9—12.

38. Gleiche Dubletten bei Reuchel und Treuer: Gebet Nr. 212 = 219 und Gebet Nr. 334 = 610. Kompilation verschiedener Gebete in der von Treuer gebotenen Reihenfolge, z. B. Gebete Nr. 257. 258. 259 zu einem Gebetstext zusammengefügt = Reuchel 279.

Schwedler (1704)

Im Jahre 1704, kurz nachdem Reuchels Luthergebetbuch erschienen war, veröffentlichte ein anonymer Herausgeber eine Auswahl von Luthers „Bet- und Lehrschriften" in drei Bänden. Während der 2. Band Lieder und Psalmen, der 3. Band die beiden Katechismen sowie die Augsburger Confession und Schmalkaldischen Artikel enthält, besteht der 1. Band aus einem Nachdruck von Treuers „Betglöcklein" in der Ausgabe von 1591. Darüber hinaus bot der Herausgeber in einem Anhang eine Sammlung von 73 weiteren Luthergebeten, von denen zwei Drittel dem soeben erschienenen Luthergebetbuch von Reuchel entnommen waren, während der Rest meist dem Gebetsschluß der Predigten aus der Hauspostille entstammte und hier erstmals in einem Gebetbuch Aufnahme gefunden hat. Dem 1. Anhang folgt dann noch der Nachdruck von Luthers „Betbüchlein" in der Ausgabe von 1542, eine Auswahl aus Ottos „Neuem Betbüchlein" und eine Nachrede über das Beten allgemein sowie eine ausführliche An- und Vorrede des Herausgebers vom 14. August 1704. In dieser Vorrede verbreitete er sich in weit ausholenden Darlegungen über Luthers exemplarische Glaubensleben und seine fortdauernde Bedeutung als Vorbild und Lehrer im Beten. Durch eine große Anzahl gelehrter Zitate bewies der Autor seine Belesenheit. Er bot ferner eine Übersicht über die Gebetsschriften Luthers, vor allem über das Betbüchlein sowie über die nach Luthers Tod erschienenen Sammlungen von Luthergebeten von Otto, Treuer, Probus, Thering und Reuchel mit ausführlichen Inhaltsangaben und Auszügen aus den Vorreden. Sein historisches Interesse brachte der anonyme Herausgeber nicht nur in der Ausführlichkeit der bibliographischen Angaben zum Ausdruck, sondern auch in den Erwägungen etwa über Reuchels mögliche Abhängigkeit von Treuer. In der Vorrede gab der Verfasser einen anschaulichen Einblick in seine Arbeitsplanung. Durch die gleichzeitig erschienenen Luthergebetbücher von Reuchel und Thering (2. Auflage 1702) sah er sich vor die Frage gestellt, ob er sein Vorhaben nicht aufgeben solle. Weil aber der Druck schon begonnen war und Luthers Bet- und Lehrschriften es verdienten, weite Verbreitung zu finden, blieb er bei seinem Vorhaben, das er in die ausführlich zitierte Reihe der Lutherausgaben, vor allem der für praktische Zwecke hergestellten Auswahl-Ausgaben und „Thesauri" stellte.

Exkurs: Bibliographie der Luther-Auswahlausgaben des 16.—18. Jahrhunderts

Im einzelnen sind von dem anonymen Herausgeber der Luthergebete (1704) folgende Ausgaben erwähnt:

(S. 153) *Andreas Musculus* (1514—1581): Thesaurus: Hochnützlicher teurer Schatz und gülden Kleinod aller frommen Gotteskinder ... aus D. Lutheri Schriften ..., 4 Teile, Frankfurt/Oder 1561—1568. Weitere Ausgaben: Frankfurt/Oder 1573 (nicht auffindbar); Frankfurt/Oder 1577 (vorh. Braunschweig Bibl. Pred. Sem. A 86 Fol*; Wolfenbüttel HAB Li 4° 277*); Frankfurt 1595 (nicht auffindbar)[39].

---

39. Zitiert: Fabricius, S. 313; Lindner, Vorrede § 6; Georgi Bd. 3, S. 108 und Bd. 2, S. 260; Jöcher Bd. 2, Sp. 1612 und Bd. 3, Sp. 774; Beck, S. 57 und 239; BM Bd. 167, Sp. 536. Zum Hsg. vgl. RGG³ Bd. 4, Sp. 1194.

Teilausgabe mit Vorrede von *Abraham Hinckelmann* (1652—1695) Hamburg 1691 (nicht auffindbar)[40].

Neue Ausgabe mit Vorrede von *Joachim Morgenweg*[ck] (1666—1730): Hamburg 1701 (vorh. Wolfenbüttel HAB Li 5287*)[41].

(S. 153) *Timotheus Kirchner* (1533—1587): Thesaurus explicationum omnium articulorum ac capitum ... doctrinae Christianae ... ex ... D. Martini Lutheri ... operibus ..., Frankfurt/Main 1566 (vorh. Zweibrücken B Bipont T 25 B*). Deutsche Ausgabe: Deutsche(r) Thesaurus des hochgelehrten, weitberühmten und teuren Manns D. Mart. Luthers ..., Frankfurt/Main 1568 (vorh. Braunschweig Bibl. Pred. Sem. D II 107 Fol.*). Weitere Ausgaben: Frankfurt/Main 1570 (vorh. Herborn Bibl. Theol. Sem. AB 866*; Wolfenbüttel HAB 182. 7 Theol. 2°*); Frankfurt/Main 1578 (vorh. Heidelberg UB Q 1699*; Wolfenbüttel HAB Li 4° 278*)[42].

(S. 153) *Conrad Porta* (1541—1585): Pastorale Lutheri, Eisleben 1582 (vgl. Bibliographie I, 13)[43].

(S. 154) *Victorinus Roth*(e) (1564—1623): Trost-Büchlein in mancherlei Kreuz und Anfechtungen ... aus D. Mart. Lutheri Schriften colligiert ... mit Vorrede von Heinrich Höpner (1582—1645), Leipzig 1619 (nicht auffindbar)[44].

(S. 154) *Philipp Saltzmann* (1614—1667): Singularia Lutheri. Das ist: Alle geistreiche, heroische und nachdenkliche Reden und Worte, welche in allen deutschen Schriften ... Martini Lutheri zu finden ... in gewisse Locos Communes, sowohl theoreticos als Practicos ... ordentlich gefasset ..., Jena 1664 (vorh. Stuttgart LB Theol. fol. 1468*; Wolfenbüttel HAB Li 4° 279*)[45].

---

40. Zitiert: Fabricius, S. 314; Lindner, Vorrede § 6; Beck, S. 239. Zum Hsg. vgl. ADB Bd. 12, S. 460.

41. Zitiert: Fabricius, S. 314; Jöcher-Adelung Bd. 4, Sp. 2118; Lindner, Vorrede, S. 6; Beck, S. 239. Im Vorwort erscheint erstmals eine Übersicht über die „Luther-Compendia", wobei er die Angaben bei Lipenius Bd. 2, S. 200 ff. ausgeschrieben hat. Zum Hsg. vgl. ADB Bd. 22, S. 234.

42. Zitiert: Lipenius Bd. 2, S. 204; Fabricius, S. 310; Lindner, Vorrede § 6; Georgi Bd. 2, S. 347 und 453; Jöcher Bd. 2, Sp. 2103 und Bd. 3, Sp. 774; Beck, S. 57; BM Bd. 146, Sp. 781 und Bd. 167, Sp. 536. Zum Hsg. vgl. RGG³ Bd. 3, Sp. 1623.

43. Zum Hsg. vgl. Kurzbiographien Nr. 11a.

44. Der Hsg. besuchte 1571 das Gymnasium Schulpforta, 1581 die Universität Wittenberg, wurde 1587 Schulcollega in Marienberg, 1590 Rektor in Wilsdruff, 1592 Mittagsprediger am Dom in Freiberg, 1601 Pfarrer in Sayda bei Freiberg. Vgl. R. Grünberg, Sächsisches Pfarrerbuch Bd. II, 2 (Freiberg 1940), S. 763. Zu Höpner vgl. Georgi Bd. 2, 283 und Jöcher Bd. 2, Sp. 1643: Geboren in Leipzig, studierte in Leipzig, Jena und Wittenberg, wurde 1612 Professor der Logik, 1617 Doktor und Professor der Theologie in Leipzig, Senior des Fürstenkollegiums, 1627 Kanonikus von Zeitz und Meißen.

45. Zitiert: Fabricius, S. 307 und 636; Georgi Bd. 4, S. 13; Jöcher Bd. 4, Sp. 81; Beck, S. 57. Der Hsg. wurde geboren in Ölsnitz/Vogtland, war 1628—1634 Schüler in Schulpforta, studierte in Leipzig, wurde 1637 Magister, 1646 Schulrektor, 1648 Diakonus in Naumburg, 1662 Superintendent und Hofprediger in Zeitz. Vgl. J. M. Schamelius, Numburgum literatum (Leipzig 1727), S. 87. Vgl. G. H. Goetze, De Ph. Saltzmanni vita ac meritis in scripta Lutheri (Lübeck 1721).

(S. 154) *Elias Veiel:* Ein gülden Kleinod Ulm 1669 (vgl. Bibliographie I, 7). Als systematisch geordnete Neuausgabe gedachte, völlig umgearbeitete Ausgabe: Gründlicher (oder schriftmäßiger) Unterricht ... aus des sel. Herrn D. Martin Luthers Schriften zusammengetragen ... Gotha 1675 (vorh. Wolfenbüttel HAB Li 5283*)[46].

(S. 154) *Philipp Jacob Spener:* Vorrede zu Lutherus Redivivus, Halle 1697[47].

(S. 155) *Martin Statius:* Lutherus Redivivus, Thorn 1626[48].

(S. 155) *Erasmus Gruber:* Lutherus Redivivus, Frankfurt 1665 (vgl. Bibliographie I, 6)[49].

(S. 155) *Jacob Wächtler* (1638—1702): Harmonia Sacra Paracletica. Das ist: Allerseligster Kreuz-, Glaubens- und Sterbenstrost aus Herrn Lutheri sel. geistreichsten Kirchen-Postille ... Leipzig o. J. [um 1692] (vorh. Wolfenbüttel HAB Th 2731*)[50].

(S. 156) *Caspar Cruciger* (1504—1548): Etliche Trostschriften und Predigten ... Wittenberg 1545. 1546 und 1548. Durch Georg Rörer stark erweiterte Ausgabe: Jena 1554 (vorh. Göttingen SUB Th. thet. I 308/49*). Weitere Ausgabe: Leipzig 1559[51].

(S. 156) *Thomas Hartmann* (1548—1609): Trost- und Rats-Engel, Eisleben 1608 (nicht auffindbar)[52].

Eine ähnliche Übersicht über Auswahlausgaben aus Luthers Werken findet sich in der Vorrede der von *Benjamin Lindner* (1694—1754) herausgegebenen Lutherauswahl in 9 Teilen: Das Nutzbarste aus denen gesamten erbaulichen Schriften des seligen Herrn D. Martini Lutheri in umständlichen Auszügen ..., Salfeld 1738—1742 (vorh. Göttingen SUB Theol. thet. I 322/138*; Michelstadt KB G 1501*; Wolfenbüttel HAB Li 5291*). Weitere Ausgabe in 9 Teilen: Salfeld und Leipzig 1752—1754 (vorh. Wernigerode KB St. Silvestri und Georgii Nr. 14*).
Lindner gab ferner heraus: Kraft- und saftvoller Kern derer evangelischen Wahrheiten aus der Kirchen- und denen beiden Haus-Postillen des seligen Herrn D. Martini Luther ... 2 Bände, Salfeld 1741/1742 (vorh. Wolfenbüttel HAB Li 5292*)[53].

---

46. Zitiert: Fabricius, S. 313. Zum Hsg. vgl. Kurzbiographien Nr. 20.
47. Vgl. Anm. 35.
48. Vgl. Anm. 33.
49. Zum Hsg. vgl. Kurzbiographien Nr. 5.
50. Zitiert: Georgi Bd. 4, S. 281; Jöcher Bd. 4, Sp. 1765 f. Der Hsg. wurde geboren in Oschatz, besuchte 1651—1657 die Schule in Schulpforta, 1660 in Leipzig zum Magister promoviert, 1665 Adjunkt der philos. Fakultät Leipzig, 1666 Archidiakonus in Oschatz, 1679 Superintendent in Gommern, 1687 in Belzig. Vgl. R. Grünberg, Sächsisches Pfarrerbuch Bd. II, 2 (Freiberg 1940), S. 978.
51. Zitiert: Fabricius, S. 315; Jöcher Bd. 1, Sp. 2225; WA Bd. 7, 780 ff.; Benzing, Lutherbibliographie, S. 7 Nr. 26 f. Zum Hsg. vgl. RGG³ Bd. 1, Sp. 1886 f. Zu Rörer vgl. Anm. 58.
52. Der Hsg. wurde geboren in Lützen und studierte in Königsberg, 1570 wurde er Schul-Collega und Kantor in Lobenich bei Königsberg, 1578 Prediger in Liebe[n]mühl, nördlich Osterode, dann Prediger in Wismar und Wels/Österreich, von dort vertrieben, 1599 Archidiaconus in Eisleben. Vgl. J. A. Biering, Clerus Mansfeldicus (1742), S. 70 f.
53. Zitiert: Jöcher-Adelung Bd. 3, Sp. 1380; Beck, S. 59. Zum Hsg. vgl. ADB Bd. 18, S. 699.

Von den oben genannten Auswahlausgaben fehlen in Lindners Vorrede: Roth(e), Saltz-mann, Wächtler, Cruciger und Hartmann, jedoch sind die folgenden zusätzlich genannt:

(§ 7) *Theodosius Fabricius* (1560—1597): Loci Communes D. Martini Lutheri ... ex scriptis ipsius latinis forma Gnomologica et Aphoristica collecti ..., Magdeburg 1594 (vorh. Braunschweig Bibl. Pred. Sem. F 2*). Weitere Ausgaben: London 1651 (vorh. Em-den Bibl. Gr. Kirche Theol. 4° 147*). Ferner: Loci Communes aus den deutschen geist-reichen Schriften ..., 1. Teil aus dem 1.—5. Jenischen deutschen Tomo, Magdeburg 1597; 2. Teil aus dem 6.—8. Jenischen deutschen und dem 1. und 2. Eislebischen Tomo, Magde-burg 1598 (vorh. Loccum Kloster-Bibl. Syst. 7816*; Wolfenbüttel HAB Li 5278*)[54].

(§ 9) *Johann Heinrich May* [Maius] (1653—1719): D. M. Lutheri Theologia pura et sincera ex viri divini scriptis universis maxime tamen latinis ..., Frankfurt/Main 1709 (vorh. Berlin KB St. Nikolai 4/244*; Stuttgart LB Theol. qt. 4420*)[55].

(§ 12) *Johann Philipp Sesemann* (1696—1753): Theologia Lutheri Evangelica ... aus der Kirchen-Postille ..., Lauban 1722 (nicht auffindbar). Weitere Ausgabe: Bautzen 1726 (nicht auffindbar)[56].

(§ 12) *Johann Jacob Rambach* (1693—1735): Dr. Martini Lutheri auserlesene erbau-liche kleine Schriften aus seinen großen Tomis nach und nach besonders herausgegeben ... (12 Teile) Halle 1727; 2. Ausgabe (15 Teile) Halle 1736 (vorh. StB Ulm 33097*); 3. Aus-gabe (17 Teile) Halle 1743; die Teile sind auch einzeln erschienen[57].

---

54. Zitiert: Lipenius Bd. 2, Sp. 190; Fabricius, S. 311; Lindner, Vorrede § 7; Georgi Bd. 2, S. 48; Jöcher Bd. 2, Sp. 493; BM Bd. 70, Sp. 295 und Bd. 146, Sp. 779. Der Hsg. wurde geboren in Nordhausen, besuchte die Klosterschule Ilfeld, studierte in Wittenberg, wurde 1582 Magister, 1584 Diakonus in Wittenberg, 1586 Superintendent in Herzberg, nach der Vertreibung durch die Kryptocalvinisten 1592 Professor am Gymnasium und Pastor in Göttingen. Vgl. Das gelehrte Hannover, hsg. von H. W. Rotermund (Bremen 1823) Bd. 2, S. 9 f.; F. Chr. Lesser, Das Leben Theodosii Fabricii (Nordhausen 1749); A. Saathoff, Aus Göttingens Kirchengeschichte (Göttingen 1929), S. 168 f. und 264 Anm. 41 und 53.

55. Zitiert: Fabricius, S. 312; Lindner, Vorrede § 9; Georgi Bd. 3, S. 9; Jöcher Bd. 3, Sp. 65 f.; Jöcher-Rotermund Bd. 4, Sp. 455. Zum Hsg. vgl. ADB Bd. 20, S. 123; RE³ Bd. 12, S. 471; RGG³ Bd. 4, Sp. 815.

56. Zitiert: Fabricius, S. 299. 312 und 920; Lindner, Vorrede § 10; Georgi Bd. 2, S. 452 und Bd. 4, S. 97; Beck, S. 58. Vgl. Fortgesetzte Sammlung von Alten und Neuen Theo-logischen Sachen 1722, S. 1010 f. Der Hsg. wurde geboren in Naumburg/Saale, war Mit-tagsprediger und Substitut, schließlich 1733 Pfarrer in Muskau und 1753 in Christianstadt, wo er noch vor dem Amtsantritt starb. Vgl. Heinsius Bd. 3, Sp. 722 und G. F. Otto, Lexi-kon der ... jetztlebenden Oberlausitzischen Schriftsteller und Künstler Bd. 3, 1 (Görlitz 1801—1803), S. 266 f.; J. D. Schulze, Supplementband zu Otto (Görlitz und Leipzig 1821), S. 407.

57. Zitiert: Fabricius, S. 931; Georgi Bd. 2, S. 452 f.; Beck, S. 58; Bibliothek Knaake (Leipzig 1908) V Nr. 401—403. Zum Hsg. vgl. RGG³ Bd. 5, Sp. 775. In der Vorrede § 8 zum 12. Teilband (Anweisung zum Beten) verweist Rambach auf das Pastorale Lutheri von C. Porta (vgl. Bibliographie I, 13 und Kurzbiographien Nr. 12a), das Güldene Kleinod von E. Veiel (vgl. Bibliographie I, 7) und auf das Betglöcklein von P. Treuer in der Ausgabe Güstrow [1710] (vgl. Bibliographie I, 2 H).

Weitere, mehr oder weniger lückenhafte und unzuverlässige Bibliographien finden sich in folgenden Werken:

Joh. Heinrich Maius, Loci Communes (Frankfurt 1709; vgl. Anm. 55), zitiert (Vorrede S. 16): Fabricius, Gruber, Kirchner, Michaelis, Musculus, Neander, Porta, Statius, Troughton.

J. Franc. Buddeus, Isagoge historico-theologia ad theologiam universalem (Leipzig 1727), zitiert (S. 382 f.): Fabricius, Gruber, Kirchner, Michaelis, Musculus, Neander, Statius.

Joh. Jacob Rambach, Dr. M. Lutheri auserlesene erbauliche kleine Schriften 14 Teile (Halle 1727; vgl. Anm. 57), zitiert (Vorrede S. 27 ff.): Fabricius, Gruber, Kirchner, Maius, Musculus (einschl. Ausgabe Hinckelmann), Neander, Porta, Seidel, Sesemann, Statius, Veiel.

Joh. Georg Walch, D. M. Luthers ... sämtliche Schriften, Bd. 24 (Halle 1750; vgl. Bibliographie I, 10), zitiert (Sp. 683 ff.): Corvinus, Fabricius, Gilbert de Spaignart, Gruber, Kirchner, Lindner, Maius, Michaelis, Musculus, Neander, Porta, Praetorius, Saltzmann, Sesemann, Seidel, Statius, Veiel.

Die Übersicht über die älteren Florilegien und Auswahlausgaben ist noch durch folgende Titel zu ergänzen:

Georg Rörer [Rorarius] (1492–1557): Vieler schöner Sprüche aus göttlicher Schrift Auslegung ... welche der ehrwürdige Herr Doctor Martinus Luther seliger vielen in ihre Biblien geschrieben ... Wittenberg 1547. Weitere Ausgaben: Wittenberg 1548. 1549. 1558. 1559. 1573; Nürnberg 1547. 1548 (2 Ausgaben); Leipzig 1552; Heinrichstadt 1595. Ausgabe mit dem Titel: Symbola Lutheri, hsg. von Burckhart Keller, Straßburg 1622. Neudruck dieser Ausgabe, hsg. von Emil Ohly, Frankfurt/Main 1852 (vorh. Frankfurt StUB 44/22 103*)[58].

Johannes Corvinus (Lebensdaten unbekannt): Loci Communes Doct. Mart. Lutheri totius Doctrinae Christianae. Das ist Hauptartikel unseres christlichen Glaubens ... aus D. Mart. Luthers Schriften mit seinen eigenen Worten ..., Ursel 1564 (vorh. Tübingen UB Gf 709*)[59].

Moritz Neodorpius (gest. 1613): Lutherus orthodoxus oder Herzen Grund Lutheri ... Frankfurt 1612 (vorh. Braunschweig Bibl. Pred. Sem. F 24*; Herborn Th. Sem. AB 747*; Emden Bibl. Gr. Kirche Theol. 8° 343*) und Frankfurt 1615 (nicht auffindbar)[60].

---

58. Zitiert: Beck, S. 59. Vgl. WA Bd. 48, S. XLIII–XLVIII und RN, S. 15–23 (zu S. XX–XXII) und 25–29 (zu S. XLIII–XLVIII). Zum Hsg. vgl. RGG³ Bd. 5, Sp. 1149. Zu Burkhard Keller vgl. WA Bd. 48, RN, S. 27 f. (zu S. XLV f.).

59. Zitiert: Fabricius, S. 312 und 761; E. Kelchner, Die Buchdruckerei und ihre Druckwerke zu Oberursel, im Serapeum Bd. 29 (1868), Intelligenz-Blatt, 1868, S. 90 f. Zum Hsg. vgl. J. Fabricius, Historia Bibliothecae Fabricianae Bd. 4 (Wolfenbüttel 1719), S. 228.

60. Zitiert: Lipenius Bd. 2, S. 204; Fabricius, S. 312. 453. 762. 859; Jöcher Bd. 3, Sp. 857. Das gegen die Lutheraner polemisierende Buch („... daß Luthers Lehre mit der heiligen Schrift an keinem einzigen Ort auch im geringsten Pünktlein sich nicht stoßet, sondern unanstößig, ewig feste und richtig ist ... durch einen der allerbesten Lutheraner in der Welt") wollte nachweisen, daß nicht die Lutheraner, sondern die Reformierten mit Luther übereinstimmten, und rief eine Gegenschrift hervor: Conrad Rühelius (Rühl) (Superintendent in Schlieben, 1573–1618), Lutheri et Lutheranorum Harmonia Teutsch, Leipzig 1623; Wittenberg 1624 (zitiert: Lipenius Bd. 2, S. 205; Fabricius, Index unter N; Jöcher Bd. 3, Sp. 2304). Der Hsg., aus Liebenwalde in der Mark gebürtig, trat aus dem Luthertum zur reformierten Kirche über und wurde nach Überprüfung durch

Christian Gilbert de Spaignart (gest. 1632): Stellae Pietatis Lutheranae in Beati Patris Lutheri Tomis Jenensibus coruscantes . . ., Wittenberg 1617 (vorh. Leipzig UB Ges. theol. W. 330 f³*)⁶¹.

Ahasverus Fritsch (1629—1701): Hohe Schule geist- und sinnreicher Lehr-, Trost- und Vermahnungssprüche . . . aus des sel. Hn. Lutheri . . . Commentario über das erste Buch Mosis . . ., Rudolstadt 1665 (vorh. Wolfenbüttel HAB Th 864*)⁶².

Jeremias Heraclitus Christianus [nach NUC Bd. 289, S. 670 vermutlich Bernhard Peter Karl] (1671—1723): Lutherus ante Lutheranismum, oder die urälteste evangelische Wahrheit aus D. Mart. Lutheri Schriften . . ., Cölln o. J. [1702] (vorh. Wolfenbüttel HAB Li 5288*)⁶³.

Hartwig Bambamius (1685—1742): Die vertriebene Bitterkeit des Todes. Das ist: Rat und Trost wieder Todes Schrecken aus Hn. Lutheri Schriften . . ., Hamburg 1730 (vorh. Wolfenbüttel HAB Th 1692*)⁶⁴.

Anonymus: Erklärung und kurzer Auszug aus den Postillen und Lehrschriften Lutheri . . ., Frankfurt/Oder 1572 (vorh. Salzwedel Bibl. St. Katharinen Da 4*)⁶⁵.

Anonymus: Bewegliche Anmahn- und Unterrichtung von Schulen und Kirchen . . . aus den geist-, trost- und lehrreichen Schriften des teuren und seligen Mannes D. Martini Lutheri . . ., Oldenburg 1638 (vorh. Wolfenbüttel HAB Li 5281*)⁶⁶.

---

die Bremer Geistlichen 1605 zum ersten hochdeutschen Prediger der reformierten Gemeinde zu Altona gewählt. Der von beiden Seiten heftig geführte literarische Streit mit den Hamburger Lutheranern führte zum Eingreifen des Konsistoriums, dem Neodorpius seine Schriften vor dem Druck vorlegen sollte. Daraufhin nahm er 1612 seinen Abschied und wurde Prediger in Suurhusen (Sudershusen). Vgl. Unschuldige Nachrichten 1717, S. 964; J. A. Bolten, Historische Kirchen-Nachrichten von der Stadt Altona . . . (Altona 1790), S. 212 ff.; Altona unter Schauenburgischer Herrschaft, hsg. von R. Ehrenberg (Altona 1893), S. 43 f. E. F. Harkenroth, Geschiedenissen, behoorende tot de Moederkerke in Emden (Harlingen 1726), S. 114 ff.; P. F. Reershemius, Ostfriesländisches Prediger-Denkmahl (Frankfurt 1612), S. 540 f.

61. Zitiert: Lipenius Bd. 2, S. 202b; Fabricius, S. 311 und 314; Jöcher Bd. 2, Sp. 994. Zum Hsg. vgl. ADB Bd. 34, S. 706.

62. Zitiert: Fabricius, S. 314; Jöcher Bd. 2, Sp. 772. Zum Hsg. vgl. RGG³ Bd. 2, Sp. 1155.

63. Zitiert: Jöcher Bd. 2, Sp. 2050. Das Pseudonym „Christianus" wurde auch gebraucht von Georg Christian Ferdinand von Raesewitz (1643—1720), der nach den biographischen und bibliographischen Angaben in Jöcher Bd. 3, Sp. 1873 ebenfalls als Hsg. in Frage kommen könnte. Das Werk wird auch Gottfried Arnold zugeschrieben; vgl. Unschuldige Nachrichten 1727, S. 539.

64. Zitiert: Georgi Bd. 1, S. 91; Jöcher Bd. 1, Sp. 753. Das Buch enthält 7 Luthergebete, in unserer Sammlung: Nr. 97. 253. 313. 624. 96. 610. 622. Der Hsg. wurde nach dem Schulbesuch in Hamburg und dem Studium in Wittenberg 1706 Dr. phil. und 1723 Diakonus an der Hamburger Petrikirche. Vgl. Lexikon der hamburgischen Schriftsteller Bd. 1 (Hamburg 1851), S. 127 f.

65. Zitiert: Fabricius, S. 313.

66. Das Buch enthält auf S. 204—210 10 Luthergebete: Die Gebete Nr. 1. 2. 9 und 10 entsprechen Nr. 135. 181. 574 mit 581 und 165 (Teilstück) in unserer Sammlung. Auf S. 209 wird das Betglöcklein von Treuer erwähnt. Die übrigen Gebete sind freie Applikationen,

Anonymus: Kurzer Extract oder Kern und Saft aus den ersten fünf Tomis Lutheri Jenischer Edition ..., Altona 1699 (vorh. Wolfenbüttel HAB Li 5286*)[67].

Die beiläufigen Bemerkungen über die persönlichen Erinnerungen und Erlebnisse des Herausgebers der Lutherauswahl von 1704 sowie über Korrespondenzpartner, theologische Lehrer und familiäre Beziehungen ermöglichten auch die Identifizierung des Anonymus, hinter dem sich der Pfarrer Johann Christoph Schwedler verbirgt. Seine Vorrede hat auch, abgesehen davon, daß sie eine bibliographische Fundgrube ist, insofern Bedeutung, als hier erstmals der Versuch gemacht wurde, die Gebete Luthers systematisch zu ordnen in 1) „Preces suppositae" (fälschlich und böswillig unterschobene Gebete), 2) „Preces erroneae, superstitiosae et papismum olentes" (hier werden frühe Schriften Luthers, darunter das Taufbüchlein 1523 zitiert), 3) „Preces apocryphae" (Gebete aus Gebetbüchern, die man mit Luthers Namen versehen hat; auch hier folgen Beispiele), 4) „Preces authenticae et genuinae" (diesen allein galt das Interesse des Herausgebers). Auch bei ihnen unterschied er „Preces formales in forma precum" (von Luther gesprochen oder geschrieben, bzw. von Luther gesprochen, jedoch von anderen aufgezeichnet). Diese konnten „determinatae" (aus bestimmtem Anlaß) oder „indeterminatae et indefinitae" sein (allgemein gefaßt, daher leicht zu applizieren). Neben die „Preces formales" stellte er schließlich die „Preces materiales" (von Luther in homiletischer oder katechetischer Redeweise gesprochen bzw. geschrieben, aber von anderen in Gebetsform übertragen). Schwedler verwies dabei ausdrücklich auf Treuers „Betglöcklein", wo diese sprachliche Adaption in großem Umfang durchgeführt sei. Luthers Gebetslehre bestand ja, wie Schwedler mit Recht bemerkte, nicht im Abfassen von Gebetsformeln, sondern im Zusprechen und Vorsprechen des Evangeliums. Luthers Schüler hätten demnach mit der Umwandlung des Vorsprechens in das Vorbeten geistliche Hilfe bieten wollen, damit Luthers lebendiges und glaubensstarkes Beten seine Wirkung behalte. Um des lebendigen Eindrucks willen hat Schwedler die ursprünglich lateinischen Texte der von Treuer gesammelten und übersetzten Gebete mit abgedruckt, obwohl die lateinischen Texte bereits in den Ausgaben des „Betglöckleins" seit 1621 weggelassen waren, weil er glaubte, „daß auch der Author selbst die Version mit demselben Geiste und Leben nicht machen wird, mit welchem er die Sache in der ersten Sprache entworfen hat". Aufs ganze gesehen hat also das Jahr 1704 mit Reuchels und Schwedlers gleichzeitiger Veröffentlichung nicht nur einen neuen Impuls zur Rezeption der Luthergebete gegeben, sondern auch die grundlegende Sammelarbeit Treuers erstmals wieder ins Gedächtnis zurückgerufen.

---

kompiliert aus Luthertexten: Nr. 3 aus WA Bd. 28, S. 146, 22−147, 5; Nr. 4 aus EA² Bd. 6, S. 415; Nr. 5 aus EA² Bd. 6, S. 415 f.; Nr. 6 aus WA Bd. 18, S. 489, 12−37; Nr. 7 aus WA Bd. 48, S. 212 Nr. 284, 3−12; Nr. 8 aus WA Bd. 40^II, S. 152, 39−153, 18 mit S. 183, 28−184, 3.

67. Zum Sprachgebrauch im Titel: „Kern und Saft" vgl. A. Praetorius (Anm. 30) und B. Lindner (Anm. 53).

Walch¹ (1744)

Die Kombination pastoraler und wissenschaftlicher Motive, wie sie in der Schwedlerschen erweiterten Neuausgabe der Luthergebete aus Treuers grundlegender Sammlung erkennbar wurden, blieb auch im 10. Band der 1. Walch'schen Lutherausgabe (1744) wirksam. In seiner Vorrede berichtete der Herausgeber, der Jenaer Theologieprofessor Johann Georg Walch, von der Absicht, einfach Reuchels Luthergebetbuch, dessen unveränderte 3. Ausgabe 1738 erschienen war, zugrundezulegen und nach der dort gegebenen Auswahl eine nach den Hauptstücken des Katechismus geordnete „Anweisung auf unterschiedene in des sel. Lutheri Schriften sich befindende kurze Gebete und Seufzer in allerley Fällen" mit dem Fundort in der Walch'schen Ausgabe abzudrucken. „Da man aber hernach wahrnahm, daß hier manches unrichtig angeführet[68] und viele Gebete sich in den noch zu druckenden Reformations-Schrifften befänden, darauf man also hier noch keine Anweisung [= Hinweis] geben können, so hat ein guter Theil davon wegbleiben müssen[69]. Indessen sind doch verschiedene aufs neue hinzugekommen". Obwohl Walch in der Vorrede (S. 88*) außer Reuchel auch auf Treuer (1591 und „1712"), Gruber und Veiel als Sammler von Luthergebeten hinwies, stützte er sich bei der Auswahl der 165 Luthergebete (Sp. 1768—1779) im wesentlichen auf Reuchels Werk, nach dessen Vorgang in der Überschrift von „Gebeten und Seufzern in des sel. . . . Lutheri Schriften" gesprochen wird. Treuer wurde offensichtlich nicht direkt benützt. Die Zusammenstellung in Band 10 muß, wie die Ausführungen der Vorrede über Luther als vorbildlichen Beter zeigen, als ein Versuch angesehen werden, nach Analogie der Luthergebetbücher, in etwa auch nach dem analogen Vorgang bei den Tischredensammlungen, in der Gesamtausgabe auch eine Art von Luthergebetbuch vorzulegen. In der zweiten Walch'schen Ausgabe hat dann der Bearbeiter des 1885 in St. Louis/Missouri erschienenen 10. Bandes, G. Stockhardt (Sp. 1482—1523), folgerichtig und wohl aus praktischen Gründen das systematisch geordnete und mit Fundorten versehene Initienverzeichnis aus der 1. Walch'schen Ausgabe durch einen geringfügig veränderten Abdruck der Gebetstexte ersetzt.

Kraußold (1833)

Die Zusammenstellung der Luthergebete bei Walch¹ Bd. 10 wurde von dem bayerischen Pfarrer Lorenz Kraußold bei der 1833 erschienenen Neuausgabe des Luther'schen Betbüchleins berücksichtigt. Kraußold fügte als Ergänzung „eine Zusammenstellung aller Gebete und Seufzer Luthers, aus seinen Schriften zusammengetragen" hinzu. Nach den Angaben der Vorrede hat der Herausgeber Treuers „Betglöcklein" (er zitiert den Namen falsch als „Frewer") und Reuchels Luther

---

68. Vgl. die „Mosaik-Gebete" bei Reuchel.

69. Bis 1744 waren erst Band 1 bis 9, 11 bis 13 und 22 der Walch'schen Luther-Ausgabe erschienen.

gebetbuch nicht benützt; der Anklang an Reuchels Titel („Gebete und Seufzer")
ist schon bei Walch festzustellen. Die gesammelten 122 Gebete entsprachen im
wesentlichen der Walch'schen Vorarbeit. Einiges hat Kraußold selbständig ergänzt.
An frühere Luthergebetbücher erinnert der in der Vorrede ausführlich begründete
Hinweis auf die Notwendigkeit, von dem Glaubenszeugen Luther wieder das Beten
zu lernen und ein Beter zu werden. Damit rechtfertigte Kraußold die Herausgabe
des Betbüchleins, obwohl „es unsrer Zeit an Betbüchern und Gebeten nicht fehlt".

Uhden (1849)

Im Rahmen der allgemeinen Tendenz zur Wiederbelebung der reformatorischen
Tradition in der ersten Hälfte des 19. Jahrhunderts gab der evangelische Bücherverein 1849 ein „Gebetbuch, enthaltend die sämtlichen Gebete und Seufzer
Dr. Martin Luthers" heraus. Darin waren sämtliche Gebete aus den grundlegen-
den Luthergebetbüchern von Treuer und Reuchel erstmals vollständig gesammelt
und darüber hinaus eine große Zahl von Gebetstexten aus der evangelischen Erbauungsliteratur des 16.—18. Jahrhunderts. Schon der Titel („Gebete und Seufzer")
war im Anschluß an Reuchels Gebetbuch formuliert. Neu für ein Gebetbuch war
eine alphabetisch geordnete Reihe von literarischen Notizen über die Verfasser der
Gebete und die Titel ihrer Gebetbücher. Diese Zusammenstellungen beruhten auf
den jahrelangen Forschungsarbeiten des Hamburger Diakonus Ludwig Heinrich
Kunhardt, der eine reiche Sammlung älterer Erbauungsschriften besaß. Leider ist
sein in Hamburg (StUB) aufbewahrter Nachlaß bis auf geringe Reste im Kriege
verschollen. Das von Ferdinand Uhden bevorwortete Buch enthält 890 Gebete und
ist in der Reichhaltigkeit und Anordnung des Stoffes mit dem Gebetbuch von
Michael Cubach[70] zu vergleichen. Den Grundstock bilden die rund 500 Luthergebete, die nach Reuchels Vorbild häufig durch Kombination kürzerer Luthergebete
entstanden. Das Gebetbuch des evangelischen Büchervereins stellt also die letzte
vollständige Rezeption der großen Luthergebetsammlungen von Treuer und Reuchel dar. Eine Auswahl der Luthergebete aus diesem enzyklopädischen Gebetbuch
erschien 1864 in St. Louis (Missouri) unter dem Titel „Evangelisch-lutherischer
Gebetsschatz" (in deutscher Sprache) in vielen Auflagen. Jedoch wurde die Quelle
nicht genannt, nur Treuers „Betglöcklein" ist unter dem Stichwort „Luther" im
Verfasserverzeichnis erwähnt.

---

70. Buchhändler in Lüneburg (1. Hälfte 17. Jh.). Einer gläubigen und andächtigen
Seelen tägliches Bet-, Buß-, Lob- und Dankopfer, d. i. großes Gebetbuch, Leipzig 1654;
weitere Ausgaben: 1658. 1660. 1664. 1672. 1676; nach Cubachs Tod vermehrt und mit
neuer Vorrede von 1688 herausgegeben von Christian Scriver, Prediger in Quedlinburg
(1629—1693): 1687. 1699. 1702. 1713. 1719. 1728. 1731. 1752. 1791. Vgl. Althaus, S. 158
und Cosack, S. 245—276.

Calw (1883)

Im Jahre 1883 brachte der Calwer Verlagsverein unter dem Titel: „Betbüchlein des seligen Gottesmannes Dr. Martin Luther" in Anknüpfung an die Luthergebetbücher des 16. Jahrhunderts eine systematisch geordnete Auswahl von 198 Gebeten aus Ottos „Neuem Betbüchlein" und Treuers „Betglöcklein" heraus. Absicht der Veröffentlichung war es, „der heutigen Christenheit eine Anleitung zum Beten zu geben, den Armen und Einfältigen sowohl wie den Hochgebildeten". Darum wurden die zeitgebundenen und schwer verständlichen Gebete (z. B. Türkengebet) weggelassen, auch gelegentlich aus mehreren kurzen Gebeten ein längeres Gebet zusammengefügt. Die bewußte Aufnahme der Tradition der alten Luthergebetbücher zeigte sich im auszugsweisen Abdruck der Vorreden von Otto und Treuer. Für sein 1967 erschienenes Gebetbuch: „Gott ist gegenwärtig" mit Gebeten aus evangelischer Frömmigkeit hat der Herausgeber Walter Nigg 40 Luthergebete ausschließlich aus dem Bestand des Calwer Luthergebetbuchs ausgewählt und übernommen — ein Beispiel für die bis in die Gegenwart nicht abgebrochene Überlieferungsgeschichte dieser Gebete[71].

6. Luthergebete in den Gebetbüchern des 19. und 20. Jahrhunderts

Ein Blick in das im 17. und 18. Jahrhundert weit verbreitete Cubach'sche Gebetbuch zeigt, daß Luthers knappe und originelle Gebete allgemein von den weitschweifigen und kasuistischen Gebeten oft schulmeisterlicher Theologen verdrängt waren, und zwar trotz der kaum unterbrochenen Folge neuer oder neu aufgelegter Luthergebetsammlungen. Erst im 19. Jahrhundert bekamen Luthergebete wieder einen festen Platz in den evangelischen Gebetbüchern, so bei Löhe (Samenkörner, Hausbedarf), Dieffenbach (Evang. Brevier), Dietz (Luther-Agende), Kampffmeyer (Das teure Predigtamt) und in „Allgemeinen" Gebetbüchern (Allgemeines Gebetbuch der Allgemeinen lutherischen Konferenz, Allgemeines Evangelisches Gebetbuch). In der im ganzen zurückhaltenden Rezeption kam natürlich auch zum Ausdruck, daß (abgesehen von den liturgischen Gebeten) die Luthergebete letztlich nur Beispiele und Vorbilder für eigenes, originales Beten sein wollten, nicht Texte für ein gedankenlos zu bewältigendes Gebetspensum. Aber gerade als Exempel und Meditationshilfen behalten sie über den ursprünglichen Anlaß hinaus Bedeutung, solange das verkündigte Evangelium die glaubende Antwort des evangelischen Beters erweckt.

---

71. Zur Rezeption der Luthergebete aus dem Calwer Betbüchlein in Amerika vgl. S. 106 Anm. 39.

Kurzbiographien der Sammler und Herausgeber

1

Beck, Johann Jakob[1] († 1651) aus Weinsberg. Nach Besuch der württembergischen Klosterschulen Studium in Tübingen (seit 1627); 1628 Bakkalaureus, 1629 Magister. Sommer 1632 Feldprediger; im gleichen Jahr Vikar und 1633 Pfarrer in Altingen/Gäu. 1634 vertrieben. 1635 Pfarrer in Bissingen/Enz. 1636 Diakonus in Stuttgart. 1649 Spezialsuperintendent und Stadtpfarrer in Göppingen. 1658 veröffentlichte er „Luthertum vor Luther aus den bewährtesten Scribenten".

1a

Cramer, Johann Christoph (1690–1737)[1a] wurde geboren zu Hornburg (Mansfeld. Seekreis), studierte von 1710 an in Jena, wurde 1717 Magister, 1720 Diakonus zu Zeulenroda (bei Greitz) und 1723 Pfarrer in Ober- und Niederschmon (bei Querfurt).

2

Dinckel, Johann[2] (1545–1601) aus Tröchtelborn (b. Gotha). Schulbesuch und Studium in Erfurt (seit 1563/64); 1567 Magister. Er hielt zunächst hebräische Vorlesungen im dortigen Sachsenkolleg und wurde 1570 Professor am neugegründeten Ratsgymnasium; 1572/80 zugleich Professor der hebräischen Sprache und Logik an der Erfurter Universität. 1580 Rektor des Gothaer Gymnasiums; 1582 Diakonus an der dortigen Margarethenkirche. 1584 (bis zu seinem Tode) Pastor und Generalsuperintendent in Coburg.

3

Finck, Johann Caspar[3] (1636–1706) aus Kaldern (b. Marburg). Studium in Wittenberg (1653) und Marburg (1654). 1657–1663 Informator der jungen Grafen Georg, Georg Albert und Georg Ludwig von Erbach-Fürstenau, die er

---

1. Die Matrikeln der Universität Tübingen Bd. 2 (1953), S. 171 Nr. 21549; Blätter für württembergische Kirchengeschichte NF Bd. 9 (1905), S. 114 f.; Bd. 33 (1929), S. 108; Bd. 34 (1930), S. 193; briefliche Mitteilungen von Herrn Pfarrer i. R. O. Haug, Schwäbisch Hall.

1a. Vita im Kirchenbuch Oberschmon (1661–1743) unter Nr. 8 der Pfarrchronik; dort auch ein Verzeichnis der gedruckten Veröffentlichungen.

2. M. Schneider, Die Lehrer des Gymnasium Illustre (1524–1859) (Gymnasialprogramm Gotha 1901), S. 6 (mit Schriftenverzeichnis und Literatur).

3. W. Diehl, Hassia sacra IV: Hessen-darmstädtisches Pfarrer- und Schulmeisterbuch: Die Souveränitätslande (Darmstadt 1930), S. 322.

1660 auf die Universität Tübingen begleitete; dort 1662 Lic. theol. 1663 Pfarrer (seit 1666 auch Superintendent) in Michelstadt. 1668 Pfarrer und Inspektor in Lauterbach.

4

Glaser, Peter[4] (1528—1583) aus Dresden, Bürgermeisterssohn. Besuch des Gymnasiums in Schulpforta (seit 1544). Studium in Leipzig (seit SS 1545); 1546 Bakkalaureus. 1547 Rektor in Radeberg. 1549 Mesodiakonus in Großenhain. Weiteres Studium in Wittenberg (SS 1550) und in Leipzig; dort 11. Okt. 1550 Magister. 1551 Pfarrer in Reinersdorf (b. Großenhain). Ca. 1552 Diakonus in Dresden und 1564 dort Stadtprediger; 1580 Konsistorialassessor. Damals unterschrieb er auch die Konkordienformel. Er sammelte und veröffentlichte Aussagen Luthers „wider die Sakramentierer" und dessen „Prophezeiungen von allerhand Strafen".

5

Gruber, Erasmus[5] (1609—1684) aus Lauingen/Donau. Schulbesuch in Regensburg (seit 1619). Studium in Jena (seit 1629) und Straßburg (seit 1632 Theologie-Studium). In Regensburg 1637 Prediger, 1652 Konsistorialassessor, 1662 Senior Ministerii und 1667 Superintendent.

6

Kraußold, Lorenz[6] (1803—1881) aus Mistelgau/Ofr. Seit 1823 Studium in Erlangen. 1830 Pfarrer in Aufsäß, 1835 in Fürth. 1855 Konsistorialrat und Hauptprediger in Bayreuth.

7

Marstaller, Martin[7] (1561—1615) aus Braunschweig, Sohn des Arztes Dr. med.

4. M. Hoffmann, Pförtner Stammbuch 1543—1893 (Berlin 1893), S. 3 Nr. 59; Zedler Bd. 10, Sp. 1590; Grünberg, Sächsisches Pfarrbuch Bd. 2, S. 240. Über seine Schriften vgl. Chr. Schlegel, Kurtze und richtige Lebens-Beschreibung Der ... in Dreßden gewesenen Herren Superintendenten. Lebens-Beschreibung Th. Glasers (Dresden 1698), S. 118 Anm. r.

5. G. Serpilius, Diptycha Reginoburgensia, Oder Ehren-Gedächtnüs Der Evangelischen Prediger In ... Regenspurg (Regensburg 1716), S. 90—99; Fabricius, S. 308 f.; Jöcher Bd. 2, Sp. 1210.

6. Lebensläufe aus Franken Bd. 6 (Würzburg 1960), S. 318—323.

7. D. Cramer, Leichenpredigt auf Martin Marstaller (Stettin 1615 [vorh. Göttingen SUB]), Bl. D^a—E 2^b (da er hier nicht als Dr. jur. — wie von A. C. Vanselow, Gelehrtes Pommern [Stargard 1728], S. 67 und bei Zedler Bd. 19, Sp. 1776 angegeben — bezeichnet wird, ist seine Promotion höchst zweifelhaft); ADB Bd. 20, S. 446 f.; W. Bake, Die Früh-

Gervasius M. († 1578)[8]. 1575/78 Besuch des Gymnasiums in Braunschweig, anschließend Studium in Jena (aber nicht immatrikuliert) und 1580/85 in Helmstedt (als Mediziner). Auf Veranlassung seines am pommerschen Hofe weilenden ältesten Bruders Dr. med. Gervasius M. in die Residenzstadt Barth übergesiedelt, wurde er 1586 Lehrer der fünf Söhne des Herzogs Bogislaw XIII. von Pommern. Beteiligt am Ausbau der (1582 gegründeten) Fürstlichen Druckerei in Barth. 1601 herzoglicher Rat (seit 1603 in Stettin), 1606 Kammerrat. 1610 erhielt er von Kaiser Rudolf II. die Würde eines Comes palatinus. 1613 Diakonus (am Fürstlichen Pädagogium); Kapitular an der Stiftskirche St. Marien in Stettin.

8

Melissander (Bienemann), Caspar[9] (1540—1591) aus Nürnberg. Studium in Jena (seit 1560); im Februar 1562 floh er infolge des Erbsündenstreites — ebenso wie Flacius — aus Jena und lebte bei diesem eine Zeitlang in Regensburg. Seit Dez. 1563 Studium in Tübingen; 1564 Magister. Professor publicus an der (1561 errichteten) Schule in Lauingen/Donau; Generalsuperintendent des Herzogtums Pfalz-Neuburg; von dort infolge der synergistischen Streitigkeiten vertrieben. Ca. 1570 Rückkehr nach Jena (Hofmeister zweier adliger Studenten); Adjunkt der Philosophischen Fakultät; 1571 D. theol. In Weimar Erzieher Friedrich Wilhelms, des Sohnes des Herzogs Johann Wilhelm; nach dessen Tode (2. März 1573) erneut als Flacianer vertrieben. 1578 Superintendent in Altenburg. Kirchenlieder-Dichter.

9

Ortel, Johann[10] (1542—1603) aus Borna. Studium in Leipzig (seit SS 1559); 1565 Magister. Im gleichen Jahr Diakonus in Hermsdorf (b. Rochlitz). 1568 Pfarrer in Teuchern. 1580 unterzeichnete er die Konkordienformel. 1585 Diakonus in

---

zeit des pommerschen Buchdrucks (Pyritz 1934), S. 132 f. (ebd. S. 200—202 Verzeichnis zahlreicher in der Druckerei zu Barth in den Jahren 1588/94 hergestellter, von Marstaller verfaßter Schriften sowie mehrerer von ihm herausgegebener lateinischer Klassikerausgaben).

8. Über ihn vgl. A. Hartmann—B. R. Jenny, Die Amerbach-Korrespondenz Bd. 6 (Basel 1967), S. 167—169.

9. J. H. Acker, Versuch zur sufficienten Nachricht von D. Casp. Melissanders Altenburgischen Superintendentis Leben (Jena 1719), (S. 12—15 Schriftenverzeichnis); J. C. Wetzel, Hymnopoeographia Bd. 2 (Herrnstadt 1721), S. 167—171; Zeitschrift für die historische Theologie Bd. 19 (1849), S. 49. 237. 278; W. Preger, Matthias Flacius Illyricus und seine Zeit Bd. 2 (Erlangen 1861), S. 361; ADB Bd. 2, S. 626 f.; Beck, S. 318 f.; J. und E. Löbe, Geschichte der Kirchen und Schulen des Herzogthums Sachsen-Altenburg Bd. 1 (Altenburg 1886), S. 106 f.; NDB Bd. 2, S. 228.

10. K. G. Dietmann, Die gesamte … Priesterschaft in dem Churfürstenthum Sachsen Bd. 5 (Dresden-Leipzig 1763), S. 104—109; Grünberg, Sächsisches Pfarrerbuch Bd. 2, S. 659.

Zeitz. Im Exorzismus-Streit 1591 vorübergehend abgesetzt, wurde er nach dem Regierungswechsel 1592 als Stifts-Superintendent wieder nach Zeitz berufen.

10

Otto (Otho), Antonius[11] (ca. 1505—1583) aus Herzberg/Kr. Osterode. Studium in Wittenberg (seit 1533); 1539 Magister. Nach Hauslehrertätigkeit 1538 Diakonus, 1540 Pfarrer in Gräfenhainichen. 1542 Diakonus, dann Pfarrer (St. Nicolai) in Nordhausen. 1568 als Flacianer abgesetzt. Nach kurzer Pfarrtätigkeit in Stöckei (Grafschaft Hohenstein) seit spätestens 1570 Oberpfarrer in Buttstädt (b. Weimar).

11

Piscator, Petrus[12] (1571—1611) aus Hanau. Besuch des Gymnasiums in Schleusingen. Studium in Marburg (seit 1590) und Jena (seit 1591); 1594 Magister. 1597 Adjunkt und Professor der hebräischen Sprache in der philosophischen Fakultät in Jena. 1605 D. theol. und Aufnahme in die theologische Fakultät.

11a

Porta, Conrad[12a] (1541—1585) aus Osterwieck bei Halberstadt. Schulbesuch in Osterwieck, Quedlinburg und Eisleben, Studium in Rostock. 1566 Rektor in Osterwieck, 1567 Konrektor in Eisleben, 1569 Diakonus. 1575 Pfarrer in Eisleben (St. Peter und Paul) und Assessor Consistorii daselbst. Hielt Vorlesungen am Gymnasium. Im Flacianischen Streit (1572) stand er (gegen Spangenberg) auf der Seite der Eislebener Pfarrer.

12

Probus, Anton[13] (1539—1614) aus Stolberg. Schulbesuch in Magdeburg (seit 1555). Studium in Wittenberg (seit 1558). 1563 Rektor, 1572 Diakonus und 1575 Archi-

---

11. ADB Bd. 24, S. 745 f.; ThStKr Bd. 85 (1912), S. 575; Enders Bd. 15, S. 12 Anm. 1; Zeitschrift des Vereins für Kirchengeschichte der Provinz Sachsen und des Freistaates Anhalt Bd. 30 (1934), S. 44 f. 53; WA Briefe Bd. 8, S. 306 f.; Bd. 12, S. 453 f.

12. J. C. Zeumer, Vitae professorum ..., qui in ... Academia Jenensi ... vixerunt (Jena 1711), S. 109—113 (mit Schriftenverzeichnis); K. Heussi, Geschichte der Theologischen Fakultät zu Jena (Weimar 1954), S. 108.

12a. Jöcher Bd. 3, Sp. 1709; Mansfelder Blätter 31/32 (1918), S. 327. 337; ADB Bd. 26, S. 445.

13. J. A. Biering, Clerus Mansfeldicus (1742), S. 56; Jöcher-Adelung Bd. 6, Sp. 949 f.; Zeitschrift des Vereins für Kirchengeschichte in der Provinz Sachsen 3 (1906), S. 63 f. Zu zwei von ihm über Luthers Lehre 1583 und 1590 gehaltenen Predigten vgl. Fabricius, S. 461 f. und 918; R. Jauernigs Thüringer Pfarrerkartei (Landeskirchliches Archiv, Eisenach).

diakonus in Stolberg. 1577 Magister in Helmstedt. 1578 Pfarrer in Eisleben (zunächst an St. Nikolai, 1586 an St. Andreas). Seit 1588 Generalsuperintendent in Weimar, wo er die Herzoginwitwe Dorothea Susanne († 1592) bei der Abwehr des Kryptocalvinismus unterstützte. 1593 D. theol. in Jena.

13

Reuchel (Reichel), Johann Christoph [14] (1667—1725) aus Dippoldiswalde. Studium in Wittenberg (seit 1690). 1695 Substitut und 1697 Diakonus in Zschopau. 1702 Magisterpromotion in Wittenberg. 1709 Pfarrer in Zschopau.

14

Sagittarius, Johann Christfried[15] (1617—1689) aus Breslau. Studium in Jena (seit 1628). Nach längerer Tätigkeit als Lehrer bzw. Schulleiter in Hof und Jena 1643 Magister in Jena. Dort 1646 Professor der Geschichte und Dichtkunst. 1651 Superintendent in Orlamünde. 1656 Generalsuperintendent und Oberhofprediger in Altenburg. Über die von ihm herausgegebene Altenburger Ausgabe von Luthers Werken (1661—1664) vgl. WA Briefe Bd. 14, S. 318 und 451—459.

15

Schemp, Wendelin[16] (ca. 1533—1567) aus Neenstetten (b. Ulm). Als Schüler begleitete er freiwillig den Ulmer Superintendenten Martin Frecht in seine Gefangenschaft (wegen Verweigerung des Interims) nach Kirchheim (u. Teck). Studium in Tübingen (seit 1549); 1550 Bakkalaureus; 1553 Magister. 1554 Münsterprediger in Ulm (seit 1555 zugleich Pfarrer im benachbarten Jungingen). 1559 Diakonus in Giengen/Brenz. 1561 Prediger in Ravensburg.

16

Schwedler, Johann Christoph[17] (1672—1730) aus Krobsdorf (b. Bad Flinsberg im Isergebirge/Niederschlesien). Besuch der Schule in Zittau (seit 1688). Studium in

---

14. Grünberg, Sächsisches Pfarrerbuch Bd. 2, S. 723.

15. J. und E. Löbe, Geschichte der Kirchen und Schulen des Herzogthums Sachsen-Altenburg Bd. 1 (Altenburg 1886), S. 108 f.; ADB Bd. 30, S. 170 f.; Archiv und Bibliothek im kirchlichen Raum. Festschrift für D. Walther Schwarz (1959), S. 42—62.

16. H. Hermelink, Die Matrikeln der Universität Tübingen Bd. 1 (1906), S. 342 Nr. 132, 6; A. Weyermann, Neue historisch-biographisch-artistische Nachrichten von Gelehrten, Künstlern ... aus der vormaligen Reichsstadt Ulm (Ulm 1829), S. 472 f. (mit Schriftenverzeichnis); Blätter für württembergische Kirchengeschichte NF Bd. 35 (1931), S. 139 Anm. 23 u. 174; briefliche Mitteilungen von Herrn Pfarrer i. R. O. Haug, Schwäbisch Hall.

17. G. Erler, Die jüngere Matrikel der Universität Leipzig Bd. 2, S. 417 („Greiffenberga Siles."); J. C. Wetzel, Hymnopoeographia Bd. 4 (Herrnstadt 1728), S. 463; Zedler

Leipzig (seit WS 1694/95); 1697 Magister. In (dem damals nur aus der 1669 für die evangelischen Greiffenberger erbauten evangelischen Pfarrkirche und einer Schule bestehenden, bis 1815 zu Sachsen gehörenden) Niederwiesa (Kirchenplan) (= Wiesa) a. Queiß (b. Greiffenberg) 1698 Diakonus, 1701 Pfarrer.

17

Stieber, Georg Friedrich[18] (1684—1755) aus Speyer, Sohn des Prokurators beim Reichskammergericht und späteren Justizrates (bei Herzog Gustav Adolf von Mecklenburg-Güstrow [† 1695]) Johann Friedrich St.[19]. Theologiestudium in Rostock (seit 1704), dann Pagenhofmeister, Bibliothekar und Hofprediger der Herzoginwitwe Magdalene Sybille († 1719). Deren Tochter Augusta berief ihn 1720 als Hofprediger nach Dargun. 1722 D. theol. Wegen seiner das Hofleben kritisierenden Predigten 1735 abgesetzt, wurde er Kirchenrat des Meckl.-Schwer. Herzogs Karl Leopold († 1747), dessen Bruder Christian Ludwig ihn 1748 zum Mitglied des Rostocker Konsistoriums ernannte. — 1710 ließ er ein „Vorspiel zur Historie der Reformation und Leben Lutheri" erscheinen.

18

Thering, Lukas Heinrich[20] (1648—1722) aus Stendal. Nach Besuch der Gymnasien Aschersleben, Schöningen und Braunschweig 1672 Feldprediger, 1673 Hilfsprediger an St. Marien in Stendal; 1674 Subdiakonus am dortigen Dom. 1676 Diakonus und 1691 Archidiakonus an der Petrikirche in Berlin-Cöln.

19

Treuer, Petrus[21] (ca. 1535—1601/10) aus Coburg. Studium in Jena (1554/55). Seit 1555 Pfarrer im ernestinischen Thüringen (Ort unbekannt), spätestens seit

---

Bd. 36, Sp. 83 f. (falscher Geburtsort: Ackendorf; mit Verzeichnis seiner zahlreichen katechetischen, homiletischen und erbaulichen Schriften); G. Kluge, Hymnopoeographia Silesiaca Bd. 1III (Breslau 1755), S. 51—59; S. J. Ehrhardt, Presbyterologie des Evangelischen Schlesiens Bd. 3II (Liegnitz 1784), S. 254—259 § 12 (mit umfangreichem Schriftenverzeichnis); J. G. Knie, Alphabetisch-statistisch-topographische Übersicht der Dörfer, Flecken, Städte und andern Orte der Königl. Preuß. Provinz Schlesien (Breslau 1845), S. 324 f.; F. G. E. Anders, Statistik der Evangelischen Kirche in Schlesien (Glogau 1848), S. 552 f.; ADB Bd. 33, S. 326 f.

18. A. Hofmeister, Die Matrikel der Universität Rostock Bd. 4 (1900), S. 53 und 194; G. Wilgeroth, Die Mecklenburg-Schwerinschen Pfarren seit dem dreißigjährigen Kriege Bd. 1 (Wismar 1924), S. 548 f.

19. Zedler Bd. 40, Sp. 2 f.

20. O. Fischer, Evangelisches Pfarrerbuch für die Mark Brandenburg seit der Reformation Bd. 2 (Berlin 1941), S. 885.

21. Zeitschrift für bayerische Kirchengeschichte Bd. 39 (1970), S. 238—258.

1562 in Gorsleben (b. Heldrungen) in der Diözese Weimar. 1559 Magister in Jena. 1562/63 Ablehnung der Unterschrift unter die „Declaratio Victorini". Febr. 1571 als Flacianer aus dem wieder in albertinischen Besitz gelangten Gorsleben vertrieben; Aufenthalt in Jena. Wohl Anfang 1572 als Flacianer aus Thüringen vertrieben; Aufenthalt bei Cyriakus Spangenberg in Mansfeld. Sommer 1573 kurzfristig Pfarrer in Friesdorf (b. Mansfeld) mit erneuter Vertreibung als Anhänger von Spangenberg und Flacius. 1576 Veröffentlichung seines „Dialogus" (zum Erbsündenstreit). 1578/80 mit (dem Anfang 1575 amtsenthobenen) Spangenberg als Flüchtling in Straßburg. 1579 Veröffentlichung seines „Beteglöckleins" (2. Aufl. 1580). Ende 1580/82 Aufenthalt bei Spangenberg in Schlitz (b. Fulda). 1582/1601 Pfarrer im Isenburgischen Hofstetten (b. Gemünden/Ufr.). 1601 durch die Gegenreformation von dort vertrieben. Zwischen 1601 und spätestens 1610 gestorben (Ort unbekannt).

20

Veiel, Elias[22] (1635–1706) aus Ulm. Studium in Straßburg (seit 1655; Magister 1656), Leipzig (seit 1661) und Jena (seit 1662); 1664 D. theol. in Straßburg. Seit 1662 Münsterprediger und Professor der Theologie, seit 1671 zugleich Direktor des Gymnasiums in Ulm. Seit 1678 Superintendent und Protobibliothekar der Stadtbibliothek.

21

Walther, Georg[23] (ca. 1526–1582) aus Gotha. Studium in Erfurt (seit SS 1547) und Wittenberg (seit SS 1550); 1551 Magister; 1552 Ordination (als Diakonus an St. Ulrich in Halle berufen). 1559 gab er „Prophezeiungen D. Martin Luthers, aus dessen Schriften zusammen getragen" heraus. Er unterschrieb die Konkordienformel und veröffentlichte u. a. 1580/81 in Wittenberg Auslegungen der Katechismushauptstücke sowie der Sonntags- und Festtagsevangelien. Wegen seiner Schriften wurde er aus dem Amt entlassen.

22

Weniger, Johann[24] (geb. ca. 1560) aus Schwandorf/Oberpfalz. 17. April 1577 in

---

22. Jöcher Bd. 4, Sp. 1496 f.; A. Weyermann, Nachrichten von Gelehrten, Künstlern und andern merckwürdigen Personen aus Ulm (Ulm 1798), S. 510–519; ADB Bd. 39, S. 531 f.; Blätter für württembergische Kirchengeschichte Bd. 3 (1888), S. 84; NF Bd. 10 (1906), S. 62–67; briefliche Mitteilungen von Herrn Pfarrer i. R. O. Haug, Schwäbisch Hall.

23. Jöcher Bd. 4, Sp. 1800; Beck, S. 281–284 und Anm. 2 (zu S. 281); W. Delius, Die Reformationsgeschichte der Stadt Halle a. S. (Berlin 1953), S. 117 und 136–138.

24. Album Academiae Vitebergensis Bd. 2 (Halle 1894), S. 266 („Schwandorfen. Palatinus").

Wittenberg immatrikuliert. Offenbar ein Bruder des gleichfalls aus Schwandorf stammenden Pfarrers Paul Weniger[25] (1552—1619). Weiteres nicht bekannt.

23

Zeller, Johann Konrad[26] (1603—1683) aus Heidenheim/Brenz. Studium in Tübingen (seit 1621); im gleichen Jahr Bakkalaureus, 1625 Magister. 1631 Diakonus in Wildberg. 1635 Pfarrer in Rotfelden, im gleichen Jahr Spezial-Superintendent in Wildberg, 1654 in Vaihingen/Enz (seit 1656 auch Abt von Murrhardt). 1660 Abt und General-Superintendent von Bebenhausen. 1661 Mitglied des größeren, 1666 des engeren Landschaftsausschusses.

24

Zeller, Johannes[27] (1620—1694) aus Rotfelden (b. Nagold), jüngerer Bruder des Johann Konrad Z. Studium in Tübingen (seit 1639); im gleichen Jahr Bakkalaureus, 1640 Magister. 1642 Vikar in Stuttgart. 1644 Pfarrer in Neuweiler, 1649 in Münklingen, 1651 in Lienzingen. 1660 Spezial-Superintendent in Waiblingen, 1669—1681 in Vaihingen/Enz; 1675 Abt in Alpirsbach. Seit 1689 Abt und Generalsuperintendent in Maulbronn.

---

25. Über ihn vgl. M. Simon, Ansbachisches Pfarrerbuch (Nürnberg 1957), S. 546 Nr. 3261.

26. Neues Württembergisches Dienerbuch Bd. 2 (Stuttgart 1963), § 3304; Jöcher Bd. 4, Sp. 2176; Blätter für württembergische Familienkunde Heft 79/80 (1938), S. 91 f.

27. Neues Württembergisches Dienerbuch Bd. 2, § 3274; Blätter für württembergische Familienkunde Heft 79/80 (1938), S. 94 f.; L. M. Fischlin, Biographia Praecipuorum virorum ... in Ducatu Wirtembergico (Ulm 1709) Bd. 2, S. 81 ff.

Auszüge aus den Vorreden der Gebetbücher

Übersicht

1. *Ein neues Betbüchlein 1565*[1].
Vorrede von A. Otto[2].

2. *Ein neues Betbüchlein 1565.*
Vorrede zum Anhang von J. Aurifaber.

3. *Ein neues Betbüchlein, Ausgabe 1591*[3].
Vorrede von M. Marstaller[4].

4. *P. Treuer, Betglöcklein Lutheri 1579*[5].
Vorrede von P. Treuer[6].

5. *P. Treuer, Betglöcklein Lutheri 1579.*
Nachwort von P. Treuer.

6. *P. Treuer, Betglöcklein Lutheri, Ausgabe 1610*[7].
Vorrede von P. Piscator[8].

7. *P. Treuer, Betglöcklein Lutheri, Ausgabe 1710*[9].
Vorrede von G. F. Stieber[10].

8. *C. Melissander, Beicht- und Betbüchlein, 2. Große Ausgabe 1586*[11].
Vorrede von C. Melissander[12].

9. *C. Melissander, Beicht- und Betbüchlein, 1. Kleine Ausgabe 1583*[13].
Vorrede von C. Melissander.

10. *C. Melissander, Beicht- und Betbüchlein, 2. Kleine Ausgabe 1586*[14].
Vorrede von C. Melissander.

---

1) Vgl. Bibliographie I, 1.   2) Vgl. Kurzbiographien Nr. 10; Einleitung, S. 20.   3) Vgl. Bibliographie I, 1H.   4) Vgl. Kurzbiographien Nr. 7; Einleitung, S. 21.   5) Vgl. Bibliographie I, 2A.   6) Vgl. Kurzbiographien Nr. 19; Einleitung, S. 21.   7) Vgl. Bibliographie I, 2D.   8) Vgl. Kurzbiographien Nr. 11; Einleitung, S. 25.   9) Vgl. Bibliographie I, 2H.   10) Vgl. Kurzbiographien Nr. 17; Einleitung, S. 26.   11) Vgl. Bibliographie I, 3c. 12) Vgl. Kurzbiographien Nr. 8; Einleitung. S. 26.   13) Vgl. Bibliographie I, 3b.   14) Vgl. Bibliographie I, 3d.   15) Vgl. Bibliographie I, 4A.   16) Vgl. Kurzbiographien Nr. 12;

54

11. *A. Probus, Gebete, wie sich ein Christ . . ., Ausgabe 1592*[15].
Vorrede von A. Probus[16].

12. *A. Probus, Gebete, wie sich ein Christ . . ., Ausgabe 1663*[17].
Vorrede von J. Chr. Sagittarius[18].

13. *J. J. Beck, Himmelsleiter 1648*[19].
Vorrede von J. J. Beck[20].

14. *E. Gruber, Theologia Lutheri 1657*[21].
Vorrede von E. Gruber[22].

15. *E. Gruber, Lutherus redivivus, 8 Bände 1665*[23].
Vorrede von E. Gruber zum Hauptschlüssel 1671.

16. *E. Veiel, Ein gülden Kleinod 1669*[24].
Vorrede von E. Veiel[25].

17. *L. H. Thering, Verborgener . . . Schatz 1683*[26].
Vorrede von L. H. Thering[27].

18. *J. Chr. Reuchel, Der andächtig betende Lutherus 1704*[28].
Vorrede von J. Chr. Reuchel[29].

19. *Anhang 1704 zum Neudruck des Betglöckleins Lutheri, Ausgabe 1591*[30].
Vorrede [von J. Chr. Schwedler][31].

20. *Walch, Luthers Werke Bd. 10*[1] *1744*[32].
Vorrede von J. G. Walch.

21. *L. Kraußold, Das Betbüchlein Lutheri 1833*[33].
Vorrede von C. Kraußold[34].

Einleitung, S. 28. 17) Vgl. Bibliographie I, 4B. 18) Vgl. Kurzbiographien Nr. 14; Einleitung, S. 28. 19) Vgl. Bibliographie I, 5. 20) Vgl. Kurzbiographien Nr. 1; Einleitung, S. 28. 21) Vgl. Einleitung, S. 29. 22) Vgl. Kurzbiographien Nr. 5; Einleitung, S. 31. 23) Vgl. Bibliographie I, 6. 24) Vgl. Bibliographie I, 7. 25) Vgl. Kurzbiographien Nr. 20; Einleitung, S. 32. 26) Vgl. Bibliographie I, 8. 27) Vgl. Kurzbiographien Nr. 18; Einleitung, S. 32. 28) Vgl. Bibliographie I, 9. 29) Vgl. Kurzbiographien Nr. 13; Einleitung, S. 33. 30) Vgl. Bibliographie I, 2C. 31) Vgl. Kurzbiographien Nr. 16; Einleitung, S. 34. 32) Vgl. Bibliographie I, 10. 33) Vgl. Bibliographie I, 11. 34) Vgl. Kurzbiographien Nr. 6; Einleitung, S. 41.

Text der Auszüge

1. Ein neues Betbüchlein 1565 (Otto)

(Vorrede von A. Otto, Bl. A 3b bis A 4a)

„... Sie haben abermal ein Griechisch wort aus Hermogene[1] angefasset[2] wider Lutherum, die gelerten leute, das heisset Hyperbole[3], auff gut deudsch: die barte[4] (wie man spricht) zu weit werffen[5]. Ein solcher Lerer sey Lutherus, ein D. Hyperbolicus, denn er wil sich jren Methodum, Modum concionandi, corpus doctrinae, definitiones, diuisiones vnd dergleichen Nussschalen, die Theologiam darein künstlich fein zu fassen, nirgend schicken noch reimen lassen[6]. Also zweiffel ich gar nicht, werden sie dis Büchlein, das ein guter freund, vor sich vnd sein Weib vnd kinder, jm selber zum trost, und wem es mehr gefelt, zusamen bracht, auch empfangen vnd Griechisch leren[7], denn dis Büchlin handelt[8] eigentlich die heubtsache der Lutherischen lere, wie ein armer sündiger Mensch, in leben und sterben, die seligkeit durch den glauben an Christum gewis, gewis fassen und halten sol, on wercke und uber alle werck, das sie[9] jm schlecht[10] keine Creatur, auch GOTtes Gesetz selber nicht verwirren oder nemen kan noch sol ewiglich. ...“

2. Ein neues Betbüchlein 1565 (Aurifaber)

(Vorrede zum Anhang von J. Aurifaber, Bl. V 1a bis V 1b)

„Ein Vermahnung an den Christlichen Leser. Dieweil dis betbüchlin, von einer Gottliebenden vnd Christlichen personen, in einer Reichstad wonhafftig[1], aus D. M. Luthers heiliger gedechtnis Büchern, mit getreuem vleis, aus guter wolmeinung ist zusamen gezogen und anher gegen Eisleben in die Druckerey[2] geschicket,

---

Zu Nr. 1:
1. Gnostizierender Irrlehrer um 200 n. Chr.
2. = herangezogen.
3. ὑπερβολή = Übertreibung.
4. = Beil mit breiter Schneide, auch als Wurfwaffe gebraucht.
5. Vgl. dazu Wander, Bd. 5, Sp. 904 Nr. 6: Man muß die Barte nicht zu weit werfen, daß man sie wieder könne holen.
6. = sich anpassen und in Übereinstimmung bringen lassen.
7. = auch einen griechischen Namen beilegen.
8. = behandelt.
9. scil. die Lutherische Lehre.
10. = schlechterdings.

Zu Nr. 2:
1. Anton Otto, der in der Reichsstadt Nordhausen lebte.
2. Urban Gaubisch.

So habe ich Joannes Aurifaber[3] diese nachfolgende stücke zum ende solchs Betbüchlins drucken lassen wollen, auff das auch daraus ein Christ, gleich als einen Fewerzeug[4] zu mehrer Andacht zu Gott im hertzen haben möchte und ein occasion gewinnen, derer sechs Heubstücke der Christlichen Lere[5] gebets weise teglich zu erinnern, seine kinderlein darzu gewehnen, umb die erhaltung des Göttlichen Worts ernstlich und vleissig zu biten. Auch des Herrn D. Martin Luthers tegliche Beichte[6] nach zu sprechen. Und in sonderheit der herrlichen Trostsprüche (welche der heilige Man Gottes Doctor Martin Luther selbst seinen Beichtvater, den Pfarherr zu Koburg, Anno M. D. XXX. unter dem Reichstage zu Augsburg hat auffzeichnen lassen)[7] in allerley Creutz und widerwertigkeit zu gebrauchen."

3. Ein neues Betbüchlein, Ausgabe 1591 (Marstaller)

(Vorrede von M. Marstaller an Herzog Sigismund August von Mecklenburg, Bl. A 6[b] bis B 4[b])

„... Aus dieses hocherleuchteten Mannes Geist und Trostreichen Schrifften ist nun von einem Gottseligen Lehrer, Antonius Otto[1] genant, so etwan[2] Pfarher zu Northausen am Hartz gewesen, diss kurtze Bett-, Lehr- und Trostbüchlein wolmeinent zusamen getragen und vor etlichen Jaren durch offentlichen druck der gemeine Gottes mitgetheilet. Welches dann von vielen frommen Christen allzeit lieb und werd gehalten und unter anderen auch von dem Durchleuchtigen und Hochgebornen Fürsten unnd Herren, Herren Bugislauo dem XIII[3], Hertzogen zu Stettin, Pommern, der Cassuben unnd Wenden, Fürsten zu Rügen und Graffen zu Gützkaw etc., E. F. G.[4] freundlichen lieben Herren Oheim, Schwager, Geuattern

---

3. Johann Aurifaber (1519—75) lebte seit seiner Entlassung aus dem Weimarischen Hofdienst (Okt. 1561) bis Ende 1565, von Graf Vollrad von Mansfeld unterstüzt, in Eisleben.

4. Vgl. das von 1537 bis 1565 in 12 Ausgaben verbreitete Gebetbuch „Feuerzeug christlicher Andacht" (siehe Bibliographie II, 1).

5. Gemeint sind die Gebetsparaphrasen zu Luthers Katechismus von Johann Stoltz: Kurtze gemeine und einfältige Auslegunge und Übunge des Catechismi, gebetsweise gestellet, nach Erzählung derselbigen sechs Hauptstücke unserer christlichen Lehre zu sprechen, Anno 1550 (Reu, Quellen zur Geschichte des kirchlichen Unterrichts, Gütersloh 1904 ff. I, 2, 1, 294* Anm. 2), die Aurifaber dem Betbüchlein beifügte.

6. = Gebet Nr. 100.

7. Über Johann Groschs „Trostsprüche" vgl. WA Bd. 48, S. 326 und H. Volz, Die Lutherpredigten des Johannes Mathesius (Leipzig 1930), S. 125 und Anm. 4.

Zu Nr. 3:

1. Über Otto vgl. oben Kurzbiographien Nr. 10.

2. einst (= 1565).

3. Herzog Bogislav XIII. von Pommern (1544—1606), dessen Tochter Klara Maria (1574—1623) dann am 7. Oktober 1593 in erster Ehe den Mecklenburger Herzog Sigismund August heiratete, regierte seit 1569 (zu Barth) bzw. seit 1603 (zu Stettin).

4. Die Vorrede ist gerichtet an Sigismund August, Herzog zu Mecklenburg, Fürsten zu Wenden, Grafen zu Schwerin (1561—1603).

unnd Herr Vatern etc., Meinem G. F. und H. Wann[5] demnach demselben jtz-
gedachtem M. G. F. und H., wie dieses Geist- vnd Trostreichen Büchleins, darin
neben S. F. G. viel andere Fromme Christen zu lesen eine sondere lust, keine
Exemplaria mehr zu bekomen, glaubwirdig vorkommen, Als[5] hat S. F. G. aus
Fürstlichem, Gottseligem gutthetigem Hertzen dahin geschlossen[6], das in S. F. G.
lieblichen Druckerey, aus welcher dem Vaterlande zu nutz neben einer schönen
newen Pomerischen Bibel viel anderer gutter Bücher in weinig Jahren ans Liecht
kommen[7], dasselbe Bett-, Lehr- und Trostbüchlein solt auffgelegt und also der
frommen Christen begeren genug gethan werden und derowegen mir, welchem
S. F. G. eine zeitlang neben anderer auffwartung[8] die direction solcher Druckerey
befohlen, in gnaden aufferlegt, dieses Wercklein zu befordern und in dieser schmei-
digen Form[9], damit es desto bas für ein handbüchlein neben den newlich hie auß-
gangenen precationibus Musculi, Auenarij und Luttherischem gesangbüchlein[10]
könte gebraucht werden, unuerzüglichen fertigen lassen, und weil es uberlegter
rechnung nach eben jegen die zeit, umb welche E. F. G. allhier im Hofflager Barth
S. F. G. mit dero in frewden sich zu ergetzen, freundlich zu besuchen willens, im
druck sein entschafft gewinnen würde, so hats S. F. G. ferner gefallen, das durch
ein newe Vorrede zur glückwündschung unnd frölichen ankunfft diß Bett-, Lehr-
und Trostbüchlein Ich solt E. F. G. zu eignen unnd im Namen der Fürstlichen
Druckerey, damit von derselben E. F. G. als der zukünfftige Herr Son[11] nicht un-
uerheret[12] bliebe, mit gebührender Reuerentz offeriren. Ob aber wol ich für meine
Person für dis Büchlein ein Vorrede zusetzen anfenglich ein bedencken gehabt, an-

---

5. Wann ... Als = Weil ... so.

6. = beschlossen.

7. Über die von Herzog Bogislav XIII. 1582 in Barth gegründete und von Martin Marstaller sehr geförderte Druckerei, aus der die prächtige, im Jahr 1588 gedruckte niederdeutsche
Bibel hervorging, vgl. W. Bake, Die Frühzeit des pommerschen Buchdrucks im Lichte
neuerer Forschung (Pyritz 1934), S. 132—137 und J. Benzing, Die Buchdrucker des 16.
und 17. Jahrhunderts im deutschen Sprachgebiet (Wiesbaden 1963), S. 27 f. Über diese 1588
in der Barther Druckerei freigestellte niederdeutsche Vollbibel vgl. J. M. Goeze, Versuch
einer Historie der gedruckten Niedersächsischen Bibeln vom Jahr 1470 bis 1621 (Halle
1775), S. 365—372 sowie dens., Verzeichnis seiner Samlung seltener und merkwürdiger
Bibeln in verschiedenen Sprachen mit kritischen und literarischen Anmerkungen (Halle
1777), S. 262 f. sowie C. Borchling-B. Claußen, Niederdeutsche Bibliographie Bd. 1 (Neumünster 1931), Sp. 1028 Nr. 2369.

8. = Dienst.

9. = in Sedez-Format.

10. Andreas Musculus, Praecationes ex veteribus orthodocis Doctoribus, 1590 (vgl. Einleitung, S. 20 Anm. 21 und Althaus S. 98—102); Johann Avenarius (Habermann), Praecationes in Singulos septimanae Dies, 1591 (vgl. unten Nr. 18 Anm. 4); Martin Luther, Auserlesene Psalmen und geistliche Lieder 1591; vgl. Bake a. a. O., S. 135 und 201 Nr. 706.
711. 712.

11. = Herzog Sigismund August als Bogislavs XIII. zukünftiger Schwiegersohn (vgl.
oben Anm. 3).

12. = ungeehrt.

gesehen das solches in mir, als der ich professione kein Theologus, wie E. F. G. bekant, von den geistlichen Criticis unnd andern, so sich unzeitiges urtheilens nicht enthalten können, möcht getadelt werden, So habe ich dennoch M. G. F. unnd H. dem in viel einem höhern und grössern in vnterthenigkeit zu gehorsamen wegen der gnaden, damit zeit meiner auffwartung S. F. G. mir gewogen gewesen, Ich mich schuldig erkenne, solch gnediges begeren nit abzuschlagen wissen und es sonst auch dafür geachtet, das es mit billigkeit an keinem Christen zu tadeln, das er von wercken der Gottseligkeit rede oder schreibe. Dieweil gleuben, hoffen, Wercke der Christliche liebe uben, Betten unnd from sein einem, so in Weltlichem stande Gott dienet, nicht weniger gebüret als einem Theologo, unter welchen jtzo schier mehr Theorici[13] als practici gefunden werden. Uber das hat mich hierin desto ehr zu bewilligen beweget, das in diesem Büchlein ich die Lehr befunden, in welcher ich von meien seligen Eltern aufferzogen und bey der ich vormittelst Göttlicher Hülffe bis an mein Ende gedenck zu verharren . . ."

4. Betglöcklein Lutheri 1579 (Treuer)

(Vorrede von P. Treuer, Bl. a 8[b] bis b 2[b])

„. . . Derwegen hab ich zu trost allen angefochtenen, welchen preces und suspiria die beste arbeyt ist, auß allen Büchern Doctoris Martini Lutheri, so sovil derselben inn offentlichem truck vorhanden, Teutsch und Latinisch, allerlei Geystreiche gebettlin auß seinen deß Doctors lebendigen worten herauß geklaubet, mit welchen derselbige Man Gottes seine Lehr gewurtzet und allenthalben, als mit wolriechendem weirauch Gott zum süssen geruch[1] vntersprenget, dieselben inn richtige ordnung treulich und inn guter wolmeinung zusammen verzeichnet, und in diß büchlein gebracht, die ubrigen frommen Christen in den letzten hepffen[2] der Welt zu ermunteren, dem lieben Luthern in täglichem gebett inn allerley anligen nachzusprechen. Welche meine arbeit ich etlichen frommen Christen, so den Man Gottes Lutherum gehöret, seufftzent vnd bettent gesehen, also gefallen, das sie mir die inn alle wege andern durch den truck mitzutheilen nit alleyn gerahten, sondern, das solchs zum förderlichsten geschehe, mich ernstlichen vermanet, damit sie sich deren inn jrem schwären alter auch zu getrösten vnd zu gebrauchen hetten; ob nun wol sonsten vil nutzlicher Bettbüchlin vorhanden, die ich inn jrem werth gern lassen will, so müsen doch geübte vnd bewärte Christen bekennen, das die Lutherischen gebettlein baß hertzen[3] vnd wärmen und gleich als feurige flammen von sich geben, das eynem das hertz im leibe für grosen freuden brennen möchte. Ist nun jemals betten vonnöten gewesen, so ists jetzt am höchsten vonnöten: dan

---

13. = Spekulanten.

Zu Nr. 4:
1. Vgl. 3. Mos. 1, 9. 13. 17; 2, 2. 9 u. ö.
2. = Zustand (zu „haben").
3. = besser zu Herzen gehen.

es ist nicht eyne linde straffe für der thür, sondern eyn solcher ernst und zorn Gottes, deß keyn ende ist, uber Teutschland angangen, wie uns Himel und Erden predigen: die Glocke ist gegossen[4], und nicht allein die Rutte, sondern auch daß Schwert zum streych gefasset; darumm solte nicht allein daß jung Volck zu jrem lieben Vatter in Christo one vnterlaß mit jren vnschuldigen zünglein hertzlich gen Himmel ruffen und schreien, sondern alles, waß Christen heyssen, solte eynander aufferwecken mit dem Bettglöcklein, mit ernst und bußfertigen hertzen getrost anleiten und anklopffen und damit getrost den Himmel aufbrechen und Gott inn die Rute fallen. Wie mich auch betuncket, weil keyn prophecey inn der Schrifft mer vorhanden, daß bessere zeit folgen solle, so wird nun daß gebett umb den lieben Jüngsten tag und vmb die zukunft[5] Christi Gott am liebsten vnd angenemsten sein, ach komm doch Her Jesu, und wer dich lieb hat, spreche: ,Komm Herr Jesu Christe, Komm, Amen'."

5. Betglöcklein Lutheri 1579 (Treuer, Nachwort)

(Nachwort von P. Treuer, Bl. T 3[b] bis 4[a])

„Dem Christlichen Leser. Diß Gebettbüchlein, Christlicher lieber Leser, ist auß den Jenischen und nicht auß den Wittembergischen Tomis Lutheri colligiret, und nach dem es wol fein gewesen, das man das blat dabei gesetzt hete, an welchem eyn jedes Gebettlein zufinden. Jedoch weil die umbtruck[1] der Bücher Lutheri gantz ungleich vnd versetzet sein, und nit allwege Concordieren[2], dazu das umbsuchen vil mühe machet, habe ich vil lieber wöllen bei eynem jeglichen Tomo, die tractet und bücher, von Doctor Martino geschrieben, in welchen die gebettlein zu befinden, allein allhier anzeygen, und kan der Leser, so da zweiffelt, dieselben schrifften und Capitel, dieweil sie deß merern teils kurtz sein, durchlauffen, wird er eyn jedes angezogen Gebettlein inn warheyt also befinden.

Ob auch wol etlich Gebet kurtz abgeprochen und gering scheinen, so wölle doch eyn frommer Christ zu rucke dencken und zu gemüt füren, was für eyn Geystreicher Gottesman der liebe Luther gewesen und wie er inn disen dingen nichts one bedacht oder vergebens gesetzt und geschrieben, und steckt offt unter eynem geringen wort, wie es scheinet, grosse krafft, doch kan eyn jeder für sich selbst, nach dem jn sein andacht treibt, anfang und beschluß dazu setzen und machen

---

4. = Armensünderglocke; vgl. Gebet Nr. 37 und 437, Luthers (angebliches) Wormser Gebet: „die glock ist schon gegossen vnnd das vrtheil gefellet" (WA Bd. 35, S. 213) sowie WA Bd. 51, S. 649 Nr. 124 und 680.

5. = Wiederkehr.

Zu Nr. 5:

1. Seitenumbrüche. — Gegenüber der Erstauflage der Jenaer Lutherausgabe wiesen die späteren von dieser abweichende Blattzählungen auf; vgl. die Übersicht bei Aland, S. 527—581 und 585—587.

2. = übereinstimmen.

und zu seiner Noturfft meren oder verkürtzen, dann wir haben inn disem büchlein alleyn Lutheri lebendige wort, wie sie befunden, on abbruch und zusatz
setzen wöllen, deß wölle sich eyn frommer Christ seliglich gebrauchen[3], Amen."

6. Betglöcklein Lutheri, Ausgabe 1610 (Piscator)

(Vorrede von P. Piscator, Bl. A 2[a] bis A 5[b])

„Es ist gegenwertiges Betbüchlein, welches der Weiland Ehrwürdige und wolge-
larte Herr M. Petrus Trewer von Coburgk auß allen Büchern und Schrifften
Herrn Lutheri seligen, mit fleiß zusammen bracht vnnd gezogen, gleichsam ver-
scharret und unter der Banck[1] gelegen: Also daß wol viel gewesen, welche von
solchem Betbüchlein Lutheri nichts gewust, auch nicht vermeinet, daß ein solch
Edel köstlich Kleinod vorhanden vnd zu finden sey ... Als habe ich solches mit
Consens und bewilligung deß Ehrwürdigen und Wolgelarten Herrn M. Christo-
phori Treweri Filii & c.[2] wiederumb unlangsten mit fleiß durchsehen und zum
Druck frommen vnnd andechtigen Hertzen zum besten ubergeben.

Dann ob wol sonsten viel nützlicher und feiner Gebetbüchlein zu befinden, die Ich
in jhrem werth gern bleiben lassen will: Jedoch, weiß ich gewiß, daß nach dem
Gebet unsers geliebten Herrn und Heylandes Jesu Christi Matth. am 6. unnd
Joh. 17., nach dem Psalter Davids, nach Salomonis Gebet 1. Reg. 8. und Danielis
am 9.[3] keine dergleichen ernste, eifferige, starcke, inbrünstige, hertzliche und recht
fewrige Gebet weder in Hebraischer, Chaldaeischer[4], Syrischer, Griechischer, Lateinischer noch Deutscher Sprach zu befinden als eben in diesem Betbüchlein Lutheri,
wie es der Autor M. Trewer seliger beydes[5] fornen in der Abtheilung[6] und[5] dann
im Beschluß[7] selbsten nennet und intituliret.

Zu deme ist solch Büchlein gleichsam ein Isagoge vnd anleitung zu den fürnemb-
sten Lutherischen Büchern und Schrifften, welche alhie allegiret vnd angezogen
werden: Darauß der Christliche Leser mehrertheils vernemen kan, was für herrliche vnnd nützliche Schrifften durch GOttes Gnade D. Luther der lieben Kirchen
vnnd posteritet[8] zum besten geschrieben und hinterlassen hat.

---

3. sich gebrauchen (c. gen.) = etwas gebrauchen.

Zu Nr. 6:

1. = verborgen, verachtet, vernachlässigt.

2. Über Magister Christoph Treuer, Peters Sohn, seit 1593 Superintendent und Oberpfarrer in Beeskow (bei Frankfurt/O.), vgl. Zeitschrift für bayerische Kirchengeschichte
Bd. 39 (1971), S. 257 f.

3. Matth. 6, 9—13; Joh. 17, 1—26; 1. Kön. 8, 23—53; Dan. 9, 4—19.

4. = aramäischer.

5. = sowohl ... als auch.

6. In der Vorrede Bl. b[a] (vgl. oben Nr. 4).

7. Im Nachwort Bl. T 3[b] (vgl. oben Nr. 5).

8. = Nachwelt.

Vber das, so bleibt solch Büchlein nicht allein in Thesi, sondern gehet auch ad Antithesin, das ist, es betet beydes[5] für und[6] wieder Papisten vnd Sacramentirer, Zwinglianer vnnd Calvinisten sampt andern Ketzern und Schwetzern, welche fromme Christen vnd einfeltige Hertzen in jhrem Glauben begehren jrr zumachen und von der Warheit abzuführen und in Jrrthumb zu vertieffen unnd versencken. Und ob wol die Gebetlein bißweilen sehr kurtz seyn unnd schlecht[9] scheinen: Jedoch haben sie einen sonderlichen mechtigen nachdruck, wie ein jeder bey sich selbsten leichtlich abnemen und erfahren kan, der ihme[10] solche Gebetlein gemein[11] machen unnd angelegen seyn lassen wird. Inmassen wir lesen von Mose, als Er in höchste Gefahr beym Roten Meer gerett, spricht Gott der HERR zu jhm: ‚Mose, was schreiestu?‘ Exod. 14[12], unnd wird doch kein einig[13] Wort daselbsten gelesen, wie oder was er gebetet habe. Da er ohn allen zweiffel nur jnnerliche seufftzen[13a] zu GOtt dem Allmechtigen abgesendet, und nerlich[14] in seinem Hertzen sagen können: Ach GOTT! Ach HERR hilff! welches doch alle Wolcken und Himmel also bald durchdrungen und erhöret worden ist. Daher Jacobus in seiner Epistel am 5. recht saget: ‚Deß Gerechten Gebet vermag viel, so es ernstlich ist[15]‘. Vnd D. Luther in 9. Cap. Matthaei[16]: ‚Deß Gleubigen Gebet ist allmechtig, wie CHristus spricht[17]: Alle ding sind müglich dem der da glaubet‘. Und abermals in 3. Cap. ad Gal.[18]: ‚Wer ein Rhetor ist, der streiche diesen Ort gewaltig auß, dann wird er sehen, daß der Glaub (vnnd Gläubigen Gebet) ein allmechtig ding ist und seine Krafft unmeßlich unnd unendlich.‘

Solcher hertzlichen vnd Lutherischen Gebet nun wolle sich der Christliche guthertzige Leser in diesen beschwerlichen, kümmerlichen Zeiten, da es allenthalben sehr mißlich unnd gefehrlich stehet und der Jüngste Tag nun mehr vor der Thür, zu seinem beydes[5] Zeitlichen und[5] Ewigen Heyl und Seligkeit nützlich unnd seliglich gebrauchen[19]. Darzu Gott der Ewige Vater Gnade und Segen seines Heiligen Geistes miltiglich[20] verleyhen und geben wölle umb Jesu Christi, seines lieben Sohns unsers HERRN und Heylandes, willen, Amen.“

---

9. = unbedeutend, gering.
10. = sich.
11. = vertraut.
12. 2. Mos. 14, 15.
13. = einzig.
13a. = Seufzer (‚seufze‘ [Mask.] bis ins 17. Jahrh. gebrauchlich).
14. = voll Kummer.
15. Jak. 5, 16.
16. WA Bd. 38, S. 476, 33 f.
17. Mark. 9, 23.
18. WA Bd. 40$^\mathrm{I}$, S. 539, 27–32.
19. Vgl. oben Nr. 5 Anm. 3.
20. = freigebig, reichlich.

7. Betglöcklein Lutheri, Ausgabe 1710 (Stieber)

(Vorrede von G. F. Stieber, Bl. d 1a bis d 5b)

„... Und von dergleichen Art sind nun gewiß Lutheri Gebeter, weshalben man
solche, weilen es an verlangten Exemplarien bißher gemangelt, wie sie von Hn.
M. P. Trewer rühmlich zusammen getragen, wieder neu auflegen wollen, daß solches schöne Wercklein nicht abermahls unter die Banck[1] und in die Vergessenheit
käme, sondern uns stets zum guten Muster vor Augen lege, damit, so etwa einige
noch ungeübte und im Gebet fast unmündige Kinder wären, die ihre Noth und
Begierden des Hertzens GOtt nicht förmlich (wie sie meinen) in eigenen Worten
vortragen könten, sie dem lieben Luthero als ihrem geübten Glaubens-Vater seine
in diesem Buch befindliche Gebeter und Seufftzer mit Andacht nachsprechen mögen
und zugleich lernen, wie ein Christ ohne viel accurater und wolgesetzter Worte
einfältiglich mit GOtt getrost reden könne. Da denn bey solcher fleißigen Übung
auch endlich die Gabe des Gebets mehr und mehr wird erwecket werden, daß der
gottselige Leser endlich auch mit freyer Andacht und eigenen Worten ohne Bücher
und Anleitung recht beten könne. Welches denn die Haupt-Absicht ist, daß man
dieses Büchlein gern in der Leute Hände gewünschet. Zwar gibts dergleichen viele
schöne, als sonderlich des seel. Arnds[2]; doch kan ich nicht läugnen, daß selbige
nicht nur Einfältigen viel zu hoch, sondern auch zu lang, als daß ein ungeübter
daraus lernen könte, seines Hertzens Anliegen nach vorgeschriebener Art mit
eignen Worten dem lieben GOtt vorzutragen. Diese Gebeter aber sind kurtz und
einfältig und ein recht Muster, bey allen Zufällen und Gelegenheiten aus freyem
Hertzen GOtt in kurtzen Seufftzern anzuflehen ...

Ehe ich aber diese Vorrede, so über Vermuthen unter der Hand gewachsen,
endige, muß von gegenwärtiger Edition dieses Gebet-Buchs noch erinnern, daß
ohne jemandes praejudiz so wol die Vorrede des seel. Hn. M. P. Trewers,
aus Coburg, welchem der G[ütige] L[eser] dieses Büchlein hauptsächlich zu
dancken, als auch des (S. T. [= sine titulo]) Hn. D. Petri Piscatoris, welchem für seine Christliche und rühmliche Mühe wegen der Kielischen edition[3]
noch viel fromme Hertzen allen Seegen wünschen, allhie mit Fleiß ausgelassen,
damit nicht die Vorreden grösser als das Buch würden. Das Werck aber selbsten
habe in seiner vorigen Ordnung gelassen, obgleich anfangs willens war auch solche
zu ändern, und mit mehrern Gebetern aus Luthero zu vermehren, welches aber
die Zeit und andre Ursachen dismahl nicht verstatten wollen, könte aber, so
GOTT wil, künfftig geschehen. So aber etwa zuweilen ein Gebet ausgelassen, ist

---

Zu Nr. 7:

1. Vgl. oben Nr. 6 nebst Anm. 1.

2. Johann Arnd (1555—1621), Verfasser der „Vier Bücher vom wahren Christentum"
(1601/10) und des „Paradiesgärtleins aller christlichen Tugenden, wie dieselben in die
Seele zu pflanzen durch christliche Gebete" (1612); beide Schriften wurden sehr oft
gedruckt.

3. Zur Kieler Ausgabe von 1696 vgl. oben S. 25 f.

es darum geschehen, weil es mehr als einmal vorkommen wird, welches um allen Argwohn zu vermeiden, anzeigen wollen. Von meinen beygefügten kurtzen Anmerkungen ist nicht nöthig was zu melden, der G. L. mag selbst urtheilen, ob es besser gewesen, daß solche davon gelassen, oder nicht? ich zum wenigsten habe meine gute Ursachen gehabt, welche ein Christliches Gemüth leicht mag errathen. Zudem ist bey der neuen Auflage dieses Büchleins gar nicht auff menschliches Urtheil und approbation gesehen ... Dieses Wercklein habe nicht aus einiger Vermessenheit oder eiteler Absicht, sondern aus Liebe zu GOtt und seiner Ehre und zu meiner Erbauung ausgefertiget, damit aus den Worten Lutheri mich bey vermerckter Trägheit zum Gebet und Liebe GOttes ermuntern möge. Welchen gesuchten Nutzen dem gottseligen Leser auch von Hertzen wünsche."

8. Beicht- und Betbüchlein, 2. Große Ausgabe 1586 (Melissander)

(Vorrede von C. Melissander an Herzogin Dorothea Susanna, Bl. A 8ᵃ bis B 1ᵃ) „... Also habe auch ich, ob wol der geringste Diener im Hause des HErrn, vor 13. Jahren guter Christlicher Wolmeynung fürnemlich meiner damals befohlenen adelichen und Christlichen Jugend, Zuförderst aber dem Durchleuchtigen, Hochgebornen Fürsten und Herrn, Herrn Friederich Wilhelm, Hertzogen zu Sachsen etc., E. F. G.[1] hertzgeliebten ältern Sohn[2], als deme ich von S. F. G. gnädigen Herrn Vater, dem auch Durchleuchtigen, Hochgebornen, thewren und gottseligen Fürsten und Herrn, Herrn Johan Wilhelm, Hertzogen zu Sachsen etc. E. F. Gn. hertzliebsten Herrn und Gemahls, hochlöbl. Christseligster Gedächtnis[3], zum Praeceptore damals zugeordnet war, zum besten ein sonder Beicht- und Betbüchlein nach denen Gaben des Geistes, die Gott dargereicht, zusammen getragen für Christliche Communicanten mit vorgehendem Unterricht von der Beicht, Absolution und Abendmal des HErrn, und wie man sich zu wirdiger empfahung derselben bereiten und dabey vor und nach mit lesen vnd beten verhalten sol. Als nu dasselbe hernach etliche Christliche, auch gelehrte und eins theils[4] hohes Standes-Personen bey mir gesehen, haben sie jhnen[5] dieselbige meine, ob wol ringfügige Arbeit nicht allein gefallen lassen, sondern auch für nützlich und nothwendig geachtet, weil sonderlich dergleichen zu diesem Ende und der Maß keines im Druck jhres wissens verhanden, daß es der Kirchen Gottes öffentlich mitgetheilet werde, Welches ich endlich gern gewilliget, sonderlich der lieben Christlichen Jugend zum

---

Zu Nr. 8:

1. Herzogin Dorothea Susanne (1544–1592), Tochter des pfälzischen Kurfürsten (seit 1559) Friedrich III. (1515–1576) und Witwe des 1573 verstorbenen Herzogs Johann Wilhelm (unten Anm. 3). Vgl. zu den dynastischen Beziehungen Stammtafel S. 64.

2. Herzog Friedrich Wilhelm I. von Sachsen-Altenburg (1562–1602) regierte seit 1573.

3. Herzog Johann Wilhelm (1530–1573), zweiter Sohn des 1547 der sächsischen Kurwürde beraubten Kurfürsten Johann Friedrich.

4. = zum Teil.

5. = sich.

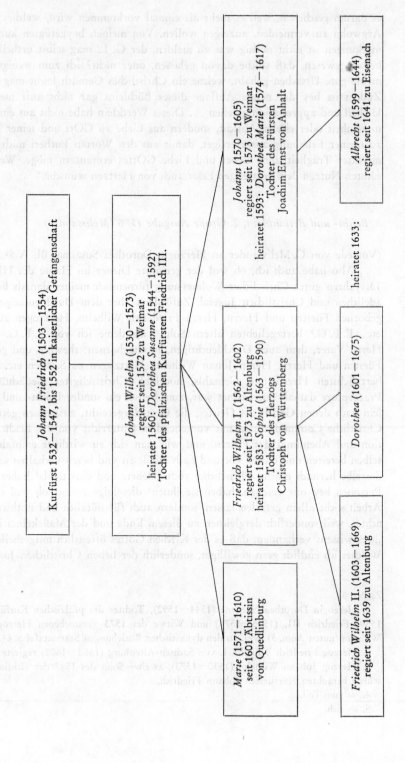

Das ernestinische Herrscherhaus in Thüringen (Auszug).

Zu den Vorreden Nr. 8–10 von Melissander und Nr. 12 von Sagittarius.

Johann Friedrich (1503–1554)
Kurfürst 1532–1547, bis 1552 in kaiserlicher Gefangenschaft

Johann Wilhelm (1530–1573)
regiert seit 1572 zu Weimar
heiratet 1560: Dorothea Susanne (1544–1592)
Tochter des pfälzischen Kurfürsten Friedrich III.

Johann (1570–1605)
regiert seit 1573 zu Weimar
heiratet 1593: Dorothea Marie (1574–1617)
Tochter des Fürsten
Joachim Ernst von Anhalt

Albrecht (1599–1644)
regiert seit 1641 zu Eisenach

Friedrich Wilhelm I. (1562–1602)
regiert seit 1573 zu Altenburg
heiratet 1583: Sophie (1563–1590)
Tochter des Herzogs
Christoph von Württemberg

Dorothea (1601–1675)
heiratet 1633:

Marie (1571–1610)
seit 1601 Äbtissin
von Quedlinburg

Friedrich Wilhelm II. (1603–1669)
regiert seit 1639 zu Altenburg

besten, auff daß, wenn und so offt sie zum hochwürdigen Sacrament des Leibs und Bluts Christi des HErrn gehen wollen, sie also die Nothdurfft zu andächtiger Nachrichtung[6], fein ordentlich beysammen hetten[7]. Als aber auch, nachdem der erste Druck in octavo außgangen, ferner von mir begehret worden, denselben kürtzer einzuziehen, und daraus, zu bequemern Handbrauch, gleich einem Extract zu machen, und es also, auch in kleinerm modo[8] drucken zu lassen, Hab ich mich auch darin, wie in allem, jedermann zu dienen schuldig erachtet. Wie ichs denn der Vrsach halben abermals auff Bitt auffs newe vbersehen und noch enger eingezogen. Und darüber auch diß grösser Exemplar, weil es begehret worden, nicht allein wiederumb lassen aufflegen, sondern habe es gleicher weis fast auffs newe formiret und es nunmehr meines erachtens also zugerichtet, daß es verhoffentlich frommen Christen noch mehr belieben[9] wird.

Weil denn Durchläuchtige, Hochgeborne, gnädige Fürstin und Fraw[1], der erste Druck, E. F. Gn. hertzgeliebten Fürstlichen Kindern, an Herren vnd Fräwlein zugleich, Der ander aber dero auch hertzgeliebten Tochter, damals verlobten Fürstlichen Fräwlein Sophia[10], gebornen Hertzogin zu Wirtemberg und Teck, und nunmehr hochgedachtes Fürsten unnd Herrns, Herrn Friedrich Wilhelms[2], Hertzogen zu Sachsen, unsers gnädigen lieben Landesfürsten, hertzallerliebstes Gemahl, insonderheit dediciret und zugeschrieben worden, Als wird diese newe Edition billich E. F. G. als deren allerseits gnädigen Fraw Mutter zugeeignet und dediciret, Darmit also dieses Christliche Beicht- und Betbüchlein, in diesem hochlöblichen Fürstlichen Hause zu Sachsen, als darinne es erstlich concipiret, darnach auch formiret, und endlich publiciret worden, bleibe . . . "

9. Beicht- und Betbüchlein, 1. Kleine Ausgabe 1583 (Melissander)

(Vorrede von C. Melissander an Herzogin Sophie, Bl. A 2[b] bis A 6[b])
„Durchleuchtige, Hochgeborne, gnedige Fürstin vnnd Frewlin[1], Demnach[2] ich vor etlich Jaren, und als ich noch am Fürstlichen Sechsischen Hoffe zu Weymar, bey lebzeitten des auch Durchleuchtigen, Hochgebornen Fürsten und Herrns, Herrn Johann Wilhelms, Hertzogen zu Sachsen, hochlöchlicher, Christmilder gedechtnis[3],

---

6. = das Erforderliche, wonach man sich bei der Andacht zu richten hat.

7. Über die verschiedenen hier genannten Ausgaben Melissanders vgl. die Einleitung und Bibliographie I, 3.

8. = Format.

9. = angenehm sein.

10. Vgl. unten Nr. 9 Anm. 1; Tochter des Herzogs Christoph von Württemberg.

Zu Nr. 9:

1. Herzogin Sophie von Württemberg (1563–1590); sie heiratete am 5. Mai 1583 Herzog Friedrich Wilhelm (oben Nr. 8 Anm. 2).

2. = nachdem.

3. Vgl. oben Nr. 8 Anm. 3.

Seiner F. G. hertzgeliebten eltern Sons, Herrn Fridrich Wilhelms, Hertzogen zu Sachsen etc.[4], numehr E. F. G. hertz allerliebsten verlobten[1] Herrns, unwirdiger Praeceptor gewesen, aus Christlicher wolmeinung unnd sonderlich meiner lieben jugend zum besten ein Christliches Betbüchlein für andechtige Communicanten mit vorgehendem Christlichem unterricht von der Beicht, Absolution unnd Abendmal des HERRn, Und wie man sich zur wirdigen empfahung derselben bereitten unnd darbey vor und nach mit lesen und beten Christlich vorhalten sol, gestellet unnd dasselbe auff bitt etlicher guthertzigen zu gemeinem nutze vor eim Jar in druck gegeben[5], Welches jnen[6] viel frome, eins theils[7] auch gelerte, unnd hohes standes Christen haben gefallen lassen, Etliche aber auch darneben mich Christlich erinnert und gebeten, das ichs kürtzer einziehen unnd zu bequemern brauch auch in kleinerm modo[8] drucken lassen wolte. Und ich mich hierin, wie in allem, jederman zu dienen schuldig erkenne und geneigt bin:

Als[9] habe ich hierauff aus demselben dieses kleiner Beicht- und Betbüchlein also zusamen geordnet[10] und es allenthalben in gute richtigkeit gebracht, der gentzlichen zuuersicht und hoffnung, es solte daran vielen fromen Christen auch zu gutem gefallen geschehen und damit nicht allein der Christlichen jugend, sondern auch vilen andern zu guter heilsamer Nachrichtung[11], Andacht, Trost vnd besserung gedienet sein. Es bleibet aber darneben das ander grösser Betbüchlein auch noch in seinem werd für die, so es begern umb des Andern theils willen, der schönen Ausserlesnen Gebete Doct. Luthers und etlicher anderer gelerter vnd Gottseliger Leute. Weil aber, Durchleuchtige, Hochgeborne, gnedige Fürstin und Frewlin, der erste druck dem Hochloblichen Hausse zu Sachsen Weinmarischen theils als meinen gnedigen jungen Fürsten vnd Fürstin, Herrn und Frewlin, in vntertheniqkeit zugeschrieben und dediciret worden[12] Unnd E. F. G. durch GOttes sonderbare gnade und schickung nunmehr auch in hochgedachtes Fürstliche Hausse getretten[13] unnd darumb, wie in allem, auch hirin billich theil unnd gemeinschafft haben, So habe ich aus untertheniger Christlicher wolmeinung diese andere Edition E. F. G. als unserer zukünfftigen gnedigen lieben Landsfürstin dediciren unnd zuschreiben und darmit nicht allein meine vntertheniqe zuneigung zu derselben offentlich bezeugen, Sondern auch zu der durch Gottes gnedige schickung mit hochgedachtem, dem auch Durchleuchtigen, Hochgebornen Fürsten und Herrn, Herrn Friderich

---

4. Vgl. oben Nr. 8 Anm. 2.
5. Vgl. Bibliographie I, 3a.
6. = sich.
7. = zum Teil.
8. = Format.
9. = so.
10. Vgl. oben Nr. 8 Anm. 7.
11. = wonach man sich zu richten hat.
12. Ein Exemplar dieser Ausgabe (vgl. Bibliographie I, 3a) ist nicht auffindbar. Deren Widmung richtete sich an die drei Kinder des Herzogs Johann Wilhelm, Friedrich Wilhelm, Johann und Marie (vgl. Stammtafel S. 64).
13. Vgl. oben Anm. 1.

Wilhelm, Hertzogen zu Sachsen etc., meinem gnedigen lieben Fürsten unnd Herrn, getroffene Ehe verlöbdnis von dem Allmechtigen getrewen Gott und Vater vnsers HErrn Jesu Christi als dem stiffter und erhalter des H. Ehestands viel glück, segen und alle selige wolfart wündschen wollen und hirmit von hertzen gethan haben wil . . ."

10. Beicht- und Betbüchlein, 2. Kleine Ausgabe 1586 (Melissander)

(Vorrede von C. Melissander an Herzogin Dorothea Susanna, Bl. A 2[b] bis A 6[a]) „Durchleuchtige, Hochgeborne, Gnedige Fürstin unnd Fraw[1], Das es nit unrecht noch unchristlich, auch nicht unnütz und vergeblich sey, wie etliche unbescheident-lich[2] dauon reden, das man einfeltigen Christen unnd sonderlich der CHRIstlichen Jugend auff sonderbare[3] Fälle und umbstende, sonderbare[3] Form und weis zu be-ten aus Gottes wort fürschreibet, unnd allerley feine Christliche Betbüchlein jnen zurichtet, wird in meinem grössern Beicht- unnd Betbüchlein[4] mit 12. vnterschied-lichen gründen und Vrsachen ausgeführt unnd gnugsam erwiesen, können aber kürtze halben hie in diesem Extract nicht widerholet werden, etc.[5] . . .
Als aber auch, nach dem der erste Druck vor 5 Jahren in Octauo ausgangen[6], fer-ner von mir begehret worden, denselben kürtzer einzuziehen unnd daraus zu bequemern Handbrauch und umb leichters Kauffs willen für den gemeinen Man gleich einen Extract zu machen unnd es also auch in kleinerm modo[7] drucken zu lassen Habe ich mich auch darin, wie in allem, jederman zu dienen, schuldig er-achtet, Wie ichs denn der Vrsach halben abermals auff bitt auffs new vbersehen vnnd noch enger eingezogen. Und es numehr meines erachtens also zugerichtet, das es verhoffentlich frommen Christen belieben[8] wird, dabey es auch hinfür blei-ben sol. Es wird aber, Gnedige Fürstin vnnd Fraw, E. F. G. beneben dem grössern Exemplar[9] auch dieser Auszug billich zugeeignet und dediciret umb deren vrsachen willen, so in meiner grössern Vorrede gemeldet sind[10], Fürnemlich aber darumb, auff das frome Christliche hertzen auch umb E. F. G. als einer so hochberümbten,

---

Zu Nr. 10:

1. Ebenso wie die 2. Große Ausgabe von 1586 (oben Nr. 8) widmete Melissander auch diese 2. Kleine Ausgabe vom gleichen Jahr der seit 1573 verwitweten Herzogin Dorothea Susanne (oben Nr. 8 Anm. 1).
2. = die nicht Bescheid wissen.
3. = besondere.
4. Vgl. oben Nr. 8.
5. Der folgende nicht wiederholte Abschnitt geht dem oben Nr. 8 abgedruckten Text voraus.
6. Vgl. oben Nr. 8 Anm. 7.
7. = Format.
8. = angenehm sein.
9. Vgl. oben Nr. 8.
10. Vgl. oben Nr. 8.

Christlichen Fürstin willen, die im Gebet durch so manch Creutz und Trübsal wol in die Schul geführet, probieret[11] und geübet ist, jnen[12] dieses Betbüchlein desto lieber und angenemer seyn lassen ..."

11. Gebete, wie sich ein Christ ... 1592 (Probus)

(Vorrede von A. Probus an Herzogin Dorothea Susanna, nach dem Abdruck in der Ausgabe 1663, Bl. C 2[a] bis 3[a])

„... Und damit Ihre Fürstl. Gn.[1] hierzu einen guten Anfang und Eingang machten, sind Ihre Fürstl. Gn. Raths[2] und einig worden, daß E. E. E. F. F. F. G. G. G.[3] als derselbigen hertzallerliebsten Fürstlichen Kindern, der H. Christ dieses Gebetbüchlein solte bescheren, alldieweil dieselbigen solche Gebetlein bey der Frau Mutter offt gesehen und hertzlichen gewünschet haben, daß sie, als darin das gantze Leben eines Christe-Menschen gefasset und begriffen, in ein Büchlein möchten zusammen gebracht werden, welche ich, also auff empfangenen Fürstlichen Befehl zusammen gefasset, unterthänig neben dieser Vorrede, so gut sie GOtt gegeben, E. E. E. F. F. F. Gn. Gn. Gn. habe insinuiren[4] und fürbringen sollen. Der Allmächtige, getreue und barmhertzige GOtt verleihe hierzu seine Gnade und Segen, daß dieselben derer nach dem Christlichen Exempel der löblichen Fr. Mutter lange Zeit Christlich und wohl gebrauchen, und mit dem lieben Gebet in das liebe neue Jahr tretten[5] mögen. Das wünschen E. E. E. F. F. F. G. G. G.[3] hertzliebe Frau Mutter und ich von Grund unsers Hertzen."

12. Gebete, wie sich ein Christ ..., Ausgabe 1663 (Sagittarius)

(Vorrede von J. Chr. Sagittarius, Bl. A 2[a] bis 2[b] und A 6[b] bis A 7[a])

„... Es hat die weiland Durchlauchtige, Hochgebohrne Fürstin und Frau, Fr. Dorothea Susanna, gebohrne Pfaltz-Gräfin bey Rhein, Churfürst Friedrichs, Pfaltz-Grafens[1], Frau Tochter, und des auch Durchlauchtigsten, Hochgebohrnen Fürsten

---

11. = bewährt gefunden.
12. = sich.

Zu Nr. 11:
   1. Herzogin Dorothea Susanna (oben Nr. 8 Anm. 1).
   2. = haben beschlossen.
   3. Euren Fürstlichen Gnaden (dreifach) = die drei Kinder des Herzogpaares (unten Nr. 12 Anm. 5).
   4. = nahebringen.
   5. Die Vorrede trägt das Datum: „am heiligen Christabend, im neuen angehenden Jahr 1591".

Zu Nr. 12:
   1. Vgl. oben Nr. 8 Anm. 9.

und Herrn, Herrn Johann Wilhelms, Hertzogen zu Sachsen etc. höchstlöblichsten Andenckens, Gemahl[2], in ihrem damals kümmerlichen Wittbenstande aus den Schrifften Lutheri und andern Gebetbüchern viel Gebete zusammen getragen, welche durch Herrn M. Antonium Probum[3], damals Weimarischen Superintendenten, im Jahr Christi 1591. zu Erffurt bey Johann Beck in den Druck gegeben[4], und, wie nachfolgende dedication Schrifft weiset, denen Durchlauchtigen, Hochgebohrnen Fürsten und Herren, auch Fürstin und Fräulein, Herrn Friedrich Wilhelmen und Herrn Johansen und Fräulein Marien, Hertzogen und Hertzogin zu Sachsen[5], nunmehr allerseits Hochseligen, zum Neu Jahrs Praesent[6] zugeschrieben worden ... Dieses nun von Hochgedachter Fürstin Frauen Dorotheen Susannen, auffgesetzte und Ihrem Herrn Vater[1] zugleich zugeschriebene Betbuch hat die auch Durchlauchtige, Hochgeborne Fürstin und Frau, Frau Dorothea, geborne, vermählete und verwittibte Hertzogin zu Sachsen, Jülich, Cleve und Berg, meine Gnädige Fürstin und Frau[7] zu Beförderung Göttlicher Ehren und Dero Hochgeehrten Frau Groß-Mutter[2] zum rühmlichen Andencken auff ihre eigene Kosten wieder lassen drucken[8].
Damit aber Christliche Hertzen auch in der neuen edition der Tomorum Lutheri[9], welche der auch Durchlauchtigste, Hochgebohrne Fürst und Herr, Herr Friedrich Wilhelm, Hertzog zu Sachsen, Jülich, Cleve und Berg etc.[10], Mein Gnädigster Fürst und Herr, lassen aufflegen, die aus denen Schrifften Lutheri gezogenen Gebete auffsuchen könten, ist zugleich bey einem jeden Gebete Meldung geschehen, an welchem Orte es in denen Altenburgischen Tomis zu finden ..."

---

2. Pfalzgräfin Dorothea Susanne (1544—1592) hatte 1560 Herzog Johann Wilhelm (oben Nr. 8 Anm. 3) geheiratet und war seit 1573 verwitwet.

3. Vgl. Kurzbiographien Nr. 12.

4. Vgl. Bibliographie I, 4A und oben Nr. 11.

5. Der seit 1573 zu Altenburg regierende Herzog Friedrich Wilhelm I. (1562—1602) (vgl. oben Nr. 8 Anm. 2), sein Bruder Herzog Johann (1570—1605), der seit 1573 zu Weimar regierte, und seine Schwester, die Quedlinburger Äbtissin (seit 1601) Marie (1571 bis 1610), waren die Kinder des Weimarer Herzogs Johann Wilhelm (oben Nr. 8 Anm. 3).

6. Die damalige Vorrede trägt das Datum des 24. Dez. 1590 (oben Nr. 11 Anm. 5).

7. Es handelt sich dabei um Dorothea Susannes Enkelin Dorothea (1601—1675), Tochter des Altenburger Herzogs Friedrich Wilhelm I. (vgl. oben Anm. 5), die seit 1633 mit dem seit 1641 zu Eisenach regierenden Herzog Albrecht ([1599—1644], Sohn des Weimarer Herzogs Johann [vgl. oben Anm. 5]) vermählt und seit 1644 verwitwet war.

8. Vgl. Bibliographie I, 4B.

9. = Altenburger Lutherausgabe 10 Bde. (1661/64), deren Redaktor der Verfasser dieser Vorrede war (vgl. WA Briefe Bd. 14, S. 451 f.).

10. Jüngster, seit 1639 zu Altenburg regierender Bruder (1603—1669) der in Anm. 7 genannten Herzogin Dorothea, Patron der Altenburger Lutherausgabe (vgl. WA Briefe Bd. 14, S. 451).

13. Himmelsleiter 1648 (Beck)

(Vorrede von J. J. Beck, Bl. XXXXX 2ᵇ bis 3ᵃ)

„... Weilen auch vor anderen der selige unnd hocherleuchte Mann Gottes Lutherus ein rechter Meister im betten gewesen, massen[1] D. Vitus Dieterich in einem Sendschreiben an Philippum Melanthonem, Tom. 9. Witteberg. pag. 430. von jhme rühmet[2], da er also schreibet: ,Es gehet kein Tag füruber, in welchem er nicht auffs wenigste drey Stunden, so dem studieren am allerbequemesten seynd, Zum Gebett nemmet. Es hat nur', spricht er ferner, ,einmal geglücket, daß ich jhn höret betten: Hilff GOTT, welch ein Geist, welch ein Glaube ist in seinen Worten: Er bettet so andächtig als einer, der mit Gott mit solcher Hoffnung vnd Glauben, wie einer, der mit seinem leiblichen Vatter redet' etc. Darumb ich dann auß allen seinen Schrifften, Tomis vnd operibus nicht ohne sonderbahre grosse Mühe, die kürtzeste, andächtigste vnd kernhaffteste Gebettlein zusamen gelesen, dieselbe hin vnd wider in diesem Bettbuch mit eingemenget, damit abermalen ein rechtschaffener Better gleichsam eine ὑποτύπωσιν vnd schönes Vorbild heilsamer vnd geistreicher Gebetlein beysamen haben, im Fall der Noth jhme[3] nutz machen vnnd darauß noch ferner die selige Bettkunst erlernen möchte ..."

14. Theologia Lutheri 1657 (Gruber)

(Vorrede von E. Gruber, Bl. (b) 3ᵃ. (b) 4ᵇ bis (b) 5ᵇ. (c) 1ᵃ)

„... Dises allein setzte ich jetzunder hinzu, daß es jetziger zeit sonderlich ein hohe nothdurfft seyn wolle, daß man den Leuten Lutheri herrliche arbeiten und schrifften, so gut man auch kan, wider bekandt mache, und in die Hand bringe, sintemal dieselbige an vilen orthen, dem gemeinen Mann sonderlich, gar frembd und seltzam[1] worden, also, daß man wohl in tausend Häusern solte kommen, darinnen man davon das wenigste nicht (ausser des kleinen, und nun villeicht auch des grossen allhie wider von newem auffgelegten Catechismi und der HaußPostil) solte antreffen und finden."

„... Nun sind aber derselben[2] zuvil, sie sind zu groß und kostbar, daß kein hoffnung ist, daß selbige gantz und vollstendig etwa einmal wider möchten auffgelegt werden, und da es gleich geschehe, so wurde jhms[3] doch der tausendeste Haußvater nicht schaffen[3] künnen. So muß man denn nothwendig auff dergleichen compen-

---

Zu Nr. 13:
1. = wie.
2. Vgl. WA Briefe Bd. 5, S. 420, 15—19 (lat).
3. = sich.

Zu Nr. 14:
1. unbekannt.
2. Schriften.
3. sichs ... beschaffen.

dia, extract, und kurtze außzüge gedencken, die leichtes kauffs, und bald durchgelesen sind, die müssen und künnen allein hierinnen das beste thun.

Ein solches feines Büchlein nun von einer guten anzahl feiner kurtzer kernhaffter Sprüche auß des Herrn Lutheri seel. lateinischen und teutschen Schrifften gezogen, ist mir fast vor einem Jahr, von einem Liebhaber der Schrifften Lutheri, beede gedruckt und geschriben zukommen, mit begehren, daß es allhie möchte auffs new auffgelegt, und gedruckt werden. Das gedruckte hat schon vor 76. Jahren der weitberühmte, und umb Kirchen und Schulen sehr wolverdiente Mann, Michael Neander[4], damahlen Rector der Schulen zu Ilfelden, auß weiland Herrn M. Andreae Fabricii Pfarrherrn zu Northausen[5] geschribenen collectaneis, in welchen etlich 1000. kurtzer sprüche auß Lutheri Schrifften zubefinden, und vier zimliche Bücher damit angefüllt gewesen, zusammen bracht, und anno 1581[6] zu Eißleben drucken lassen. Er helt aber in den materien kein Ordnung, sondern durchgeht nur die Tomos nach einander, wie sie das erste mal zu Jena gedruckt worden, und auff einander ordenlich folgen, und was auß den lateinischen genommen, das behelt er lateinisch, denn er hats nur für die studirende Jugend zusammen gesamlet. Das geschribene aber haben auff ebenmessiges begehren des vorgenannten Liebhabers der Schrifften Lutheri (der sich auß bescheidenheit nicht will nennen lassen) drey Christeiferige Theologi und Kirchendiener in der hochlöblichen Grafschafft Waldeck, zusammen getragen, dermassen, daß sie erstlich, was in Neandri büchlein lateinisch war, verteutscht, und daneben die Sprüche unter gewisse Articul und Puncten Christlicher Lehr, lebens und trosts ein- und außgetheilt, einen jeglichen, dahin er gehört.

Solch Büchlein, als es mir zukommen, hab ichs bald an gehörigen orthen hinterbracht, und dieweil es auß oben berührten Ursachen in den Druck zugeben für gut befunden worden (doch daß es vorher nochmahlen möchte übersehen, und wo es vonnöthen, gebessert werden) als hab ich mir die mühwaltung gern lassen auffflegen, dasselbe mit fleiß durchgangen, übersehen, und in solcher form und gestalt, wie vor Augen, zum Druck verfertiget, Gott zu ehren, der lieben Kirchen Gottes zu dienst, und mehrgedachten Liebhabers, als meines sehr werthen Günners und Freunds, eiferigen und Christlichen verlangen und begehren ein gnüge zuleisten.

Damit aber Christliche und trewhertzige Leser sich desto besser drein richten mögen, so sind folgende erinnerungen wol in acht zunehmen.

1. Und erstlich zwar, so ist es freylich an dem, was Herr Neander in seiner Vorred über dises Spruchbüchlein hat geurtheilt[7], daß nemlich so vil himlischer Lehr

---

4. Vgl. Einleitung Anm. 29.

5. (gest. 1577), geboren in Chemnitz, seit 1568 Pfarrer in Eisleben. Vgl. ADB Bd. 6, 514 und Jöcher Bd. 2, Sp. 479.

6. Vgl. Einleitung Anm. 29.

7. „cum persuasum aliis sit, tantum doctrinae et coelestis sapientiae in omnibus divini Lutheri monumentis non exstare, quantum id genus pauci Aphorismi lectoribus sint exhibituri" (Bl. A 6a).

und Weißheit in disen kurtzen Sprüchen stecke, daß manche jhnen wol einbilden solten, ob were in den Büchern Lutheri allen mit einander deßgleichen nicht zu finden, und ist doch gewißlich dises gleichsam nur ein Hand- oder Löffel voll Wassers, auß einem grossen Meer, als ein Ziegel von einem guldenen Hauß, als ein Zahn von einem grossen Risen oder ein Finger von dem grossen Colosso der Rhodiser[8].

2. Darumb denn auch diß Büchlein, weil es doch hat müssen umbgeschrieben werden, wohl hette können mit außschreibung viler anderer in den Tomis Lutheri befindlicher Sprüche, erweitert, und ergrössert werden, gestalt[9] denn auch ein solches verlangt und begehrt worden. Allein es hat auff dißmahl wegen anderer Geschefft nicht seyn können. Jedoch ist jezuweilen unter der revision eins und anders hinzu gethan, und also doch die zahl der Sprüche in etwas vermehret worden. Sonderlich, was in Neandri Büchlein gar zu kurtz abgebrochen, oder zu leer und dunckel geschinen, das ist durch beysetzung dessen, was im Luthero vor und nachgehet, ergentzt worden, und hat sein liecht und nachdruck bekommen."

„... 13. Solt man auch innen werden, daß dises Büchlein Christlichen Lesern wurde annehmlich seyn, und auß Lutheri Schrifften ein mehrers verlangt werden, daneben sich auch Christliche verleger angeben wolten, künte nach und nach ins künfftig auß jedem Tomo insonderheit, was zuwissen nutzlich und denckwürdig, herauß gezogen, und was man jetzt nur gleich als in einem Kostgläßlein zum kosten und versuchen darbeut, alßdenn mit grösserer Maß außgegeben werden!"

15. *Lutherus Redivivus 1665 (Gruber)*

(Vorrede von E. Gruber zum Hauptschlüssel 1671)

„Was ein gut, richtig und vollständig Register, einem guten Buch, sonderlich, wenn es groß und weitläufftig ist, für ein Liecht, Nutzen und Annemlichkeit gebe, das ist der sachen verständigen, die mit Bücher lesen und schreiben umbgehen, mehr dann wol bekannt, und hab ichs im Vorbericht über die Haupt-Schlüssel zu den acht Schatz-Kästlein deß Lutheri Redivivi in etwas berührt. Wann[1] dann seithero auch die übrige opera Beati Lutheri, als die zwo Postillen, die Wittenbergische, Lateinische und Eißlebische Tomi, wie auch der Genesis, auff gleiche weise, wie mit den acht Jehnischen geschehen, durchgearbeitet worden (dabey dann auch andere Theologi im Hessen- und Würtemberger Lande, das ihre treulich gethan, und mir unter die Arm gegriffen, wie das Werck bezeuget, und ich dessen billich zu ihrem wolverdienten Nachruhm gedencke, und nomine Ecclesiae darfür dancke) auch was darauß gesammlet ist, nunmehr in sechs zum theil zimlich starcken To-

---

8. 34 Meter hohes Erzstandbild des Helios am Hafen von Rhodos, eines der sieben antiken Weltwunder.

9. da.

Zu Nr. 15:

1. Weil.

mis, im Druck vor Augen ligt, und also weit mehr, als die acht Schatz-Kästlein deß Lutheri Redivivi außträgt: Als[2] hab ich nicht unterlassen wollen, auch über diese sechs Tomos gehörige Haupt-Schlüssel oder General-Register zu verfertigen, in gleicher Form, Art und Weise, wie mit dem vorigen geschehen. Was ich nun bey denenselben weiter erinnert, und wie sie unterschiedlich zu brauchen, und zum Nutzen zu bringen seyen, das versteht sich auch von diesem gegenwärtigen gleicher massen, daß weitern widerholens nicht vonnöthen ist. Wer da wil, der gebrauch sichs[3] zu seinem Nutzen; Darzu geb Gott seine Gnad und Segen. Amen."

16. Ein gülden Kleinod 1669 (Veiel)

(Vorrede von E. Veiel)

„... Damit endlich dieses Wercklein mit allerhand Lutherischen Sachen gezieret wäre, habe ich auch das Betglöcklein D. M. L., so M. Petrus Trewer zugericht und erstlich Anno 1580.[1] zu Straßburg in 8., nachmals aber Anno 1600. zu Wittenberg[2], doch nicht so völlig, wiederum gedrucket worden, hinden besten und meisten theils angefüget, bevorab[3] ich selber gesinnet gewesen, etliche Gebetlein Lutheri zu sammeln, wo mir nicht dieses Büchlein zur Hand kommen wäre. Von welchem Betglöcklein gedachter H. M. Trewer in seiner recht Lutherischen Vorrede recht und wol sagt[4]: ‚Ob nu wol sonsten viel nützlicher Betbüchlein vorhanden, die ich in ihrem Werth gern lassen will, so müssen doch geübte und bewehrte Christen bekennen, daß die Lutherischen Gebetlein baß hertzen und erwärmen, und gleich als feurige Flammen von sich geben, daß einem das Hertz im Leibe für grossen Freuden brennen möchte.' Ja wahr ists, D. Luthers Gebetlein sind durchtringend und feuriger als anderer Leuten, die ich mit ihren Gebet-Büchlein nicht will verachtet haben ..."

17. Verborgener ... Schatz 1683 (Thering)

(Vorrede von L. H. Thering, Bl. a 3[a])

„... Nu sagestu, hette man dieses Buches auch wohl entbehren können in so grosser verhandener Menge? Antwort: Dieser verborgener und wider gefundener Schatz ist nicht mein wegen des Inhalts und Materien, aber wol mein um der

---

2. So.
3. bediene sich dessen.

Zu Nr. 16:
1. Vgl. Bibliographie I, 2 B. Veiel war offenbar die Erstausgabe 1579 unbekannt.
2. Eine Ausgabe des Betglöckleins Wittenberg 1600 ist sonst nicht nachzuweisen. Vielleicht handelt es sich um die (nicht auffindbare) Ausgabe Wittenberg 1594 (Bibliographie I, 2 J), die als einzige in Wittenberg erschien.
3. nachdem ... zuvor.
4. Vgl. oben Nr. 4.

Ordnung auff diese Weise, aus des theuren Gottes Mannes D. Martini Lutheri Schrifften zusammen gefüget …“

18. Der andächtig betende Lutherus 1704 (Reuchel)

(Vorrede von J. Chr. Reuchel, Bl. x 4ᵇ bis x 6ᵇ)

„… Sondern er hat auch als ein Meister diese Kunst selber in Praxi erwiesen. Denn wenn man seine schöne und Geistreiche Schrifften durchlieset, so trifft man darinnen die kürtzesten, aber doch schönsten und Geistreichsten Hertzens-Seuffzer und Stoß-Gebetlein an, die zwar von wenig Worten, jedoch von grosser Brunst und Andacht sind … Mit einem Worte: Des seeligen Lutheri Gebetlein und Seuffzer sind durch die Wolcken dringende Stoß-Gebetlein voller Feuer und Andacht, daß also kein Wunder, wenn sie ie und allewege durch die Wolcken zu GOtt gedrungen und ihn zu gewünschter Erhörung bewogen. Wenn denn ich bey Durchlesung derer Lutherischen Schrifften als der Hauß- und Kirchen-Postill, derer Tisch-Reden und sonderlich derer Altenburgischen Theile[1] viel solche Suffzer und Stoß-Gebetlein angemercket, und derselben ie länger ie mehr darinnen gefunden, so bin ich endlich schlüßig geworden, solche zu meiner privat-Andacht auszuzeichnen[2]. Nachdem aber etliche gute Freunde einstens von allerhand Gebet-Büchern mit mir discurrireten und unter andern erwehneten, ob man denn nicht von des seeligen Lutheri Gebeten und Seuffzern zusammen suchen und finden könte, daß man solche in ein Gebet-Buch ausfertigte? und ich ihnen von meinen Collectaneis Meldung that, haben sie nicht ehe nachgelassen, biß sie mich bittlichen dahin vermocht, solche zum öffentlichen Drucke zu überlassen. Weil denn nun das Absehen[3] solches Suchens sowohl zur Beförderung der Ehre GOttes als auch der Andacht frommer Christen und nicht minder zur Erhaltung des andächtigen Lutheri schuldigen Gedächtniß zielete, so habe mich bereden lassen, die colligirten Seuffzer aufs fleißigste durchzusehen, aufzuschlagen und mit vielen zu vermehren und solchem nach zum Drucke in gegenwärtiger Ordnung auszuhändigen, daß sie zu allen Zeiten, in allen Nöthen und von allen Menschen zur Beförderung ihrer Gebets-Andacht gantz nützlich können gebraucht werden. Indem aber von dem seligen Luthero nicht mehr denn ein Morgen- und Abend-Seegen in seinem Catechismo zu finden, so habe auf Begehren des Verlegers und damit andächtige Beter bey Gebrauch dieses Büchleins täglich mit Abend- und Morgen-Gebeten abwechseln können, des seligen D. Johann Habermanns[4] (dessen Gebet-Buch von vielen billich

---

Zu Nr. 18:

1. Vgl. oben Nr. 12 Anm. 9.
2. = durch ein Zeichen kenntlich machen.
3. = Absicht.
4. Johann Habermann (Avenarius) (1560—1590) veröffentlichte 1567 das dann weitverbreitete und sehr beliebte Gebetbuch: „Christliche Gebet für allerley Not vnd Stende der gantzen Christenheit, außgetheilet auf alle Tage der Wochen zu sprechen“ (vgl. RE³ Bd. 7, S. 281 f.; RGG³ Bd. 3, Sp. 7; Althaus, S. 119—126).

hochgeachtet wird) mit einrücken lassen, daß es also fast für ein vollständiges Gebet-Buch passiren kan. Ich zweiffele nicht, es werden sich andächtige Beter diese Mühe gefallen und sich dieses Büchlein, zu Beförderung ihrer Andacht dienen lassen. Der andächtige Leser bete nur wie Lutherus so brünstig und eiferig, so wird auch sein Gebet bey GOtt seyn recht annehmlich und erhörlich[5], und er wird in der That erfahren, wie der Gebrauch dieses Büchleins ihme wird seyn recht nützlich und selig. Wornechst ich schlüßlich einen ieden andächtigen Beter dem gütigen GOtt zu aller erwünschten Erhörung seiner inbrünstigen Seuffzer hertzlich empfehle!"

19. Anhang 1704 zum Neudruck des Betglöckleins 1591 (Schwedler)

(Vorrede [von J. Chr. Schwedler], S. 130 f. 132. 133. 134 f. 155. 176 f. 180)

„... Als ich nun dieses Büchlein im Nahmen GOttes anfieng zu brauchen und sehr beqvem zu meiner Erbauung fand, so wünscht ich bald, wie sonst allezeit bey Geniessung einer Wohlthat, eine Gelegenheit zu haben, solche nach der guten Erklärung Mose gegen seinen Schwager Hobab, Num. 10/32. meinen lieben Zuhörern auch mitzutheilen und das Gute an ihnen zu thun, was der Herr an mir gethan. Ich bemühte mich um Exemplaria: aber auch davon war keines mehr anzutrefffen. In währender Zeit[1] fügte es der liebe GOTT, daß ich 1701 im Advente im Beicht-Stuhle des Beth-Glöckleins in 12ma[2] 1591 zu Straßburg gedruckt[3] in den Händen eines Zuhörers gewahr wurde. So bald ich nun solches nach seiner Beicht und Communion-Andacht auff Ersuchen zu sehen und zu lesen bekam, so danckte ich GOTT vor einen solchen Schatz, beklagte dessen Unbekandschafft und entschloß mich gleich mit GOTT, denselben wiederum bekand zu machen. Dieses Vorhaben entdeckte ich sowohl etlichen GOtt bekandten gutthätigen Christen, die sich dieses verborgenen Schatzes von ihrem Schatze[4] annahmen und zu dessen Bekandmachung ihre milde Hand auffthaten ... als auch etlichen andern Freunden an unterschiedlichen Orten, deren Gutachten und Rath ich darüber einholete. Es kam auch umb dieselbe Zeit Herr Neugebauer, ein frommer und gelehrter Studiosus Theol., zu mir, der mich nicht allein in dem Vorhaben auffmunterte, sondern auch zugleich meldete, daß er auff seinen vielen Reisen unterschiedliche Dinge von Luthero colligiret hätte, welche wohl ehestens dürfften in Druck kommen. Nachdem er aber 1702 um Weihnachten in Dreßden verschieden und daran verhindert worden, so ist wohl zu wünschen, daß seine raren colligierten MSta nicht zerstreuet

---

5. = annehmbar und erhörbar.

Zu Nr. 19:
  1. = währenddessen.
  2. = in Duodezformat.
  3. Vgl. Bibliographie I, 2 C.
  4. = finanziell. Vgl. den Titel Bibliographie I, 8.

werden, sondern einen treuen Mittheiler überkommen[5] mögen. Indem nun also der Druck seinen Anfang nahm und das Werck auch schon bekand wurde, so erhielt ich nach einiger Zeit Nachricht, daß man in Leipzig habe den Entschluß gefast, Lutheri Gebeth-Buch zu drucken; fand auch endlich in dem Leipziger Bücher-Catalogo, der 1703. an der Oster-Messe heraus kam, den Titel: Doctor Martin Luthers geistreiches Gebeth-Buch, aus dessen Schrifften zusammen getragen, etc. nebst dessen Gesangbuch, Chemnitz bey Conrad Stößeln ... Endlich bekam auch das in dem Catalogo gemeldete Gebethbuch, dessen völliger Titel ist: Der andächtig-bethende Lutherus[6] ... Ob der Herr Author das Beth-Glöcklein gebraucht, muthmasse ich aus vielen gleichlautenden Titeln; Doch hab ich auch dieses wiewohl nur bey eilfertiger Durchblätterung gefunden, daß er etliche Gebethe aus denselben Schrifften mit angeführet, die zu Herr M. Petri Trewers Zeit vielleicht noch nicht im Druck bekand gewesen und also nicht hat anführen können. Dabey aber hab auch dieses observiret, daß in dem Bet-Glöcklein weit mehr geistreiche Gebeth und Seuffzer sind, die in diesem Drucke nicht stehen ... Zu den Lehr-Schrifften hab ich durch Anhörung und Lesung der Hauß-Postill des seeligen Vaters Lutheri bald in meiner zarten Kindheit einen guten Zugang und schöne Gelegenheit gefunden. Denn weil ich an einem solchen Orte erzogen bin, an welchem wir, vornehmlich zur Winters-Zeit, zuweilen den Gottesdienst zu Hause halten musten, so hatte wohl mein lieber Vater unterschiedliche Predigt-Bücher, vor allen andern aber laß er uns entweder die gewöhnlichen Predigten aus dieser Postille vor oder machte doch den Anfang damit. Ja wenn auch der liebe Vater bey grosser Kälte und ungestümen Wetter mit den grösten Geschwister noch kunte fortkommen und ich bey meinen wenigen Jahren nebst der lieben Mutter muste zu Hause bleiben, so machte sie mich alsdenn zu ihrem Prediger, daß ich mich zu Ihr setzen und Ihr aus dieser Hauß-Postille allezeit die Predigten lesen muste; daher ich nicht allein in diesem Buche, welches 1604 zu Jehna durch Salomon Richzenhan gedruckt und aus dieser Ursache bey dem lieben Vater ausgebethen und itzt als mein Eigenthum besitze, memoriam localem bekommen, sondern auch der Lehr und phraseologie des seeligen Vaters Lutheri von zarter Jugend auff in etwas gewohnen[7] kunte ... Item eines Lutheri Redivivi, der etliche Authores hat, die aus den Schrifften Lutheri und iedem dero Theil 12. Schatz-Kästlein gewisser Materien gefüllet, und darein das vornehmste iedes Tomi eingetragen haben: Da denn gearbeitet haben an der Kirchen-Postill Herr Johann Conrad Zeller, Abt von Bebenhausen; an der Hauß-Postill M. Johann Zeller, Special-Superint. zu Weiblingen; an den Eislebischen Tomis Lic. Johann Caspar Finck, Inspector zu Lauterbach; das meiste aber hat übernommen Erasmus Gruber, Senior Ministerii zu Regenspurg, als der nicht nur die 8 Jenischen Theile ieden besonders edirt, sondern auch Genesin, die Wittenbergischen Tomos und die Lateinischen, aber solche drey unter sonderlichen

---

5. = erhalten.
6. Von Johann Reuchel (vgl. Bibliographie I, 9).
7. = gewohnt werden.

Nahmen Analectorum Sacrorum, Brodt-Körbe und Spicilegii sacri[8], die ich mich aber gesehen zu haben nicht erinnere ... Doch es mag von diesen Arten genug seyn; Wir gehen numehro zu der vierdten Art der Gebethe des seeligen Vaters Lutheri, qvae sunt avthenticae & genuinae, seine eigentlichen Gebete, und von denen wir hier ex professo zu handeln vorgenommen. Und diese sind nun theils formales in forma precum Gebethweise entweder von ihm selbst geredet und geschrieben oder von ihm zwar geredet, aber von andern angemercket worden; welche denn wieder zweyerley sind: Determinatae, die auff einen gewissen casum, Zeit, Ort etc. gerichtet, Oder indeterminatae & indefinitae, die insgemein eingerichtet sind. Jene lassen sich selten, diese aber offt und leicht appliciren[9]. Theils sind sie materiales, die zwar aus seinen Worten bestehen, die aber von ihm Lehr- und Unterrichts-weise vorgetragen sind und von andern in Gebeths-Formen sind versetzt worden. Dergleichen sonderlich mit den Gebethen geschehen, die p. 55. seqq. und die Herr M. Petrus Treuer aus dem Unterricht Lutheri an M. Peter Balbier aus der Lehr- in die Gebets-Form versetzet hat[10] ...

Zum Beschlusse ist ein doppelter Anhang zu finden. Der erste Anhang besteht aus etlichen Gebethen, die ich in diesem Bet-Glöcklein nicht funden habe, aber doch zu Lutheri Gebethen gehören, und in seinen Schrifften stehen[11]. Zu welchen ins künfftige, wo GOtt will, ein neuer Zusatz kommen soll. Der andre Anhang ist das Beth-Büchlein Lutheri, welches er selbst noch verfertiget hat, zwar nicht in der Ordnung, in welcher es von ihme ist heraus gegeben worden und die wir auch oben angeführt und beschrieben[12]. Jedoch findet man alles hier so wohl von den formalen Gebeth-Schrifften, als auch von den im Beth-Büchlein befindlichen Lehr-Schrifften, daraus sich ein iedweder in seiner Lehr und Beth-Andacht erwecken und erbauen kan ..."

20. Luthers Werke Bd. 10, 1. Ausgabe 1744 (Walch)

(Vorrede von J. G. Walch, Seite 87*f. [= Sp. 1768 ff.])

„... Auf diese Lieder folgt eine Anweisung[1] auf unterschiedene in des seligen Lutheri Schrifften sich befindende kurtze Gebete und Seuffzer in allerley Fällen, welche so eingerichtet, daß man nach der Ordnung des Catechismi angezeiget, was man in den bereits gedruckten Theilen dieser neuen Sammlungen vor Gebete Lutheri antrift. Anfänglich legte man zwar des Hrn. M. Joh. Christoph Reuchels an-

---

8. Vgl. zum Ganzen: Bibliographie I, 6.
9. = anwenden.
10. Vgl. Gebete Nr. 155−173.
11. Anhang 1704, S. 289 ff. Vgl. Bibliographie I, 2 C.
12. Anhang 1704, S. 615−698.

Zu Nr. 20:
1. = Hinweis.

dächtig betenden Lutherum[2] oder geistreiches Gebet-Buch, in welchem alle und iede Gebete und Seufzer, die in des sel. D. Martin Luthers Schrifften zu finden, zusammen getragen, zum Grund; da man aber hernach wahrnahm, daß hier manches unrichtig angeführet worden und viele Gebete sich in den noch zu druckenden Reformations Schrifften befänden, darauf man also hier noch keine Anweisung geben können, so hat ein guter Theil davon wegbleiben müssen. Indessen sind doch verschiedene aufs neue hinzugekommen. Das ist eine der wichtigsten Sachen, die man in Lutheri Schrifften antrift. Ich meine seine Gebete und Seufzer. Er hatte eine gar besondere Gabe zu beten, von GOTT empfangen. Sein Gebet stieg aus dem Hertzen in die Höhe und war imbrünstig, eifrig und durchdringend, eben weil er im vollen Vertrauen auf die Gnade GOttes und auf das Verdienst seines Heylandes Jesu Christi betete. Das that er ohne Unterlas und hielte an am Gebet. Er wuste nicht nur, was zu einem gottgefälligen und erhörlichen Gebet nöthig sey, wie man dieses unter andern aus seinen Auslegungen des Vaters unsers sehen kan; sondern er lehrte auch andere durch sein Exempel, wie sie zu GOtt beten sollten..."

21. Das Betbüchlein Lutheri 1833 (Kraußold)

(Vorrede von L. Kraußold, Seite XXIV)
„... Das letzte Stück unsers Betbüchleins ist eine Zusammenstellung aller Gebete und Seufzer Luthers aus seinen Schriften zusammen getragen. Dem Verfasser ist weder P. Frewer's [sic!] Betglöcklein Lutheri, Straßb. 1580[1], welches Feuerlein[2] anführt, noch Reuchel's andächtig betender Lutherus etc.[3], welchen Walch t. X.[4] Vorr. anführt, zur Hand gewesen. Obwohl dadurch die Arbeit etwas erleichtert worden wäre, vielleicht auch ein oder das andere Gebetlein, das ihm entgangen, mehr hinzugekommen, so findet der Verfasser doch für sich am allerwenigsten Ursache, dieß zu beklagen. — Auch gab ihm die Walch'sche Zusammenstellung einige Leitung ..."

---

2. Vgl. Bibliographie I, 9.

Zu Nr. 21:
1. Vgl. Bibliographie I, 2 B.
2. Feuerlein, Bd. 2, S. 32.
3. Vgl. Bibliographie I, 9.
4. Vgl. Bibliographie I, 10.

Bibliographie I:

Luthergebetbücher oder Gebetbücher mit einem größeren Bestand an Luthergebeten

Übersicht in chronologischer Ordnung[1]

1. *Ein newe Betbüchlin*, hsg. *A. Otto*, 1565.
9 weitere Ausgaben 1566 bis 1600.
   17 Luthergebete erstmals.
Nr. 84—100.

Neue Ausgabe, hsg. M. Marstaller, 1591, mit Anhang.
   17 und (Anhang) 37 Luthergebete aus Treuer.

2. *Beteglöcklin D. M. Lutheri*, hsg. *P. Treuer*, 1579.
   499 Luthergebete, davon 474 erstmals und 7 Duplikate.
Nr. 101—637.

2 weitere Ausgaben 1580 und 1591.
   500 Luthergebete, davon 1 erstmals und 7 Duplikate.
Nr. 638.

Neudruck der Ausgabe 1591, hsg. anonym J. Ch. Schwedler, 1704 mit Anhang.
   500 und (Anhang) 73 Luthergebete, davon 28 erstmals.
Nr. 714—741.

---

1) Die Zusammenstellungen über Luthergebetbücher bei Uhden und Beck beruhen auf dem Sammelfleiß des Hamburger Diakonus L. H. Kunhardt (1788—1871; über ihn vgl. Lexikon der hamburgischen Schriftsteller bis zur Gegenwart [Hamburg o. J.], S. 264; W. Jansen, Die Hamburgische Kirche und ihre Geistlichen seit der Reformation Bd. 1 [Hamburg 1958], S. 149 Nr. 53). Er besaß eine reiche Sammlung älterer evang. Erbauungsliteratur, die nach seinem Tode an die Stadtbibliothek Hamburg überging. Das gleiche gilt für ein Manuskript über die ascetische Literatur von Luther bis zum Jahre 1800 und die dazugehörigen Vorarbeiten und Excerpte, in denen auch die Standorte der einzelnen Schriften vermerkt sind, die Kunhardt in zwanzigjähriger Forschungstätigkeit meist durch Besuch der Kirchenbibliotheken in Nord- und Mitteldeutschland festgestellt hatte (Hamburg UStB: Realcat. Hamb. Mscr. Vol V. p. 73). Beck, der die Kunhardtsche Sammlung einsah, bemerkte jedoch (S. 14 f.), daß die bibliographischen Angaben nicht immer mit der wünschenswerten Genauigkeit gemacht sind. Infolgedessen mußte die Bibliographie der Luthergebetbücher von Grund auf neu erstellt werden. Die auf Kunhardt beruhenden Angaben bei Uhden (S. V und XI), Beck (S. 56 f.) und Althaus sind entsprechend unsrer Bibliographie vielfach zu berichtigen.

Neue Ausgabe, hsg. P. Piscator, 1610.
3 weitere Ausgaben 1621 bis 1696.
    500 Luthergebete.

Neue Ausgabe, hsg.. G. F. Stieber, 1710.
    449 Luthergebete.

3. *Beicht- und Betbüchlein*, hsg. *C. Melissander*, 1582 (Große Ausgabe).
    Mit Luthergebeten (Ausgabe nicht auffindbar).

Neue Ausgabe 1586 (Große Ausgabe).
7 weitere Ausgaben 1592 bis 1632.
    100 Luthergebete, davon 3 erstmals.
Nr. 639—641.

Hier ist einzufügen Nachtrag s. u. Nr. 13.

4. *Gebete, wie sich ein Christ schicken soll*, hsg. *A. Probus*, 1592.
    110 Luthergebete.

Neue Ausgabe, hsg. J. Chr. Sagittarius, 1663.
Weitere Ausgabe 1671.
    110 Luthergebete.

5. *Himmelsleiter*, hsg. *J. J. Beck*, 1648.
    136 Luthergebete, davon 12 erstmals und 3 Duplikate.
Nr. 642—653.

6. *Lutherus Redivivus*, 8 Bände, aus den 8 Jenischen Teilen, hsg. *E. Gruber*, 1665.
    41 Luthergebete, davon 9 erstmals.
Nr. 654—662.

Hauptschlüssel zu den 8 Bänden, hsg. *E. Gruber*, 1665.

Fortsetzungs-Bände:

Zwölf geistliche Brotkörbe aus den Wittenbg. Teilen 1—9 und 12 (= Bd. 9), hsg.
E. Gruber, 1670.
    29 Luthergebete, davon 10 erstmals.
Nr. 662a—662k.

Analecta Sacra aus den Wittenbg. Teilen 10 und 11 (= Bd. 10), hsg. *E. Gruber*, 1670.
9 Luthergebete, davon 2 erstmals.
Nr. 662l. m.

Lutherus Redivivus aus der Haus-Postille (= Bd. 11), hsg. *J. Zeller*, 1667.
16 Luthergebete, davon 11 erstmals.
Nr. 662n — 662x.

Lutherus Redivivus aus den 2 Eisleb. Teilen (= Bd. 12), hsg. *J. C. Finck*, 1670.
9 Luthergebete.

Lutherus Redivivus aus der Kirchen-Postille (= Bd. 13), hsg. *J. C. Zeller*, 1667.
19 Luthergebete, davon 6 erstmals.
Nr. 662y — 662dd.

Spicilegium Sacrum aus den Lat. Schriften (= Bd. 14), hsg. *E. Gruber*, 1670.
Keine Luthergebete.

Hauptschlüssel zu den 6 Fortsetzungs-Bänden, hsg. *E. Gruber*, 1671.

7. *Ein gülden Kleinod*, hsg. *E. Veiel*, 1669.
117 Luthergebete.

8. *Der verborgene und wiedergefundene Schatz*, hsg. *L. H. Thering*, 1683.
35 Luthergebete, davon 1 erstmals und 2 Duplikate.
Nr. 663.

Neue Ausgabe 1702.
33 Luthergebete, davon 1 Duplikat.

9. *Der andächtig betende Lutherus*, hsg. *J. Chr. Reuchel*, 1704.
2 weitere Ausgaben 1706 und 1738.
347 Luthergebete, davon 50 erstmals und 9 Duplikate.
Nr. 664 — 713.

10. *D. M. Luthers ... Sämtliche Schriften*, hsg. *J. G. Walch*, 1. Ausgabe, Band 10, 1744, Sp. 1768 — 1779 (nur Liste mit Textanfängen).
169 Luthergebete, davon 4 erstmals und 4 Duplikate.
Nr. 742 — 745.

2. Ausgabe, Band 10, 1885, Sp. 1482 — 1523 (ausgedruckte Texte).
165 Luthergebete, davon 2 erstmals und 4 Duplikate.
Nr. 746 — 747.

11. *Das Betbüchlein Lutheri,* hsg. *L. Kraußold,* 1833 und o. J. [1851].
    122 Luthergebete, davon 5 erstmals.
Nr. 748—752.

12. *Betbüchlein des ... Dr. M. Luther,* hsg. *Calwer Verlagsverein, 1883.*
Erweiterte Ausgaben 1886 und 1894.
    198 Luthergebete, davon 5 erstmals.
Nr. 753—757.

13. *Pastorale Lutheri,* hsg. *C. Porta,* 1582 (s. o. hinter Nr. 3).
5 weitere Ausgaben 1586 bis 1615.
    40 Luthergebete.
Neue Ausgaben 1842 und 1897.

Stemma der Luthergebetbücher

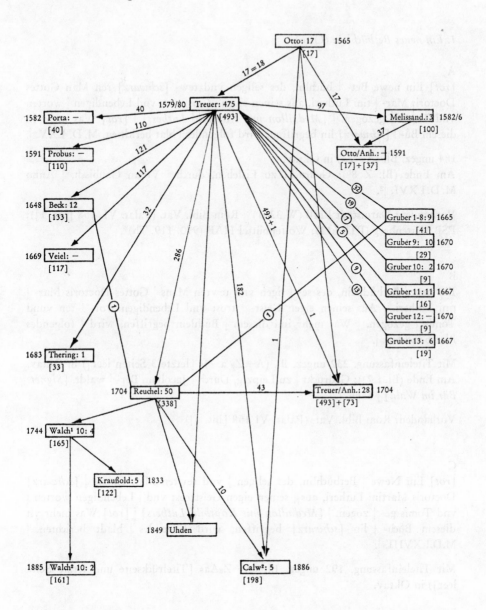

Erläuterungen:

[17]   Eckige Klammern = Gesamtzahl der jeweils aufgenommenen Luthergebete.

Otto: 17 Zahl hinter dem Namen = Zahl der erstmals übernommenen Luthergebete.

$\xrightarrow{17}$ Zahl auf Pfeil = Zahl der direkt übernommenen Luthergebete.

⑰   Zahl im Kreis = Zahl der gleichen, aber nicht direkt übernommenen Luthergebete.

Bibliographie

1. Ein neues Betbüchlein (Otto)

A

[*rot*] Ein newe Bet- | bůchlin, des seligen vnd tew- [*schwarz*] ren Man Gottes Doctoris Mar- | tini Lutheri, aus seinen eigen | Geisttrost vnd Lebendigen | worten vnd Tomis | gezogen. | [*Medaillon mit Kopfbild Luthers*] | [*rot*] Was mehr in diesem Bů- | [*schwarz*] lin begriffen, wird folgendes | blat berichten. M. D. LXV. |.

184 ungez. Bl. (A—Z₈) in Oktav.
Am Ende (Bl. Z 8ᵇ): Gedruckt zu Eisleben, durch | Vrban Gaubisch. | Anno M.D.LXVI. |².

Vorhanden: Darmstadt LHB (W 3261)*; Rom Bibl. Vat. (Palat. VI. 158 [int. 1]); PSB Wittenberg (PTh 612); Wolfenbüttel HAB (990. 119. Th)*.

B

Eiñ new | Betbůchlein, des se- | ligen vnd tewren Mans | Gottes Doctoris Mar- | tini Lutheri. | Aus seinen eigen Geist- | trost vnd Lebendigen wor- | ten vund Tomis | gezogen. | Was mehr inn diesem | Bůchlein begriffen, wird | folgendes Blat berichten. |.

Mit Titeleinfassung. 232 ungez. Bl. (A—Z₈ a—f₈ [letzte 3 Seiten leer]) in Oktav. Am Ende (Bl. f 7ᵃ): Gedruckt | zu Leipzig, Durch | Jacobum Ber- | waldt. [*Signet: Bär im Wald*] | 1566. |.

Vorhanden: Rom Bibl. Vat. (Palat. VI 158 [int. 1])*.

C

[*rot*] Eiñ Newe | Betbůchlin, des seligen | vnd tewren Man Gottes | [*schwarz*] Doctoris Martini Lutheri, aus | seinen eigen Geisttrost vnd | Lebendigen worten | vnd Tomis ge- | zogen. | [*Medaillon mit Kopfbild Luthers*] | [*rot*] Was mehr yn diesem Bůch- | lin [*schwarz*] begriffen, wird folgendes | bladt berichten. | M.D.LXVIII. |.

Mit Titeleinfassung. 192 ungez. Bl. (A—Z₈Aa₈ [Titelrückseite und letzte Seite leer]) in Oktav.

---

2) Zitiert: Schwedler, S. 104 und 119 ff.; Uhden, S. XI; Calw, S. VI; Beck, S. 56 Anm. 4; Große, S. 54; 88; 687; Althaus, S. 12 Anm. 1; vgl. WA Bd. 10ᴵᴵ, S. 364 Nr. 7. Über den Herausgeber Antonius Otto (Otho) vgl. Kurzbiographien Nr. 10. Text der Vorrede von Otto s. o. Vorreden Nr. 1. Text der Vorrede von Aurifaber s. o. Vorreden Nr. 2.

Am Ende (Bl. Aa 8ª): Gedruckt zu Magdeburg, durch | Wolffgang Kirchner. | M. D. LXVIII. |³.

Vorhanden: Berlin SB (Luth. 2970 [Kriegsverlust]); Magdeburg StB (X Fol 47 Oct 8 [nicht auffindbar, vermutlich Kriegsverlust]); Rostock UB (Fm 33 19); Tübingen UB (Gi 3138 c)*.

D
[Titelblatt fehlt; handschr. Titel auf dem Vorsatzblatt:]

Ein neu Betbüchlein des sel. u. teuren Mannes Gottes. Mit Vorrede von Anthonius Oto Pf. in Nordhausen und Anhang: Kurtze gemeine Auslegung und ubunge des Catechismi etc. Geprediget durch M. Joh. Stoltz, herausgegeben von Joh. Aurifaber. Leipzig, 1570. Durch Jakobum Berwaldt gedruckt.

232 ungez. Bl. (A—Z8 a—f8 [letzte 3 Seiten leer]) in Oktav.
Am Ende mit Seiteneinfassung (Bl. f 7ª): Gedruckt | zu Leipzig, Durch | Jacobum Berwaldt | [Signet: Bär im Wald] 1570. |.

Vorhanden: Straßburg BNU (E 161 939) (leeres Blatt f 8 fehlt)*.

E
Ein new | Betbüchlin | Des Seligen vnd tew- | ren Mans GOTtes | Doctoris Martini | Lutheri | Aus seinen eigen Geist- | trost vnd lebendigen wor- | ten vnd Tomis | gezogen. | Was mehr in diesem | Büchlein begriffen, wird | folgendes Blat | berichten. |.

Mit Titeleinfassung. 232 ungez. Bl. (A—Z8 a—f8 [letzte Seite leer]) in Oktav.
Am Ende (Bl. f 8ª): Gedruckt | zu Leipzig, Durch | Jacob Berwaldts Erben. | [Signet: Bär im Wald] | 1573. |.

Vorhanden: Rom Bibl. Vat. (Palat. VI. 60)*.

F
Ein new | Betbüchlin | Des seligen vnd tew- | ren Mans GOTtes | Doctoris Martini | Lutheri. | Aus seinen eigen Geist- | trost vnd lebendigen wor- | ten vnd Tomis | gezogen. | Was mehr in diesem | Büchlein begriffen, wird | folgendes Blat | berichten. |.

---

3) Zitiert: Calw, S. VI; J. M. Reu, Quellen zur Geschichte des kirchlichen Unterrichts, Bd. I, 2ᴵ (Gütersloh 1911), S. 294*. Zuchold Bd. 2, S. 838 erwähnt einen unveränderten Nachdruck dieser Ausgabe: Eßlingen 1845. gr. 12. (154 S.). Der Nachdruck war nicht auffindbar.

Mit Titeleinfassung. 232 ungez. Bl. (A—Z₈ a—f₈ [Titelrückseite und letzte Seite leer]) in Oktav.

Am Ende mit Seiteneinfassung (Bl. f 8ᵃ): Gedruckt | zu Leipzig, Durch | Jacob Berwaldts | Erben. | [*Signet: Bär im Wald*] | 1577. |.

Vorhanden: Graz UB (I 25546)*; Halle ULB (AB: 34 B 8/h, 7).

G

Ein new Betbůchlin | des seligen vnd tew- | ren Mans GOTtes | Doctoris Martini | Lutheri. | Aus seinen eignen Geist- | trost und lebendigen wor- | ten vnd Tomis | gezogen. Was mehr in diesem | Bůchlein begriffen, wird | folgendes Blat | berichten. |.

Mit Titeleinfassung. 232 ungez. Bl. (A—Z₈ und a—f₈ [letzte 3 Seiten leer]) in Oktav.

Am Ende mit Seiteneinfassung (Bl. f 7ᵃ): Gedruckt | zu Leipzig, bey Jo- | han: Beyer. | Im Jahr, | M. D. LXXX. |.

Vorhanden: Detmold LB (Th 2890. e [leeres Blatt f 8 fehlt])*.

H

D. Martini Lutheri. | Bet, Lehr, vnnd Trost-Bůchlein, | Aus seinē Geist | vñ trostreichen Schriff- | ten zusamen getragen vnd in | dieser schmeidigen Form | nun erstmals mit | fleis gedruckt. | [*Kopfbildnis Luthers.*] | Barth in Pommern, In der | Fürstlichen Druckerey, Anno | M. D. XCI. |.

Mit Titeleinfassung. 36 ungez. (A₆B₆) und 324 (C₆—Gg₆) gez. Seiten. (S. 303 bis 323: Anhang mit 37 Luthergebeten aus Treuers Betglöcklein zur Auffüllung der leergebliebenen Seiten) in Sedez.

Am Ende (Bl. Gg 6ᵇ): Gedrucket zu Barth in | der Fürstlichen Dru- | ckerey. M. D. XCI. |⁴.

Vorhanden: Wolfenbüttel HAB (900. 125 Th)*.

I

Ein schön Bet-Büchlein des seeligen und theuren Mannes Gottes Doct. Mart. Luth. aus seinen eignen Geist, Trost- und lebendigen Worten und Tomis gezogen. 12°. Wittenberg 1594. Gedruckt bey Wolfgang Meißnern, in verlegung Severini

---

4) Zitiert: Beck, S. 56 Anm. 4, fehlt bei W. Bake, Die Frühzeit des pommerschen Buchdrucks im Lichte neuerer Forschung (Pyritz 1934), S. 201. Über den Herausgeber der Neuausgabe Martin Marstaller vgl. Kurzbiographien Nr. 7. Auszug aus dem Text der Vorrede von M. Marstaller s. o. Vorreden Nr. 3.

Rotters, mit Friedrich Wilhelms Hertzogs zu Sachsen, der Chur-Sachsen Administratoris, begnadeter Freyheit. (Ohne Vorrede des A. Otto).

[Titel nach J. Chr. Schwedlers An- und Vorrede zur dreiteiligen Auswahlausgabe von Luthers Lehrschriften von 1704, S. 123].

Nicht auffindbar.

K

[*schwarz*] Ein schön | [*rot*] Bettbůchlein, | des Seligen vnd | [*schwarz*] thewren Mans Got- | tes D. Martini | Lutheri. | [*rot*] Aus seinen eigenen | [*schwarz*] Geist, trost vnd lebendigen worten vnd Tomis | gezogen. | [*rot*] Was mehr in diesem | [*schwarz*] Bůchlein begriffen, wird | folgendes Blat be- | richten. | [*rot*] Zu Lů- beck, bey Assweri | [*schwarz*] Krůgers Erben. | [*rot*] ANNO M. D. C. |.

Mit Titeleinfassung. 198 ungez. Bl. (A—Z₆ Aa—Kk₆ [letzte Seite leer]) in Duodez. Am Ende mit Seiteneinfassung (Bl. Kk 6ᵃ): Gedruckt zu Lůbeck, | bey Assweri Krůgers Erben, | In verlegung Laurentz Al- | brechts, Buchhend- | lers | [*Vignette*] | Anno M. D. C. |⁵.

Vorhanden: Berlin SB (Luth. 2972; [Kriegsverlust]); Gotha FB (Theol. 8° 687/3)*; Lübeck StB (Theol. pract. 8° 8260; [Kriegsverlust]); Wolfenbüttel HAB (Theol. 990. 126)*.

2. Betglöcklein (Treuer)

A

[*schwarz*] Beteglöcklin | [*rot*] Doctoris Mar- | [*schwarz*] tini Lutheri, | [*rot*] Von allen wolklingenden, | Geystreichen, hertzlichen, starcken vñ | [*schwarz*] feu- rigen Gebetten, auß allen deß Mannes | Gottes getruckten Büchern zusamen ge- | stimet, frome Christen damit zuermun- | tern, vnd zu erwecken, derselben inn | disen letzten schwåren zeiten iñ | allerley not vnd anligen | zugebrauchen. | [*rot*] Treulich vñ auffs neu zugericht | [*schwarz*] Durch | M. Petrum Trewer, Coburgen- sem. | [*rot*] IVDITH XVI. | [*schwarz*] KLinget dem HERRN mit Cimbaln, seit frölich, | vnd rufet seinen Namen an. | [*rot*] Getruckt zu Straßburg, bei Bern- | [*schwarz*] hard Jobin. Anno 1579. |.

160 ungez. Bl. (a—c⁴ A—S₈T₄ [Titelrückseite und Bl. T 4ᵇ leer]) in Oktav⁶.

---

5) Zitiert: Beck, S. 56 Anm. 6. Es handelt sich also nicht, wie aus WA Bd. 10ᴵᴵ, S. 362 zu entnehmen, um eine Ausgabe des Lutherschen Betbüchleins von 1522.

6) Zitiert: Beck, S. 56 Anm. 3; Große, S. 54; Althaus, S. 12 Anm. 1; vgl. WA Bd. 10ᴵᴵ, S. 363 Nr. 3. Über den Herausgeber Petrus Treuer (Trewer) vgl. Kurzbiographie Nr. 19. Auszug aus dem Text der Vorrede von P. Treuer s. o. Vorreden Nr. 4; Text des Nach- worts von P. Treuer s. o. Vorreden Nr. 5.

Vorhanden: Graz UB (I 24. 712); Hannover LB (I 8. 1210); Straßburg BNU (C 395); Wolfenbüttel HAB (677. 5 Th)*; Zürich ZB (E 342).

B

[*schwarz*] Beteglőcklin | [*rot*] Doctoris Mar- | [*schwarz*] tini Lutheri | [*rot*] von allen wolklingenden, | Geystreichen, hertzlichen, starcken vñ | [*schwarz*] feurigen Gebetten, auß allen deß Mannes Got- | tes getrucktē Büchern zusamen gestimet, frome | Christen damit zuermuntern, vnd zuerwe- | cken, derselben iñ disen letz- | ten schwå- | ren zeiten inn allerley Noth vnd | anligen zugebrauchen. | [*rot*] Treu- lich vñ auffs neu zugericht | [*schwarz*] Durch | M. Petrum Trewer, Coburgensem. | [*rot*] IVDITH XVI. | [*schwarz*] Klinget dem HERRN mit Cimbaln, seit fröh- lich, | vnd rufet seinen Namen an. | [*rot*] Getruckt zu Straßburg, bei Bernhard | [*schwarz*] Jobin. ANNO M. D. LXXX. |.

160 gez. Bl. (A—V8 [Titelrückseite und Bl. V 8b leer]) in Oktav[7].

Vorhanden: Arnstadt KB (754 [ohne Titel und letztes Bl.]); Halle ULB (I b 3311 c); Harburg FB (XIII, 6, 8°, 1068)*; Straßburg BNU (R 102. 190).

C

[In einem dreibändigen Auszug aus Luthers Werken (1704) findet sich im 1. Teil, S. 1—288 ein Nachdruck der sonst nicht nachweisbaren Ausgabe:]
Der Erste Theil | D. Martini Lutheri | Bet-Glőcklein, | Von allen wohlklingenden, geistreichen, hertzlichen, starcken und feu- | rigen Gebeten, aus allen des Mannes | GOttes gedruckten Büchern zu- | samen gestimmet, | Fromme Christen damit zu ermun- | tern, und zu erwecken, derselben in diesen | letzten schweren Zeiten in allerley Noth | und Anliegen zu gebrauchen, | Durch | M. Petrum Trewer, | Co- burgensem. | Judith. XVI. | Klinget dem HERRN mit Cym- | beln, seyd frőlich, und ruffet sei- | nen Nahmen an. | Anfangs gedruckt zu Straßburg bey | Bernhard Jobin. 1591. |.

727 gez. Seiten und 29 ungez. Seiten (Register) in Duodez.
Die Ausgabe enthält: S. 1—288: Nachdruck des Beteglöckleins. S. 289—334: Erster An- hang mit einer Sammlung von Luthergebeten meist aus Reuchel. S. 334—614: Nachdruck von Luthers Betbüchlein (1522 ff.) mit einzelnen Auslassungen und andererseits mit Hin- zufügung weiterer Luthertexte aus der Altenburger Ausgabe. S. 615—698: Zugabe aus Ottos Betbüchlein. S. 699—727: Nachrede über das Beten. S. 1—216 (gesondert paginiert): An- und Vorrede. Die dreiteilige Auswahl aus Luthers Werken bringt im 2. Teil die Lieder, im 3. Teil die Symbola[8].

---

7) Zitiert: Schwedler, S. 118; E. Veiel, Ein gülden Kleinod (Ulm 1669), Vorrede; Feuer- lein, Pars II, S. 32; Kraußold, S. XXV; Althaus, S. 12 Anm. 1; vgl. WA Bd. 10II, S. 363 Nr. 4.

8) Die Originalausgabe von 1591 war nicht auffindbar. Zitiert Schwedler, S. 116. 177. 179; Fabricius, S. 919 und 418; Walch[1] Bd. 10, Sp. 89* Anm. m und Bd. 24, Sp. 362

Vorhanden: Göttingen SUB (8° Cant. Geb. 26 [ohne An- und Vorrede])*; Leipzig UB (Althaus 96)*; Lübeck StB (Theol. prakt. 8147 [ohne An- und Vorrede])*.

D

[*schwarz*] Betbůchlein | DOCTORIS MARTINI | [*rot*] LUTHERI, | [*schwarz*] von allen Geistreichen, hertz- | lichen, starcken, eifferigen vnd fewrigen | Gebeten, aus allen deß Mannes Gottes ge- | druckten Bůchern zusam̃en gezogen, fromme | Christen damit zuermuntern vnd zuerwecken, | derselben in diesen letzten schwe- ren zeiten | in allerley Noth, vnd Anliegen nůtz- | lich vnd seliglich zugebrau- chen. | Durch | [*rot*] M. PETRUM Trewer Cobur- | [*schwarz*] gensem. Itzt auffs newe vbersehen, sampt einer Vorre- | de deß Ehrwirdigen vnd Hochge | larten Herrn | [*rot*] PETRI PISCATORIS, der H. | [*schwarz*] Schrifft Doctoris vnd Professoris, In der lôb- | lichen Universitet Jena. | [*rot*] Gedruckt zu Jehna durch Christoff | [*schwarz*] Lippolden, Anno 1610. |.

Mit Titeleinfassung. 16 ungez. Blätter und 416 gez. Seiten in Oktav (mit Vorworten von Piscator und Treuer)[9].

Vorhanden: Gotha FB (Theol. 8° 687/6); Stuttgart LB (Theol. oct. 11. 146); Weimar ZB (33, 2:8); Wolfenbüttel HAB (990. 120 Th)*.

E

[*rot*] Betbůchlein | [*schwarz*] DOCTORIS MARTINI | [*rot*] LUTHERI, | Von allen Geistreichen, | [*schwarz*] eifferigen Gebeten, aus allen des Mannes GOttes gedruckten Bů- | chern zusammen gezogen, from̃e Chri- | sten damit zu ermuntern, derselben in diesen letzten Zeiten nůtzlich vnd se- | liglich zu gebrauchen: | Durch | [*rot*] M. PETRUM Trewer | [*schwarz*] Coburgensem. | Itzo auffs newe vbersehen | sampt ei- | ner Vorrede Herrn | [*rot*] PETRI PISCATORIS, | [*schwarz*] der H. Schrifft Doctoris vnd weiland | Professoris in der lôblichen | Universitet Jena. | [*rot*] Jehna bey Joh. Beithman̄. An. 1621. |.

Mit Titeleinfassung. 280 gez. und 8 ungez. Blätter in Oktav[10].

Vorhanden: Berlin SB (Luth. 9878 [Kriegsverlust]); Darmstadt LHB (W 3262)*.

Anm. y; Beck, S. 56 Anm. 3; Große, S. 54; O. Albrecht in ThStKr Bd. 98/99 (1926), S. 131; Althaus, S. 12 Anm. 1 und S. 13 Anm. 1. Über den Herausgeber des Nachdrucks Johann Christoph Schwedler vgl. Kurzbiographien Nr. 16. Auszug aus der Vorrede von J. Chr. Schwedler s. o. Vorreden Nr. 19.

9) Zitiert: Walch[1] Bd. 24, S. 362 Anm. y; Calw, S. VI; Beck, S. 56 Anm. 3; Althaus, S. 12 Anm. 1; vgl. WA Bd. 10[II], S. 364 Nr. 5. Über den Herausgeber der Neuausgabe Petrus Piscator vgl. Kurzbiographien Nr. 11. Auszug aus dem Text der Vorrede von P. Piscator s. o. Vorreden Nr. 6.

10) Zitiert: Schwedler, S. 1. 125. 178 f.; Beck, S. 56 Anm. 3; Große, S. 54 zitiert eine Ausgabe von 1627, die aber sonst nirgends erwähnt ist und nicht auffindbar war, vermutlich ist die letzte Ziffer verschrieben. Die lat. Texte sind von Augsburg 1621 an weggelassen.

F

D. Mart. Lutheri | Bet-Glöcklein, | Von allen wolklingen- | den, geistreichen, hertz-
lichen, | starcken vnd fewrigen | Gebeten. | Auß allen des Mannes | Gottes getruck-
ten Büchern zu- | sammen gestimet, fromme Christen da- | mit zuermuntern vnd
zu erwecken, der- | selben in diesen letzten schwåren Zei- | ten in allerley Noth
vnd Anli- | gen zu gebrauchen. | Durch | M. Petrum Trewer Coburgens. | Sampt
einer Vorred | Herrn | Petri Piscatoris weyland der H. | Schrifft Doctoris vnd
Pro- | fessoris zu Jena. | Straßburg, | Getruckt bey Caspar Dietzlen, | Im Jahr
M. DC. XXXII. |.

Mit Titeleinfassung. 32 ungez., 389 gez. und 9 ungez. Seiten in Oktav.

Vorhanden: Leipzig UB (Althaus 104)*.

G

Ein schön | Gebet-Büchlein, | Des seligen und theuren | Mannes GOTTES | D.
MARTINI LUTHERI. | Aus seinem eigenen Geist, | Trost und lebendigen Wor-
ten | und Tomis gezogen. | Durch eine | Hohe Persohn | auffs neue zum Druck be-
fodert. | KIEL, | Gedruckt bey Joachim Reumann, | Acad. Buchdr. 1696. |.

728 gez. Seiten und 4 ungez. Blätter (mit Nachwort aus Treuer) in Oktav[11].

Vorhanden: Wolfenbüttel HAB (Li 5284)*.

H

Des theuren Manns Gottes, | D. Martin Luthers | Gebet-Büchlein, | So | Aus seinen
eigenen Worten und | Tomis | Von Seel. Herrn M. Petro Trewer | zusammen ge-
tragen. | Hernach | Auff einer hohen Person Befehl | zu Kiel wieder auffgelegt, |
Nun zum drittenmahl | Durch hohe Befoderung | Zur gemeinen Erbauung | Mit
einer neuen | Vorrede vom Gebet | Zum Druck übergeben | von | Georg Friedrich
Stieber. | Güstrow, | Gedruckt bey Johann Lembken, Hoff-Buchdr. |. O. J. (Vor-
wort vom 29. März 1710).

60 ungez. (a—d₈) und 314 gez. und 6 ungez. Seiten (A—V₈, letztes Blatt leer)
in Oktav. (50 meist kürzere Gebete der früheren Ausgaben sind weggelassen)[12].

Vorhanden: Ansbach RB (IIe 130)*; Wrocław UB (S 2120); Halle ULB (AB: 33
22/K, 7); Kopenhagen KB 92. 339).

---

11) Zitiert: Beck, S. 56 Anm. 5.
12) Zitiert: Fabricius, S. 815; Walch¹ Bd. 10, Sp. 89* Anm. m und Bd. 24, S. 362 Anm.
y; Feuerlein, Pars II, S. 32; Althaus, S. 12 Anm. 1; Preuß, S. 226. Über den Herausgeber
Georg Friedrich Stieber vgl. Kurzbiographien Nr. 17. Auszug aus dem Text der Vorrede
von G. F. Stieber s. o. Vorreden Nr. 7.

3a. *Beicht- und Betbüchlein (Melissander I).*

Betbüchlein und christlicher Unterricht von der Beicht, Absolution und Abendmahl des Herrn. Für andächtige Communikanten, sonderlich die christliche Jugend zur Anleitung, wie sie sich zur Beicht und würdigem Empfang des Herrn Abendmahls bereiten sollten. Leipzig bei Joh. Beyer 1582.
Mit Widmung des Hsg. vom 3. 1. 1582.

[Titel nach E. E. Koch, Geschichte des Kirchenlieds. (Bd. 2, 3. Aufl. Stuttgart 1867, S. 250)]. Diese (große) Ausgabe wurde 1582 erstmals gedruckt. Sie enthielt bereits „schöne auserlesene Gebete Doct. Luthers" (Vorwort der kleinen Ausgabe von 1582; vgl. Nr. 3 b).

Nicht auffindbar[13].

3b. *Beicht- und Betbüchlein (Melissander II).*

[*schwarz*] Beicht vnd | [*rot*] Betbüchlin | [*schwarz*] Für andechtige | [*rot*] Communicanten. | [*schwarz*] Mit Christlichem Vnterricht von der Beichte, Absolution, | vnd Abendmal des HERRN | Auff Frage vnd Antwort | gestellet, Durch | [*rot*] Doct. Casp. Melissan- | [*schwarz*] drum, Pfarrer vnd Superintendenten zu Aldenburg | in Meissen. [*rot*] Leipzig, 1583. |.

Mit Titeleinfassung. 24 ungez. und 549 gez. und 3 ungez. Seiten (A—Z12 a12 [Titelrückseite und letztes Blatt leer]) in Oktav. Vorwort von 1582.

Am Ende mit Seiteneinfassung (Bl. a 11ᵇ): Gedruckt | zu Leipzig, bey Jo- | han: Beyer | [*Zier-Signet*] Im Jahr | M. D. LXXXIII. |.

Diese verkürzte Ausgabe ist aufgrund der großen Ausgabe von 1582 hergestellt und enthält laut Vorwort die „schönen, auserlesenen Gebete Doct. Luthers" nicht[14].

Vorhanden: München SB (Asc. 3188)*.

---

13) Zitiert: Große, S. 688 und 695. Uhden, S. XI und Althaus, S. 12 Anm. 1 zitieren eine Ausgabe von 1584, die aber nicht aufzufinden war. Es muß sich um einen weiteren Druck der 1. großen Ausgabe handeln, wenn nicht bei der Angabe des Erscheinungsjahres ein Irrtum unterlaufen ist, was wahrscheinlicher ist. Über den Herausgeber Caspar Melissander vgl. Kurzbiographien Nr. 8.

14) Zitiert: Cosack, S. 257. Die im Titel fast gleichlautenden zahlreichen Ausgaben des Melissander'schen Betbüchleins sind in den Bibliographien meist nicht unterschieden, so auch bei Althaus. Erst Koch hat in einer Fußnote der 3. Auflage seiner Geschichte des Kirchenlieds Band 2 (Stuttgart 1867), S. 250 versucht, die verschiedenen Ausgaben zu ordnen. Beck, S. 314 Anm. 2 stimmt den Untersuchungen Kochs zu und spricht von drei verschiedenen Ausgaben. Es sind aber, wie unsere Bibliographie ergibt, vier verschiedene Ausgaben erschienen, nämlich:
a) 1. Große Ausgabe 1582 (Bibliographie I, 3a).
b) 1. Kleine Ausgabe 1583 (auf Grund der 1. Großen Ausgabe von 1582; Bibliographie I, 3b).

92

3c. Beicht- und Betbüchlein (Melissander III).

A

[*schwarz*] Beicht vnd | [*rot*] Betbůchlein | [*schwarz*] Für Christliche | [*rot*] Communicanten, | [*schwarz*] Mit vorgehendem Vnterricht von der | Beicht, Absolution, vnd Abendmal des | [*rot*] HERREN. | [*schwarz*] Vnd wie man sich zu wirdigem Brauch vnd | empfahung derselben bereiten sol. | Fůrnemlich | [*rot*] Der CHristlichen Jugend zur | [*schwarz*] nützlichen Anleitung gestellet vnd jetzt auffs new zugerichtet, Durch | [*rot*] D. Gasp. Melissandrum, | [*schwarz*] Superintendenten zu Aldenburg | [*rot*] Mit Churfůrstlicher Såchs. Freyheit | [*schwarz*] vnd sonderlicher Begnadung | [*rot*] Gedruckt zu Leipzig bey Johan: | [*schwarz*] Beyer, Im Jar vnser Erlôsung | [*rot*] M. D. LXXXVI. |.

Mit Titeleinfassung. 20 ungez. und 675 gez. und 9 ungez. Seiten (A—Z8 a—x8 [letzte 3 Seiten leer]) in Oktav.

Am Ende (Bl. x 7ᵃ): Gedruckt zu | Leipzig, Bey Johan: | Beyer | Im Jar, | M. D. LXXXVI. |¹⁵.

Vorhanden: Marburg, Staatsbibliothek Preuß. Kulturbes., früher Preuß. Staatsbibliothek (Ds 9297/14)*.

B

[*schwarz*] Beicht vnd | [*rot*] Betbüchlein | [*schwarz*] Für christliche | [*rot*] Communicanten. | [*schwarz*] Mit vorgehendem Vnterricht von der | Beicht, Absolution, vnd Abendmahl deß | [*rot*] HERREN, | [*schwarz*] Vnd wie man sich zu wirdigem Brauch vnd | empfahung derselben bereiten sol. | Fürnemlich | [*rot*] Der Christlichen Jugendt | [*schwarz*] zur nützlichen Anleitung gestellet vnd | jetzt auffs new zugerichtet, durch | [*rot*] Doct. Caspar. Melissandrum | [*schwarz*] Superintendenten zu Aldenburg. | [*rot*] Mit Churfürstlicher Sächs. Freyheit | [*schwarz*] vnd sonderlichen Begnadung. | [*rot*] Gedruckt zu Leipzig bey Johan: | [*schwarz*] Beyer, Im Jar vnser Erlösung | [*rot*] M. D. XCII. |.

Mit Titeleinfassung. 20 ungez. und 646 gez. und 6 ungez. Seiten (A—Z8 a—t8 [letzte Seite leer]) in Oktav.

Am Ende (Bl. t 8ᵃ): Gedruckt zu | Leipzig, Bey Johan: | Beyer. | [*Zier-Signet*] im Jahr, | M. D. XCII. |¹⁶.

Vorhanden: Dresden LB (Theol. ev. asc. 1826)*.

---

c) 2. Große Ausgabe 1586 (Bibliographie I, 3c, A bis H).

d) 2. Kleine Ausgabe 1586 (auf Grund der 2. Großen Ausgabe von 1586; Bibliographie I, 3d, A bis P).
   Auszug aus der Vorrede zur 1. Kleinen Ausgabe s. o. Vorrede Nr. 9; zur 2. Kleinen Ausgabe s. o. Vorreden Nr. 10.

15) Zitiert: Große, S. 88. Auszug aus der Vorrede zur 2. Großen Ausgabe s. o. Vorreden Nr. 8.

16) Zitiert: Althaus, S. 133 Anm. 1.

Die weiteren Drucke dieser großen Ausgabe (mit Vorwort von 1586) Titel und Format sind nahezu identisch:

C

Leipzig, Am Ende (Bl. t 8ª): Gedruckt durch Frantz Schnelboltz, Typis haeredum Beyeri 1596.

20 ungez. und 646 gez. und 6 ungez. Seiten (A—Z₈ a—t₈ [letzte Seite leer]) in Oktav.

Vorhanden: Leipzig UB (Althaus 101)*; Wolfenbüttel HAB (Te 144)*.

D

Leipzig, Am Ende (Bl. t 7ᵇ): In verlegung Bartholomaei Voigts, Gedruckt durch Frantz Schnelboltz, Typis haeredum Beyeri 1598.

20 ungez. und 645 gez. und 7 ungez. Seiten (letztes Blatt leer) in Oktav[17].

Vorhanden: Berlin SB (1 an Dk 1788); Hannover LB (I 8°)*; Nürnberg LKA (Fen. II 449)*; Wrocław UB (8 K 1516).

E

Leipzig, In verlegung Bartholomaei Voigts. Typis haeredum Beyeri 1603.

20 ungez. und 645 gez. und 7 ungez. Seiten (letztes Blatt leer) in Oktav.

Vorhanden: Trier StB (Z III 107); Wolfenbüttel HAB (Te 145)*; Zweibrücken Bibl. Bip. (T 853).

F

Leipzig, In verlegung Bartholomaei Voigts. 1608.

20 ungez. und 645 gez. und 7 ungez. Seiten in Oktav[18].

Vorhanden: Leipzig UB (Althaus 102)*; Wolfenbüttel HAB (1017 Theol.)*.

G

Leipzig, In verlegung Bartholomaei Voigts. Gedruckt durch Melchior Göppenern. 1618.

20 ungez. und 646 gez. und 6 ungez. Seiten in Oktav.

---

17) Zitiert: Cosack, S. 257; Althaus, S. 133 Anm. 1.
18) Zitiert: Cosack, S. 257; Althaus, S. 133 Anm. 1.

Vorhanden: Gotha FB (Theol. 688, 4); Halle ULB (AB: 38 10/K, 14)*; Rostock UB (Fm — 3181).

H

Leipzig, In verlegung Bartholomaei Voigts. Gedruckt bei Gregor Ritzsch 1632.

20 ungez. und 646 gez. und 6 ungez. Seiten in Oktav[19].

Vorhanden: Coburg LB (As A 5287); Halle ULB (LB 41 6/i, 12); Kopenhagen KB (92, — 279;) Leipzig UB (Althaus 103)*; Mannheim StB (80/14)*.

3d. *Beicht- und Betbüchlein (Melissander IV)*.

A

Auf Grund der 2. (großen) Ausgabe (Nr. 3c) erschien 1586 laut Vorwort diese (kleine), im Titel nicht unterschiedene Ausgabe. Sie ist vor allem im 3. Teil stark gekürzt; so sind die 100 Luthergebete weggefallen.

Nicht auffindbar.

B

[*schwarz*] Beicht vnd | [*rot*] Betbüchlin | [*schwarz*] Für Christliche | [*rot*] Communicanten, | [*schwarz*] Mit vorgehendem Vnterricht | Von der Beichte, Absolution, | vnd Abendmal des [*rot*] HERRN. | [*schwarz*] Auffs new zugerichtet, durch | [*rot*] D. Casp. Melissan- | [*schwarz*] drum, Superintendenten | zu Aldenburg. | [*rot*] Mit Churf. Sächs. begnadung | [*schwarz*] Gedruckt zu Leipzig, bey | Johan Beyer. | [*rot*] M. D. LXXXIX. |.

Mit Titeleinfassung. 17 ungez. und 362 gez. (Vorwort von 1586) und 5 ungez. Seiten in Oktav.

Vorhanden: Nürnberg BGM (Rl. 2686)*.

C

[*schwarz*] Beicht vnd | [*rot*] Betbüchlin | [*schwarz*] Für Christliche | [*rot*] Communicanten | [*schwarz*] Mit vorgehendem Vnterricht, | von der Beicht, Absolution, | vnd Abendmal des [*rot*] HERRN. | [*schwarz*] Auffs new zugerichtet, durch | [*rot*] D. Casp. Melissandrum, | [*schwarz*] Superintendenten zu | Aldenburg. | [*rot*]

---

19) Zitiert: Jöcher-Adelung Bd. 4, Sp. 1348; Cosack, S. 257; Althaus, S. 133 Anm. 1. Die Cosack, S. 257 erwähnte Ausgabe 1611 war nicht aufzufinden; möglicherweise ist die Ausgabe von 1610 gemeint (Bibliographie I, 3d, F).

Mit Churf. Sächs. begnadung. | [*schwarz*] Gedruckt zu Leipzig, durch Frantz
Schnelboltz Erben | [*rot*] M. DCI. |.

Mit Titeleinfassung. 17 ungez. (Vorwort von 1586) und 362 gez. und 5 ungez.
Seiten in Oktav.

Vorhanden: Erlangen UB (Thl. XX, 413)*.

Die weiteren Drucke dieser kleinen Ausgabe (mit Vorwort von 1586):

D
Leipzig 1603. In Verlegung Bartholomäi Voigts.

17 ungez. und 362 gez. und 5 ungez. Seiten.

Vorhanden: Uppsala UB (49. 434); Wolfenbüttel HAB (YJ 54 Helmst.)*.

E
Leipzig 1606. In Verlegung Bartholomäi Voigten.

13 ungez. und 349 gez. und 4 ungez. Seiten.

Vorhanden: Berlin SB (Ds 9298); Celle KMB (Ex Lg 1092); Dresden LB (Theol.
ev. asc. 633^m); Stuttgart LB (Theol 4645)*; Wittenberg PSB (LC V 15).

F
Nürnberg 1610. In Verlegung Georg Endters.

6 ungez. und 136 gez. und 2 ungez. Seiten.

Vorhanden: Karlsruhe BOKR (F 894)*.

G
Nürnberg 1613. In Verlegung Georg Endters.

6 ungez. und 136 gez. und 2 ungez. Bl. (Titelrückseite und letzte Seite leer).

Vorhanden: München SB (Asc. 3189)*.

H
Nürnberg 1613. In Verlegung Georg Leopold Fuhrmanns.

6 ungez. und 136 gez. und 2 ungez. Seiten.

Vorhanden: Stuttgart LB (Theol. 11993)*.

I
Leipzig 1614. In Verlegung Bartholomäi Voigts.

17 ungez. und 362 gez. und 5 ungez. Seiten.

Vorhanden: Rostock UB (Fm — 3494²)*.

K
o. O. o. J. (Titelblatt fehlt) (etwa 1613—1620).

7 ungez. und 139 gez. Seiten.

Vorhanden: Wolfenbüttel HAB (Th 268)*.

L
Nürnberg 1625. In Verlegung Wolffgang Endters.

125 gez. und 2 ungez. Seiten.

Vorhanden: Straßburg BNU (E 162. 336)*.

M
Helmstedt 1635. Bei Henning Möller.

416 gez. Seiten.

Vorhanden: Wolfenbüttel HAB (Th 1253)*.

N
Leipzig 1642. In Verlegung Bartholomaei Voigts. Gedruckt bei Henning Kôlern.

14 ungez. und 271 gez. und 3 ungez. Seiten in Duodez.

Vorhanden: Dresden LB (Theol. ev. asc. 1826ᶠ)*.

O
Nürnberg 1683. Gedruckt und verlegt durch Johann Andreae Endters Sel. Sôhne.

5 ungez. und 252 gez. und 3 ungez. Seiten.

Vorhanden: München SB (Asc. 3190)*.

P
Nürnberg 1689. In Verlegung Joh. Andreae Endters Seel. Sôhne (mit neuem Vorwort vom 23. Mai 1689, Unterschrift: M. I. C. F. D. S.).

53 ungez. und 394 gez. und 5 ungez. Seiten.

Vorhanden: Straßburg BNU (E 162. 337)*.

Hier ist einzufügen: Nachtrag s. u. Nr. 13.

4. *Gebete, wie sich ein Christ . . . (Probus)*

A

[*schwarz*] Gebette | [*rot*] Wie sich ein | Christe schicken vnd | [*schwarz*] bereiten sol, zur Beicht, | Absolution, Abendtmal, vnd | sonst in allerley Nȏthen derer | gebrauchen. | [*rot*] Durch eine Christliche Fürstliche Person, aus D. | [*schwarz*] Mart. Luth. vnnd andern Gebett- | büchlein mit Fleiß zusammen gebracht, vnd in drey | vnterschiedtliche Theil abgetheilt, nach Ord- | nung deß Registers. | Sampt einer Vorrede | [*rot*] M. ANTONII PROBI, Wei- | [*schwarz*] mar. Superinten- | denten. | Mit Churfürst. Sächs. Be- | freyung. | [*rot*] M. D. LXXXXII. |.

Mit Titeleinfassung. 28 und 200 ungez. Bl. (1₈ A—B₈ (A)₄ B—Z₈ a—c₈ [Bl. (A)⁴ und c⁸ leer]) in Oktav. Die Vorrede ist datiert „am heiligen Christabend 1591".

Am Ende (Bl. c 7ᵇ): Gedruckt | Zu Erffordt, bey Johann Beck, Im | Jahr. | 1592²⁰.

Vorhanden: Weimar ZB (R, 4:38)*.

B

Gebete, | Wie sich ein Christ schicken und | bereiten sol | Zur Beicht, Absolu- | tion, Abendmal, und sonst | in allerley Nȏthen derer | gebrauchen, | Durch | Eine Christliche, Fürstliche | Person, | Aus | D. Mart. Luth. und anderen Gebet- | büchlein mit Fleiß zusammen | gebracht, | Und | In drey unterschiedliche Theil | abgetheilet, nach Ordnung des | Registers. | Sampt einer Vorrede | M. ANTONII PROBI, | Weimarischen Superintendenten. | M. D. XCI. | Wieder auffgeleget in Altenburg, | Durch Joh. Bernhard Bauerfincken, 1663. |.

38 ungez. und 424 gez. Seiten in Oktav (mit Vorrede von J. Chr. Sagittarius [vom 27. Dez. 1663] und A. Probus [Weimar „am hlg. Christabend im neuen angehenden Jahr 1591" = 24. Dez. 1590])²¹.

Vorhanden: Coburg LB (Cas A 4445)*; Dresden LB (Theol. ev. asc. 1831ᵐ); Jena UB (8° Th XXXIV, 16 [2]).

---

20) Zitiert: Schwedler, S. 125; Althaus, S. 12 Anm. 1. Über den Herausgeber Antonius Probus vgl. Kurzbiographien Nr. 12. Auszug aus der Vorrede von A. Probus s. o. Vorreden Nr. 11.

21) Über den Herausgeber der Neuausgabe Johann Christfried Sagittarius vgl. Kurzbiographien Nr. 14. Auszug aus der Vorrede von J. Chr. Sagittarius s. o. Vorreden Nr. 12.

C

Gebete, | Wie sich ein Christ schicken und | bereiten soll | Zur Beicht, Absolu- | tion, Abendmahl, und sonst | in allerley Nôthen derer | gebrauchen, | Durch | Eine Christliche, Fûrstliche | Person, | Aus | D. Mart. Luth. und andern Gebet- | bûchlein mit Fleiß zusammen gebracht, | und | In drey unterschiedliche Theil | abgetheilet, nach Ordnung des | Registers. Sampt einer Vorrede. | M. ANTONII PROBI, | Weimarischen Superintendenten. | M. D. XCI. | Wieder auffgeleget zum andern mal in Altenb. | Druckts Joh. Bernh. Bauerfincke, 1671. |.

Ohne Titeleinfassung. 38 ungez. und 424 gez. Seiten in Oktav (mit Vorreden von J. Chr. Sagittarius und A. Probus)[22].

Vorhanden: Wittenberg PSB (PTh 598)*.

5. Himmelsleiter (Beck)

Himmels Leiter: | das ist | Hertzliche vnd sehn- | liche | Stoß Gebättlin | für aller- | ley Noht | vnd Anligen der gantzen Chri- | stenheit | Durch | M. Joh. Jacob Becken | Diener am Wort Got- | tes der Stifft Kirchen | zu | Stuttgart | Tübingen | Im Jahr 1648. |.

Mit Titeleinfassung. 1166 gez. und 25 ungez. Seiten in Groß-Oktav[23].

Vorhanden: Tübingen UB (G i 343)*.

6. Lutherus Redivivus (Gruber)

[Band 1−8] LUTHERUS REDIVIVUS | Oder | Das Erste Theologische | Schatz-Kästlein, | Von zwölff unterschiedlichen Fächlein, | Darinnen allerhand nutzliche und | denckwürdige Materien in ziemlicher Ordnung | eingetragen, | Auß dem I. Jenischen Theil der | Teutschen Schrifften | D. MARTINI LUTHERI S. | Zu jedermänniglichs Erbauung ... | Wolmeynend verfertiget, durch | ERASMUM GRUBERUM, Evangelischen | Prediger zu Regenspurg. | Franckfurt am Mayn, | Bey Joh. Niclas Hummen und Joh. Gerlin zu finden, 1665. |.

Mit Titeleinfassung. [*Figürliche Darstellung*]. 8 Bände (= entsprechend den 8 deutschen Bänden der Jenaer Ausgabe) in Groß-Oktav.
Vorreden zu Bd. 2 und 3: D. Michael Walther; zu Bd. 4: Joh. Michael Dilher, Prediger und Professor in Nürnberg; zu Bd. 5: M. Bernhard Waldschmidt, Prediger zu Frankfurt; zu Bd. 6: D. Balthasar Mentzer; zu Bd. 8: Hochfürstl. Markgräfl. Theol. Consistorium zu Durchlach (= Durlach).

---

22) Zitiert: Schwedler, S. 125; Althaus, S. 12 Anm. 1.
23) Zitiert: Hanauische Kirchen- und Schulordnung 1659, S. 30. Über den Herausgeber Johann Jakob Beck vgl. Kurzbiographien Nr. 1. Auszug aus der Vorrede von J. Jak. Beck s. o. Vorreden Nr. 13.

Jeder Band enthält einen Abschnitt: Deß Theologischen Schatz-Kästleins | 8. Fächlein oder Lädlein. | Darinnen feine kurtze andächtige Gebettlein und | Seufftzerlein befindlich. |²⁴.

Vorhanden: Kopenhagen KB (23 − 10. 4); Neustadt a. d. Aisch KiB (I 4793−4800 und A VII, 23 − 26); Regensburg SB (4° Theol. Syst. 226); Stuttgart LB (Theol. qt. 2888)*.

Haupt-Schlüssel. | Zu denen Acht Theologischen Schatzkästlein deß Lutheri Redivivi gehörig. | Das ist | Zwölff unterschiedliche volkomme- | ne Register, darinnen alle glossirte und erklärte | Bibel-Namen und Sprüche, wie auch alle andere | Rubricae, Summarien und Materien in den Zwölff | Fächlein jedes Schatzkästleins befindlich, richtig | und ordentlich verzeichnet sind. | Den Gebrauch und Nutzen dieses gantzen Wercks desto | besser zu zeigen und zu facilitiren, wolmeinend auß- | gefertigt und beygefügt | Durch ERASMUM GRUBERUM Evangelischen Prediger | zu Regenspurg. | [Vignette] | Franckfurt am Mayn. | Bey Johan Niklas Hummen und Johan Görlin zu finden. | ANNO M. DC. LXV. |.

Vorhanden: Marburg, SB Preuß. Kulturbes., früher Preuß. Staatsbibliothek (409:4); Nürnberg LKA (Fen. IV, 288 4°).

Fortsetzungs-Bände:

[Band 9:] Zwölff Geistliche | Brod-Körbe, | Mit allerley heylsamen Bröcklein nutzlicher erbaulicher | Materien angefüllet | Und | Auß der reichen Brod-Kammer | der zwölff Wittenbergischen Teutschen Theilen | Deß theuren Manns Gottes | D. Martini Lutheri Seel. | (Doch die Außlegung des 1. Buchs Mose, welche den Zehenden und Eilfften Theil machet, außgenommen;) | zuhauff gesamlet, | Und | Zu jedermanns Erbauung ... | In gleicher Ordnung und Form, wie mit den Acht Theolog. Schatz-Kästlein deß LUTHERI REDIVIVI geschehen. | Wolmeynend zubereitet durch | ERASMUM GRUBERUM, Evangel. Prediger, | und deß H. Predig-Ampts zu Regenspurg Eltesten. | ... Franckfurt am Mayn, | Bey Joh. Niclas Hummen und Johann Görlin. 1670. |.

8 ungez. Bl. und 2125 S. und 72 Bl. in Großoktav.

Vorhanden: Fulda LB (Theol. G d 6/69)*.

---

24) Zitiert: Fabricius, S. 308 ff.; 313. 315. 418; Walch¹ Bd. 10, Sp. 89* Anm. m und Bd. 24, Sp. 688; Beck, S. 58. Über den Herausgeber Erasmus Gruber vgl. Kurzbiographien Nr. 5. In der Vorrede zur Neuausgabe von M. Neanders Theologia Lutheri 1657 (s. o. Vorreden Nr. 14) gibt Gruber über die Vorgeschichte seines großen Kompendiums Aufschluß. Einen Rückblick auf das abgeschlossene Werk gibt die Vorrede zum Hauptschlüssel 1671 (s. o. Vorreden Nr. 15). Zu den Verfassern der Vorreden: Michael Walther (1593−1662) vgl. ADB Bd. 41, S. 119; Joh. Michael Dilher (1604−1669) vgl. ADB Bd. 5, S. 225; Bernhard Waldschmidt (1608−1665) vgl. Jöcher Bd. 4, Sp. 1781; Balthasar Mentzer (1614−1679) vgl. ADB Bd. 21, S. 374.

[Band 10:] ANALECTA SACRA | Oder | Überbliebene Brocken, | Auß dem X. und XI. Wittenbergischen Theil der deutschen | Schrifften deß sel. Mannes Gottes | D. MART. LUTHERI, | In sich haltend die grosse und sehr geistreiche Außlegung | Deß ersten Buchs Mose, | welche | In die XII. geistliche Brodkörbe [= Bd. 9] nicht haben können | gebracht werden, | Anjetzo aber | Damit sie nicht dahinden blieben, und umbkämen, zusammen gele- | sen, und in X Bücher abgetheilt worden sind, | Durch ERASMUM GRUBERUM, | der Evangelischen Kirchen zu Regenspurg Pastorn | und Superintendenten. | ... | Franckfurt, | Bey Johann Niclas Humm, und Johann Görlin. | MDCLXX. |.

4 ungez. Bl. und 1384 gez. S. und 77 ungez. Bl. in Großoktav.

Vorhanden: Fulda LB (Theol. Cc 7/10)*; Neustadt a. d. Aisch KiB (I 4802); Wolfenbüttel HAB (Li 5377)*.

[Band 11:] LUTHERUS | REDIVIVUS | Oder | Theologisches | Schatzkästlein, | Von zwölff unterschiedlichen Fächlein, darinnen | allerhand nutzliche und denckwürdige Materien, in guter | Ordnung, eingetragen, auß der | Hauß-Postill | Jenischen Trucks | D. MARTINI LUTHERI Seeligen, | Zu jedermanns Erbawung, ... | Außgesetzt durch | M. JOHANNEN Zellern, Special-Superintendenten | und Pfarrern zu Waiblingen. | ... | Stuttgart, | Gedruckt durch Johann Weyrich Rößlin, Fürstl. Würtemberg. bestellten | Buchtruckern, Anno MDCLXVII. |.

15 ungez. Bl. und 1653 gez. S. und 45 ungez. Bl. in Großoktav[25].

Vorhanden: Fulda LB (Theol. G b 16/64)*; Stuttgart LB (Theol. 4° 7813)*.

[Band 12:] LUTHERUS REDIVIVUS | Oder | Theologisches Schatz-Kästlein, | Von | Zwölff unterschiedenen Fächlein, | Darinnen | Allerhand nützliche und denckwürdige Materien in ziemli- | cher Ordnung eingetragen, | Auß denen beyden Eißlebischen Theilen der | Schrifften | D. MARTINI LUTHERI, Seel. | Zu jedermanns Erbauung, ... Wohlmeynend verfertiget durch | JOHANNEM CASPARUM FINCKUM, SS. Theol. | Licenciatum, Pfarrern zu Lauterbach und Inspectorem. | Sampt einer Vorrede der löblichen Theologischen Fa- | kultät zu Gießen. | ... | Darmbstatt, | Gedruckt bey Henning Müllern, Fürstl. Buchdr. 1670. |.

20 ungez. und 884 gez. S. und 56 ungez. Bl. in Großoktav[26].

Vorhanden: Fulda LB (Theol. Gd 6/68)*; Stuttgart LB (HBF 300)*.

---

25) Über den Herausgeber Johann Zeller vgl. Kurzbiographien Nr. 24.
26) Über den Herausgeber Johann Caspar Finck vgl. Kurzbiographien Nr. 3.

[Band 13:] LUTHERI REDIVIVI | Kirchen-Postill, | Das ist, Theologisches | Schatzkästlein, | Von zwölff unterschiedlichen Fächlein, darein al- | lerhand nutzliche und denckwürdige Materien ordentlich ein- | getragen, auß der | Kirchen-Postill | D. MARTINI LUTHERI Seeligen, | Zu jedermanns Erbauung ... | wolmeinend verfertiget | Durch | JOANN CUNRAD Zellern, Abbten deß Closters Beben- | hausen im Hertzogthum Würtemberg, und General- | Superintendenten. | ... | Stuttgart, | Gedruckt durch Johann Weyrich Rößlin, Fürstl. Würtemberg. bestellten | Buchtruckern, Anno MDCLXVII. |.

32 ungez. Bl. und 1653 gez. S. und 85 ungez. Bl. in Großoktav[27].

Vorhanden: Fulda LB (G b 16/65 [an 64])*.

[Band 14:] SPICILEGIUM SACRUM, | Oder Außerlesene APHO- | RISMI und Sprüche von al- | lerley denkwürdigen Theologischen Ma- | terien, auß denen Stücken und Schrifften deß | theuren seeligen Mannes Gottes, | D. MARTINI LUTHERI, | Welche, so viel wißlich, noch nie Deutsch ge- | macht worden, oder zum wenigsten in keine Deutsche | TOMOS einkommen, | Zusamen gesamlet und verdeutscht, | Auch in gewisse Classes, nach Apostolischer Lehrart zu meh- | rerm Verstand vieler Wörter und Sprüche H. Schrifft, Erleuterung | der meisten Lehr-Puncten Widerlegung unterschiedlicher Ketzereyen und Ir- | tumb, auch zu männigliches Vermahnung, Warnung, Trost und | ander Erbauung, ordentlich eingerichtet | Durch | ERASMUM GRUBERUM Evangelischen Predi- | ger, und deß H. Ministerii zu Regenspurg Eltesten. | Sambt einer Verzeichniß der Stuck und Schrifften, darauß dieses | Spicilegium zubereitet ist, und einem ordentlichen Register. | TUBINGEN, | Gedruckt bey Johann Heinrich Reiß. | ANNO MDCLXX. |.

Vorhanden: Michelstadt i. O. (Kirchenbibliothek).

Haupt-Schlüssel | Zu denen sechs übrigen Tomis Collectaneis | Lutheri Redivivi gehörig. | Das ist Zwölff unterschiedliche | Vollkommene Register, | Darinnen alle erklärte Biblische Namen und | Sprüche, wie auch andere Summarien und Materien in | denen zwölff Fächlein Collectaneorum aus der Kirchen- und | Hauß-Postill, Brod-Körben aus denen Wittenbergischen Tomis | Analectis Sacris aus der geistreichen Außlegung deß ersten Buchs | Mose, Spicilegio aus den verdeutschten Lateinischen Tomis, | und Schatz-Kästlein der Eißlebischen | Bücher | deß Seligen Manns Gottes | D. MARTINI LUTHERI | befindlich, | in richtiger Ordnung verzeichnet sind. | Den Nutzen deß gantzen Wercks desto besser zu | zeigen, wolmeynend außgefertiget | Durch ERASMUM GRUBERUM, Superintend. | und Evangelischen Predigern zu Regenspurg. | Franckfurt am Mayn, | Bey Johann Niclas Humm und Johann Görlin. | Anno MDCLXXI. |.

---

27) Über den Herausgeber Johann Konrad Zeller vgl. Kurzbiographien Nr. 23.

172 ungez. Bl. [a—z⁴; aa—uu 4] und 242 ungez. Bl. [A—Z⁴; Aa—Zz⁴; Aaa—Zzz⁴; Aaaa—Oooo⁴; Pppp¹⁺²] in Großoktav.

Vorhanden: Neustadt/Aisch, Kirchenbibliothek (I 4801); Stuttgart LB (an HBF 300)*.

7. Ein gülden Kleinod (Veiel)

Ein | Gülden Kleinod, | Der schönesten und geistreichesten | Andachten und | Betrachtungen, | Auß den Schrifften deß Seel. Manns, | Doctor Martin Luthers, | zusammen | gefasset, von | Elia Veieln, der H. Schrifft | Doct. Profess. und Predigern im | Münster zu Ulm. | Samt einer Vorrede und Predigt von | D. M. Luth. Seel. Leben und Wandel, | Schrifften und Glauben. | ULM, Verlegts Johann Görlins Seel. | Wittib. 1669. |.

Mit Titeleinfassung [figürliche Darstellung]. 40 ungez. (Vorrede) und 318 gez. (Predigt von Luthers Leben) und 636 gez. (1—532: Betrachtungen; 553—636: Anhang mit Gebeten) und 10 ungez. Seiten (Register) in Oktav²⁸.

Vorhanden: Wolfenbüttel HAB (Theol. 2930)*; Ulm, Schermar—B. (I C 2)*.

8. Der verborgene ... Schatz (Thering)

A

Der Verborgene | und | Wiedergefundene | Schatz, | zur | Wahrhafftigen Glaubens und | Communions | Übung | Aus des seel. Mannes Gottes | D. Martini Lutheri | Schrifften. | Cölln an der Spree, | zu finden bey Rupert Völckern, Buchh. | Druckts in Wittenberg, Matthaeus | Henckel, Universität Buchdr. | M. DC. XXCIII. |

26 ungez. Bl. und 634 gez. Seiten in Duodez²⁹.

Vorhanden: Dresden LB (Theol. ev. asc. 1652)*.

B

Der Verborgene | und | Wiedergefundene | Schatz, | zur | Wahrhafftigen Glaubens | und | Communions Vbung, | aus des seel. Mannes Gottes | D. Martini Lu-

---

28) Zitiert: Schwedler, S. 38. 107. 154; Fabricius, S. 314. 380. 418. 922; Walch¹ Bd. 10, Sp. 89* Anm. m und Bd. 24, Sp. 689; Uhden, S. XI; Beck, S. 57 Anm. 1; Große, S. 54; Althaus, S. 12 Anm. 1; Preuß, S. 226. Über den Herausgeber Elias Veiel vgl. Kurzbiographien Nr. 20. Auszug aus der Vorrede von E. Veiel s. o. Vorreden Nr. 16.

29) Zitiert: Fabricius, S. 315 und 418; Schwedler, S. 116 und 127 ff. Über den Herausgeber Lukas Heinrich Thering vgl. Kurzbiographien Nr. 18. Auszug aus der Vorrede von L. H. Thering s. o. Vorreden Nr. 17.

theri | Schrifften | Zusammen getragen | von | L. H. Thering, | Archid. der Pet. K. zu Cölln | an der Spree. | Giessen, bey Henning Müllern, | Anno 1702. |.

Kupferstich mit Bild des Herausgebers vor dem Titelblatt. 12 ungez und 533 gez. und 3 ungez. Seiten in Duodez[30].

Vorhanden: Halle HFS (Francke Stift. 7 H 9)*.

9. Der andächtig betende Lutherus (Reuchel)

A

Der | andächtig - betende | Lutherus, | Oder Geistreiches | Gebet-Buch, | In welchem | Alle und jede Gebete und | Seuffzer, die in des seel. | D. Martin Luthers | Geist-reichen Schrifften | zu finden, enthalten, | und | Zu allen Zeiten, | In allen Nöthen, | Für alle Menschen, | nützlich und tröstlich zu ge- | brauchen. | Allen andächtigen Betern | zu Beförderung ihrer Andacht zu- | samen getragen und ausgefertiget von | M. Joh. Christ. Reuchelln, | Dienern am Wort GOttes in Zschopau. | Mit Kön. Pohl. u. Churfl. Sächs. allergndst. | PRIVILEGIO. | Chemnitz, bey Conrad Stösseln, 1704. |.

42 ungez. (Vorrede von 1703 und Lebenslauf Luthers) und 516 gez. und 26 ungez. Seiten in Duodez[31].

Vorhanden: Hannover StB (Bibl. Lövensen 893)*.

B

Ausgabe 1706 (Titel und Seitenzahl identisch mit Ausgabe 1704)[32].

Vorhanden: Stockholm KB (V 173 R)*.

C

Der | andächtig - betende | Lutherus, | Oder: Geistreiches | Gebet-Buch, | in welchen | Alle und iede Gebete und Seuffzer, | die in des seel. | D. Martin Luthers, | Geistreichen Schrifften zu finden, | enthalten, und Zu allen Zeiten, In allen | Nöthen, Für alle Menschen, nützlich | und tröstlich zu gebrauchen; | Allen andächtigen Betern zu Beförde- | rung ihrer Andacht zusammen getragen | und ausgefer-

---

30) Zitiert: Schwedler, S. 131 f. und 134.
31) Zitiert: Schwedler, S. 131 und 133; Walch[1] Bd. 10, Sp. 87* und 89* Anm. k; Kraußold, S. XXV; Uhden, S. XI; Althaus, S. 12 Anm. 1; Jöcher-Adelung Bd. 6, Sp. 1851. Über den Herausgeber Christoph Reuchel vgl. Kurzbiographien Nr. 13. Auszug aus der Vorrede von J. Chr. Reuchel s. o. Vorreden Nr. 18.
32) Zitiert: Jöcher-Adelung Bd. 6, Sp. 1621; Uhden, S. XI; Beck, S. 57 Anm. 2.

tiget | von | M. Johann Christoph Reuchel, | Diener am Wort GOttes in Zschopau. | Mit Kôn. Pohln. u. Churfl. Sächs. Allergnäd. Privil. | Chemnitz, 1738 | bey Joh. Christoph und Joh. David Stößel. |.

28 ungez. (Dedikation, Vorrede und Luthers Lebenslauf) und 349 gez. und 36 ungez. Seiten in Oktav[33].

Vorhanden: Wittenberg PSB (Dr H PTh 1094); Wolfenbüttel HAB (Li 5290)*.

10. Luthers sämtliche Schriften Bd. 10 (Walch)

A

D. Martin Luthers sowol in Deutscher als Lateinischer Sprache verfertigte und aus der letzteren in die erstere übersetzte Sämtliche Schriften herausgegeben von Johann Georg Walch, Halle im Magdeburgischen, Johann Justinus Gebauer. Bd. 10: Katechetische Schriften (1744). Sp. 1768—1779: Anweisung auf unterschiedene in des sel. Lutheri Schriften sich befindende kurze Gebete und Seufzer in allerley Fällen[34].

Vorhanden: Göttingen SUB (2° Th. thet. I 278/41)*.

B

Dr. Martin Luthers sämtliche Schriften, herausgegeben von Dr. Joh. Georg Walch. St. Louis, Mo. Concordia publishing house. Bd. 10: Katechetische Schriften (1885). Sp. 1482—1523: Unterschiedene in Luthers Schriften sich befindende kurze Gebete und Seufzer in allerlei Fällen[35].

Vorhanden: Göttingen SUB (4° Th. thet. I 278/42)*.

---

33) Zitiert: Walch[1] Bd. 10, Sp. 89* Anm. k und Bd. 24, Sp. 362 Anm. y; Uhden, S. XI; Preuß, S. 226.

34) Zitiert: Kraußold, S. XXV. Bei Walch wird zum erstenmal in einer Gesamtausgabe ein Hinweis auf „unterschiedene in des seligen Lutheri Schriften sich befindende kurtze Gebete und Seuffzer in allerley Fällen" gebracht. „Anfänglich legte man zwar des Hrn. M. Joh. Christoph Reuchels andächtig betenden Lutherum ... zum Grund; da man aber hernach wahrnahm, daß hier manches unrichtig angeführet worden und viele Gebete sich in den noch zu druckenden Reformations-Schrifften befänden, darauf man also hier noch keine Anweisung geben können, so hat ein guter Theil davon wegbleiben müssen. Indessen sind doch verschiedene aufs neue hinzugekommen" (Walch[1] Bd. 10, Sp. 87* f.). Walchs Zusammenstellung in Form einer nach dem Katechismus systematisch geordneten Initienliste (mit Stellenangabe nach der Walch'schen Ausgabe) ist also eine selbständige Leistung wie die Sammlungen von Otto, Treuer und Reuchel. Auszug aus der Vorrede von J. G. Walch s. o. Vorreden Nr. 20.

35) In dieser Ausgabe werden die Texte aus Walch[1] Bd. 10, Sp. 1768—1779 vollständig (mit Stellenangabe nach Walch[2]) ausgedruckt. Der Bestand ist nur geringfügig geändert und an wenigen Stellen anders geordnet.

11. Das Betbüchlein Lutheri (Kraußold)

A

Das Betbüchlein Lutheri. Aufs neue geordnet und mit den nöthigen Erläuterungen und einer Einleitung versehen herausgegeben von Lorenz Kraußold, Pfarrer in Aufsees. Nürnberg, Druck und Verlag von Friedrich Campe. 1833.

XXVI und 269 Seiten in Oktav[36].

Vorhanden: Nürnberg LKA (PrTha 3568)*.

B

Das Betbüchlein Lutheri. Aufs neue geordnet und mit den nöthigen Erläu-terungen und einer Einleitung versehen herausgegeben von Lorenz Kraußold. Wohlfeile Ausgabe. Fürth, J. Ludwig Schmid's Buchhandlung o. J.

XXVI und 169 Seiten in Oktav[37].

Vorhanden: Erlangen UB (Thl. V, 12); München SB (Asc. 2961[f])*.

12. Betbüchlein des ... D. M. Luther (Calw)

A

Betbüchlein des seligen Gottesmannes Dr. Martin Luther aus seinen eigenen geist-, trost- und lebensvollen Worten gezogen. In neuer Auswahl herausgegeben vom Calwer Verlagsverein. Calw und Stuttgart, 1883. Verlag der Vereinsbuchhandlung.

120 Seiten in Oktav[38].

Vorhanden: Stuttgart LB (Theol. oct. 11. 138)*.

B

Betbüchlein des seligen Gottesmannes Dr. Martin Luther aus seinen eigenen geist-,

---

36) Zitiert: Uhden, S. XI; vgl. WA Bd. 10[II], S. 363. Über den Herausgeber Lorenz Kraußold vgl. Kurzbiographien Nr. 6 Auszug aus der Vorrede von L. Kraußold s. o. Vorreden Nr. 21.

37) Zitiert: Beck, S. 48 Anm. 1; vgl. WA Bd. 10[II], S. 363. Es handelt sich um eine Titelausgabe, deren Erscheinungsjahr bei Zuchold Bd. 2, S. 838 mit 1851 angegeben wird.

38) Zitiert: Große, S. 54; vgl. WA Bd. 10[II], S. 364 Nr. 7. Auszüge aus den Vorreden des A. Otto zu: Ein newe Betbüchlin 1565 (Bibliographie I, 1A) und des P. Treuer zu Beteglöckin ... Lutheri 1610 = 1579 (Bibliographie I, 2) sind in dieser Ausgabe mit abgedruckt.

trost- und lebensvollen Worten gezogen. Zweite vermehrte Auflage. Calw und Stuttgart, 1886. Verlag der Vereinsbuchhandlung.

136 Seiten in Oktav[39].

Vorhanden: Stuttgart LB (Theol. oct. 11. 139)*.

C

Betbüchlein des seligen Gottesmannes D. Martin Luther aus seinen eigenen geist-, trost- und lebensvollen Worten gezogen. Dritte Auflage. Calw und Stuttgart, 1894. Verlag der Vereinsbuchhandlung.

176 Seiten in Oktav.

Vorhanden: Stuttgart LB (Theol. oct. 11. 140)*.

13. Pastorale Lutheri (Porta) s. o. hinter Nr. 3 (S. 97).

A

[*rot*] PASTORALE | [*schwarz*] LUTHERI. | Das ist, | N [*rot*] Utzlicher vnd nŏti- | ger Vnterricht, von den fŭrnemb- | [*schwarz*] sten Stŭcken zum heiligen Ministerio gehörig, Vnnd | richtige Antwort auff mancherley wichtige Fragen, von | schweren vnd gefehrlichen Casibus, so in dem- | selbigen fŭrfallen mŏgen. | [*rot*] Fŭr anfahende Prediger vnd Kirchendiener | zusammenbracht, Vnd auff bey- | derley Edition, aller seiner | [*schwarz*] Bŭcher, zu Wittenberg vnd Jehna gedruckt, auch | die Eisleb. vnd andern Schrifften | gerichtet, Durch | [*rot*] M. Conradum Portam, Pfarherrn | [*schwarz*] zu S. Peter vnd Paul in Eisleben. | Sampt einem ordentlichen Register vnd schŏnen Vorrede | [*rot*] M. Hieronymi Mencelii, der Graff- | [*schwarz*] schafft Mansfelt Superintendenten. | [*rot*] D. Mart. Luther in der Hauspostill. | [*schwarz*] Wer da wil ein Prediger sein, der meine es mit gantzem | Hertzen, das er alleine GOttes ehre, vnd seines Nehesten besserung suche. | CVM PRIVILEGIO. | [*rot*] M. D. LXXXII. |.

---

39) Zitiert: Große, S. 54. Die Auszüge aus Otto und Treuer fehlen. Der Bestand an Luthergebeten ist, vor allem aus Treuer, erheblich vermehrt. Die Ausgabe hat besondere Bedeutung gewonnen, weil sie als Grundlage von Luthergebetssammlungen in englischer Sprache verwendet wurde. Zu ihnen gehören:
Charles E. Kistler, Luther's Prayers (Reading Pa. 1917). Aus dieser Sammlung sind 18 der 45 Luthergebete entnommen, die Clyde Manschreck, Prayers of the Reformers (London 1960) unter anderen Gebeten der Reformationszeit abgedruckt hat. Auch Herbert F. Brokering, Luther's Prayers (Minneapolis 1967) geht auf Kistler zurück (232 Luthergebete). Die Neue Auswahl von Andrew Kosten, Devotions and Prayers of Martin Luther (Michigan 1956) enthält 52 ziemlich frei bearbeitete Luthergebete ohne Quellenangabe und gehört nur bedingt in die Überlieferungsgeschichte der Luthergebete.

15 ungez. und 367 gez. und 15 ungez. Bl. (A₈—Z₈ Aa₈—Zz₈ Aaa₈—Ccc₈ [letzte Seite leer] in Oktav.

Am Ende (Bl. Ccc 8ª): Gedruckt zu Eisleben, durch | Andream Petri. | M.D. LXXXII. |⁴⁰.

Vorhanden: Hildesheim BPr.Sem (Prakt. 102 [alt])*. Leipzig UB (Prakt. theol. 80)*.

B

(= 2. Ausgabe) [*schwarz*] PASTORALE | LUTHERI, | Das ist: | N [*rot*] ûtzli- | cher vnd nôti- | ger Vnterricht, von den fûrnemsten | [*schwarz*] stücken zum hei- | ligen Ministerio gehôrig, vnd rich- | tige Antwort auff mancherley wichtige Fra- | gen, von | schweren vnd gefehrlichen Casibus, so in dem- | selbigen fûrfallen mô- | gen. | [*rot*] Fûr aufahende Prediger vnd Kirchendiener zusam- | [*schwarz*] men bracht, vnd auff beyderley Edition aller seiner Bü- | cher, zu Wittenberg vnd Jhena gedruckt, auch die Eis- | lebisch. vnd andere schrifften gerichtet. | [*rot*] Jetzt an vielen orten gemehret vnd mit nûtzlichen | [*schwarz*] schônen Tractaten gebessert, Durch | [*rot*] M. Conradum Portam, Pfarherrn zu S. | [*schwarz*] Peter vnd Paul in Eißleben. | Sampt einem ordentlichen Register vnd newer Vorrede. | [*rot*] M. HIERONYMI MENCELLI, | [*schwarz*] der Graffs. Mansfelt Super- | intendenten. | CVM PRIVILEGIO. | Anno M.D.LXXXVI. |.

17 ungez. und 481 gez. und 18 ungez. Bl. (aa₄—dd₄ A—Z₈ Aa—Zz₈ Aaa—Ooo₈ P₄ Ppp₈ Qqq₈ [Bl. Qqq 7ᵇ und letztes Blatt leer]) in Oktav.

Am Ende (Bl. Qqq 7ª): Gedruckt zu Eisleben, durch Andream Petri, | In verle- | gung Henningi Grossen, Buch- | hendlers zu Leipzig. | Anno M.D.LXXXVI. |⁴¹.

Vorhanden: Wittenberg BPS (PTh 169 Hb)*.

C

[*schwarz*] PASTORALE | LVTHERI. | [*rot*] Das ist: | [*schwarz*] N [*rot*] ütztli- | cher vnd nô- | tiger Vnterricht, von den fûrnemsten | [*schwarz*] stücken zum hei- | gen Ministerio gehôrig, Vnd rich- | tige Antwort auff mancherley Fragen, von | schweren vnd gefehrlichen Casibus, so in dem- | selbigen fûrfallen môgen. [*rot*] Fûr anfahende Prediger vnd Kirchendie- | [*schwarz*] ner zusammen bracht, vnd auff beyderley Edition aller seiner | bûcher, zu Wittenberg vnd Jhena gedruckt, auch die Eißleb. | vnd andere Schrifften gerichtet. | [*rot*] Jetzt an vielen orten gemehret, vnd mit nûtz- | [*schwarz*] lichen schônen Tractaten gebessert, Durch | [*rot*] M. Conradum Portam, Pfarherrn zu S. | [*schwarz*] Peter vnd Paul in Eißleben. |

---

40) Zitiert: Schwedler, S. 153; Lindner, Vorrede § 7; Jöcher Bd. 3, Sp. 1709; BM Bd. 193, Sp. 392. Über den Herausgeber Conrad Porta vgl. Kurzbiographien Nr. 11a. Über den Verfasser der Vorrede Hieronymus Mencel (1517—1590) vgl. ADB Bd. 21, 310.

41) Zitiert: Schwedler, S. 154; NUC Bd. 346, S. 410.

Sampt einem ordentlichen Register vnd newer Vorrede | [*rot*] M. HIERONYMI MENCELII, | [*schwarz*] der Graffs. Manßfelt Superintendenten, | CVM PRIVILEGIO. | Anno M. D. XCI. |.

16 ungez. und 479 (fälschlich 476) gez. und 17 ungez. Bl. (aa — dd₄ A — Z₈ Aa — Zz₈ Aaa — Qqq₈ [Bl. dd 4ᵇ und Qqq 8ᵇ leer]) in Oktav. Ohne Druckvermerk (Vorwort: Eisleben).

Vorhanden: Wolfenbüttel HAB (Li 5277)*.

D
Titel vermutlich wie C. 1597⁴².

E
[*schwarz*] PASTORALE | LVTHERI. | [*rot*] Das ist: | [*schwarz*] N [*rot*] ůtzlicher vnd nô- | tiger Vnterricht von den fürnembsten | [*schwarz*] Stücken zum heiligen Ministerio gehôrog, Vnd | richtige Antwort auff mancherley wichtige Fragen von | schweren vnd gefehrlichen Casibus, so in demselben fůrfallen môgen. | [*rot*] Fůr anfahende Prediger vnd Kirchendie- | [*schwarz*] ner zusammenbracht, vnd auff beyderley Edition aller sei- | ner Bůcher, zu Wittenberg vnd Jena gedruckt, auch die Eiß- | lebischen vnd andere Schrifften gerichtet. | [*rot*] Jetzt an vielen orten gemehret, vnd mit nůtzlichen | [*schwarz*] schônen Tractaten gebessert, Durch | [*rot*] M. Conradum Portam, Pfarherrn zu S. | [*schwarz*] Peter vnd Paul in Eißleben. | Sampt einem sonderlichen Register, vnd newen Vorrede | [*rot*] M. HIERONYMI MENCELLI der | [*schwarz*] Graffschaft Manßfelt Superintendenten. | CVM PRIVILEGIO. | [*rot*] Anno M. D. CIV. |.

16 ungez. Bl. und 479 (fälschlich 445) gez. Bl. und 17 ungez. Bl. in Oktav.
Am Ende (Qqq 8ᵃ): Gedruckt zu Leipzig, In Vorlegung | Henningi Grossen, Buchhendlers | zu Leipzig | Anno M. D. CIV. .

Vorhanden: Leipzig UB (Prakt. theol. 80ᵇ)*.

F
Dasselbe (= 3. Ausgabe). Titel wie A bis „gerichtet". Fortsetzung: Jetzo auffs new an vielen orten gemehret, vnd mit | nůtzlichen schônen Tractaten gebessert, Durch | M. CONRADUM PORTAM, Pfarrherrn zu Sanct | Peter vnd Paul in Eißleben. | 16 [*Bild: Christophorus*] 15. | Mit Churf. Såchs. Privilegio. | LIPSIAE, TYPIS GROSIANIS. |

Mit Titeleinfassung. 32 ungez. und 856 gez. und 24 ungez. Bl. in Oktav.
Am Ende: Leipzig, | In verlegung Henning Grosen, | des ålteren Buchhåndlers. |

---

42) Laut Auskunft des Kirchlichen Zentral-Katalags Berlin (Ost) vorhanden: Erfurt KMB.

[*Bild: Christophorus*]. Gedruckt durch JUSTUM JANSONIUM Vardensem Cymbrium Danum. |.

Vorhanden: Loccum Klost. B. (Prakt. 270)*; Wittenberg PSB (LC 835)*.

G

(= 4. Ausgabe) M. CONRADI PORTAE, | Weyland Pastoris zu St. Petri und Pauli in Eis- | leben, wie auch Assessoris des hochlöblichen | Consistorii deselbst | PASTORALE | LVTHERI, | Das ist: Nützlicher und nöthiger | Unterricht | Von den fürnemsten Stücken | des heiligen MINISTERII, | Vor angehende Prediger und Kirchen-Diener | aus GOttes Wort und D. M. Lutheri Schrifften | zusammen getragen; | Anjetzo aber wegen seiner Vortrefflichkeit aufs | neue mit Fleiß übersehen und mit nützlichen | Anmerckungen herausgegeben | von | M. Joh. Christoph Cramern, | Pastore zu Ober- und Unter-Schmoon bey Querfurth. | Jena, bey Johann Meyers Witwe, 1729. |.

50 ungez. und 1212 gez. und 30 gez. S. in Oktav[43].

Vorhanden: Gotha FB Theol 8° 812*; Loccum Kl. B. (Prakt. 270)*.

H

(Neuausgabe) Titel wie A. Aufs Neue herausgegeben mit einem Vorwort. Nördlingen. Druck und Verlag der C. H. Beck'schen Buchhandlung 1842.

XVI und 598 Seiten in Oktav.

Vorhanden: Berlin B.Ki.Ho. (I a 3818)*; Hamburg LKB (VIII 88)*.

J

(Neuausgabe) Pastorallehren aus Luthers Werken. Nach M. Conrad Parta's „Pastorale Lutheri". [Neu herausgegeben von Th. von Hanffstengel]. Braunschweig und Leipzig. Verlag von Gerhard Reuter 1897.

415 Seiten in Oktav.

Vorhanden: Berlin B.Ki.Ho. (2/2694)*.

---

43) Zitiert: Georgi Bd. 3, S. 238; Lindner, Vorrede § 7. Über den Herausgeber Johann Christoph Cramer vgl. Kurzbiographien Nr. 1a.

Bibliographie II:

Gebetbücher des 16. Jahrhunderts
mit einzelnen Luthergebeten

Übersicht in chronologischer Ordnung

1. *Feuerzeug christlicher Andacht*, 1537.
14 weitere Ausgaben 1539 bis 1600.
  16 Luthergebete.
Nr. 162−170. 355=[3]. 636=[4]. 308=[5]. 664=[25]. 665=[26]. 323 (erstmals). 33.

2. *Betbüchlein für allerlei gemeine Anliegen*, 1543.
26 weitere Ausgaben 1545 bis 1596.
  4 Luthergebete.
Nr. 636=[4]. 308=[5]. 199=[1]. 355=[3].

3. *Gebete des Kurfürsten Johann Friedrich*, 1557.
11 weitere Ausgaben 1559 bis 1600.
  13 Luthergebete.
Nr. 664=[25]. 135. 154 (erstmals). [136]−[144]. 85=[387].

4. *Trostbüchlein aus der heiligen Schrift*, hsg. G. *Walther*, 1558.
3 weitere Ausgaben 1559 bis 1600.
  8 Luthergebete.
Nr. 153. 286=[15]. 636=[4]. 551=[8]. 293=[13]. 664=[25]. 665=[26]. 95=[615].

5. *Handbüchlein*, hsg. W. *Schemp*, 1561.
2 weitere Ausgaben 1526 und 1568.
  13 Luthergebete.
Nr. 135. [153]. 664=[25]. 665=[26]. 666=[27]. 667=[28]. 329=[2]. 627=[10]. 277=[11]. 278=[14]. 286=[15]. 459=[19]. 305=[17].

6. *Lehr-, Trost-, Beicht- und Gebetbüchlein*, hsg. P. *Glaser*, 1556.
Neue Ausgabe 1575.

112

3 weitere Ausgaben 1576, 1594 und o. J.
    11 Luthergebete.
Nr. 93 = [48] = [424]. 623 = [46]. 49. 416. 624 = [75]. 95 = [615]. 293 = [13].
286 = [15]. 355 = [3]. 308 = [5]. 636 = [4].

7. *Trostbüchlein*, hsg. *J. Ortel*, 1586.
    4 Luthergebete.
Nr. 93 = [48] = [424]. 623 = [46]. 49. 416.

8. *Ein neu Christliches, nützes und schönes Betbüchlein, 1587.*
Weitere Ausgabe 1589.
    20 Luthergebete.
Nr. 88 = [508]. 135. 664 = [25]. 665 = [26]. 627 = [10]. 286 = [15]. 459 = [19].
329 = [2]. 95 = [615]. 624 = [75]. 697 vgl. 472. 684 vgl. 276. 698 vgl. 472. 707.
581. 536. 582. 583. 579. 88 = [508].

9. *Christliche, schöne und tröstliche Gebet*, hsg. *J. Weniger*, 1597.
Weitere Ausgabe 1607.
    3 Luthergebete.
Nr. 664 = [25]. 135. 176 = [39].

Bibliographie

1. Feuerzeug christlicher Andacht

A

Feũrzeũg | Christenlicher | andacht. | 1537. |.

Mit Titeleinfassung. 72 ungez. Bl. (A—J8 [letztes Blatt leer]) in Oktav.
Am Ende (Bl. J 7ᵇ): Gedrũckt zu Nũremberg | durch Jobst Gutkencht [= Gut-
knecht][1].

Vorhanden: München SB (Asc. 1868); Nürnberg StB (Solg 331 8°)*; Wrocław
UB (8 B 8100)*.

B

Dasselbe, Titel und Umfang wie A. Nürnberg 1539, Jobst Gutknecht.

72 ungez. Bl. in Oktav[2].

Vorhanden: Erlangen UB (Th V, 147a)*; Leipzig UB (Althaus 57).

C

Feüer- | zeüg Christen | licher An- | dacht. Zu Nũrnberg durch | Christoff Gut-
knecht. |.

Mit Titeleinfassung. 72 ungez. Bl. (A—J8 [Titelrückseite und letzte 2 Seiten
leer]) in Oktav.
Am Ende (Bl. J 7ᵇ): Gedruckt zu Nũrnberg, durch Christoff Gutknecht. |. o. J.
[vor 1548][3].

---

1) Zitiert: Althaus, S. 43; vgl. WA Bd. 10ᴵᴵ, S. 348. Über Grundlage und Verfasser
dieses Gebetbuchs vgl. Iselin Gundermann in ZKG Bd. 77 (1966), S. 97—104, und: Untersuchungen zum Gebetbüchlein der Herzogin Dorothea von Preußen (Köln und Opladen
1966), S. 37—44 (= Gundermann I und II). Bei der Zusammenstellung wurde ein pri-
vates handschriftliches Gebetbuch der Herzogin Dorothea von Preußen verwendet (Per-
gamentband in Oktav mit Miniaturen von Nikolaus Glockendon, Nürnberg, etwa 1535
fertiggestellt, vorhanden in Wolfenbüttel HAB). Im „Feuerzeug" erscheinen 4 Gebete des
Herzogs Albrecht von Preußen, des Gatten der Herzogin Dorothea. Über die Gebete
Albrechts vgl. E. Roth, Vertrau auf Gott, Gebete des Herzogs Albrecht von Preußen
(Würzburg 1956). Ein handschriftliches Exemplar des „Feuerzeugs" auf Pergament, das
H. Ehrenberg, Die Kunst am Hofe der Herzöge in Preußen (Berlin und Leipzig 1899),
S. 24 erwähnt, ist verschollen.
2) Zitiert: J. B. Riederer, Nachrichten zur Kirchen-, Gelehrten- und Büchergeschichte Bd 2
(1765), S. 435; Althaus, S. 43 Anm. 2; Gundermann II, S. 43.
3) Zitiert: Althaus, S. 43 Anm. 2; Gundermann II, S. 43.

Vorhanden: Donaueschingen FFB (I C); Dresden LB (Theol. ev. asc. 1598, 2 und 1871); Erfurt Bibl. Martinstift (II c 1); Halle HFS (Ha 33: 28 G 19); Leipzig LB (Althaus 56)*; München SB (Asc. 1868, 1)*.

D

Fewerzeug | Christlicher | Andacht. | Darinne gebetsweise ver- | fasset vnd ausge- | legt | werden, | Die zehen gebot. | Der Christliche glaub. | Das vater vnser. | Sampt andern viel schönen ge- | betlein zu guter anreitzung | Christlicher an- | dacht. | Leipzig. |.

Mit Titeleinfassung. 100 ungez. Bl. (Bl. A−M8N4 [letzte Seite leer]) in Oktav.
Am Ende (Bl. N 4ª): Gedruckt zu Leipzig | durch Valentin Bapst | in der Ritter- strassen. | M. D. XLV. |.

Vorhanden: Nürnberg GM (2 an: 8° Rl 3349ᵍ)*.

E

Feuer- | zeug Christ- | licher an- | dacht. | Leipzig. | M. D. XLVI. |.

Mit Titeleinfassung. 64 ungez. Bl. (A−H8 [Titelrückseite und letzte 3 Seiten leer]) in Oktav.
Am Ende (Bl. H 7ª): Gedruckt zu Leipzig | durch Nicolaum | Wolraben. | M. D. XLVI. |⁴.

Vorhanden: Wolfenbüttel HAB (1240. 27 Theol. [5]* und 162. 12 Qu 8° [3])*.

F

Fewerzeug | Christlicher | Andacht. | Darinne gebetsweise ver- | fasset vnd ausge- | legt | werden, | Der Christliche Glaub. | Die zehen Gebot. | Das Vater vnser. | sampt andern viel schönen ge- | betlein zu guter anreizung | Christlicher andacht. | Leipzig. |.

Mit Titeleinfassung. 100 ungez. Bl. (A−M8N4 [Titelrückseite und letzte Seite leer]) in Oktav.
Am Ende (Bl. N 4ª): Gedruckt zu Leipzig | durch Valentin | Babst. | M. D. XLVIII. |⁵.

Vorhanden: Dresden LB (Theol. ev. asc. 1872)*.

---

4) Zitiert: Große, S. 687; Althaus S. 43 Anm. 2; Gundermann II, S. 43.
5) Zitiert: Althaus, S. 43 Anm. 2; Gundermann I, S. 99.

G

Fewerzeug | Christlicher An- | dacht. | Darinne Gebetsweyse ver- | fasset vnd auß-
gelegt | werden, | Der Christliche Glaub. | Die zehen Gebot. | Das Vater vnser. |
Sampt andern viel schönen ge- | betlein zu guter anreitzung | Christlicher an-
dacht. | Nûremberg. |.

Mit Titeleinfassung. 100 ungez. Bl. (A—M8N4) in Oktav.
Am Ende (Bl. N 4ᵇ): Gedruckt zu Nûremberg, durch | Gabriel Heyn. 1555. |⁶.

Vorhanden: Leipzig UB (Althaus 57)*.

H

Feuerzeug | Christlicher | andacht. | Leipzig. | M.D.LVII. |.

Mit Titeleinfassung. 72 ungez. Bl. (A—J8) in Oktav.
Am Ende (Bl. J 8ᵇ): Gedruckt zu | Leipzig, durch Ja- | cobum Berwald. |.

Vorhanden: Nürnberg GM (Rl. 3539 [Bl. J fehlt])*; Straßburg BNU (R 100 889
[2]).

J

Fewerzeüg | Christlicher | andacht. | Leiptzig. | M.D.LX. |.

Mit Titeleinfassung. 72 ungez. Bl. (A—J8) in Oktav.
Am Ende (Bl. J 7ᵇ): Gedruckt zu Leiptzig, | Durch Jacobum Ber- | wald, won-
hafftig in | der Nickelsstras- | sen. M.D.LX. |.

Vorhanden: Marburg, Staatsbibl. Preuß. Kulturbes., früher Preuß. Staatsbibl.
(Es 2912 [Bl. J⁸ fehlt])*.

K

Dasselbe, Titel wie H. Leiptzig, M.D.LXII.

Mit Titeleinfassung. 72 ungez. Bl. (A—J8) in Oktav.
Am Ende (Bl. J 7ᵇ): Gedruckt zu | Leiptzig, Durch Jaco- | bum Berwaldt, Won-
haff- | tig in der Nickels | strassen. | M.D.LXII. |.

Vorhanden: Fulda LB (Theol. Gd 6/20 [Bl. J⁸ fehlt])*.

L

Dasselbe, Titel und Umfang wie D. Bresslaw. M.D.LXIIII.

Mit Titeleinfassung. 100 ungez. Bl. (A—M8N4 [letzte Seite leer]) in Oktav.

---

6) Zitiert: Riederer, S. 437; Althaus, S. 43 Anm. 2; Gundermann II, S. 43.

Am Ende (Bl. N 4ª): Gedruckt zu Bresslaw, | durch Crispinum | Scharffenberg. | M.D.LXIIII. |.

Vorhanden: Wrocław UB (8 K 732, 1)*.

M

Fewrzeug | Christlicher | Andacht. | Darinne Gebetßweise ver- | fasset vnd ausge- | legt | werden, | Der Christlich Glaub. | Die Zehen Gebot. | Das Vater vnser. | Sampt andern viel schönen | Gebetlein zu guter anreitzung | Christlicher andacht. | Leipzig. |.

Mit Titeleinfassung. 88 ungez. Bl. (A—L8 [Titelrückseite und letztes Blatt leer]) in Oktav.
Am Ende (Bl. L 7ᵇ): Leipzig. | Bey M. Ernesto | Vögelin. | M.D.LXV. |⁷.

Vorhanden: Rom Bibl. Vat. (Palat. V 965 [int. 2])*.

N

Dasselbe, Titel wie M.

Mit Titeleinfassung. 88 ungez. Bl. (A—L8 [letztes Blatt leer] in Oktav.
Am Ende (Bl. L 7ᵇ): Leipzig. | Bey M. Ernesto | Vögelin. | M.D.LXVII. |.

Vorhanden: Detmold LB (3 an: Th 1679 [Bl. L8 fehlt])*.

O

Feuerzeug | Christlicher an- | dacht. | Gedruckt zu Leipzig, | Durch Johan. Beyer. | M.D.LXXXXI. |.

Mit Titeleinfassung. 88 ungez. Bl. (A—L8 [letzte Seite leer]) in Oktav.
Am Ende (Bl. L 8ª): Gedruckt zu Leipzig | Durch Johan. | Beyer. | Im Jahr, | M.D.LXXXI. |.

Vorhanden: München SB (1/Asc. 2672)*.

P

[*rot*] Fewrzeug | [*schwarz*] Christlicher Andacht. | [*rot*] Bekandtnuß der Sün- | den mit et- | [*schwarz*] lichen Betrachtungen, vnd nützlichen | Gebeten, Itzt auff | das newe v- | bersehen vnd gedruckt. | [*Bild: Christi Abendmahl*] | Nürnberg, | Im Jahr 1600. |.

---

7) Zitiert: Riederer, S. 437; Althaus, S. 43 Anm. 2; Gundermann II, S. 43.

Mit Titeleinfassung. 80 ungez. Bl. (A₈B₄C₈ usw. im Wechsel bis N₈) in Oktav. Bei fortlaufender Bogensignatur ist beigedruckt: „Bekenntnis der Sünden", ein ursprünglich selbständiges Werk, das schon 1537 in einem Sammelband (vorh.: Nürnberg SB [Solg 331 8°]) hinter dem Feuerzeug stand. 64 ungez. Bl. (O₄P₈ usw. im Wechsel bis Z₈a₄ [letzte Seite leer]); vgl. WA Bd. 10 II, S. 347 f.

Am Ende (Bl. a 4ᵃ): Gedruckt zu Nûrnberg, durch | Christoph Lochner, In Verlegung | Georg Endners. |.

Vorhanden: Marburg, Staatsbibl. Preuß. Kulturbes., früher Preuß. Staatsbibl. (Es 1575)*.

2. Betbüchlein für allerlei gemein Anliegen

A

Ein Betbuch- | lein, fûr allerley gemein | anligen, Einem jeden | Christen sonderlich | zu gebrauchen. | Leipzig. |.

Mit Titeleinfassung. 56 ungez. Bl. (A—G₈ [letzte Seite leer]) in Oktav.
Am Ende (Bl. G 8ᵃ): Gedruckt zu Leipzig, in | der Ritterstrassen, durch | Valentin Babst. | M. D. XLIII. |⁸.

Vorhanden: Stockholm KB (V 173 R)*.

B

Dasselbe, Titel und Umfang wie A.

Am Ende (Bl. G 8ᵃ): Gedruckt zu Leipzig, | durch Valentin Babst, | in der Ritter- | strassen. | M. D. XLV. |.

Vorhanden: Stuttgart LB (Theol. 1561)*; Zürich ZB (XVII. 918₂)*.

C

Dasselbe, Titel und Umfang wie A.

Am Ende (Bl. G 8ᵃ): Gedruckt zu Leipzig, | durch Valentin Babst, | in der Ritter- | strassen. | M. D. XLVI. |⁹.

Vorhanden: München SB (3/catech. 263)*; Wolfenbüttel HAB (YJ 38 Helmst. 2 [Bl. E₈ fehlt])*.

---

8) Zitiert: Beck, S. 116 Anm. 1; Große, S. 70 und 687; Althaus, S. 51 (vgl. WA Bd. 10ᴵᴵ, S. 363 Nr. 1). Nach den 42 im Register des Betbüchleins aufgeführten Stücken folgt als Nr. 43 (im Register nicht aufgeführt) eine Kompilierte Vaterunserparaphrase; s. u. Gebetsparaphrasen Nr. 8 und 11; vgl. Althaus, S. 41.

9) Zitiert: Althaus, S. 51 Anm. 1.

D

Betbůchlin, | Fůr allerley ge- | mein anligen, einem | jeden Christen sôn- | derlich zu ge- | brauchen. | Gemehrt mit Sônderlicher Betrach- | tung des Vater | vnsers. |. 1548. |.

Mit Titeleinfassung. 32 ungez. Bl. (A—D₈ [letzte Seite: Wappen]) in Sedez.
Am Ende (Bl. D 8ᵃ): Zu Franck[furt]. bey Hermann Gůlffrichen. |.

Vorhanden: Wien NB (80. L. 90)*.

E

Dasselbe („Betbüchlein"), Titel und Umfang wie A.

Am Ende: Gedruckt zu Leipzig, | durch Valentin | Babst. |. M. D.XLIX. |.

Vorhanden: Augsburg SStB (Th. Pr.)*; Uppsala UB (Teol. Asketik.).

F

Dasselbe („gemeyn"), Titel und Umfang wie A.

Druckvermerk wie E. M. D. L.

Vorhanden: Kopenhagen KB (89. 152)*; Leipzig UB (Lib. sep. 5715/2).

G

Ein Betbůch- | lein, für aller- | ley gemein anligen, | Einem yeden Chri- | sten sonderlich zu | gebrauchen. |.

Mit Titeleinfassung. 56 ungez. Bl. (A—G₈ [letzte Seite leer]) in Oktav.
Am Ende (Bl. G 8ᵃ): Gedruckt zu Nůrnberg durch Gabriel | Heyn. |. O. J. [um 1550].

Vorhanden: Marburg, Staatsbibl. Preuß. Kulturbesitz, früher Preuß. Staatsbibl. (Ds 17260)*; Wolfenbüttel HAB (990. 117 Theol. [5])*.

H

Ein Bet- | bůchlein, fůr | allerley gemein anliegen. | Einem jeden Chri- | sten sonderlich | zu gebrau- | chen. | M. D. LI. |.

Mit Titeleinfassung. 72 ungez. Bl. (A—J₈ [letzte 3 Seiten leer]) in Oktav.
Am Ende (Bl. J 7ᵃ): Gedruckt durch Jaco- | bum Berwaldt. | o. O. [Leipzig].

Vorhanden: Wolfenbüttel HAB (856 Theol. [3] [leeres Bl. J₈ fehlt])*.

J

Dasselbe, Titel und Umfang wie A. M. D. LII[10].

Vorhanden: Dresden UB (Theol. ev. asc. 1455, 2); Rostock UB (Fm-3285[1])*.

K

[rot] Ein schön | andechtig Bet- | [schwarz] bůchlein, für allerley ge- | mein an-liegen, einem ye- | den Christen, sehr nütz- | lich, Sampt einem | schönen Psalter. | [rot] Auch so volget ein Passio- | [schwarz] nal, welcher ist geziret | mit schönen Figuren. |.

Mit Titeleinfassung. 88 ungez. Bl. (A—L8 [letzte Seite leer]) in Oktav.
Am Ende (Bl. L 3[b]): Gedruckt zu Nůrnberg, | durch Valentin | Geyßler. | Anno M. D. LII. |. Mit 11 zusätzlichen Gebeten, die alle im Register nicht erscheinen.

Vorhanden: Wolfenbüttel HAB (1163. 9 Theol. [5])*.

L

Ein Schöns | Bettbůchlein für al- | lerley gemein anligen, ei- | nem jeden Christen | sonderlich zuge- | brauchen. Johann. am 14. | So jr etwas werdent den Vatter in | meinem Namen bitten, das will ich | thun. |.

48 ungez. Bl. (A—F8 [letztes Blatt leer]) in Kleinoktav. o. O. u. J. Die Ausgabe hat hinter dem Stammteil (Nr. 1—41; Nr. 41 der originalen Zählung fehlt) eine Reihe von 11 zusätzlichen Gebeten (Nr. 42—52, im Register aufgeführt), von denen 10 auch in der Ausgabe K von 1552 stehen. Erscheinungsjahr ist also wohl: nach 1552.

Vorhanden: Wolfenbüttel HAB (1337, 5 Theol. [2])*.

M

Ein Betbüch- | lein, für allerley ge- | mein anligen. | Einem jeden Christen son- | derlich zugebrau | chen. | Leipzig. |.

Mit Titeleinfassung. 56 ungez. Bl. (A—G8 [letzte Seite leer]) in Oktav.
Am Ende (Bl. G 8[a]): Gedruckt zu Leipzig, | durch Jacobum Ber- | walt, wonhaff-tig in | der Nickelsstras- | sen. M. D. LIII. |[11].

Vorhanden: Tübingen UB (Gi 3047 angeb.)*.

---

10) Zitiert: Beck, S. 116 Anm. 1; Althaus, S. 51 Anm. 1.
11) Zitiert: Althaus, S. 51 Anm. 1.

N

[*rot*] Ein schön | andechtig Bet- | [*schwarz*] büchlein, für allerley ge- | mein an-
ligen, einem ye- | den Christen, sehr nütz- | lich, Sampt einem | schönen Psalter. |
[*rot*] Gedruckt zu Nürm- | [*schwarz*] berg, durch Valen- | tin Geyßler.

Mit Titeleinfassung. 84 ungez. Bl. (A—K₈L₄ [letztes Blatt leer]) in Oktav.

Am Ende (Bl. L 3ᵇ): Gedruckt zu Nürmberg, | durch Valentin | Geyßler. | Anno
M. D. LVI. |. Mit 11 zusätzlichen Gebeten, die alle im Register nicht erscheinen
(Vgl. K).

Vorhanden: Nürnberg SB (Rl. 3701, ᶜ)*.

O

Dasselbe, genauer Titel nicht feststellbar. Leipzig 1558¹².

P

Ein Betbüch- | lein, für allerley ge- | mein anligen. Einem jeden Christen son- |
derlich zu gebrau- | chen. | Leipzig. |.

Mit Titeleinfassung. 56 ungez. Bl. (A—G₈ [letzte Seite leer]) in Oktav.

Am Ende (Bl. G 8ᵃ): Gedruckt zu | Leipzig, durch Ja- | cobum Ber- | waldt. |.
M. D. LIX. |.

Vorhanden: Erlangen UB (Thl. V, 25)*.

Q

Ein Betbüch- | lein, für allerley gemein | anligen, Einem jeden | Christen sonder-
lich | zu gebrau- | chen. | Leipzig. |.

Mit Titeleinfassung. 56 ungez. Bl. (A—G₈ [letzte Seite leer]) in Oktav.

Am Ende (Bl. G 8ᵃ): Gedruckt zu Leipzig, | durch Valentin Bapsts | Erben. |.
M. D. LIX. |.

Vorhanden: München SB (1/catech. 438)*.

R

Dasselbe, genauer Titel nicht feststellbar. Nürnberg 1559¹³.

---

12) Diese WA Bd. 10ᴵᴵ, S. 363 Nr. 1 und bei Althaus, S. 51 Anm. 1 erwähnte Ausgabe
war nicht aufzufinden.

13) Diese bei Althaus, S. 51 Anm. 1 erwähnte Ausgabe war nicht aufzufinden.

S

Betbuch | für allerley | gemein anligen. | Einem jeden Christen | sonderlich zu-
gebrauchen. | Psalm. 50. | Ruffe mich an in der not, so wil ich dich | erretten, so
soltu mich preisen. | Leipzig. |.

Mit Titeleinfassung. 48 ungez. Bl. (A—M4 [letztes Blatt leer]) in Quart.
Am Ende (Bl. M 3ᵇ): Gedruckt zu | Leipzig, durch Jaco- | bum Berwaldt.
M. D. LXI. |[14].

Vorhanden: Halle ULB (LB 71 B 1/e, 1)*.

T

Ein Betbůch- | lein, für allerley gemein | anligen, Einem jeden | Christen sonder-
lich | zu gebrau- | chen. Gedruckt zu Breßlaw, durch | Crispinum Scharffenberg. |.

56 ungez. Bl. (A—G8 [letzte Seite leer]) in Oktav.
Am Ende (Bl. G 8ᵃ): Gedruckt zu Breßlaw, | durch Crispinum | Scharffenberg.
| M. D. LXIIII. |.

Vorhanden: Marburg, Staatsbibl. Preuß. Kulturbesitz, früher Preuß. Staatsbibl.
(Eq 50)*.

U

Betbüchlin | fůr allerley gemein | anligen, Einem jeden Christen sonderlich zu |
gebrauchen | Psalm. 1 (=L). | Ruffe mich an in der zeit der noht, so | wil ich
dich erretten, so soltu mich preisen. | Leipzig. |.

Mit Titeleinfassung. 56 ungez. Bl. (A—G8 [letztes Blatt leer]) in Oktav.
Am Ende (Bl. G 7ᵇ): Leipzig | Bey M. Ernesto | Vȯgelin. | M. D. LXV. | Als
Nr. 44 ist eine weitere Vaterunserparaphrase beigefügt, hinter dem Register folgt
ferner Ps. 51[15].

Vorhanden: Nürnberg GM (2 an: Rl. 523)*.

V

Betbůchlin | für allerley Gemeyn | anliegen, Einem jeden | Christen sonderlich zu |
gebrauchen. | Psalm L. | Ruffe mich an inn der noth, | So wil ich dich erretten,
So solt | du mich preisen. | Nůrnberg. | M. D. LXIX. |.

---

14) Zitiert: Beck, S. 116 Anm. 1; Althaus, S. 51 Anm. 1.

15) Zitiert: Althaus, S. 51 Anm. 1. Die in U und V am Ende als zusätzliches Stück
(Nr. 44 bzw. Nr. 31) beigefügte Vaterunserparaphrase stammt von Melanchthon, s. u.
Gebetsparaphrasen Nr. 12. Sie erschien erstmals lateinisch in den Loci 1535, in deutscher
Bearbeitung 1542 und schließlich im Hortulus Animae 1547 (Wittenberg, Georg Rhaw);
vgl. F. Cohrs, Philipp Melanchthons Schriften zur praktischen Theologie Teil 1 (Leipzig
1915), S. XCIII ff., 337 ff.

Mit Titeleinfassung. 48 ungez. Bl. (?) ($A_8B_4C_8D_4$ usw. bis G_8H_4 [?]) in Oktav. Mit neuer Numerierung (Nr. 3 bis 12 als Nr. 3; Nr. 28−30 als Nr. 18; Nr. 43 als Nr. 30; Nr. 44 als Nr. 31: 31 statt 44 Nummern).

Vorhanden: Münster UB (Coll. Erh. 718 [2] [Bl. G^8 ff. fehlen])*.

Weitere Ausgaben:

W

Nürnberg, Dietrich Gerlatz 1569.

Vorhanden: Weimar ZB (Cat. XVI, 1012^5)*.

X

Frankfurt/Oder, A. Eichorn, um 1580[16].

Vorhanden: Wolfenbüttel HAB (Ts 298 [3])*.

Y

Nürnberg, Valentin Fuhrmann 1591.

Vorhanden: Stuttgart LB (Theol. 1562 [nicht mehr auffindbar]).

Z

o. O. 1593[17].

Aa

Nürnberg, Johann Lauer 1596[18].

Vorhanden: Leipzig UB (Althaus 98)*.

Bb

Frankfurt/Oder o. J. (vgl. X).

Vorhanden: Stuttgart LB (Theol. oct. 5795)*.

---

16) Zitiert: Althaus, S. 51 Anm. 1: „ca. 1570".
17) Zitiert: Althaus, S. 51 Anm. 1.
18) Zitiert: Althaus, S. 51 Anm. 1.

3. Gebete des Kurfürsten Johann Friedrich

A

[*schwarz*] Gebett. | [*rot*] Deß Hochlôbli- | chen Churfûrsten, så- | licher Gedåcht-nuß, Johann | Friderichen, Hertzogen zu | Sachsen, vnd seins Chur- | [*schwarz*] fürst. Gemahels, auch ihrer | Sône, sampt andern Christ- | lichen Psalmen, die sie im brauch gehabt zubåten, | mit fleiß zu samen | getragen. [*rot*] Mathei 7. |. [*schwarz*] Bittet, so wirt euch geben. | Suchet, so werd jr finden. | [*rot*] Wittem-berg. | [*schwarz*] 1557. |.

Mit Titeleinfassung. 9 ungez. und 138 gez. (ab Bl. 38 falsch gezählt als Bl. 31 bis 131) und 5 ungez. Bl. (A8B4C8D4 usw. bis Z8a4b8 [Titelrückseite leer]) in Oktav. Ohne Drucker[19].

Vorhanden: Greifswald UB (F v 33)*.

B

[*rot*] Gebett. | Deß Hochlôbli- | chen Churfürsten, se- | [*schwarz*] licher gedecht-nuß, Johann | Friderichen, Hertzogen zu | [*rot*] Sachssen, vnd seins Chur- | fûrst Gemahels, auch ihrer | [*schwarz*] Sôhne samt andern Christ- | lichen Psalmen, die sie im | braucht gehabt zu beten, | mit fleyß zusamen | getragen. | [*rot*] Matth. 7. | [*schwarz*] Bittet, so wirdt euch geben, | Suchet so werdt ihr finden. | [*rot*] Wit-temberg. | 1559. |.

Mit Titeleinfassung. 9 ungez. und 138 gez. (falsche Blattzählung wie A) und 5 ungez. Bl. (A8B4C8D4 usw. bis Z8a4b8 [Titelrückseite leer]) in Oktav. Ohne Drucker.

Vorhanden: Wittenberg PSB (Th 587 u. Th 588)*.

C

Dasselbe, Titel wie B. Wittemberg M. D. LX.

9 ungez. und 138 gez. (falsche Blattzählung wie A und B) und 5 ungez. Bl. (A8B4C8D4 usw. bis Z8a4b8 [Titelrückseite leer]) in Duodez.

Vorhanden: Gotha FB (Theol. 682a/1)*.

---

19) Zitiert: Althaus, S. 103. In der Vorrede zu dem Anhang, den J. Chr. Schwedler seinem Nachdruck der Ausgabe 1591 des Treuerschen Beteglöcklins (= Bibliographie I, 2C) beigegeben hat, erwähnt er (S. 116), daß L. H. Thering in seinem Betbuch „Der ver-borgene Schatz" (= Bibliographie I, 8) „ein Gebetbüchlein des Churfürsten sel. Gedächt-nuß Joh. Friderichen, Hertzogs zu Sachsen, welches D. Mart. Luther zusammen getragen und hernach wieder aufgelegt ist zu Wittenberg Anno 1592". Thering muß die am Ende des Vorworts stehenden Buchstaben „d. M. L." (= Michael Lotter, Drucker) mißver-standen haben. Das Gebetbuch des Kurfürsten enthält zwar Texte von Luther, ist aber 1557 erstmals erschienen. Vgl. auch G. Franz, Huberinus usw. (vgl. o. S. 19), S. 49.

D

[*schwarz*] Gebett. | [*rot*] Deß hochlôbli- | chen Churfûrsten sâliger | gedechtnuß. Johann Friderichen | [*schwarz*] Hertzogen zu Sachssen, vnd seiner Churfurstlichen Gnaden Ge- | mahels, auch ihrer Sôhne, sampt | andern Christlichen Psalmen, | die sie im brauch gehabt | zu betten, mit fleis | zusammenge- | tragen. | [*rot*] Matthaei 7. | Bittet, so wirdt euch geben, | Suchet, so werdt ihr finden. | [*schwarz*] Wittemberg. | [*rot*] M. D. LXI. |.

10 ungez. und 145 gez. und 5 ungez. Bl. (A—V8 [Titelrückseite, Bl. B 2ᵇ und letztes Blatt leer]) in Oktav. Ohne Drucker [Christoph Heußler, Nürnberg].

Vorhanden: München SB (Asc. 2019)*; Weimar ZB (R, 4: 37ᵇ); Wittenberg PSB (P Th 585)*.

E.

Dasselbe, Titel wie D. Wittemberg M. D. LXII.

10 ungez. und 145 gez. und 5 ungez. Bl. (A—V8 [Titelrückseite, Bl. B 2ᵇ und letztes Blatt leer]) in Oktav.
Am Ende (Bl. V 7ᵇ): Gedruckt durch Chri- | stoff Heußler [Nürnberg]. |20.

Vorhanden: München SB (1/or. fun. 33)*; Wittenberg PSB (P TH 586)*.

F

[*rot*] Gebet | Deß Hochlôbli- | chen Churfûrsten, seli- | ger Gedechtnuß, Johann | Friderichen, Hertzogen | [*schwarz*] zu Sachssen vnd seins Chur- | fûrst. Gemahels, auch jhrer Sône sampt andern Christlichen | Psalmen, die sie im Brauch ge- | habt zu beten, mit fleyß | zusammen getragen. | [*rot*] Matth. 7. | [*schwarz*] Bittet, so wirdt euch geben, | Suchet, so werdt jhr finden. | [*rot*] M. D. LXIII. | [*schwarz*] Nûrnberg. |.

9 ungez. und 96 gez. (Bl. 87 fälschlich doppelt gezählt) und 3 ungez. Bl. (A8B4C8D4 usw. bis R8S4 [Titelrückseite und letzte 5 Seiten leer]) in Oktav.
Am Ende (Bl. S 2ᵃ): Gedruckt | zu Nûrmberg, durch Johann vom Berg, | vnnd Ulrich | Newber. |.

Vorhanden: Wittenberg PSB (P Th 589)*.

G

Dasselbe, Titel wie D. Wittemberg M. D. LXV.

---

20) Zitiert: Althaus, S. 103 Anm. 1.

10 ungez. und 145 gez. und 5 ungez. Bl. (A—V₈ [Titelrückseite, Bl. B 2ᵇ und letztes Blatt leer]) in Oktav.
Am Ende (Bl. V 7ᵇ): Gedruckt zu Nůrmberg | bey Christoff Heußler. |.

Vorhanden: München SB (Asc. 2020)*.

H

[rot] Gebett, | Des Hochlôbli- | [schwarz] chen Churfürsten Seliger | gedechtnuß, Johann Frideri- | chen, Hertzogen zu Sachsen, | Vnnd seines Churfürstlichen | Gemahels, Auch jhrer Sône. | Sampt anderen Christlichen | Psalmen, die sie im brauch | gehabt zu beten, Mit | fleiß zusamen ge- | tragen. | [rot] Matthei 7. | [schwarz] Bittet, so wird euch gegeben, Su- | chet, so werddet jr finden. | [rot] M.D.LXVIII. |.

Mit Titeleinfassung. 9 ungez. und 127 gez. (Bl. 87 fälschlich doppelt gezählt) und 4 ungez. Bl. (A₈B₄C₈D₄ usw. bis Y₄Z₈ [Titelrückseite leer]) in Oktav.
Am Ende (Bl. Z 8ᵇ): Getruckt zu Nůrnberg, | Durch Valentin Newber. |.

Vorhanden: Wittenberg PSB (P Th 590)*.

J

[schwarz] Gebet, [rot] Des Hoch- | lôblichen Churfür- | [schwarz] sten, seliger gedechtnuß, | Johann Friderichen, Hertzo- | gen zu Sachsen, vnd seiner Chur- | fürstlichen Gnaden Gemahels, | auch jrer Sône, sampt andern | Christlichen Psal-men, die sie im Brauch gehabt zu be- | ten mit fleiß zusamen | getragen. | [rot] Matthei 8. [!] | [schwarz] Bittet, so wirdt euch gege- | ben, Suchet, so werdet jhr | finden. | [rot] M.D.LXIX. |.

Mit Titeleinfassung. 14 ungez. und 149 gez. und 7 ungez. Bl. (A₈B₄C₈D₄ usw. bis Z₈a₄b₈c₄d₈e₄ [Titelrückseite, Bl. C 2ᵇ und 2ᵇ—e 3ᵇ e 4ᵇ leer]) in Oktav.
Am Ende (Bl. e 2ᵃ) ohne Seiteneinfassung [rot]: Text der rotgedruckten Titel-zeilen, jedoch Jahreszahl: M.D.LXXII. |. Ferner: (Bl. e 4ᵃ) mit Seiteneinfassung: Gedruckt | zu Nůrnberg, durch Valentin Geyß- | ler. M.D.LXXII. |. Beide Blät-ter (e 2ᵃ und e 4ᵃ) stammen wohl von einer späteren Ausgabe.

Vorhanden: München SB (Asc. 2021)*.

K

Dasselbe, Titel wie J. M.D.LXX.

14 ungez. und 147 gez. und 7 ungez. Bl. (A₈B₄C₈D₄ usw. bis Z₈a₄b₈c₄d₈e₄ [Titel-rückseite, Bl. C 2ᵇ und letzte 4 Seiten leer]) in Oktav.

Am Ende (Bl. e 2^b): Gedruckt | zu Nůrnberg, durch | Valentin Geyß- | ler. | M. D. LXX. |[21].

Vorhanden: Münster UB (Coll. Erh. 718 1)*.

L

[*schwarz*] Gebet, | [*rot*] Des Hoch- | lőblichen Churfůr- | [*schwarz*] sten, seliger Gedechtnuß, | Johann Friderichen, Hertzogen | zu Sachsen, vund seiner Chur- fůrstlichen | Gnaden Gemahels auch jhrer Sőhne, | sampt andern Christlichen Psalmen, | die sie im brauch gehabt zu be- | ten, mit fleiß zusam- | men getra- | gen. | [*rot*] Matth. 8 [!] | [*schwarz*] Bittet, so wird euch gegeben, | Suchet, so werdet jr finden. | Nürnberg | [*rot*] M. D. XXCI. |.

Mit Titeleinfassung. 147 gez. und 5 ungez. Bl. (A$_8$B$_4$C$_8$D$_4$ usw. bis Z$_8$a$_4$b$_8$ [Titel- rückseite leer]) in Oktav.
Am Ende (b 8^b): Gedruckt | zu Nůrnberg, durch | Katharina Gerlachin | vnd Jo- hannes vom Berg | Erben. | M. D. XXCI. |.

Vorhanden: Wittenberg PSB (P Th 592)*.

M
Dasselbe, genauer Titel nicht feststellbar. Nürnberg 1592[22].

N
[*schwarz*] Gebet, | [*rot*] Deß Hoch | lőblichen Churfůr- | [*schwarz*] sten, seliger Gedåchtnuß, | Johann Friederichen, Hertzo- | gen zu Sachsen, vnd seiner Chur- fůrst- | lichen Gnaden Gemahels, auch jhrer | Sőhne, sampt andern Christlichen | Psalmen, die sie im brauch gehabt | zu beten, mit fleiß zusammen getragen. | [*rot*] Matth. 8. [!] | [*schwarz*] Bittet, so wird euch gegeben, | Suchet, so werdet jr fin- den. | [*rot*] Gedruckt zu Nůrnberg, durch | [*schwarz*] Johann Lantzenberger. | In verlegung Georg Endters. | [*rot*] M. D. C. |.

Mit Titeleinfassung. 12 ungez. und 157 gez. und 5 ungez. Bl. (A$_8$B$_4$C$_8$D$_4$ usw. bis d$_8$e$_4$f$_6$ [Titelrückseite und letztes Blatt leer]) in Oktav.
Am Ende (Bl. f 5^b): Gedruckt zu | Nůrnberg, durch | Johann Lantzen- | berger. In verlegung Georg Endters. | Typis haeredum Leonhardi | Heusleri. | Im Jar. | M. D. C. |[23].

Vorhanden: Wittenberg PSB (PTh 591)*.

---

21) Zitiert: Beck, S. 279 Anm. 1; Althaus, S. 103 Anm. 1.
22) Diese bei Althaus, S. 103 Anm. 1 erwähnte Ausgabe war nicht aufzufinden.
23) Zitiert: Althaus, S. 103 Anm. 1.

4. Trostbüchlein aus der heiligen Schrift (Walther)

A [Titelblatt fehlt]
(Am Ende des Vorworts:) Hall in Sachsen 1558, Georg Walther, Magister. (Druck wie B).

335 gez. und 1 ungez. Seite (A—X₈ [Titelrückseite leer?]) in Oktav[24].

Vorhanden: Nürnberg LKA (Ten. II 495 [S. 1—2 fehlt])*.

B
Trostbüchlein | Auß der heiligen | Schrifft, vnd D. Martini | Lutheri Bůchern, von | wort zu wort gestellet. | Durch M. Georgium Walther, | Prediger zu Hall in Sachsen. | Psalm XXIII. | Dein Stecken und Stab trősten mich. | Nůrnberg, M.D.LIX. |.

168 ungez. Bl. (A—X₈ [Titelrückseite leer]) in Oktav. Am Ende (Bl. X 8ᵇ): Gedrůckt zu Nůrnberg, | durch Joham vom Berg, | vnd Vlrich Newber. |.

Vorhanden: Dresden LB (Theol. ev. gen. 609, 2)*.

C
Dasselbe, Titel und Umfang wie B. Nůrnberg, M.D.LX. Druckvermerk wie B[25].

Vorhanden: Amberg PB (Theol. asc. 837)*; Wrocław UB (410 237)*.

D
Trostbůchlein, | Auß der heiligen | Schrifft, vnd D. Martini | Lutheri Bůchern, von | wort zu wort gestellet, Durch | M. Georgium Walther, | Prediger zu Hall inn Sachsen. | Psalm XX III. | Dein Stecken und Stab trősten mich. | Gedruckt zu Nůrnberg, durch | Paulum Kauffmann. | M.D.C. |.

335 gez. und 1 ungez. Seite (A—X₈ [Titelrückseite leer]) in Oktav.

Vorhanden: Halle ULB (Im 1556 t)*.

5. Handbüchlein (Schemp)

A
[schwarz] Handbůchlin, | [rot] Etlicher Trost- | reycher Gebet, so ein [schwarz] Christen Mensch in al- | ler noth vnd anfechtung | gebrauchen kan. | [rot] Sampt

---

24) Zitiert: Althaus, S. 13 Anm. 1. Über den Herausgeber Georg Walther vgl. Kurzbiographien Nr. 21.
25) Zitiert: Beck, S. 282 Anm. 1; Althaus, S. 128.

einer Summa- | rischen verzeychnuß auß | [*schwarz*] altem vnd newem Testament, | zusammen getragen, durch | [*rot*] M. Wendel Schemp. | [*schwarz*] Mathei am 26. | Betet vnd wachet, auff das | jr nicht in anfechtung fallet. | [*rot*] Nůrnberg. M. D. LXI. |.

12 ungez. und 80 gez. und 2 ungez. Bl. (A$_8$B$_4$C$_8$D$_4$ usw. bis O$_4$P$_8$Q$_2$ [Titelrückseite leer]) in Oktav.
Am Ende (Bl. Q 2^b): Gedrůckt zu Nůrm- | berg, durch Johann | vom Berg, vnd Vl- | rich Newber. | M. D. LXI. |[26].

Vorhanden: Rom Bibl. Vat. (Palat. VI. 15 [int. 2])*.

B

[*schwarz*] Handbůchlin | [*rot*] Etlicher Trost- | reycher Gebet, so ein | [*schwarz*] Christen Mensch in al- | ler noth vnd anfechtung | gebrauchen kan. | [*rot*] Sampt einer Summa- | rischen Verzeychnuß auß | [*schwarz*] altem vnd newem Testament, | zusammen getragen, durch | [*rot*] M. Wendel Schemp. | [*schwarz*] Mathei am 26. | Bettet vnd wachet, auff das | jr nicht in anfechtung fallet. | [*rot*] Nůrnberg M. D. LXII. |.

13 ungez. und 79 gez. und 4 ungez. Bl. (A$_8$B$_4$C$_8$ usw. bis P$_8$Q$_4$ [Titelrückseite, Bl. A 7^b — 8^b und letzte 2 Blätter leer]) in Oktav.
Am Ende (Bl. Q 2^b): Gedruckt zu Nůrm- | berg, durch Johann | vom Berg, vnd Vl- | rich Newber. | M. D. LXIII. |.

Vorhanden: Rom Bibl. Vat. (Palat. VI 30)*.

C

Handbůch- | lein, | Etlicher trostreicher Ge- | bet, so ein Christenmensch in | aller noth vnd anfechtung ge- | brauchen kann. Sampt einer summarischen | verzeichnis, aus alten vnd newem | Testament zusammen getra- | gen, Durch | M. Wendel Schemp. | Matth. 26. | Betet vnd wachet, auff das jhr nicht | in anfechtung fallet. | Leipzig. |.

Mit Titeleinfassung. 96 ungez. Bl. (A—M$_8$ [Titelrückseite und letzte Seite leer]) in Oktav.
Am Ende (Bl. M 8^a): Leipzig, | Bey M. Ernesto | Vőgelin. | M. D. LXVIII. |.

Vorhanden: Rom Bibl. Vat. (Palat. VI. 161 [int. 1])*.

---

26) Zitiert: Althaus, S. 106. Über den Herausgeber Wendelin Schemp vgl. Kurzbiographien Nr. 15.

6. Lehr-, Trost-, Beicht- und Gebetbüchlein (Glaser)

A

[*rot*] Ein new Lehr | Trost, Beicht, vnd Gebet- | [*schwarz*] büchlein für die Krancken vnd | Sterbenden, Allen Christen sehr | nützlich vnd tröstlich | zu lesen. | [*rot*] Gestelt vnd zusammen | [*schwarz*] gezogen von M. Petro Glaser | Prediger zu Dresden. | [*rot*] Gedruckt zu Budissin | [*schwarz*] durch Hans Wolrab. | Anno 1565. |.

200 ungez. Bl. (A—Z8 a—b8 [letzte 2 Blätter leer]) in Oktav[27].

Vorhanden: Amberg PB (Theol. asc. 370); Dresden LB (Theol. ev. asc. 1788, 2); Nürnberg LKA (Ten. II. 451); Nürnberg StB (Theol. 618)*.

B

[*schwarz*] Ein new | [*rot*] Lehr, trost, | Beicht, vnd Gebet- | [*schwarz*] büchlein, Allen betrübten | vnd angefochtenen Krancken | vnd sterbenden Menschen | sehr nützlich, vnd | tröstlich. | Von | [*rot*] M. Petro Glaser, | [*schwarz*] Prediger zu Dresden, Gestellet vnd zusam- | men gezogen. | [*rot*] M.D.LXXV. |.

Mit Titeleinfassung. 256 ungez. Bl. (A—Z8 a—i8 [letztes Blatt leer]) in Oktav. Am Ende (Bl. i 7b): Gedruckt | zu Leipzig, Durch | Jacob Berwaldts | Erben. | 1575. |[28].

Vorhanden: Kopenhagen KB (92, 271; Bl. i8 fehlt)*.

C

[*schwarz*] Ein new | [*rot*] Lehr, trost, | Beicht, vnd Gebet- | [*schwarz*] büchlein, Allen betrübten | vnd angefochtenen, Krancken | vnd sterbenden Menschen | sehr nützlich, vnd | tröstlich. | Von | [*rot*] M. Petro Glaser, | [*schwarz*] Prediger zu Dreßden, | Gestellet vnd zusam- | mengezogen. | [*rot*] M.D.LXXVI. |.

Mit Titeleinfassung. 256 ungez. Bl. (A—Z8 a—i8 [Titelrückseite und letztes Blatt leer]) in Oktav. Am Ende (Bl. i 7b): Gedruckt zu Leipzig, Durch | Jacob Berwaldts | Erben. | [Signet: Bär im Walde] 1576. |.

Vorhanden: Rom Bibl. Vat. (Palat. V 269 [int. 1])*.

---

27) Zitiert: Schwedler, S. 75; Althaus, S. 13 Anm. 2 und S. 108. Über den Herausgeber Petrus Glaser vgl. Kurzbiographien Nr. 4.

28) Zitiert: Feuerlein, pars II, S. 122. Es handelt sich wahrscheinlich um die nach Althaus, S. 108 Anm. 1 nach 1573 erschienene 2. vermehrte Ausgabe.

130

D
Dasselbe, Titel wie B. Lübeck 1594.

Mit Titeleinfassung. 188 ungez. Bl. (A−Z8 a4) in Oktav.
Am Ende (Bl. a 4b): Gedruckt in der Kayserlichen | freyen Reichs Stadt Lübeck, | durch Asswerum Kröger. | M.D.XCIIII. | In Verlegung Laurentz Al- | brechts, Buchhendlers | in Lübeck. |29.

Vorhanden: Wolfenbüttel HAB (YJ 66 Helmst.)*.

E
[schwarz] Ein New | [rot] Lehr, trost, Beicht vnd Ge | [schwarz] betbüchlein, | Allen Be- | trübten vnd angefochtenen, | krancken vnd sterbenden | Menschen sehr nützlich | vnd tröstlich. | Von [rot] J. Petro Glaser, | [schwarz] Prediger zu | Dreßden. |.

Mit Titeleinfassung. 220 ungez. Bl. (A−Z8 a−d8e4) in Oktav.
Am Ende (Bl. e4b): Gedruckt zu Nürnberg, durch | Alexander Philip Dieterich, In | verlegung Johan Lauers. |. (o. J.).

Vorhanden: Fulda LB (Theol. Gd. 12/53)*.

7. Trostbüchlein (Ortel)

Trostbüchlein, | Für die Kran- | cken, sonderlich aber, | Lagerhafftige Christen, denen in ihren | langwierigen Siechtagen verlanget, das jnen | Gott der Herr nicht entweder gnediglich | wider auffhilfft, Oder sie von die- | ser Welt abfodert. | Zusammen gezogen, vnd in | Druck verfertiget, Durch | M. Johan Orteln, Pfar- | rern zu Teuchern. | 15 [Bild: Krankenbesuch] 86. | Leipzig. | Cum Priuilegio. |.

17 ungez. Blätter und 470 gez. Seiten und 4 ungez. Blätter (A−Z8 Aa−Ji8 [Titelrückseite leer]) in Oktav30.

Vorhanden: Berlin SB (Es 5550 [Kriegsverlust]); Nürnberg LKA (Fen. II, 496)*.

8. Ein neu christliches, nützes und schönes Betbüchlein

A
Ein new Christli- | ches, nützes | vnd schönes Betbüchlein, | voller Gott seliger Betrachtungen | vnd Gebeten, für allerley gemeine | vnd sonderliche nöten vnd

---

29) Zitiert: Althaus, S. 108 Anm. 1.
30) Zitiert: Althaus, S. 13 Anm. 2. Über den Herausgeber Johann Ortel vgl. Kurz-biographien Nr. 9.

anlie- | gen, zur bewegung der andacht, | zu beten sehr dienstlich | vnd trôstlich. |
Allen guthertzigen from- | men Christen, zu trost vnd nutz aus | den alten Kir-
chenlerers, als Augustino, Ambrosio, Cyrillo, Bern- | hardo, Chrysostomo, etc.
Itzt | newlich in Hochdeutscher | sprach zusamen getragen. | Magdeburgk. |.

Mit Titeleinfassung. 16 ungez. und 457 gez. und 7 ungez. Seiten (A—V₁₂) in
Oktav.
Am Ende (Bl. V 12ᵇ): Gedruckt zu Mag- | deburgk, durch Andreas Gene, in ver-
legung Am- | brosii Kirchners. | M. D. LXXXVII. |³¹.

Vorhanden: London BM (C 65 c 5); Wolfenbüttel HAB (Theol. 1219)*.

B
Dasselbe, Titel und Umfang vermutlich wie A. Rostock, Augustin Ferber 1589.

Vorhanden: Berlin SB (Es 3715; [Kriegsverlust]).

9. Christliche, schöne und tröstliche Gebet (Weniger)

A
[*rot*] Christliche, | [*schwarz*] schône vnd Trôstliche | [*rot*] Gebet: | Allen An-
dechti- | gen Hertzen, zum Christ- | [*schwarz*] lichen Leben, vnd seligen Ster- |
ben, gantz nůtzlich zugebrauchen: | [*rot*] Aus | [*schwarz*] Augustino, Bernhardo,
Luthero, [*rot*] vnd anderen, fleißig vund ordent- | lich zusammen getragen, in
kurtze Form | [*schwarz*] gestelt, vnd mit einer Wollesender Schrift in Druck ver-
fertiget. | Durch [*rot*] *JOHANNEM WENIGERUM* Cygnocomacum Palatinum. |
[*schwarz*] Cum Gratia et Privilegio. | 15 [*rot*] Dreßden [*schwarz*] 97. |.

Mit Titeleinfassung. 8 ungez. und 123 gez. und 5 ungez. Bl. (A—R₈ [letzte Seite
leer]) in Oktav.
Am Ende (Bl. R 8ᵃ): In Verlegung des Autoris: | Gedruckt in der Churfürstlichen

---

31) Zitiert: Althaus, S. 13 Anm. 2; S. 24 Anm. 3 und S. 130. Es handelt sich, wie der
Titel zeigt, um die hochdeutsche Fassung einer niederdeutschen Originalausgabe von 1561:
Ein Nye Christlick vnde nůtte Bedebôck. Uth den Olden Lerers der Kercken, Alse Augu-
stino, Ambrosio, Cipriano, Cirillo, Bernhardo, Chrisostomo etc. Thosamende gethagen. In
allerley anfechtingen vunde nôden tho Bedende, Denstlick vnnde Trôstlick. Thoûrne
nůwerle yn Dûdescher Sassischer sprake gesehen. Magdeburg, Wolffgang Kirchner 1561.
Dieses Gebetbuch erschien zwischen 1561 und 1598 in 15 Ausgaben in Magdeburg, zwischen
1562 und 1625 in 14 Ausgaben in Hamburg, zwischen 1564 und 1596 in 4 Ausgaben in
Lübeck. Dazu kommen die Ausgaben Dortmund 1579 und 1589, Stettin 1585 und Braunschweig 1608. Vgl. C. Borchling - B. Claußen, Niederdeutsch Bibliographie (Neumünster
1931) Bd. 1 Nr. 1805, Bd. 2, Sp. 1958 f. Althaus, S. 130 hat diese Ausgaben offenbar übersehen.

Stadt | Dreßden, durch Gimel, | Bergen, wohnhafftig in der | Moritzstrassen |
Anno 1597. |[32].

Vorhanden: Halle ULB (41. 20 / i 29)*.

B

Schône | Christliche, | vnd trôstliche Gebete ... [weiter wie A]. | Leipzig, im
M. DC. VII. Jahr. |.

Mit Titeleinfassung. 20 ungez. und 245 gez. und 7 ungez. Seiten (A—R8 [letzte
Seite leer]) in Oktav.
Am Ende (Bl. R 8ª): Gedruckt zu Leipzig, bey | Valentin am Ende. | Typis haere-
dum Beyeri. |[33].

Vorhanden: Stuttgart LB (Theol. 19213)*; Wolfenbüttel HAB (990.120 Theol. 2)*.

---

32) Zitiert: Uhden, S. XI. Über den Herausgeber Johann Weniger vgl. Kurzbiographien Nr. 22.
33) Angebunden an die Ausgabe 1610 von P. Treuers Beteglöcklein.

Bibliographie III:

Neuere Gebetbücher
mit einem größeren Bestand von Luthergebeten

Übersicht in chronologischer Ordnung

1. *Samenkörner des Gebets,* hsg. W. *Löhe,* Nördlingen 1840; 6. (endgültige Ausgabe) 1854[1].
Weitere Ausgaben bis 1938 (48. Auflage).
　　9 Luthergebete (Löhe SK Nr. 5. 109. 114. 124. 139. 157. 188. 242. 515).
Nr. 135. 502. 588. 593. 87 = [486]. 579. 571. 533. 515.

2. *Gebetbuch,* enthaltend die sämtlichen Gebete und Seufzer Dr. Martin Luthers, hsg. evang. Bücherverein [H. F.] Uhden, Berlin 1849[2].
Weitere Ausgaben 1852. 1866.
　　Sämtliche Luthergebete aus Treuer und Reuchel.

3. *Evangelisches Brevier,* hsg. *Gg. Chr. Dieffenbach* und *Chr. Müller,* Stuttgart 1857.
　　21 Luthergebete (Dieffenbach Nr. 75. 76. 79. 83. 87. 122. 148. 197. 198. 199. 216. 218. 219. 220. 221. 227. 228. 231. 232. 245. 253).
Nr. 212 = [219]. 210. 496. 462. 310. 700. 520. 110. 111. 135. 181. 512. 513. 701. 515. 357. 223. 433. 435. 502. 626.

4. *Hausbedarf christlicher Gebete,* hsg. W. *Löhe,* Nürnberg 1859.
　　7 Luthergebete (Löhe HB Nr. 14. 272. 332. 333. 334. 335. 336).
Nr. 238. 424. 622. 611. 612. 613. 617.

---

1) Zu diesem Gebetbuch liegt ein von Althaus sorgfältig erarbeitetes Quellenverzeichnis vor, das in P. Althaus, Forschungen zur evang. Gebetsliteratur (Gütersloh 1927), S. 250 ff. abgedruckt ist. Eine Übersicht über die 64 seit Löhe in evangelische Gebetbücher und Agenden übernommenen außerliturgischen Luthergebete bietet F. Schulz in: Jahrbuch für Liturgik und Hymnologie Bd. 10 (1965), S. 115—127.

2) Vornamen des Herausgebers bei Zuchold Bd. 1, S. 402. Aus Uhdens Gebetbuch erschien eine Auswahl von 120 Luthergebeten: W. D. Brose, Luthers Perlen des Gebets (Einbeck 1856) als „ein Blüte des ersten Kirchentags zu Wittenberg 1848, dem Professor J. A. Dorner gewidmet". Vorhanden: Erlangen UB (K. B. 977c).

5. *Evangelisch-Lutherischer Gebets-Schatz*, St. Louis, Mo. 1864.
Weitere Ausgaben bis 1884 (17. Auflage).
    97 Luthergebete.

6. *Allgemeines Gebetbuch*, hsg. Allg. luth. Konferenz, Leipzig 1883.
Weitere Ausgaben 1886 bis 1932.
    17 Luthergebete (Allg. GebB. S..73. 78. 114. 115a. b. c. 196. 257. 264. 312.
    326. 499. 502. 503. 512. 518. 519).
Nr. 343. 707. 590. 422. 421. 419. 668. 673. 674. 210. 678. 226 = [63]. 239 = [35].
319. 323. 335. 466.

7. *Luther-Agende*, hsg. O. *Dietz*, Kassel 1928.
    44 Luthergebete (LAg. Nr. 2. 3. 4. 10. 13. 21. 47. 61. 62. 63. 72. 75a. b. 77.
    81. 82. 87. 93. 121a. b. 127a. b. 136. 137. 138. 140. 141. 142. 143. 149. 154.
    155. 160a. b. 165. 167. 179. 184. 186. 187. 213/214. 215. 216).
Nr. 514. 520. 515. 551 = [8]. 448 = [7]. 199 = [1]. 328 = [18]. 627 = [10]. 625 =
[78]. 277 = [11]. 309 = [12]. 293 = [13]. 278 = [14]. 286 = [15]. 459 = [19].
196 = [16]. 305 = [17]. 437 = [37]. 355 = [3]. 308 = [5]. 636 = [4]. 637 = [9].
533. 502. 588. 593. 87 = [486]. 85 = [387]. 644 = [25]. 719. 29. 726 = [69].
703 = [21]. 647 = [22]. 20. 703 = [21]. 23. 100 = [39] = [238]. 569 = [24]. 579.
571. 540 = [80]. 624 = [75]. 323.

8. *Gebete der Christenheit*, hsg. W. *Nigg*, Hamburg 1950.
Weitere Ausgaben bis 1965.
    8 Luthergebete (Nigg Geb. Chr. S. 11. 31. 43. 120. 189. 204. 214. 252)[3].
Nr. 664 = [25]. 502. 665 = [26]. 93 = [48] = [424]. 181. 613. 437 = [37]. 612.

9. *Das teure Predigtamt*, hsg. K. *Kampffmeyer*, Hamburg.
2. Auflage 1954.
    12 Luthergebete (Kampffmeyer S. 157b. 166a. b. d. 167a. d. 168a. 170f.
    175c. 179b. c. 180a).
Nr. 512 + 513 + 516. 512. 513. 181. 701. 515. 86A = [518]. 520. 435. 514. 95 =
[36] = [615]. 629.

10. *Allgemeines Evangelisches Gebetbuch*, Hamburg 1955.
2. Auflage 1965. 3. Auflage 1971.

---

3) Die Luthergebete sind dem Betbüchlein des Calwer Verlagsvereins 1886 entnommen
(= Bibliographie I, 12.).

38 Luthergebete (AEG Nr. 6=16. 127. B 4. B 5. 1. 9. 41. 69. 75. 103. 143.
150. 208. 210. 211. 212. 231. 252. 306. 324. 334. 336. 341. 349. 363. 365. 366.
369. 381. 384. 386. 391. 408. 430. 431. 425. 435. 444)[4].
Nr. 329=[2]. 635. 256. 241. 287=[113]. 664=[25]. 665=[26]. 93=[48]=
[424]. 502. 282. 422. 205. 513. 181. 462. 195. 323. 431. 496. 613. 419. 627=[10].
277=[11]. 308=[5]. 293=[13]. 328=[18]. 278=[14]. 286=[15]. 459=[19].
196=[16]. 305=[17]. 637=[9]. 551=[8]. 212=[219]. 636=[4]. 355=[3].
[147]. 448=[7].

11. *Gott ist gegenwärtig*, hsg. *W. Nigg*, München 1967.
    40 Luthergebete (Nigg Gg. S. 1. 15. 42. 45a. b. 51. 53. 56. 57. 66. 67.
    73a. b. c. d. 77. 78. 83. 95. 96. 109. 113. 129. 133. 137. 145. 149. 151a. b. c.
    152. 153. 157. 158. 159a. b. 166. 170. 172a. b)[5].
Nr. 101. 106. 500=[66]. 110. 111. 218. 664=[25]. 281. 100=[39]=[238].
701. 505. 277=[11]. 753. 309=[12]. 566. 680. 186. 202. 312. 221. 253. 461.
472 vgl. 697 u. 698. 333. 711. 116. 577. 127. 612. 594=[45]. 484=[62]. 437=
[37]. 416. 223. 596. 598. 713. 625=[78]. 623=[46]. 622.

---

4) Diese Auswahl hat erstmals wieder auf die Originalausgabe von Treuers Beteglöcklein zurückgegriffen.
   5) Vgl. Anm. 3.

Die Texte der Luthergebete

Vorbemerkungen

1. Alle Gebete sind fortlaufend beziffert. Im systematisch geordneten Abschnitt „Luther als Beter" sind die authentischen Gebete Luthers (liturgische Gebete; einzeln überlieferte Gebete; Gebete aus den Tischreden) zusammengestellt (Nr. 1—83a). Der Abschnitt „Gebete in den Luthergebetbüchern" ist chronologisch nach den Erscheinungsjahren der Gebetbücher geordnet (Nr. 84—757). Die Gebete aus den Luthergebetbüchern von Otto (Nr. 84—100) und Treuer (Nr. 101—638) sind vollständig abgedruckt. Aus den späteren Luthergebetbüchern sind nur die jeweils zusätzlichen Luthergebete übernommen (Nr. 639 bis 757).

2. Gebetsparaphrasen zu den Katechismusstücken (Nr. 136—173), Gebete aus Luthers Schriften, die nicht in die Überlieferung der Luthergebetbücher übergegangen sind (Nr. 758—773), sowie unechte, aber gelegentlich Luther zugeschriebene Gebete (gesonderte Bezifferung Nr. 1000—1032) sind nur mit ihren Initien aufgeführt.

3. Über jedem Gebetstext ist die aus dem als Textgrundlage verwendeten Gebetbuch oä. stammende Überschrift abgedruckt. Überschriften in eckiger Klammer sind vom Herausgeber ergänzt. Unmittelbar vor der Überschrift steht die der frühesten Ausgabe des zugrundeliegenden Gebetbuchs entnommene Blattzahl in eckiger Klammer.

4. Mit (vom Herausgeber hinzugefügtem) [A], [B], [C] usw. werden Abschnitte eines abgedruckten Gebetes, mit [I], [II], [III] usw. verschiedene Fassungen bzw. Übersetzungen des gleichen Gebetes, mit [a] und [b] lateinischer Urtext und deutsche Übersetzung eines Gebetes gekennzeichnet. Bei lateinischen Gebetstexten sind nur die Initien abgedruckt.

5. Unter jedem Gebetstext finden sich Angaben über Quelle und Herkunft (mit Fundstelle in WA oder anderen Luther-Ausgaben), dazu Verweise auf andere Nummern der Luthergebete. Dann folgen die Fundorte in den Luthergebetbüchern (Sigla) bzw. anderen Gebetbüchern des 16. Jh. (in chronologischer Folge), sowie Hinweise auf spezielle Abhandlungen oä. zu diesem Gebet. Die Anmerkungen, gegliedert in sprachliche (kleine Buchstaben) und inhaltliche (arabische Ziffern), beschließen den Apparat zu jedem einzelnen Gebet.

6. Im Abschnitt „Luther als Beter" (Nr. 1—83a) sind alle Gebete, die nicht in die Überlieferung der Luthergebetbücher übergegangen sind, im vollen Wortlaut abgedruckt. Alle anderen werden nur mit ihren Initien, aber mit ausführlichem Quellennachweis aufgeführt. Auf die vollständig ausgedruckten Texte dieser Gebete im Abschnitt „Gebete in den Luthergebetbüchern" (Nr. 84

bis 757) wird mit dem Gleichheitszeichen hingewiesen, also z. B. bei Gebet Nr. 1: „= Gebet Nr. 199".

7. Im Abschnitt „Gebete in den Luthergebetbüchern" (Nr. 84—757) wird grundsätzlich auf die Gebete des Abschnitts „Luther als Beter" (Nr. 1—83a) wegen des dort beigegebenen ausführlichen Quellennachweises mit „vgl." zurückverwiesen, also z. B. bei Gebet Nr. 199: „vgl. Gebet Nr. 1".

8. Im Abschnitt „Gebete in den Luthergebetbüchern" (Nr. 84—757) wird auf vorher bereits ganz (z. B. Ottos Betbüchlein [Nr. 84—100]) oder teilweise (z. B. Nr. 204 und 220) ausgedruckte Texte mit dem Gleichheitszeichen zurückverwiesen, also z. B. bei Gebet Nr. 133: „= Gebet Nr. 84" oder bei Gebet Nr. 394 [A]: „= Gebet Nr. 90".

9. Duplikate innerhalb des vollständig abgedruckten Luthergebetbuchs von Treuer (Nr. 100—638) sind (ohne erneuten Abdruck der Quellen und Fundorte) als solche kenntlich gemacht, also z. B. bei Gebet Nr. 179: „Duplikat zu Gebet Nr. 182". Der umgekehrte Verweis z. B. bei Gebet Nr. 182 lautet: „vgl. Gebet Nr. 179 (Duplikat)".

10. Im Abschnitt „Gebete in den Luthergebetbüchern" (Nr. 84—757) wird auf anders übersetzte, anders abgegrenzte oder frei paraphrasierte Fassungen eines Gebetes, sowie auf die Gebetsparaphrasen zu den Katechismusstücken (Nr. 136 bis 173) wechselseitig mit „vgl." hingewiesen, also z. B. bei Gebet Nr. 276: „vgl. Gebet Nr. 684" oder bei Gebet Nr. 650: „vgl. Gebet Nr. 144".

11. Bei der Erstellung des textkritischen und sprachlichen Apparats nach den Editionsgrundsätzen der WA war der Leiter der WA-Arbeitsstelle Göttingen, Herr D. Dr. Volz, unter Mitarbeit von Herrn Heinz Blanke (jetzt Tübingen) dankenswerterweise behilflich.

Sigla für die Fundorte der Luthergebete

B	Himmelsleiter, hsg. von *J. J. Beck* (1648); vgl. Bibliographie I, 5.
C	Betbüchlein ..., hsg. vom *Calwer Verlagsverein* (1883); vgl. Bibliographie I, 12.
G I – VIII	Lutherus Redivivus 8 Bde., hsg. von *E. Gruber* (1665); vgl. Bibliographie I, 6.
G IX	Zwölf geistliche Brotkörbe (= Bd. 9), hsg. von *E. Gruber* (1670); vgl. Bibliographie I, 6.
G X	Analecta Sacra (= Bd. 10), hsg. von *E. Gruber* (1670); vgl. Bibliographie I, 6.
G XI	Lutherus Redivivus, Haus-Postille (= Bd. 11), hsg. von *J. Zeller* (1667); vgl. Bibliographie I, 6.
G XII	Lutherus Redivivus (Eisl. Teile) (= Bd. 12), hsg. von *J. C. Finck* (1670); vgl. Bibliographie I, 6.
G XIII	Lutherus Redivivus, Kirchen-Postille (= Bd. 13), hsg. von *J. C. Zeller* (1667); vgl. Bibliographie I, 6.
K	Das Betbüchlein Lutheri, hsg. von *L. Kraußold* (1833); vgl. Bibliographie I, 11.
M	(Nummernzählung) Beicht- und Betbüchlein, hsg. von *C. Melissander* (Große Ausgabe 1586); vgl. Bibliographie I, 3c.
O	(Blattzählung) Ein newe Betbüchlin, hsg. von *A. Otto* (1565); vgl. Bibliographie I, 1.
O/Anh.	Dass. (mit Anhang), hsg. von *M. Marstaller* (1591); vgl. Bibliographie I, 1 H.
P	Gebete, wie sich ein Christ ..., hsg. von *A. Probus* (1592); vgl. Bibliographie I, 4.
Po	Pastorale Lutheri, hsg. von *C. Porta* (1582); vgl. Bibliographie I, 13.
R	Der andächtig betende Lutherus, hsg. von *J. Chr. Reuchel* (1704); vgl. Bibliographie I, 9.
T	(Blattzählung) Beteglöcklin D. M. Lutheri, hsg. von *P. Treuer* (1579); vgl. Bibliographie I, 2.
T²	(Blattzählung) Dass. (Ausgabe 1580); vgl. Bibliographie I, 2 B.
T/Anh.	Dass. (mit Anhang), hsg. von *J. Chr. Schwedler;* vgl. Bibliographie I, 2 C.
Th	Der verborgene ... Schatz, hsg. von *L. H. Thering* (1683); vgl. Bibliographie I, 8.
V	Ein gülden Kleinod, hsg. von *E. Veiel* (1669); vgl. Bibliographie I, 7.
W¹	(Spaltenzählung) D. M. Luthers ... Schriften, hsg. von *J. G. Walch*, Bd. 10 (1744); vgl. Bibliographie I, 10. Spaltenziffer mit * = nur Initium ist angeführt.
W²	(Spaltenzählung) Dass. (2. Ausgabe), Bd. 10 (1885); vgl. Bibliographie I, 10.

Wo nicht anders angegeben, liegt Seitenzählung vor.

Luther als Beter

1. Liturgische Gebete Luthers: Nr. 1—30

1   Eingangskollekte der Messe.

Almechtiger Gott, der du bist ein beschützer aller ...

Aus: Deutsche Messe (1526) = WA Bd. 19, S. 86; Bd. 35, S. 249 (vgl. S. 557):
= Gebet Nr. 199.
Von Luther geschaffene Kompilation zweier Kollekten: *Protector in te sperantium* ...
(VIII/IX. Jh.; *Bruylants* Nr. 911) und: *Deus a quo bona cuncta procedunt* ... (VIII. Jh.,
Bruylants Nr. 199). Vgl. Drews S. 99; Kulp S. 368 und 347; Aland Nr. 232, 1k (2. Gebet).

2   Schlußkollekte der Messe.

Wir dancken dir Allmechtiger HERR Gott, das du uns ...

Aus: Deutsche Messe (1526) = WA Bd. 19, S. 102; Bd. 35, S. 556: = Gebet Nr. 329.
Gratias tibi referimus, Domine ... (VIII, Jh.; *Bruylants* Nr. 576). Vgl. Drews S. 95;
Kulp S. 429; Aland Nr. 232, 1h (2. Gebet) und 7; P. Graff in: Siona Bd. 37 (1912),
S. 128 f. In der lateinischen Vorlage fehlt der Passus *„zu starkem Glauben gegen dir und
zu brünstiger Liebe unter uns allen"*, der somit auf Luther selbst zurückgehen dürfte;
vgl. das gleiche Doppelmotiv in Luthers Lied: Jesus Christus, unser Heiland (EKG 154),
Strophe 5 bzw. 9 *„du sollst glauben"*, *„glaubst du das"* und dazu Strophe 10 *„deinen
Nächsten sollst du lieben"*.

3   Erste Kollekte zur deutschen Litanei.

Herr allmechtiger Gott, der du der elenden seufftzen ...

Aus: Kleiner Katechismus (1529) = WA Bd. 30III, S. 35, 12—18; Bd. 35, S. 555:
= Gebet Nr. 355.
Deus, qui contritorum non despicis ... (XV. Jh.: *Missale O. Erem. s. Aug.* 1491,
Bl. XVIb und *Missale Brandenbg.* 1494, Bl. CCCXIIb; vgl. M. Gerbert, *Monumenta veteris
Liturgiae Alemannicae* Bd. 1 [St. Blasien 1777] S. 274). Vgl. Drews S. 55. 92; Aland
Nr. 232, 1g (1. Gebet). Die 1. Kollekte zur lateinischen Litanei vgl. WA Bd. 30III,
S. 41, 5—10.

4   Zweite Kollekte zur deutschen Litanei.

Herr Gott hymelischer Vater, der du nicht lust hast ...

Aus: Kleiner Katechismus (1529) = WA Bd. 30III, S. 35, 38—50: = Gebet Nr. 636.
Deus qui delinquentes perire non pateris ... (VI. Jh.; *Sacramentarium Veronense
= „Leonianum"*, hsg. von L. C. Mohlberg [Rom 1956] = *Cod. Ver. Bibl. Capit.*

LXXXV, Nr. 861). Vgl. Drews S. 58 und Kulp S. 324; Aland Nr. 232, 5. Die 2. Kollekte zur lateinischen Litanei vgl. WA Bd. 30III, S. 41, 22—25.

5   Dritte Kollekte zur deutschen Litanei.

Herr Gott hymelischer Vater, du weisest, das wir ynn ...

Aus: Kleiner Katechismus (1529) = WA Bd. 30III, S. 35, 1—11; Bd. 35, S. 555: = Gebet Nr. 308.

Deus qui nos in tantis periculis constitutos ... (VIII. Jh.; *Bruylants* Nr. 406). Vgl. Drews S. 59. 93; Kulp S. 315. Aland Nr. 232, 1g (2. Gebet). 3. Kollekte zur lateinischen Litanei vgl. WA Bd. 30III, S. 41, 29—42, 1.

6   Vierte Kollekte zur lateinischen Litanei.

Parce Domine parce peccatis nostris ...

Aus: *Enchiridion piarum precationum* (Wittenberg 1529) = WA Bd. 30III, S. 42, 6—8: deutsch = Gebet Nr. 642.

Parce, Domine, parce populo tuo ... (IX. Jh.; *Bruylants* Nr. 806). Vgl. Drews S. 60; Aland Nr. 232, 5. Deutsch (kürzere Fassung). Im Enchiridion 1526 (Wittenberg, Hans Lufft [= WA Bd. 35, S. 317 f.: C], Bl. E 1a) als 2. Kollekte nach dem *Nunc dimittis* (zur Komplet); danach im Erfurter Gesangbuch 1527 (Wackernagel, S. 97) und im Zwickauer Gesangbuch 1528 (Wackernagel, S. 466 Nr. 9); davon abhängige deutsche Fassung auch in KO Lüneburg 1546 (Sehling Bd. 6, S. 572).

7   Kollekte zum Tedeum.

Herr Gott himelischer vater, von dem wir onn unterlas ...

Aus: Rauschersches Gesangbuch (Erfurt 1531) = WA Bd. 35, S. 249 (vgl. S. 557): = Gebet Nr. 448.

Von Luther unter Verwendung seiner Erklärung zum 1. Artikel neu geschaffene Kollekte; vgl. Drews S. 98; Kulp S. 391; Aland Nr. 232, 1k (1. Gebet). Vgl. ferner: Althaus S. 201.

8   Kollekte zum Da pacem.

Herr Gott hymelischer Vater, der du heiligen mut ...

Aus: Rauschersches Gesangbuch (Erfurt 1531) = WA Bd. 35, S. 233 (vgl. S. 557): = Gebet Nr. 551.

Deus a quo sacta desideria ... (VIII. Jh.; *Bruylants* Nr. 201). Vgl. Drews S. 97; Aland Nr. 232, 1i.

9   Vierte Kollekte zur deutschen Litanei.

Allmechtiger Ewiger Gott, der du durch deinen heiligen Geist ...

Aus: Klugsches Gesangbuch (Wittenberg 1533, Bl. K 6b) = WA Bd. 30III, S. 36, 17—24: = Gebet Nr. 637.

Für die Gebete Nr. 9 bis 18 ist der Fundort nach dem erst 1932 wieder aufgetauchten Exemplar des Klugschen Gesangbuchs (Wittenberg 1533) angegeben. Vorhanden: Wittenberg LH; Faksimile-Ausgabe hsg. von K. Ameln (Kassel 1954).

Omnipotens sempiterne Deus, cujus spiritu ... (VIII. Jh.; *Bruylants* Nr. 758). Vgl. Drews S. 57 und Kulp S. 355. Aland Nr. 232, 5. Die 5. Kollekte zur lateinischen Litanei vgl. WA Bd. 30III, S. 41, 16—18.

10   Adventskollekte.

Lieber HERR Gott, wecke uns auff, das wir bereit seien ...

Aus: Klugsches Gesangbuch (Wittenberg 1533), Bl. Ba = WA Bd. 35, S. 552: = Gebet Nr. 627.

Excita, Domine, corda nostra ad praeparandas ... (VIII./IX. Jh.; *Bruylants* Nr. 542). Vgl. Drews S. 81; Kulp S. 299; Aland Nr. 232, 1a.

11   Weihnachtskollekte.

Hilff, lieber HERR Gott, das wir der newen leiblichen Geburt ...

Aus: Klugsches Gesangbuch (Wittenberg 1533), Bl. B 4b = WA Bd. 35, S. 264: = Gebet Nr. 277.

Concede quaesumus, omnipotens Deus ... (VIII/IX. Jh.; *Bruylants* Nr. 131). Vgl. Drews S. 83; Kulp S. 309; Aland Nr. 232, 1b.

12   Kollekte zum Nunc dimittis.

Allmechtiger ewiger Gott, wir bitten dich hertzlich, Gib ...

Aus: Klugsches Gesangbuch (Wittenberg 1533), Bl. B 6b = WA Bd. 35, S. 553: = Gebet Nr. 309.

Da eine lateinische Vorlage bis jetzt nicht nachzuweisen ist, dürfte es sich um eine von Luther neu geschaffene Kollekte handeln. Vgl. Drews S. 84; Kulp S. 319; Aland Nr. 232, 1c (1. Gebet).

13   Erste Passionskollekte.

Barmhertziger ewiger Gott, Der du deines eigen Sones ...

Aus: Klugsches Gesangbuch (Wittenberg 1533); Bl. B 6b = WA Bd. 35, S. 553: = Gebet Nr. 293.

Von Luther unter Verwendung von Röm. 8, 32 neu geschaffene Kollekte. Vgl. Drews S. 85, Kulp S. 331; Aland Nr. 232, 1c (2. Gebet). Vgl. ferner Althaus S. 201.

14   Zweite Passionskollekte.

Allmechtiger Vater, ewiger Gott, der du für uns hast deinen Son ...

Aus: Klugsches Gesangbuch (Wittenberg 1533), Bl. B 7ª = WA Bd. 35, S. 553: = Gebet Nr. 278.

Von Luther geschaffene Kompilation zweier Kollekten: *Deus, qui pro nobis Filium tuum* ... (VIII./IX. Jh.; *Bruylants* Nr. 438) und: *Omnipotens sempiterne Deus, da nobis* ... (VIII./IX. Jh.; *Bruylants* Nr. 760). Vgl. Drews S. 86; Kulp S. 337; Aland Nr. 232, 1c (3. Gebet).

15   Osterkollekte.

Allmechtiger Gott, der du durch den Tod deines Sons ...

Aus: Klugsches Gesangbuch, (Wittenberg 1533, Bl. C 2ª) = WA Bd. 35, S. 553: = Gebet Nr. 286.

Von Luther unter Verwendung seiner Erklärung zum 2. Artikel neu geschaffene Kollekte; vgl. Drews S. 87; Kulp S. 339; Aland Nr. 232, 1d (1. Gebet). Vgl. ferner Althaus S. 201.

16   Pfingstkollekte.

Herr Gott, lieber Vater, der du (an diesem tage) deiner Gleubigen ...

Aus: Klugsches Gesangbuch (Wittenberg 1533), Bl. C 7ª = WA Bd. 35, S. 554: = Gebet Nr. 196.

Deus, qui hodierna die corda fidelium ... (IX. Jh.; *Bruylants* Nr. 349). Vgl. Drews S. 90; Kulp S. 352; Aland Nr. 232, 1e.

17   Trinitatiskollekte.

Allmechtiger ewiger Gott, der du uns gelehret hast ...

Aus: Klugsches Gesangbuch (Wittenberg 1533), Bl. Dª = WA Bd. 35, S. 554: = Gebet Nr. 305.

Omnipotens sempiterne Deus qui dedisti ... (X. Jh.; *Bruylants* Nr. 774). Vgl. Drews S. 91; Kulp S. 361; Aland Nr. 232, 1f.

18   Abendmahlskollekte.

Ah du lieber HERR Gott, der du uns bey diesem wunderbarlichen ...

Aus: Klugsches Gesangbuch (Wittenberg 1533), Bl. F 2ᵇ = WA Bd. 35, S. 556: = Gebet Nr. 328.

Deus, qui nobis sub Sacramento mirabili ... (XV. Jh.; *Bruylants* Nr. 393). Vgl. Drews S. 95; Kulp S. 334; Aland Nr. 232, 1h (1. Gebet).

19   Himmelfahrtskollekte.

Allmechtiger HERRE Gott, verleihe uns, die wir glauben ...

Aus: Klugsches Gesangbuch (Wittenberg 1543) = WA Bd. 35, S. 554: = Gebet Nr. 459.
Concede, quaesumus, omnipotens Deus ... (IX. Jh.; *Bruylants* Nr. 136). Vgl. Drews
S. 89; Kulp S. 348; Aland Nr. 232, 1d (2. Gebet).

20   Erstes Taufgebet.

O Almechtiger ewiger Gott, Vater unnsers herrn Jhesu Christi. Du woltist sehen
auff dieszen N. deynen diener, den du zu des glawbens unterricht beruffen hast,
treybe alle ,blindheytt seyns hertzen'[1] von yhm, zureys alle ,strick des teuffels'[2],
da mit er gepunden ist. Tu yhm auff, herr, die thur deyner gutte, auf das er, mit
dem zeychen deiner weisheit bezeichnet, aller boser lust gestanck on sey[3], und
nach dem sussen geruch deyner gepott, dyr ynn der Christenheyt frolich dyene,
und teglich zu neme, und das er tuchtig werde zu komen zu deiner tauffe gnade,
ertzney zu empfahen, durch Christum unsern herren.

Aus: Taufbüchlein (1523) = WA Bd. 12, S. 43, 2–10.
Omnipotens sempiterne Deus, pater Domini ... (VIII Jh.; *Sacramentarium Gelasianum*,
hsg. von L. C. Mohlberg [Rom 1960] = *Cod. Vat. Reg.* 316 Nr. 285). Vgl. Drews S. 100.
1) Eph. 4, 18.   2) 2. Tim. 2, 26.   3) ledig sei, frei sei von.

21   Zweites Taufgebet.

O Gott, du unsterblicher trost aller, die was fodern ...

Aus: Taufbüchlein (1523 u. 1526) = WA Bd. 12, S. 43, 12–20; Bd. 19, S. 539, 9–16:
= Gebet Nr. 703.
Deus immortale praesidium omnium ... (IX. Jh.; *Sacramentarium Gregorianum*
[Alcuins Supplement], hsg. von *H. A. Wilson* [London 1915]). Zu den einleitenden
Anrufungen im „irischen Gebetsstil" *(E. Bishop)* vgl. *The Book of Cerne*, hsg. von A. B.
Kuypers (*Cambridge* 1902), S. XXVI f. und 125 f. Vgl. Drews S. 101.

22   Drittes Taufgebet.

Almechtiger Ewiger Gott, der du hast durch die sindflutt ...

Aus: Taufbüchlein (1523 u. 1526) = WA Bd. 12, S. 43, 26–44, 7; Bd. 19, S. 539,
18–540, 4: = Gebet Nr. 647.
Zu diesem sog. Sintflutgebet (vgl. Drews, S. 101) vgl. G. Kawerau, Liturgische Studien zu Luthers Taufbüchlein von 1523, in: Zeitschrift für kirchliche Wissenschaft und
kirchliches Leben Bd. 10 (1889), S. 423 ff.; H. Hering, Luthers Taufbüchlein von 1523,
besonders das typologische Gebet in demselben, in ThStKr Bd. 65 (1892), S. 284; P. Althaus, Die historischen und dogmatischen Grundlagen der Taufliturgie (Hannover 1893),
S. 42 f.; E. Chr. Achelis, Lehrbuch der praktischen Theologie Bd. 1 (3. Aufl. Leipzig
1911), S. 444 f.; P. Graff in: Siona Bd. 37 (1912), S. 168 ff. Nach Drews, S. 112–119
ist das Gebet von Luther aufgrund einer alten, ursprünglich griechischen Vorlage aus
einer in Wittenberg gebräuchlichen lateinischen Fassung übersetzt und mit Teilen des
Gebetes zur *Datio salis: Deus patrum nostrorum, deus universae conditor* ... kompiliert
worden. Ähnlich urteilen *W. J. Kooiman, Het zondvloedgebed*, in: *Pro Regno — pro
Sanctuario*, Festschrift *van der Leeuw* (*Nijkerk* 1950), S. 285–307 und A. Adam, Das

Sintflutgebet in der Taufliturgie, in: Wort und Dienst, Jahrbuch der Theologischen Schule Bethel NF Bd. 3 (1952), S. 9 ff. Dagegen hält B. Jordahn in: Leiturgia Bd. 5 (1966), S. 380 ff. wie schon früher H. Daniel, *Codex Liturgicus* Bd. 2 (Leipzig 1848), S. 192, J. W. F. Höfling, Das Sakrament der Taufe Bd. 2 (Erlangen 1859), S. 53 Anm. und H. Jacobi, Liturgik der Reformatoren Bd. 1 (Gotha 1871), S. 303 das Gebet für eine Schöpfung Luthers, da bis jetzt keine lateinischen Vorlagen aufzufinden seien. W. Dürig, Das Sintflutgebet in Luthers Taufbüchlein, in: Wahrheit und Verkündigung, Festschrift Michael Schmaus Bd. 2 (Paderborn-Wien-München 1967) S. 1035 ff. verweist auf einen handschriftlichen deutschen Tauford im Anhang der Breslauer Agende von 1510, in dem das Sintflutgebet wörtlich erscheint. Die paläographische Analyse der Handschrift soll nach Dürig in das Ende des 15. Jh. führen. Danach hätte Luther das inhaltlich auf orientalische Tauf-Wasserweihgebete zurückgehende Gebet bereits in einer deutschen Fassung entgegen seiner Gewohnheit wörtlich übernommen. Es ist noch zu prüfen, ob die Breslauer Handschrift nicht erheblich später angesetzt werden muß. Das Abhängigkeitsverhältnis wäre dann umgekehrt. F. Schmidt-Clausing, Die liturgietheologische Arbeit Zwinglis am Sintflutgebet des Taufformulars in: Zwingliana 1972, S. 516 ff. und S. 591 ff. befaßt sich S. 526—543 erneut mit dem Sintflutgebet. Im Anschluß an Kawerau vertritt er die Autorschaft Luthers unter Hinweis auf die Typologien der Osternachtfeier und auf sprachliche Eigentümlichkeiten („grundlose Barmherzigkeit", Gebrauch der Adjektiva, „selbacht"). Sein Urteil: „Das Sintflutgebet ist das ... von Luther mit Hilfe der sehr alten Liturgie der Karwoche als Ersatz der bisherigen Taufwasserweihe komponierte und typologisch erweiterte Salzgebet des römischen Taufritus." Das Gebet hat mit dem Taufbüchlein Luthers weite Verbreitung gefunden. Aus den süddeutschen Taufordnungen wird es seit dem 17. Jh. ausgeschieden. Nach erneuter Aufnahme in preußische und bayerische Agenden des 19. Jh. ist es aus den Taufliturgien der Gegenwart verschwunden. In stärkerer Bearbeitung erscheint das Sintflutgebet in Leo Juds von Luther beeinflußtem Taufbüchlein (Zürich 1523) und, nochmals überarbeitet, in Zwinglis Form der Taufe (Zürich 1525). Diese Fassung ist in die kurpfälzische KO 1563 und von da in unierte und reformierte Taufliturgien übergegangen. Auch in die Taufliturgie des Book of Common Prayer von 1549 wurde das Sintflutgebet übernommen und in der gekürzten Fassung des Book of Common Prayer von 1552 bis heute beibehalten.

23   Viertes Taufgebet.

Herr heyliger vater, almechtiger ewiger got, von dem alle liecht der warheyt kompt, wir bitten deine ewige und aller senfftiste gutte, das du deynen segen auff dieszen N. deynen diener gissest, unnd wolltist yhn erleuchten mit dem liecht deyns erkenntnis, reynige und heylige yhn, gib yhm das recht erkenntnis[1], das er wirdig werde, zu deyner tauffe gnade zu komen, das er hallte eyn feste hoffenung, rechten radt und heylige lere, und geschickt[2] werde zu deyner tauffe gnade, durch Christum unszern herrn.

Aus: Taufbüchlein (1523) = WA Bd. 12, S. 44, 30—36.
Aeternam ac iustissimam pietatem ... (VIII Jh., *Sacramentarium Gelasianum* a. a. O. Cod. Vat. Reg. 316, Nr. 298).
Vgl. Drews S. 103. Luthers Verdeutschung hat auch die Textfassung des Gebets im Straßburger Taufbüchlein 1524 (Die Straßburger liturgischen Ordnungen, hsg. von F. Hubert [Göttingen 1900], S. 31) beeinflußt.
1) S. u. Nr. 177 Anm. 1.   2) bereit, tauglich.

24   Traugebet.

Herre Gott, der du man und weib geschaffen ...

Aus: Traubüchlein (1529) = WA Bd. 30^{III}, S. 80, 8−13: = Gebet Nr. 569.
Von Luther unter Verwendung lateinischer Vorlagen neu geschaffen. Vgl. Drews
S. 103 und P. Graff in: Siona Bd. 37 (1912), S. 148 ff.

25   Morgensegen.

Ich dancke dir mein hymlischer vater ...

Aus: Kleiner Katechismus (1529) = WA Bd. 30^I, S. 321, 6−20: = Gebet Nr. 664.
Vgl. J. Meyer, Historischer Kommentar zu Luthers Kleinem Katechismus (Gütersloh
1929), S. 474 ff.; E. Sander, Miszellen zum frühen und späten Luther, in: ZKG Bd. 26
(1937), S. 596 ff.; Chr. Mahrenholz, Das Gebet des Einzelnen, in: Zur Auferbauung des
Leibes Christi, Festgabe Peter Brunner (Kassel 1965), S. 247 ff.; M. Elze, Züge spät-
mittelalterlicher Frömmigkeit in Luthers Theologie, in: ZThK Bd. 62 (1965), S. 402. Der
Morgensegen erscheint in Pluralform in Luthers Betbüchlein (Ausgabe Nürnberg 1536
= b), vgl. WA Bd. 10^{II}, S. 481 Nr. 35, und seit der Sächsischen Kirchenordnung 1555
(Sehling Bd. 1, S. 276) auch in evangelischen Agenden.

26   Abendsegen.

Ich dancke dir mein hymlischer vater ...

Aus: Kleiner Katechismus (1529) = WA Bd. 30^I, S. 323, 4−17: = Gebet Nr. 665.
Vgl. Anm. zu Nr. 25.

27   Gebet vor Tisch.

Herr Gott hymelischer Vater, Segene ...

Aus: Kleiner Katechismus (1529) = WA Bd. 30^I, S. 325, 16−21: = Gebet Nr. 666.
Vgl. J. Müller, Luthers Tischgebete, in: Anzeiger für die Kunde der deutschen Vorzeit
Bd. 26 (1879), Sp. 288 ff.; K. F. T. Schneider, Die Tischgebete in Luthers Katechismus,
ebd. (1880), Sp. 7 ff.; Meyer a. a. O. S. 475 f. *Benedic, domine, nos et dona tua* ...
(XI. Jh., *MPL* 149, Sp. 711).

28   Gebet nach Tisch.

Wir dancken dir HERR Gott, Vater ...

Aus: Kleiner Katechismus (1529) = WA Bd. 30^I, S. 327, 11−15: = Gebet Nr. 667.
Agimus tibi gratias, omnipotens aeterne deus ... (XI. Jh., *MPL* 149, 711).

29   Ordinationsgebet.

Barmhertziger Gott, himlischer vater, du hast durch den Mund deines lieben sons
unsers herrn Jesu Christi zu uns gesagt: ,die ernte ist gros'[1] etc. auff solchen dei-

nen gotlichen bevel bitten wir von hertzen, du woltest diese deine beruffene diener sambt uns und allen kirchendienern deinen heiligen geist reichlich geben, uns
alle segnen und stercken, das wir mit großen scharen deine evangelisten sein, trew
und feste bleiben widder den ‚teuffel, welt und fleisch‘[2], damit dein name geheiliget, dein reich gemehret, dein wille vollbracht werde, woltest auch dem leidigen
greuel des bapstes und Mahomet und andern, so deinen namen lestern, dein Reich
zerstoren, deinen willen verdammen und verfluchen, endlich steuren und ir ein
mal ein end machen. Solch unser arm gebet woltestu gnedigklich erheren und thun,
wie wir trawen und glauben durch deinen lieben son unsern herrn Jesum Christum, der mit dir und dem heiligen geist lebt und regiret ewig.

Aus: Ordinationsformular 1535 (Hamburg SUB, Sup. ep. [4°] 74) = WA Bd. 38,
S. 429, 15 — S. 430, 33.
Von Luther unter Verwendung der drei ersten Bitten des Vaterunser und einzelner
Fomulierungen aus der deutschen Litanei neu geschaffen; vgl. Drews S. 104. Das Motiv aus
Mt. 9, 37 f. findet sich schon vor Luther in Bugenhagens Hamburger KO 1529 (Sehling
Bd. 5, S. 503) und in einer Kollekte aus A. Althamers Katechismus 1528 (Cohrs, Kate-
chismusversuche Bd. 3, S. 34), die in das Ordinationsformular der Straßburger KO 1598,
S. 235 und der Mecklenburgischen KO 1602 übernommen wurde. Nach M. Brecht in:
Zeitschrift der Savigny-Stiftung für Rechtsgeschichte Bd. 86, Kanonist. Abt. 55 (1969),
S. 327 ist J. Brenz der Verfasser dieser Kollekte.
1) Matth. 9, 37   2) S. u. Nr. 684 Anm. 2.

30   Gebet zum Exorzismus.

Deus pater omnipotens, qui dixisti ad nos per filium tuum: ‚Amen, Amen dico
vobis, si quid petieritis Patrem in nomine meo, dabit vobis‘[1], et iterum per eum
iussisti et coegisti orare: ‚Petite et accipistis‘[2], item Ps. 50, ‚Invoca me in die tri-
bulationis, et eripiam te, et tu glorificabis me‘[3], nos igitur indigni peccatores in
verbo et iussu filii tui oramus tuam misericordiam, qua[a] possumus fide, digneris
hunc hominem[b] ab omni malo liberare et opus Satanae in ipso dissoluere ad gloriam nominis tui et incrementum fidei et[c] (?) sanctorum per eundem Dominum
nostrum J. C. filium tuum, qui tecum vivit et regnat per omnia saecula saecu-
lorum.

Aus: Brief an Pfarrer Severin Schulze in Belgern (1. Juni 1545) = WA Briefe Bd. 11,
S. 112, 16—25 (Nr. 4120). Vgl. die Abschrift dieses Briefes in MS. K 2965 aus dem MS.
Manlianum ([LB Karlsruhe] = CR Bd. 1, Sp. CV Nr. 66, S. 152—154).
Vgl. Preuß S. 231; Aland Nr. 237, 9; Chr. Mahrenholz, Das Gebet des Einzelnen (vgl. o.
Nr. 25), S. 253; dort auch deutsche Übersetzung:
Gott, allmächtiger Vater, der du uns durch deinen Sohn gesagt hast „Wahrlich, wahr-
lich, ich sage euch, wenn ihr den Vater um etwas bitten werdet in meinem Namen, so
wird er's euch geben“, und da du abermal durch ihn befohlen und geboten hast, zu
beten „Bittet, so werdet ihr nehmen“ und ebenso (Psalm 50) „Rufe mich an in der Not,
so will ich dich erretten, so sollst du mich preisen“: wir unwürdigen Sünder rufen auf
Wort und Befehl deines Sohnes deine Barmherzigkeit an mit allem Glauben, dessen wir
fähig sind: Mache nach deiner Gnade diesen Menschen von allem Übel frei und zer-

störe in ihm das Werk des Satans, auf daß dein Name geehrt werde und der Glaube deiner Heiligen zunehme. Durch denselben unsern Herrn Jesum Christum, deinen Sohn, der mit dir lebet und regieret von Ewigkeit zu Ewigkeit.

1) Joh. 16, 23.   2) Matth. 7, 7 f.   3) Ps. 50, 15.

Abweichungen des MS. K 2965:

a) qua] *quanta*   b) hominem ... malo] *hominem N. N. a suo malo*   c) et ... sanctorum] *et Ecclesiae sanctorum Auorum.*

2. Einzeln überlieferte Gebete Luthers: Nr. 31—41

31   Das beycht gebet D. Martini Luther.

Ach meyn lieber HERRE Jesu Christe, du erkennest meyn arme seele, vnd meynen grossen gebrechen[1], den ich dyr alleyna mit offenem hertzen klage. Ich befinde leyder, das ich nicht habe eynen solchen willen vnd vorsatz, als ich yhn wol solt haben, vnd fall teglich dahyn als eyn kranckes[2] sundiges mensch[3], vnd du weyst, das ich yhe gerne eynen solchen willen vnd vorsatz wolthe haben vnd mich doch meyn feynd ym stricke furet gefangen, erlöse mich armen sunder nach deynem göttlichen willen von allem vbel vnd anfechtungen, Stercke vnd vormehre ynn myr den rechten waren Christlichen glawben, gib myr gnade, meynen nehisten aus gantz meynem hertzen getrewlich vnd als mich selbst brüderlichen[4] zu belieben[5], vorleyhe myr gedult ynn vorfolgunge vnd aller widderwertickeyt, Du hast yhe zu Sancto Petro gesaget, Das er nicht alleyne sieben mal vorgeben solt[6], Vnd vns heyssen tröstlichen[7] von dyr bitten, so kome ich ynn zuuorsicht solches deynes zusagens vnd gepietens vnd klage dyr als meynem rechten pfarrer vnd ‚Bischoffe meyner seelen‘[8] all meyne nott. Dann du alleyn weyst, wie vnd wenn myr zu helffen ist. Deyn wille der geschehe vnd sey gebenedeyet ewiglich.

Aus: Druck der deutschen Übersetzung des Pentateuchs (Wittenberg 1525), Bl. e 6ª = WA Bd. 48, S. 275; vgl. WA Bibel Bd. 2, S. 343 Nr. * 16 und Bd. 8, S. XXVI Anm. 33.

Vgl. O. Albrecht in: Zeitschrift des Vereins für Kirchengeschichte in der Provinz Sachsen Bd. 9 (1912), S. 52 f.; ferner: Albrecht S. 128; Aland Nr. 232, 3.

1) Bei Luther noch (wie mhd.) mask.; D. Wb. Bd. 4[I, 1], Sp. 1839 f.; Dietz Bd. 2, S. 27. 2) schwacher, nichtsnutziger.   3) „*mensch*" wird seit mhd. Zeit auch als Neutrum gebraucht, vor allem im abschätzigen Sinne; vgl. D. Wb. Bd. 5, Sp. 2027 f.   4) Zur Adverbialendung auf ‚-en‘ (wie mhd.) vgl. Franke Bd. 2, S. 174.   5) lieben (das Präfix ‚be-‘ dient der Verstärkung; vgl. mhd. ‚beliebt‘).   6) Matth. 18, 22.   7) getrost, unverzagt (Adv. s. o. Anm. 4).   8) 1. Petr. 2, 25.

32   Eyn täglich Gebett Doctoris Martini Lutheri.

Ich dancke dir, mein Herr Himlischer Vatter, für alle deine ...

Aus: Ein Büchlein für die christlichen Kinder (Zwickau 1528) (WA fehlt): = Gebet Nr. 176.

Vgl. F. Cohrs, Die Evangelischen Katechismusversuche vor Luthers Enchiridon, Bd. 1 (Berlin 1900) S. 180. 191 (Nr. 1) Anm. 4. Das Gebet erscheint auch in: C. Melissander, Beicht-Betbüchlein, kleine Ausgabe 1582/3, S. 531 f. (vgl. Bibliographie I, 3b) und in: Geistliche Wasserquelle, hsg. von B. Förtsch (Leipzig [1609] 1619), S. 303.

33   Gebet auf der Coburg.

Scio te patrem et Deum nostrum esse ...
Ich weyß, das du unser lieber Gott und Vatter bist ...

Aus: Brief des V. Dietrich an Melanchthon (30. Juni 1530) = WA Briefe Bd. 5, S. 420; vgl. CR Bd. 2, Sp. 158 und WA Bd. 35, S. 216: = Gebet Nr. 99.
Vgl. Köstlin-Kawerau Bd. 2, S. 219.

34   Ein gebedt Martini Luthers jn der Pestilentien.

O Here Godt, du weist, wat wy vor ein arm swack Creatur syn, lath vns doch nicht entgelden vnsrs swaken gelouens vnde groter vndanckbarheit vor dyn hillige wordt, make doch du vns fram vnde stercke vnsen gelouen vnd erbarme dy doch unser vnde straffe vnse bössheit mit barmherticheit vnde nym van vns gnedichlick de straffinge der Pestilentien, vp dat dyn arm hüpken nicht so jammerlick möge vorstrouwet werden, Vnde dat sick dyne viendte nicht mögen frouwen auer vnses gelouens swackheit vnde dardorch dyn wordt vnde straffinge vorachten, dat giff vns, du alerbarmhertigeste Vader, dorch Jhesum Christum dynen leuen Söne vnsen Heren, middeler vnde ‚vörspreker‘[1].

Aus: Niederdeutsches Gesangbuch (Magdeburg 1534), Bl. V 2b = WA Bd. 35, S. 632 (vgl. S. 391).
Vgl. Wackernagel S. 127 f.; Aland Nr. 232, 6; Schulz Nr. 45. Der Text findet sich auch in der KO Riga 1537 (vgl. Sehling Bd. 5, S. 9) und in der von J. Riebling bearbeiteten Ordeninge der Misse für Mecklenburg (Rostock 1545) (vgl. Sehling Bd. 5, S. 150 ff), ferner in hochdeutscher Übertragung in der KO Lauenburg (Lübeck 1585) (vgl. Sehling Bd. 5, S. 397 ff.). Vgl. Althaus S. 215. 288. In hochdeutscher Fassung ist das Gebet abgedruckt in: Feuerzeug 1537, Bl. I 6a und den folgenden Ausgaben. Vgl. O. Albrecht in: Zeitschrift des Vereins für Kirchengeschichte in der Provinz Sachsen Bd. 9 (1912), S. 54 f. und Albrecht S. 129. Das WA Bd. 51, S. 457 abgedruckte „Gebet in sterbensnöten Johan. Bren.“ ist identisch. Der dort fehlende Hinweis auf die Pest zeigt, daß es sich um eine, Brenz wohl irrtümlich zugeschriebene hochdeutsche Fassung für den allgemeinen Gebrauch handelt.
    1) 1. Joh. 2, 1.

35   Eyn christliche Bekantnuß oder Beichte Doctoris Martini Lutheri, welche er
         Gott täglich vnd offtmals auß grund seines Hertzens gethan ...

O Gott Vatter inn ewigkeyt, du wöllest heute nit ansehen ...

Aus: J. Spangenberg, Katechismus (Magdeburg [1541] 1543), Bl. E 7a (WA fehlt): = Gebet Nr. 239.

Vgl. O. Albrecht in: Zeitschrift des Vereins für Kirchengeschichte in der Provinz Sachsen Bd. 9 (1912), S. 54 Anm. 1 und Albrecht S. 129.

36   Lutheri Gebetlin für seinem abschied aus diesem Jammertal.

O Mein Himlischer Vatter, eyn Gott vnd Vatter unsers Herrn ...

Aus: J. Jonas und M. Coelius, Vom christlichen Abschied aus diesem tödlichen Leben ... Martini Lutheri (Wittenberg 1546) = WA Bd. 54, S. 491, 21—30: = Gebet Nr. 95.

Vgl. Albrecht S. 127; Preuß S. 235; Aland Nr. 232, 8. In niederdeutscher Fassung als Einblattdruck erschienen: Ein Gebedt des Ehrwerdi-|gen Heren D. Martini Luthers, Im syner lesten stundt.|. Am Ende des Textes: Gedruckt dorch Hans Walther. 1556.|. Magdeburg | . Das (aus einem Buch herausgeschnittene?) Blatt ist, in eine andere Schrift eingelegt, vorhanden Arnstadt KB (Nr. 775, 6); vgl. E. Weise, Neues Verzeichnis der Kirchenbibliothek in Arnstadt i. Th. (Arnstadt 1908), S. 172; nicht bei Borchling-Claußen, Niederdeutsche Bibliographie. Vgl. Chr. Schubart, Die Berichte über Luthers Tod und Begräbnis (Weimar 1917), S. 23—28. 4 f. 8 f. 12. 15. 21. 23. 31. 37. 42. 46. 50. 63. 71. 95; besonders S. 106 f.

37   Ernstlichs Gebett Doctoris Martini Lutheri zu Wormbs auff dem Reichstag Anno Domini 1. 5. 21.

Almechtiger ewiger Gott, wie ist nur die welt ein ding ...

Aus: Einzeldruck (um 1550) = WA Bd. 35, S. 212—214; WA Briefe Bd. 10, S. 488 und Bd. 13, S. 323 f. (zu Bd. 10, S. 488): = Gebet Nr. 437.

Vgl. Eisl. Bd. 1 (1564), Bl. 42a—b; Alt. Bd. 1, Sp. 726 f.; Leipz. Bd. 17, Sp. 589 f.; Walch[1] Bd. 10, Sp. 1720—1723; Walch[2] Bd. 10, Sp. 1420—1423; Erl. Bd. 64, S. 289 f. Vgl. ferner: Köstlin-Kawerau Bd. 1, S. 423; Albrecht S. 127; Preuß S. 229; Aland Nr. 232, 2; Schulz Nr. 51.

38   Gebet D. Luthers für sein liebes vaterland, ehe er gestorben.

Herr Gott himlischer Vater, Ich ruffe Dich In dem Namen ...

Aus: Nachschrift des J. Sickel in der handschriftlichen Geschichte M. Ratzebergers (vor 1558) (WA fehlt): = Gebet Nr. 728.

Vgl. Köstlin-Kawerau Bd. 2, S. 695 (zu S. 621 Anm. 2); Chr. Schubart, Die Berichte über Luthers Tod und Begräbnis (Weimar 1917), S. 84 (nach *Cod. Goth.* Nr. 114 *fol.* Theil I [vor 1558]); V. L. von Seckendorf, *Commentarius de historia Lutheranismi* (Leipzig 1692), Lib. III § 133, S. 636 f.; Chr. G. Neudecker, Die handschriftliche Geschichte Ratzeberger's über Luther und seine Zeit (Jena 1850), S. 140.

39   Ein gemeine Beicht, so der Herr D. M. Luther teglich, wenn er hat wollen schlaffen gehen, gesprochen.

Mein lieber Vater, ich bekenne allewege, du sihest es ...

Aus: J. Aurifabers Anhang zu: Ein newe Betbüchlin, hsg. von A. Otto (Eisleben 1565), Bl. Y 3ª (WA fehlt): = Gebet Nr. 100.

Das kurze Stoßgebet nach Röm. 9, 14 am Ende des Gebets (vgl. Gebet Nr. 100) findet sich auch in M. Cubachs Gebetbuch Ausgabe 1752, S. 147 als Anfang eines Gebetes von J. Minsinger. Vgl. Schulz Nr. 28.

40   Gebett eynes Fürsten und Regenten „in paraphrasi orationis Salomonis".

O DEVS, creator et gubernator omnium, quem anima . . .
O Gott, du schöpffer vnd regierer aller dinge, welchen . . .

Aus: P. Treuer, Beteglöcklin (Straßburg 1579), Bl. Q 3ª (WA fehlt): = Gebet Nr. 544.
Vgl. das sachlich verwandte Gebet Salomonis um Weisheit und Verstand in: Ein schön gemain Bettbüchlein von Michael Weinmar (Augsburg 1532; vgl. WA Bd. 10II, S. 347 ff.) und im Gebetbüchlein der Herzogin Dorothea von Preußen 1535, Bl. 187b. Vgl. dazu J. Gundermann, Untersuchungen zum Gebetbüchlein der Herzogin Dorothea von Preußen (Köln und Opladen 1966), S. 25; E. Roth, Vertrau Gott allein, Gebete Herzog Albrechts von Preußen (Würzburg 1956), S. 189.

41   Ein Gebet täglich zu sprechen. D. M. L.

O allmächtiger, ewiger Gott, wir bitten dich, du wollest uns ja bei der rechten Erkenntnis deines göttlichen Worts durch deinen H. Geist gnädiglich erhalten, Friede und Gesundheit verleihen, daß wir die Werke unsers Berufs seliglich mögen ausrichten, durch Jesum Christum, deinen lieben Sohn, unsern Herrn.

Aus einem Manuskript der Helmstedter Bibliothek (von O. Albrecht eingesehen 1926) (WA fehlt).
Vgl. Albrecht S. 132. Das Gebet wurde in das Württemberg. Kirchenbuch 1931, S. 275 (Nr. 15) übernommen.

3. Gebete Luthers aus den Tischreden: Nr. 42—83a

Wo in der Überlieferung der Tischreden keine Überschrift steht oder wo sie auf den Inhalt des Gebetszitats keinen Bezug hat, ist in Klammern die Überschrift aus dem Luthergebetbuch eingesetzt, auf das am Ende jeder Ziffer verwiesen ist.
Von den in den Tischreden überlieferten Gebeten stammen Nr. 64, 74, 78, 79, 83 aus Predigten Luthers. Vgl. WA Bd. 38, S. 413.

42   Gebet der Juristen um Vergebung.

Lieber Herr Got, lass es so gehen, wir konnten nit besser; ist es gefellt[1], so vergib.

Aus: Gebet der Juristen um Vergebung (1532) = WA *TR* Bd. 1, S. 131, 20—21 (Nr. 320); vgl. S. 57, 25 (Nr. 134).
   1) gefehlt.

43   Concepta auff die warnung an die Deutschen.

So gute Sach ir habt, so frolichen sieg geb euch Gott ...

Aus: *Concepta* auff die warnung an die Deutschen (1531) = WA TR Bd. 1, S. 324, 2. 16. 17 (Nr. 679) (vgl. WA Bd. 30^{III}, S. 281, 8. 9): = Gebet Nr. 375.

44   De contionibus.

Lieber Herr Gott, ich will dir zu ehren predigen ...

Aus: *De contionibus* (1532) = WA *TR* Bd. 2, S. 144, 12−14; 24−25 (Nr. 1590): = Gebet Nr. 727.

Vgl. Köstlin-Kawerau Bd. 2, S. 621.

45   Oratio et gratiarum actio Lutheri.

Herr Gott, tu dixisti per os Dauid, pueri tui ...

Aus: *Oratio et gratiarum actio Lutheri* (1532) = WA *TR* Bd. 2, S. 158, 28−37 (Nr. 1636) (vgl. WA *TR* Bd. 3, S. 223, 16−25 [Nr. 3222 b]): = Gebet Nr. 594.

Vgl. Preuß S. 233.

46   Testament D. Martini Lutheri.

Domine Deus, gratias ago tibi, quod me voluisti esse pauperem ...

Aus: Testament D. Martini Lutheri (1527) = WA *TR* Bd. 3, S. 84, 7−10 (Nr. 2922 b): = Gebet Nr. 623.

Die Gebete Nr. 46 und 47 sind einer vorwiegend lateinischen Aufzeichnung von Johann Bugenhagen, die Gebete Nr. 48 [A] bis [H] und 49 einer solchen von Justus Jonas über Luthers schwere Erkrankung vom 6./7. Juli 1527 entnommen, die in WA TR Bd. 3, Nr. 2922 b abgedruckt ist. Die Aufzeichnung wurde in deutscher Übersetzung erstmals in der Jenaer Ausgabe Bd. 3 (1556), Bl. 458^b−461^a (und danach in allen Gesamtausgaben [mit Ausnahme der Erlanger]: Witt. Bd. 9 [1557], Bl. 239^b−243^a; Alt. Bd. 3, Sp. 772 bis 777; Leipz. Bd. 22, S. 498−502; Walch^1 Bd. 71 Sp. 159*−175*; Walch^2 Bd. 21, Sp. 986 bis 996) gedruckt. Die Vorlage bildete eine von Georg Rörer herrührende Übersetzung, die sich von seiner Hand (mit geringen stilistischen Abweichungen) in seinem Jenaer Kodex *Bos q* 24^n, Bl. 154^a−159^a findet. Diese Fassung enthält gegenüber dem in WA Tischreden Bd. 3, Nr. 2922 b nach handschriftlichen Quellen abgedruckten lateinischen Text, den auch Joh. Aurifaber, *Epistolae ... Martini Lutheri* Bd. 2 (Eisleben 1565), Bl. 358^a−340^b darbietet, innerhalb der Gebete zwei Zusätze, deren Herkunft unbekannt ist. Abdruck bei Gebet Nr. 48.

47   Um Behütung vor Sünden.

Ego eum orabo, ne meis peccatis cuiquam sim scandalo ...

Aus: Um Behütung vor Sünden (1527) = WA *TR* Bd. 3, S. 86, 5. 6 (Nr. 2922 b): = Gebet Nr. 279.

48   Lutheri ernstlich gebet in seiner Geistlichen vnd Leiblichen anfechtung vnd
todes kampff ...

[A] Domine, si ita vis, si haec est gloria ...

[B] Domine, mein allmechtiger Gott, quam libenter ...

[C] Domine Jesu, tu dedisti mihi cognitionem ...

[D] Tu nosti multos esse, quibus dedisti ...

[E] Tu scis, quid Sathan varie insidiatus est ...

[F] Mein allerliebster Gott, du bist ja ein Gott ...

[G] O, Domine Jesu, qui dixisti: Petite ...

[H] O du mein allerliebster Gott vnd Vater, du hast ...

Aus: Lutheri ernstlich gebet in seiner Geistlichen vnd Leiblichen anfechtung vnd todes
kampff (1527).
[A] WA *TR* Bd. 3, S. 87, 18 f. (Nr. 1922 b); [A] bis [H] mit den Zusätzen zu [F]
und [G] = Gebet Nr. 93.
[B] WA *TR* Bd. 3, S. 88, 4—13.
[C] WA *TR* Bd. 3, S. 88, 13—16.
[D] WA *TR* Bd. 3, S. 88, 16—19.
[E] WA *TR* Bd. 3, S. 88, 19—22.
[F] WA *TR* Bd. 3, S. 89, 6 f.; (Zusatz hinter *TR* Bd. 3, S. 89. 7): *„(elenden), die
ir elend[a] vnd iamer fülen vnd deiner gnad, trost vnd hulffe hertzlich begeren, wie du
sprichst: ‚Komet her zu Mir alle, die ir müheselig vnd beladen seid, Ich will Euch erquicken'* [Matth. 11, 28]. *Herr, ich kome auff dein zusage, Ich bin in grosser angst vnd
not, hilff mir vmb deiner gnad vnd trewe willen, Amen“* [Bos q 24n, Bl. 157b].
Abweichung der Jenaer Ausgabe: a) elend] angst, not.
[G] WA *TR* Bd. 3, S. 89, 13—15; (Zusatz hinter *TR* Bd. 3, S. 89, 15): *„(euch auffgethan). Dieser deiner Verheissung nach[b] gib mir itzt[c], der ich bitte, nicht gold noch
silber, sondern ein starcken, festen glauben. Lass mich nu[d] finden, der ich suche nicht
lust vnd[e] freude der welt, sondern trost vnd erquickung durch dein selig, heilsam wort.
Thue mir itzund[d] auff, der ich anklopffe, Nichts begere ich, das die Welt gros vnd hoch
acht, Denn ich bin sein[1] itzt[f] nicht[g] ein harbreit gebessert, Sondern deinen Heiligen Geist
gib mir, der mein hertz erleuchte, mich in meiner angst vnd not tröste vnd stercke in der
warheit vnd rechtem [glauben][h] erhalte[i] bis an mein ende, Amen“* [Bos q 24n,
Bl. 158a]. Dieser Zusatz auch in: Hanauische Kirchen- und Schulordnung 1659, S. 548.
Abweichungen der Jenaer Ausgabe:
b) *Dieser ... nach] laut dieser*   c) *itzt] HErr*   d) *fehlt*   e) *vnd] noch*
f) *itzt] für dir*   g) *nicht] + vmb*   h) *glauben] erhalte (Schreibfehler)*   i) *tröste*
bis erhalte] stercke vnd tröste, in rechtem Glauben vnd vertrawen auff dein Gnad erhalte.
[H] WA *TR* Bd. 3, S. 89, 15—19.
Vgl. Preuß S. 233.
1) dadurch vgl. Dietz Bd. 1, S. 279 Nr. 3 und 4.

49   Ebda.

Ich befehle mein allerliebste Kethe vnd dich ...

Aus: Ebda (1527) = WA *TR* Bd. 3, S. 90, 9—11 (Nr. 2922 b).
Die Gebete Nr. 48 [C], [F] mit Zusatz, [G] mit Zusatz, [H], Nr. 46 und 49 finden

sich in dieser Reihenfolge auch bei P. Glaser, Ein neu Lehr-, Trost-, Beicht- und Gebetbüchlein (Bautzen 1565), Bl. Z 3b. Das Gebet Nr. 49 hat dort folgende Fassung:

„O Vater der Waisen, vnd richter der witwen, Ich befehle mein allerliebstes Weib, vnd meine arme Kindlein, vnd waißlein meinem lieben frommen treuen Gott, ihr habt nichts, Gott aber der ein Vater der waisen vnd richter der Witwen ist, wird euch wol erneren vnd versorgen". Zur Anrede vgl. WA TR Bd. 3, S. 84, 10; Vgl. Gebet Nr. 46.

In der bei Anmerkung 48 genannten Übersetzung von Rörer [Bos q 24n, Bl. 158b] heißt die Stelle:

„ich befelhe mein allerliebste Kethe und dich armes waislein meinem allerliebsten trewen frommen Gott. Ihr habt nichts. Der Gott aber, der ein Vater der Waisen vnd ein Richter der Widwen ist, wird euch wol erneeren vnd versorgen" — Vgl. Gebet Nr. 623.

50   Precatio, ut Deus prohibeat Turcas.

Lieben freund, last vns Gott bitten, das er vns behute vor den Turcken oder bald ein ende mit vns mache, den so er kompt, wird der bapst vns di schult geben vnd sagen, wen wirs nicht mith der lhere Christi theten, so were es alles guth. Solchs muß das euangelium leiden vnd wir missen die straff, die sie verdienet, helffen leiden, den sie verdienen solchs von Gott, vnd sonderlich nu sie Gott solthen bitten am aller meysten, so werden sie in am aller meysten schelten vnd schenden vnd sein wort des Teuffels lhere heissen vnd ihm das verdienst dieser straff zueigen, vnd do sie ihn am aller liebsten solten versunen[1], werden sie ihn am aller meysten erzornen. So last vns nu bitten, di wir erleuchtet sein, alles durch Gott von im zu bitten vnd entpfahen.

Aus: *Precatio, ut Deus prohibeat Turcas . . .* (undatiert) = WA TR Bd. 3, S. 319, 21—31 (Nr. 3446).

1) begütigen, versöhnlich stimmen; D.Wb. Bd. 12^I, Sp. 1552.

51   Facta serotina oratione Lutherus ita se lecto componit.

Mein lieber Goth, alhie lege ich mich vnd befehle dir deine sache; du magests besser machen. Wirstu es nicht besser machen denn ich, so wirstu es gar[1] vorterben. Si ego surrexero, wil ich gerne mehr ausrichten.

Aus: *Facta serotina oratione Lutherus ita se lecto componit* (1536) = WA TR Bd. 3, S. 350, 7—9 (Nr. 3481).

Vgl. Preuß S. 230.

1) ganz.

52   Reverendi patris Dom. D. Martini Lutheri decumbentis in periculo mortis quaedam dicta Smalcaldiae.

Ah, lieber Vater, nim das lieb seelichen[1] in deine hand! Agam tibi gratias et benedico te, et benedicant te omnes creaturae tuae; da, ut cito colligar ad patres[2].

Aus: *Reverendi patris Dom. D. Martini Lutheri decumbentis in periculo mortis quae-*

dam dicta Smalcaldiae (V. Dietrich 1537) = WA *TR* Bd. 3, S. 389, 9—11 (Nr. 3543 A),
Vgl. Gebet Nr. 429. Vgl. ferner: Köstlin—Kawerau Bd. 2, S. 388.
1) S. u. Nr. 95 Anm. 2.   2) Vgl. 1. Kön. 19, 4.

53   Ebda.

O, lieber Herr Gott, ich bin dein creaturichen[1] vnd du der schepfer, ego sum
lutum tuum[2] et tu plastes meus[3], wenn mir nur das endiche[4] auch keme vnd du
das wort woltest lenger erhallten.

Aus: Ebda. = WA *TR* Bd. 3, S. 389, 31—34 (Nr. 3543 A).
Vgl. Köstlin—Kawerau Bd. 2, S. 389.
1) Ähnliche Diminutivbildungen sind „*seelichen*" (o. Nr. 52; u. Nr. 95 Anm. 2) und
„*endiche*".   2) Vgl. Hiob 10, 9.   3) Vgl. Jes. 45, 11. 18.   4) S. o. Anm. 1
vgl. auch die entsprechende Diminutivbildung: „*stündlein*" (= Sterbestunde) (u. Nr. 590).

54   Ebda.

Impleat vos Dominus benedictione sua et odio papae.

Aus: Ebda = WA *TR* Bd. 3, S. 391, 2 (Nr. 3543 A). Übersetzung: *Der Herr erfülle
euch mit seinem Segen — und mit Abscheu vor dem Papst.*

55   Dom. D. Lutheri in gravissimo morbo et luctu sermones et sententiae.

Ach, du lieber himmlischer Vater, dein will ist doch jhe der beste vnd nutzte[1] will
ym himel vnd auff erden. Wil mich Got haben, so wil ich gerne leben vnd noch
thun, was ich vormag; wil ehr es aber anders haben, so geschehe auch seines Vaters
wille, vnd ergebe mich Gott in seine gnade.

Aus: *Dom. D. Lutheri in gravissimo morbo et luctu sermones et sententiae* (F. Myko-
nius 1537) = WA *TR* Bd. 3, S. 392, 34—393, 3 (Nr. 3543 B).
Vgl. Albrecht S. 128; ARG Bd. 31 (1934), S. 254; Preuß S. 234.
1) nutzeste = nützlichste.

56   Ebda.

Ach, mein allerliebster himlischer Vater, du hast gesagt: ,Cum clamaverit, exau-
diam eum; cum ipso sum in tribulatione, eripiam eum et glorificabo eum'[1]. O
Herr, höre doch mein seuffzen vnd schreyen vnd hilff mir.

Aus: Ebda. (1537) = WA *TR* Bd. 3, S. 393, 27—30 (Nr. 3543 B).
1) Ps. 90, 15 (Vg).

57   Ebda.

Ach, du himlischer Vater, wie hertzlich, wie hertzlich gerne wolte ich dir auch das
arme selichen[1] geben, wenn es dir zceit vnd weyle wehre. Ach, nim es dahin.

Aus: Ebda. = WA *TR* Bd. 3, S. 394, 5—7 (Nr. 3543 B).
1) S. u. Nr. 95 Anm. 2.

58   Ebda.

Lieber Herre Gott, wie gar[1] stehet vnser leben nicht bey vns! Nam vivimus te
volente et nescimus, quomodo vivere incipimus; item rursum morimur te volente
neque etiam scimus. Ist mancher doch so starck, springt dahin vnd will noch lang
leben, so kommestu, nimpst ihm plotzlich hinweg; et contra liege ich vnd andre,
wollen itzundt sterben, so wiltu haben, wir mussen leben.

Aus: Ebda = WA *TR* Bd. 3, S. 394, 16—21 (Nr. 3543 B).
1) ganz, völlig.

59   Klage über der Reichen Undankbarkeit.

Liber Hergot, quanta ignorantia et malitia . . .

Aus: Klage über der Reichen Undankbarkeit (1537) = WA *TR* Bd. 3, S. 458, 5—7.
22—25 (Nr. 3613): = Gebet Nr. 601.

60   Consolatio Doctoris Martini ad mulierem variis morbis oppressam.

Domine Deus pater, qui iussisti nos et infirmos orare . . .

Aus: *Consolatio Doctoris Martini ad mulierem variis morbis oppressam* (undatiert) =
WA *TR* Bd. 3, S. 518, 30—34; 520, 3—8 (Nr. 3677): = Gebet Nr. 428.

61   Klagegebet über die Welt.

Domine Deus, quanta est impietas et ingratitudo . . .

Aus: Klagegebet über die Welt (1538) = WA *TR* Bd. 3, S. 571, 30—32 (Nr. 3728):
= Gebet Nr. 363.

62   Absolutio cuiusdam adolescentis.

Domine Deus pater coelestis, qui iussisti . . .

Aus: *Absolutio cuiusdam adolescentis* (1538) = WA *TR* Bd. 3, S. 581, 21—582, 4;
583, 3—10 (Nr. 3739): = Gebet Nr. 484.

63   Gebet, wie der Mensch die Sünde und sich selbst vor Gott erkennen und zur
Gnade Zuflucht suchen soll.

Guberna nos, Deus, ut spiritualibus oculis videamus . . .

Aus: Gebet, wie der Mensch die Sünde und sich selbst vor Gott erkennen und zur
Gnade Zuflucht suchen soll (1539) = WA *TR* Bd. 4, S. 450, 15–17; 34–36 (Nr. 4722):
= Gebet Nr. 226.
Vgl. Preuß S. 230; Schulz Nr. 44.

64   Um gnädigen Frieden.

Optime Deus, amove bellum vastans terram . . .

Aus: Um gnädigen Frieden (1539) = WA *TR* Bd. 4, S. 464, 35–38; S. 465, 1–4
(Nr. 4744) (vgl. WA Bd. 47, S. XVIII und 676, 2): = Gebet Nr. 553.
Vgl. Köstlin–Kawerau Bd. 2, S. 402.

65   Gebet bei gutem Wachstum der Saat.

Ach, lieber Herrgott, du wilt vns ein gut jar geben . . .

Aus: Gebet bei gutem Wachstum der Saat (1539) = WA *TR* Bd. 4, S. 467, 2–7
(Nr. 4751) (vgl. WA *TR* Bd. 3, S. 366, 26–30 [Nr. 3507]): = Gebet Nr. 652.

66   Contra Turcam orandum.

Ah Herr Got, laß dichs erbarmen vber das arm Deutsch Land . . .

Aus: *Contra Turcam orandum* (1542) = WA *TR* Bd. 4, S. 523, 16–19 (Nr. 4803):
= Gebet Nr. 500.

67   Oratio Lutheri.

O Herr Jesu Christe, der du beydes teyls hertzen . . .

Aus: *Oratio Lutheri* (undatiert) = WA *TR* Bd. 4, S. 549, 13–16 (Nr. 4857 c):
= Gebet Nr. 352.
Vgl. Eisl. Bd. 2 (1565), Bl. 316ª.

68   Extremum iudicium.

O lieber Gott, komm schier einmahl! Ich warte stets . . .

Aus: *Extremum iudicium* (1540) = WA *TR* Bd. 5, S. 21, 17–22, 2. 7–13 (Nr. 5237):
= Gebet Nr. 747.

69   Ordinatio Magistri Benedicti Schuman Anno 1540.

Domine Deus, Pater misericors, qui iussisti nos orare . . .

Aus: *Ordinatio Magistri Benedicti Schuman Anno* 1540 (1537) = WA *TR* Bd. 5,
S. 112, 7–14; 30–37 (Nr. 5376): = Gebet Nr. 726.
Vgl. Preuß S. 231.

70   Eines Juristen, Amtsmanns oder Ratsherrn Gebet.

Lieber Gott, ich soll das recht sprechen; hilff, daß ich nicht fele . . .

Aus: Eines Juristen, Amtmanns oder Ratsherrn Gebet (1542) = WA *TR* Bd. 5, S. 183,
3 f. 19 f. (Nr. 5486): = Gebet Nr. 557.

71   Fidelis animae vox ad Christum.

Ego tuum peccatum, tu mea justitia. Triumpho igitur . . .

Aus: *Fidelis animae vox ad Christum* (1534) = WA *TR* Bd. 5. S. 272, 4—7. 10—13
(Nr. 5598) (vgl. WA Bd. 48, S. 243 Anh. III B): = Gebet Nr. 241.
Vgl. WA Briefe Bd. 1, S. 35, 25—27; WA Bibel Bd. 4, S. 510, 19. 20; Albrecht S. 136 f.;
Schulz Nr. 64.

72   Precatio Lutheri quotidiana et solita.

Confirma, Deus, hoc in nobis, quod operatus es, et perfice opus tuum, quod in-
cepisti in nobis[1], ad gloriam tuam, Amen.

Aus: *Precatio Lutheri quotidiana et solita* (undatiert) = WA *TR* Bd. 5, S. 278, 24—26
(Nr. 5619). Abgedruckt in: Ph. Melanchthon, Historia de vita et actis ... Lutheri (Erfurt
1548, Gervasius Stürmer), Bl. D 8b.
Vgl. Albrecht S. 128 und Preuß S. 230. Übersetzung: *„Herr Gott, befestige das in
uns was du gewirkt hast, und vollende dein Werk, das du in uns angefangen hast, zu
deiner Ehre.“*
1) Phil. 1, 6.

73   Ebda.

Te, Fili Dei crucifixe pro nobis et resuscitate Emanuel, oro, ut ecclesiam tuam
regas, serves et defendas, Amen.

Aus: Ebda. (undatiert) = WA *TR* Bd. 5, S. 278, 27 f. (Nr. 5619).
Vgl. Albrecht S. 128 und Preuß S. 230. Übersetzung: *„Dich, Sohn Gottes, für uns
gekreuzigter und auferweckter Immanuel, bitte ich, du wollest deine Kirche regieren, erhalten und beschirmen“.*

74   Eine rechte liebe Gottes ist im hertzen so gesinnet . . .

O, Herre Gott, himlischer Vater, ich bin dein creatur . . .

Aus: Eine rechte liebe Gottes ist im hertzen so gesinnet ... (1526) = WA *TR* Bd. 5,
S. 278, 30—279, 6 (Nr. 5620) (vgl. WA Bd. 10[I] 2, S. 406, 24—30): = Gebet Nr. 638.

75   Consolatio in ultima hora mortis.

Almechtiger, ewiger, barmhertziger Herr vnd Gott . . .

Aus: *Consolatio in ultima hora mortis* (undatiert) = WA *TR* Bd. 5, S. 320, 1—14.
17—29 (Nr. 5685) (vgl. WA Bd. 48, S. 267 Nr. 10): = Gebet Nr. 624.
Vgl. Eisl. Bd. 2 (1565), Bl. 334ᵇ; Alt. Bd. 6, Sp. 341 f.; Leipz. Bd. 22, Sp. 531;
Walch¹ Bd. 10, Sp. 1720 f.; Erl. Bd. 64, S. 288 f. Nr. 15; Walch² Bd. 10, Sp. 1420 f.
Vgl. ferner: Albrecht S. 128; Preuß S. 234; Aland Nr. 232, 13; Schulz Nr. 54.

76   Affectus quidam.

Lieber Gott, ich bin dein creatur, darumb will ich thun vnd leiden, was dein gott-
lich will ist. O lieber Gott, ich dancke dir, daß du vns also mit deinen lieben
Engeln vorsorgt vnd beschutzt hast. Vnd lieber himmlischer Vater, ich dancke dir
vnd lobe dich, das ich armer mensch dem Teuffel widerstehe mit deiner Engel
hulff.

Aus: *Affectus quidam* (undatiert) = WA *TR* Bd. 5, S. 349, 11—15 (Nr. 5773).

77   Alius affectus.

Lieber Gott, du weist, was der feind in sinn hatt, schicke deinen heiligen Engel
vnd wehre ihm.

Aus: *Alius affectus* = WA *TR* Bd. 5, S. 349, 16 f. (Nr. 5774).

78   Alia oratio pro adventu extremi diei.

Hilff, lieber Herr Gott, das der selige tag . . .

Aus: *Alia oratio pro adventu extremi diei* (1535) = WA *TR* Bd. 5, S. 349, 25—350,
2 (Nr. 5777) (vgl. WA Bd. 41, S. 317, 12—21): = Gebet Nr. 625.
Vgl. Köstlin—Kawerau Bd. 2, S. 623.

79   Martinus Luther zu dem Spruch Jes. 5, 5 f.

O Herr Gott, alzu sehr zerrissen, all zu sehr zu tretten . . .

Aus: Martinus Luther zu dem Spruch Jes. 5, 5 f. (1522) = WA *TR* Bd. 5, S. 376,
17—22 (Nr. 5836) (vgl. WA Bd. 10ᴵ 1, S. 287, 10—14): = Gebet Nr. 388.

80   Anno 36. 18. Augusti cum nihil esset spei in valetudine matris marchionis,
          orabat Lutherus.

[A] Lieber Herrgot, erhor doch vnser gebet nach deiner tzusage . . .
[B] Lieber Gott, du hast einen tittel, quod sis exauditor precum . . .

Aus: *Anno 36. 18. Augusti cum nihil esset spei in valetudine matris marchionis, orabat Lutherus* (1537) = WA *TR* Bd. 5, S. 438, 28–32. 34–439, 3 (Nr. 6015) (vgl. Bd. 3, S. 487, 33–41): = Gebet Nr. 540.

Vgl. Albrecht S. 128; Preuß S. 232; Schulz Nr. 52 und 53.

81   D. M. Luthers Gebet für seinen Ehestand.

Lieber himmlischer Vater, dieweil du mich in deines Namens und Amts Ehre gesatzt hast und mich auch willt Vater genennet und geehret haben, verleihe mir Gnade und segne mich, daß ich mein liebes Weib, Kind und Gesind göttlich[1] und christlich regiere und ernähre. Gib mir Weisheit und Kraft, sie wol zu regieren und zu erziehen, gib auch ihnen ein gut Herz und Willen, deiner Lehre zu folgen und gehorsam zu seyn.

Aus: D. M. Luthers Gebet für seinen Ehestand = WA *TR* Bd. 6, S. 274, 25–31 (Nr. 6927).

Vgl. Albrecht S. 128 und Preuß S. 232.

1) gottgefällig; s. u. Nr. 562 Anm. 1.

82   D. Luthers Krankheit zu Schmalkald.

O, du treuer Gott, mein Herr Jesu Christe, hat doch dein Name . . .

Aus: D. Luthers Krankheit zu Schmalkald. (1537) = WA *TR* Bd. 6, S. 301, 29–302, 3 (Nr. 6974) (vgl. WA *TR* Bd. 3, S. 389, 9 ff. und 392, 34 ff.): = Gebet Nr. 429.

83   Eines Juristen, Amtmanns oder Ratsherrn Gebet.

Allmächtiger, ewiger Gott, himmlischer Vater, du hasts . . .

Aus: Eines Juristen, Amtmanns oder Ratsherrn Gebet (1544) = WA *TR* Bd. 6, S. 342, 29–34 (Nr. 7028) (vgl. WA Bd. 49, S. 340, 20 f. 35 f.): = Gebet Nr. 556.

83a   D. Luth. Gebet in seiner Kranckheyt.

Der Barmhertzig Gott sey mir armen Sünder genedig, det mihi gratiam et sepulturam. Mundus enim me ferre non potest neque ego vicissim illum. Ego adeo nunc capite laboro, vt, si vel parumper alicui rei intentus sim, me statim vertigo me [!] Occupet. Lieber Gott, soll ich frisch[1] werden, so geschehe es Wo nicht, so mache mich Krencker biß ins Grab hinein. Fiat, Amen.

Aus: *Colloquia* oder Tischreden Doctor Martini Lutheri, So der theure Mann Gottes gegen Gelerten Theologis vnnd Pfarrherrn Kurtz vor seinem end vnd seligen Abscheid auß dieser Welt gefüret hat . . . Durch einen Liebhaber der Theologiae an Tag geben = Anhang zum Nachdruck von Aurifabers Tischredenausgabe: *Colloquia* Oder Tischreden Doctor Martini Lutheri, so er in vielen Jaren die Zeyt seines Lebens gegen Gelehrten

Leuten, Auch frömbden Gesten vnd seinen Tischgesellen geküret (Frankfurt/M., Peter Schmid 1568), Bl. 24b—25a (vorhanden Göttingen SUB [4° Theol. thet. I, 314/35]). (WA fehlt). Übersetzung: *Der barmherzige Gott sei mir armen Sünder gnädig und gebe mir Gnade und ein Begräbnis. Denn die Welt kann mich nicht ertragen und ich wiederum kann sie nicht ertragen. Ich habe jetzt solche Schmerzen im Kopf, daß, wenn ich auch nur eine kleine Weile mit irgendetwas beschäftigt bin, mich sogleich der Schwindel packt. Lieber Gott, soll ich frisch werden, so geschehe es, wo nicht, so mache mich kränker bis ins Grab hinein. So solls geschehen. Amen.* Zum Inhalt vgl. Gebet Nr. 48 und 55.

1) gesund, rüstig (vgl. Tob. 8, 15; Sir. 30, 15 [WA Bibel Bd. 12, S. 130/131; 230/231]): *„gesund vnd frisch".*

Gebete aus den Luthergebetbüchern

1. Neues Gebetbüchlein (Otto): Nr. 84—100

84   [Bl. A 6ᵇ]   Welche wort fur einem jeden Gebet hergehen sollen.

HERR Gott, himlischer Vater, Ich bitte und wils unversaget[1] haben, das es solle und müsse ja und Amen[2] sein, das[a] und kein anders[3]; sonst wil ich nicht beten noch gebeten haben, nicht das ichs recht habe[4] oder wirdig sey, ich weis wol und bekenne, das ichs nicht verdienet, ja das hellische Fewer und deinen ewigen zorn mit vielen grossen Sünden verdienet habe, Sondern das ich doch hierin ein wenig gehorsam sey, da du mich heissest und zwingest, zu beten im Namen deines lieben Sons unsers Herren Jesu Christi; auff diesen trotz[5] und trost deiner grundlosen güte, nicht auff meine gerechtigkeit krieche oder trete ich fur dich und bete umb N.N.

Aus: Vermahnung zum Gebet wider den Türken (1541) = WA Bd. 51, S. 605, 26—32; 606, 18—20.

Fundorte: T A 6ᵇ.   M 10.   B 615.   G VII, 629.   V 537.   R 12.   W¹ Bd. 20, 2755. C 10.

a) des Luther (vgl. WA Bd. 51, S. 605, 12).

1) nicht abgeschlagen, erfüllt.   2) gewiß und wahrhaftig; vgl. 2. Kor. 1, 20 und dazu Luthers Randgl. (WA Bibel Bd. 7, S. 142/143); RN 48, S. 108 (Nr. 145), 5 und S. 52 (Nr. 68), 34.   3) unbedingt, ganz gewiß; vgl. WA Bd. 31ᴵᴵ, S. 241, 8. 4) ich darauf ein Recht habe; zum Genitiv („*es*") vgl. Franke Bd. 3, S. 119.   5) Zuversicht.

85   [Bl. A 7ᵃ]   Wider die zweene Heubtgrewel fur dem Jüngsten tag, Bapst und Türcke.

Himlischer Vater, wir haben es ja wol verdienet, das du uns straffest, aber straffe du uns selbest nach deiner gnade und nicht nach deinem grim; es ist besser, in deiner hende staupe[1] uns geben denn in der menschen oder des feindes hende, wie David auch bat, Denn gros ist deine Barmhertzigkeit, wir haben dir gesündiget[2], und deine gebot nicht gehalten etc. Aber du weisest[3], Allmechtiger Gott Vater, das wir dem Teufel, Bapst, Türcken nichts gesündiget haben, sie auch kein recht noch macht haben, uns zu straffen, sondern du kanst[a] und magst ihr[4] brauchen als deiner grimmigen ruten wider uns, die wir an dir gesündiget und alles unglück verdienet haben. Ja, lieber Gott, himlischer Vater, wir haben keine sünde wider sie gethan, darumb sie recht hetten, uns zu straffen, sondern viel lieber wolten sie, das wir sampt inen auffs greulichste wider dich sündigten; denn sie fragen darnach nicht, ob wir dir ungehorsam weren, dich lesterten, allerley Abgötterey trieben, wie sie thun, mit falscher Lere, glauben und lügen umbgiengen, Ehebruch, unzucht, mord, diebstal, reuberey, zeuberey und alles übel wider dich theten, da frageten sie nicht nach. Sondern das ist unser sünde wider sie, das wir dich, Gott Vater, den rechten einigen Gott, und deinen lieben Son, unsern H[errn] Jesum Christum, und den H[eiligen] Geist einen ewigen Gott[5] predigen, gleuben und bekennen, ja das ist die sünde, die wir wider sie thun. Aber wo wir dich verleugneten, würd uns der Teufel, welt, Bapst und Türck wol zu frieden lassen[6], wie dein lieber Son spricht: ,weret ir von der welt, so het die welt das ire lieb'[7] etc.

Hie sihe nu drein, du barmhertziger Vater uber uns und ernster richter uber unser feinde; denn sie sind deine feind mehr denn unsere feinde, und wenn sie uns verfolgen und schlagen, so verfolgen und schlagen sie dich selber; denn das wort, so wir predigen, gleuben und bekennen, ist dein, nicht unser, alles deines h[eiligen] Geists werck in uns; der Teufel wil solchs nicht leiden, sondern an deiner stat unser Gott sein, an deines worts stat lügen in uns stifften. Der Türck wil seinen Mahomet an deines lieben Sons Jesu Christi stat setzen; denn er lestert in und spricht, er sey kein rechter Gott, sein Mahomet sey höher und besser, denn er ist; ists nu sünde, das wir dich, den Vater, und deinen Son und den heiligen Geist fur den rechten einigen Gott halten, bekennen und rhümen, so bistu selbst der Sünder, der du solchs in uns wirckst, heissest und haben wilt. Darumb so hassen, schlagen und straffen sie dich selber, wenn sie uns umb solcher sachen willen hassen, schlagen und straffen. Darumb wach auff, lieber HERR Gott[8], und heilige deinen Namen, den sie schenden, stercke dein Reich, das sie in uns zerstören, und schaffe deinen willen, den sie in uns dempfen[9] wollen, und las dich nicht umb unser sünde willen also mit füssen treten von denen, die nicht unser sünde in uns straffen, Sondern dein heiliges Wort, Namen und werck in uns tilgen wollen, das du kein Gott sein solltest und kein volck haben, das dich predige, gleube und bekenne.

Aus: Vermahnung zum Gebet wider den Türken (1541) = WA Bd. 51, S. 608, 24—34; 609, 17—33. Vgl. Gebet Nr. 387 (dort am Ende Zusatz).

Fundorte: T L 2^b. Po 178^b. B 757. G VII, 629. V 604. R 387. W¹ Bd. 20, 2757. K 198. Ferner: Gebete des Kurfürsten Johann Friedrich 1561, Bl. 142 b (= Bibliographie II, 3 D); vgl Köstlin—Kawerau Bd. 2, S. 563. Preuß S. 232; Aland Nr. 232, 10.

a) *kan* Druckf.

1) Züchtigung.   2) 2. Sam. 24, 14. 17.   3) weißt.   4) ihrer; zum Genitiv bei ,*brauchen*' (wie mhd.) vgl. RN 30^{III}, 75, 5.   5) als einen ewigen Gott. 6) ganz in Frieden lassen, verschonen; vgl. RN 30^{II}, 41, 17.   7) Joh. 15, 19. 8) Vgl. Ps. 59, 6.   9) unterdrücken.

86   [Bl. B 1ª]   Wie ein Prediger und Zuhörer beten solle.

[A] Lieber Himlischer Vater, rede du, ich wil gerne ein Schüler und Kind sein und schweigen; denn solt ich die Kirchen regiren aus meiner eigenen witz[1], weisheit und vernufft führen, so stecke der Karn langest im dreck[2], und were das schiff lange zu drümmern gangen[3]. Darümb, lieber Gott, regire und füre du es selbst, ich wil mir gerne meine augen ausstechen, die Vernunfft zu thun, und dich allein durch dein Wort regiren lassen.

[B] Item, ich gleube nicht an meinen Pfarherr, sondern er sagt mir von einem andern HERRN, der heist CHRISTUS, den zeiget er mir, auff des mund wil ich sehen, und so ferne er mich auff denselbigen rechten Meister und Preceptor, Gottes Son, füret.

Aus: Predigt vom 15. Februar 1546 (1546).
[A] = WA Bd. 51, S. 191, 10—15.
Fundorte: T P 5ᵃ. Po 176ᵇ. G VII, 631. W¹ Bd. 12, 1646. C 100.
1) Klugheit; vgl. RN 30ᴵᴵᴵ, 75, 20.   2) Zu dieser Redewendung vgl. RN 30ᴵᴵᴵ, 559. 2 f.   3) längst zugrunde gegangen; vgl. WA Bibel Bd. 11ᴵᴵ, S. 202/203 (Hos. 10, 14).
[B] = WA Bd. 51, S. 191, 23—26.
Fundorte: T/Anh. 329.   W¹ Bd. 12, 1636.   C 101.

87   [Bl. B 1ᵇ]   Für den schutz der lieben Engel.

Lieber Himlischer Vater, ich dancke dir und lobe dich darümb, das ich armer Mensch, wenn meiner gleich hundert tausent weren, nicht köndte einem Teufel widerstehen, und doch widerstehe ich inen durch deiner H[eiligen] Engel hülffe. Also auch ich, der ich nicht ein tröpflin Weisheit habe, und der listige böse Feind ein gantzes Meer vol hat, dennoch sol er mir nicht wissen noch können schaden, mein Narrheit und schwachheit macht seine grosse Weisheit und krafft dennoch zu schanden. Dafür, mein barmhertziger Gott und Vater unsers Herrn Jesu Christi habe ich dir allein zu dancken.

Aus: Predigt von den Engeln vom 29. Sept. 1530 (1531) = WA Bd. 32, S. 121, 13 bis 19. Vgl. Gebet Nr. 486 (dort mit Zusatz [B]).
Fundorte: T O 6ᵃ. M 59. B 570. G V, 619. V 624. R 239. W¹ Bd. 10, 1248*. C 99.
Vgl. Schulz Nr. 5.

88   [Bl B 2ᵃ]   In allerley not und trübsal.

Lieber HErr, ich habe ja dein Wort und bin in dem stande, der dir gefellet, das weis ich, nu siehest du, wie es allenthalben mangelt, das ich kein hülffe weis on¹ bey dir. Darümb hilff du, weil du gesaget und befohlen hast, das wir sollen bitten, suchen und klopffen, so sollen wirs gewislich empfahen, finden und haben, was wir begeren².

Aus: Wochenpredigt über Matth. 5—7 (zu 7, 7—11) (1532) = WA Bd. 32, S. 492, 5—9.
Fundorte: T P 2ᵃ. M 65. O/Anh. 321. G V, 619. R 438. W¹ Bd. 7, 878*. K 201.
Ferner: Neues christliches Betbüchlein (Magdeburg 1587), S. 400.
1) außer.   2) Matth. 7, 7.

89   [Bl. B 2ᵃ]   Wider des Bapsts Conciliabulum.

Ach lieber HErr Jhesu Christe, halt du selber Concilium, erlöse die deinen durch deine herliche zukunfft¹, es ist mit dem Bapst und den seinen verloren, sie wollen dein² nicht. So hilff du uns Armen und elenden, die wir zu dir seufftzen und dich suchen mit ernst nach der gnade, die du uns gegeben hast durch deinen heiligen Geist, der mit dir und dem Vater lebet und regiret, ewiglich gelobet.

Aus: Schmalkaldische Artikel, Vorrede (1538) = WA Bd. 50, S. 196, 32—39.
Fundorte: T P 8ª.   G V, 615.   W¹ Bd. 16, 2330.
1) Ankunft.   2) deiner; zum Genitiv des Ziels bei ‚wollen‘ vgl. RN 30^{II}, 618, 4.

90   [Bl. B 2^b]   Wider die Sacramentschwermer.

Mein lieber Herr Jhesu Christe, es hat sich ein Hadder uber deinen worten im
Abendmal erhaben[1], etliche wollen, das sie anders sollen verstanden werden, denn
sie lauten; aber dieweil sie mich nichts gewisses leren, sonder allein verwirren und
ungewis machen und iren Text in keinem wege wollen noch können beweisen, so
bin ich blieben auff deinem Text, wie die wort lauten; ist etwas finster darinnen,
so hast du es wollen so finster haben; denn du hast kein andere erklerung geben
noch drüber zu geben befohlen. So findet man in keiner Schrifft noch sprachen,
das (JST) solte ‚deutet‘ oder (mein Leib) ‚leibzeichen‘ heissen etc.

Aus: Vom Abendmahl Christi Bekenntnis (1528) = WA Bd. 26, S. 446, 33—41. Vgl.
Gebet Nr. 394 (dort mit Zusatz [B]).
Fundorte: T L 5^b.   Po 181ª.   B 527.   V 599.   R 369.   W¹ Bd. 20, 1300.
1) erhoben.

91   [Bl. B 3ª]   Wie sich ein armer Sünder für Gott demütigen sol.

[a] *O Domine, sum ego lutum tuum, tu autem formator et figulus meus; quia
igitur pronuncias me esse peccatorem, assentior verbo tuo et libens agnosco et
confiteor hanc impietatem labentem in carne mea et tota natura, ut tu glorifi-
ceris. Ego autem confundar, ut tu sis iustus et vita, ego autem cum omnibus aliis
hominibus peccatum et mors, ut tu sis summum bonum, ego autem cum omnibus
hominibus extremum malum, hoc agnosco et confiteor edoctus sic per promissio-
nes tuas et legem tuam, non per rationem meam, quae libenter hanc impietatem
tegeret aut ornaret etiam, sed plus mihi in eo est positum, ut tua gloria crescat.*

Aus: Enarratio Psalmi LI (zu v. 6) (1538) = WA Bd. 40^{II}, S. 372, 36—373, 22. Vgl.
Gebet Nr. 245 (dort mit deutscher Übersetzung).

92   [Bl. B 3^b]   Wie man in sterbenszeiten sich Gotte befehlen sol.

[A] HErr, in deiner hand bin ich, du hast mich hie angebunden, ‚dein wille
geschehe‘; denn ich bin dein arme Cratur, du kanst mich hierin tödten und erhalten so wol[1], als wenn ich etwa im fewr, wasser, durst oder andere fehrligkeit angebunden were.
[B] Item, HErr Gott, ich bin schwach und furchtsam, darümb fliehe ich das übel
und thue so viel dazu, als ich kan, das ich mich dafur hütte, aber ich bin gleich
wol in deiner hand in diesem und allerley[2] übel, so mir begegnen mügen; ‚dein
wille geschehe‘, denn meine flucht wirds nicht thun, sintemal eitel übel und unfall[3] allenthalben ist. Denn der Teufel feiret und schlefet nicht[4], welcher ist ‚ein
Mörder von anfang‘[5] und sucht allenthalben eitel mord und unglück anzurichten.

Aus: Ob man vor dem Sterben fliehen möge (1527) = WA Bd. 23, 16−27.

Fundorte: T S 5b.   Po 316ª.   B 802.   G III, 1609.   R 396.   W¹ Bd. 10, 2329* f.
C 114 f.

1) ebenso.   2) jeder Art von.   3) Unglück.   4) Zu dieser von Luther häufig
gebrauchten Redewendung vgl. RN 30III, 477, 8.   5) Joh. 8, 44.

93   [Bl. B 4ª] Lutheri ernstlich gebet in seiner Geistlichen und Leiblichen
anfechtung und todes kampff.

[A] Mein aller liebster Gott, wenn du es wilt haben, das dis die stund¹ sey, die
du mir versehen² hast, so geschehe dein gnediger wille.

[B] Herr, mein aller liebster Gott, ach wie gerne hette ich mein blut vergossen
umb deines worts willen, das weisest³ du, aber ich bin es vielleicht nicht wert, ‚dein
will geschehe‘; wilt du es so haben, so wil ich gern sterben, allein das dein h[eiligen]
name gelobet und gepreiset werde, es sey durch mein leben oder tod; wens aber,
lieber Gott, müglich wer, möchte ich noch gerne lenger leben umb deiner Gottseligen oder auserwelten willen. Ist aber das stündlin¹ komen, so mache es, wie
dirs gefellet, du bist ein Herr über Leben und Tod. Mein aller liebester GOtt, du
hast mich ja in die sache gefüret, du weisests⁴, das es dein Wort und die Wahrheit
ist, hebe nicht empor noch ‚erfrewe deine Feinde‘⁵, auff das sie nicht rhümen:
‚Wo ist nu ir GOTT?‘⁶, Sondern verklere deinen Heiligen namen zu wider und
verdriess den Feinden⁷ deines seligen heilsamen Worts.

[C] Mein allerliebester Herr Jhesu Christe, du hast mir gnediglich verliehen die
Erkentnis deines heiligen Namens, du weist, das ich an dich sampt Vater und
Heiligen Geist einigen und waren GOtt⁸ glaube und mich tröste, das du unser
Mittler und Heiland bist, der du dein tewres Blut für uns Sünder vergossen hast⁹,
stehe mir in dieser stunde bey und tröste mich mit deinem heiligen Geist.

[D] Abermal sagt er: du weist, HErr, das ir viel, denen du es gegeben hast, umb
bekentnis willen deines Euangelij ir blut vergossen haben; ich hoffte, es würde
mir auch dazu komen, das ich auch mein blut umb deines heiligen namens willen
hette sollen vergiessen, aber ich bins nicht werd, ‚dein wille geschehe‘.

[E] Du weist, Herr, das mir der Sathan auf mancherley weise nachgestellet hat,
das er mich leiblich umbrechte durch Tyrannen, Könige, Fürsten etc. und Geistlich
durch seine ‚fewerigen Pfeil‘¹⁰ und schreckliche Teufelische anfechtungen, aber du
hast mich bisher wider al ir wüten und toben wunderbarlicher weise erhalten, erhalte mich ferner, du trewer Herr, ists dein wille.

[F] Item: Mein aller liebster Gott, du bist ja ein Gott der Sünder und elenden,
die ir angst, not und jamer fülen und deiner gnade, trost und hülffe begeren, wie
du sprichst: ‚Komet her zu mir alle, die ir müheselig und beladen seid‘¹¹ etc. Herr,
ich kome auff deine zusagung, ich bin in grosser angst und not, hilff mir umb
deiner gnade und trewe willen.

[G] Item: O mein lieber Herr Jhesu Christe, der du gesprochen hast: ‚Bittet, so
wird euch gegeben, sucht, so werdet ir finden, klopffet an, so wird euch auffgethan‘¹², laut dieser verheissung gib mir, Herr, der ich bitte nicht golt oder
Silber, sondern ein starcken, festen glauben, las mich finden, das ich suche, nicht

lust noch freude der welt, sondern trost und erquickung durch dein selig, heilsam wort, thue mir auf, der ich anklopffe; nichts begere ich, das die welt hoch und gros acht, sondern ich bin sein fur dir nicht umb ein haer breit gebessert[13], sondern deinen H[eiligen] Geist gib mir, der mein hertz erleuchte, mich in meiner angst und not stercke und troste, in rechtem glauben und vertrawen auff deine gnade erhalte bis an mein ende.

[H] O mein aller liebster Gott und Vater, du hast mir viel edler, tewrer gaben geben fur viel andern tausent, were es dein wille, ich wolt ir gerne noch zu lob und preis deines H[eiligen] Namens, zu nutz und trost deiner kleinen Herde brauchen[14], aber dein Götlicher Veterlicher wille geschehe, allein das dein Name durch mich, ich lebe oder sterbe, geehret werde.

Aus: Aufzeichnung von Justus Jonas vom 7. Juli 1527 über Luthers schwere Erkrankung = WA *TR* Bd. 3, S. 87, 18—89, 19. Vgl. Gebet Nr. 48.

Fundorte: T M 6ª.   M 98.   B 849 und 660 (nur [G]).   G III, 1611.   V 612. R 335.   W¹ Bd. 21, 169*.   K 235.   C 110.   Ferner: Lehr- und ... Gebetbüchlein (Glaser) 1565, Bl. Z 3ª, doch ohne die Abschnitte [A], [B], [D], [E] (= Bibliographie II, 6). Trostbüchlein (Ortel) 1586, S. 443, ohne die Abschnitte [A], [B], [D], [E] (= Bibliographie II, 7). Vgl. Schulz Nr. 29.

1) Sterbestunde.   2) vorherbestimmt (lat. Vorlage: „*praefinisti*").   3) weißt. 4) weißt es.   5) Ps. 89, 43.   6) Ps. 79, 10; 115, 2.   7) den Feinden zuwider und zum Trotz; vgl. WA Bd. 18, S. 116, 2; 142, 12; 277, 35 („*zu trotz und wider*"). 8) an dich ... als ... (wörtliche Übersetzung der lat. Vorlage: *te ... Deum unum ...*; vgl. auch RN 32, 92, 2 f.).   9) Vgl. Luk. 22, 20.   10) Eph. 6, 16.   11) Matth. 11, 28.   12) Matth. 7, 7.   13) ich bin dadurch vor dir; zum Genitiv („*sein*" = seiner; vgl. WA Bibel Bd. 11¹, S. 6 Worterkl. zu Zl. 24) vgl. Dietz Bd. 1, S. 279. 14) sie ... gerne ... gebrauchen; s. o. Nr. 85 Anm. 4.

94   [Bl. B 6ª]   Wie man sich in todes nöten Gotts güte ergeben sol.

Wer aber wil seliglich sterben und wolfahren, der mus also sagen und dencken*: gnade mir, du** barmhertziger Gott, ich bin ja ein armer, sündiger Mensch und habe nichts denn zorn verdienet, aber doch, ich habe gelebet, wie ich wolle[1], so halt ich mich hieher, das ich weiß und nicht zweiffeln sol, das ich getauffet und ein Christ genennet bin zu vergebung der Sünden und das mein Herr Christus fur mich geboren, gelidden, gestorben und aufferstanden ist, sein Leib und Blut mir gegeben hat zur speise und stercke des Glaubens. Item, Das ich bin im namen und krafft Christi absolvirt und entbunden von meinen Sünden; solch hertz und glauben kan nicht übel faren noch verloren werden, so wenig alls GOTtes Wort kan feilen[2] oder falsch sein, des[a] kan ich dir Bürge sein; denn Gott selbst ist dir bürge durch sein Wort.

Aus: Das 14. und 15. Cap. S. Johannis (zu 15, 4) (1538) = WA Bd. 45, S. 664, 1—11. Vgl. Gebet Nr. 610 (von * an) und 334 (von ** an).

Fundorte: T S 3ᵇ.   M 95.   Po 314ª.   V 634.   R 514 u. 322.   W¹ Bd. 8, 352.   C 113. a) *das* Druckf. 1) wie auch immer (s. auch u. Nr. 100 Anm. 3 „*was ich wolle*"; Nr. 107 Anm. 2 [„*wer ich wolle*"]).   2) irren.

95   [Bl. B 7ª]   Lutheri Gebetlin für seinem abschied aus diesem Jamertal.

O mein Himlischer Vater, ein Gott und Vater unsers Herren Jhesu Christi, du ‚Gott alles trostes‘[1], ich dancke dir, das du mir deinen lieben Son Jhesum Christum offenbaret hast, an den ich gleube, den ich gepredigt und bekandt habe, welchen der leidige Bapst und alle Gottlosen schenden, verfolgen und lestern, ich bitte dich, mein Herr Jhesu Christe, las dir mein Selichen[2] befohlen sein. O Himlischer Vater, ob ich schon diesen leib lassen und aus diesem leben hinweg gerissen werden[a] mus, so weis ich doch gewis, das ich bey dir ewig bleibe und aus deinen henden mich niemand reissen kan.

Aus: J. Jonas und M. Cölius, Bericht vom christlichen Abschied M. Lutheri (1546) = WA Bd. 54, S. 491, 21—30. Vgl. Gebet Nr. 36.

Fundorte: T S 4ᵇ.   M 99.   Po 315ª.   R 520.   W¹ Bd. 21, 287*.   K 239.   C 112.
Ferner: Trostbüchlein (Walther) 1558, Bl. S 5ᵇ (= Bibliographie II, 4). Lehr- und Gebetsbüchlein (Glaser) 1565, Bl. Z 5ᵇ (= Bibliographie II, 6). Neues christliches Betbüchlein (Magdeburg) 1587, S. 277 (= Bibliographie II, 8).

a) *werde* Druckf.

1) 2. Kor. 1, 3.   2) Zu dieser Diminutivform vgl. RN 48, 166 (Nr. 215a), 9.

96   [Bl. B 7ᵇ]   In todes nöten.

Ich bin ein armer sünder, das weist du, mein lieber Her, aber du hast dich mir lassen fürbilden[1] durch deinen lieben Son Jesum Christum, das du wollest mir gnedig sein, die sünde vergeben und von keinem zorn und verdamnis wissen und heissest mich solchs gleuben und nicht zweifeln, darauff verlasse ich mich und wil frölich darauff dahin faren.

Aus: Predigt vom 18. Juni 1534 (1535) = WA Bd. 37, S. 456, 28—33.
Fundorte: T S 4ᵇ.   M 96.   Po 315ᵇ.   G VI, 615.   R 276 u. 522.   W¹ Bd. 12, 1560.
K 222.   C 113.

1) vor Augen stellen.

97   [Bl. B 7ᵇ]   [Ein anderes.]

HERR, ich weis niemand weder im Himel noch auff Erden, zu welchem ich eine Tröstliche zuflucht möcht haben denn zu dir durch Christum; ich mus mich nackend ausziehen von allen freunden, wercken und verdienst. HErr, ich hab kein zuflucht denn zu deiner Göttlichen schoß, darin der Son sitzet[1]; wenn ich die hoffnung nicht habe, so ist es verloren.

Aus: Predigten über das 2. Buch Mose (zu 19, 16 ff.) (1564) = WA Bd. 16, S. 419, 37—420, 14.
Fundorte: T S 5ª.   Po 316ª.   W¹ Bd. 3, 1536.   C 114.   Vgl. Schulz Nr. 34.
1) Joh. 1, 18 (‚*schoß*‘ bei Luther sowohl Femininum als auch Maskulinum; vgl. WA Bibel 9ᴵᴵ, S. 468/469 [1. Kön. 17, 19]; Franke Bd. 2, S. 85 § 22).

98   [Bl. B 8ª]   Lutheri seufftzen umb den Jüngsten tag.

Ach mein HErr Christe, kom doch bald mit fewer und schwefel vom Himel[1]
und machs mit solchem spotten und lestern ein ende; wie übermachen[2] sie es doch
so gantz unleidlich und untreglich.

Aus: Vermahnung zum Sakrament des Leibes und Blutes Christi (1530) = WA Bd. 30[II],
S. 609, 10–12.
Fundorte: T S 8ᵇ.   M 90.   R 431.   W¹ Bd. 10, 2688.
1) Vgl. Luk. 17, 29.   2) übertreiben.

99   [Bl. B 8ª]   Viti Ditterichs herrlich gezeugnis mit was glauben und
           Geist Lutherus gebet habe.

Ich weis, das du unser lieber Gott und Vater bist, derhalben bin ich gewiss, das
du wirst die Verfolger deiner kinder vertilgen. Thustus aber nicht, so ist die fahr
dein so wol als[1] unser, die gantze sach ist dein, was wir gethan haben, das haben
wir müssen thun, darümb magstu, lieber Vater, sie beschützen.

Aus: Veit Dietrich an Melanchthon 30. Juni 1530 (1549) = WA Briefe Bd. 5, S. 420,
19–22 (vgl. Bd. 14, S. 590). Vgl. Gebet Nr. 33.
Fundorte: T N 5a.   R 375 und Vorwort S. 5*a.   W¹ Bd. 16, 2138.
1) ebenso wie.

100   [Bl Y 3ª]   Ein gemeine Beicht, so der Herr D. M. Luther teglich, wenn er hat
            wollen schlaffen gehen, gesprochen.

[A] Mein lieber Vater, ich bekenne allewege, du sihest es, du weist es, das ich je
meinethalben[1], wie ich gehe oder stehe, inwendig und auswendig, mit haut und
mit haer, mit Leib und mit Seel in das ewig Hellische fewer hinein gehöre, das
doch in summa, weistu, mein Vater, meinethalben[1] nichts guts in mir ist, nicht ein
haer auff dem heubt droben, es gehöret doch alles miteinander hinein in abgrund
der Hellen zu dem leidigen Teufel, was sol ich viel wort davon machen. Aber,
mein lieber Vater, ich bitte widerumb hergegen allewege[2], ich sey meinethalben[1],
was ich wolle[3], so bit ich dich dennoch und wil es von dir auch haben alweg[2],
das du dein auffsehen[4] und dein auffmercken auff mich nicht wollest haben und
wollest deine augen auff mich nicht keren und wenden. O, es ist sonst mit mir
verloren und verdorben, und wenn hundert tausent mal Welt auff mir weren,
Sondern da bitte ich dich, das du wollest dein auffsehen[4] und dein auffmercken
haben und richten in das Angesicht deines lieben Sons Jhesu Christi, deines Ge-
salbeten, meines mitlers, Hohenpriesters und Fürsprechers, meines Heilands, Erlösers und Seligmachers, und wollest mir umb seinet willen, bit ich dich, mein
Vater, gnedig und barmhertzig sein und wollest mir umb deines lieben Sons Jesu
Christi willen verleihen ein seligs ende und ein frölice aufferstehung, hie helffen
mit[5] Leib und dort in jener welt mit[5] der armen seelen und umb seines Rosen-
farbes bluts wegen, das er denn mildiglich[6] an dem galgen des Creutzes zu ver-

zeihung und vergebung meiner sünden vergossen hat[7], dein Son Jhesus Christus[a], bit ich dich itzund, mein Vater, das du dasselbige blut Jesu Christi, deines lieben Sons, an mir armen Creaturn meiner manchfeltigen sünden halben, die denn nicht auszureden und auszusprechen[8] sind, nach deiner gerechtigkeit nicht wollest anders machen und umbkeren[9], sondern wollest es nach deiner grundlosen[10] Barmhertzigkeit den nutz und die frucht lassen an mir schaffen und ausrichten, darzu es denn von dir in ewigkeit verordnet und von deim[b] lieben Son Jesu Christo an dem galgen des Creutzes auch vergossen ist, Als nemlich, das du mir es je wollest gereichen und komen lassen zu verzeihung und vergebung meiner sünden, auff das, welche stunde, welchen[c] augenblick, bey nacht oder bey tag, du kömest und klopffest an und wilt widerumb meinen Geist, welchen du mir erstlich[11] eingeblasen, hinweg fördern[12], So bit ich dich alweg[13], mein Vater, das du dir denselben meinen Geist, das ist mein Seel, wollest je lassen in deine hende befohlen[14] sein umb deines lieben Sons Jhesu Christi bluts, leiden und sterben willen.

[B] Darnach hat der Doctor gemeiniglich diese kurtze wort gesprochen.

Roma XIIII[15].

O Jhesu Christe, dir leb ich, dir sterb ich, dein bin ich, tod oder lebendig.

Johan. VIII[16].

‚Warlich, warlich ich sage euch, so jemands mein wort wird halten' (das ist) festiglich in seinem Hertzen glauben, das ich mit meinem leiden und sterben und mit meinem Rosenfarben blut seine sünde an dem galgen des Creutz erseuffet, ertrenckt, erwürget und ausgeleschet habe, ‚der wird den Tod nicht sehen ewiglich'.

Hier erstmals gedruckt. Vgl. Gebet Nr. 39.

Fundorte: T F 8[a]. P 12. V 585. R 253. C 79 ([A] u. [B]). Der Gebetsvers in [B] aus Röm. 14 auch in: Gebete des Kurfürsten Johann Friedrich 1557 ff. (Bibliographie II, 3) und als Anfang eines Gebets von Joh. Minsinger im Cubach'schen Gebetbuch 1752, S. 147. Vgl. Gebet Nr. 39 und 238 (dort ohne [B]).

a) *Chstus* Druckf.   b) *denn* Druckf.   c) *welches* Druckf.

1) was mich betrifft.   2) allezeit.   3) S. o. Nr. 94 Anm. 1.   4) Obacht.
5) in bezug auf ...   6) freigebig, reichlich.   7) Vgl. Luk. 22, 20.   8) Hendiadyoin: erschöpfend zu beschreiben; vgl. WA Bd. 30[II], S. 560, 25; Bd. 41, S. 364, 2; Bibel Bd. 12, S. 194/195 (Sir. 18, 2); s. auch u. Nr. 424 Anm. 1 („*ausbeten*").   9) mir nicht zuteil werden lassen.   10) unergründlich.   11) zu Anfang.   12) abfordern; vgl. Luk. 12, 20.   13) allezeit, ständig.   14) Vgl. Luk. 23, 46.   15) Röm. 14, 9.   16) Joh. 8, 51.

2. Betglöcklein (Treuer): Nr. 101—638

101   [Bl. A 1[a]] Gebett lasset sich die[1] Sünde nicht hindern.

HERR, weil du wilt und heyssest, das ich betten und zu dir kommen soll, so will ich kommen und zu betten gnug bringen und eben das, daß mich am meysten hindert und von dir zu rucke treibet, welches ist meine Sünde, die mir auff dem halse ligt und drucket, das du dieselbige von mir nemest und vergebest.

Aus: Predigt vom 5. Juli 1534 (1534) = WA Bd. 37, S. 432, 20—24.

Fundorte: M 5.   O/Anh. 306.   V 533.   R 3.   W¹ Bd. 5, 932.   C 1.   Vgl. Schulz Nr. 57.

1) durch die Sünde; vgl. RN 48, S. 41 (Nr. 51), 9.

102   [Bl. A 1ᵇ]   Gebett siehet nicht auff eygene unwürdigkeyt.

HErr, es ist deine ehre und dein Gottes dienst, dadurch du gerühmet und geehret wirst, das ich von dir bettele, darumb, lieber HERR, sihe nicht an, das ich unwürdig, sondern das ich deiner hülffe nottürfftig bin; dann das ich unwürdiger Mensch und armer Sünder von dir bitte, geschihet dir zu ehren, so kan ich deiner hülff auch nicht gerahten¹ und du kanst und wilt geben denen, die dich bitten.

Aus: Hauspostille (1559) = E. A². Bd. 4, S. 326, 11—18 (WA Bd. 37, S. 298, 20—22; vgl. Bd. 52, S. 169, 33—36).

Fundorte: V 533.   R 5.   W¹ Bd. 13, 536*.   K 188.   C 1.

1) entraten, entbehren.

103   [Bl. A 1ᵇ]   Eyn kurtz Stoßgebettlein.

HERR, hie komme ich, ich muß das und jenes haben, ob ich wol unwürdig bin, aber sihe meine Noht an und meinen jamer und hilff umb deiner ehre willen.

Aus: Hauspostille (1559) = E. A². Bd. 4, S. 326, 40—327, 3 (WA Bd. 37, S. 298, 29 f.; vgl. Bd. 52, S. 170, 12—14).

Fundorte: M 7.   O/Anh. 307.   B 613.   W¹ Bd. 13, 537.

104   [Bl. A 2ᵃ]   Gebett disputiert nit, wer fromm sein.

HERR, was ists? Ich bin ein armer, unwürdiger Sünder, das weyß ich wol, aber nichts desto weniger muß ich diß und jenes haben, ich hab weib und kind und habe nit, das ich sie nehre, HERR, gib mir. Item, ich bin traurig, ich bedarff deines trosts, HERR, tröste du.

Aus: Hauspostille (1559) = E. A². Bd. 4, S. 327, 36—328, 2 (WA Bd. 37, S. 299, 12—15; vgl. Bd. 52, S. 170, 33—36).

Fundort: W¹ Bd. 13, 539.

105   [Bl. A 2ᵃ]   Eyn anders.

Ich weyß wol, o gnädiger Gott, das ich ein unwürdiger Mensch bin und würdig, deß Teuffels und nicht Christi bruder zu sein; weil aber Christus, dein lieber Son, solches gesagt¹, das ich (als für den Er gestorben und aufferstanden ist) sein bruder sei und will solchs ernstlich von mir haben, das ich im glauben soll ohn alles zweifeln und wancken und nicht hierinnen ansehen noch achten, das ich unwürdig und voller sünden bin, dancke ich im von hertzen, Lobe und liebe in, das Er so gnädig und barmhertzig ist, der getreue Heyland, mit dir und dem Heyligen Geyst inn ewigkeyt.

Aus: Sommerpostille (zu Joh. 20, 17) (1544) = WA Bd. 21, S. 215 (Bd, 46, S. 340, 21—27; 341, 21 f.).
Fundorte: M 3.   B 613.   R. 8.   W¹ Bd. 11, 873.   C 2.
1) Vgl. den Predigttext.

106   [Bl. A 2ᵃ]   Eine dancksagung, das uns Gott würdig gemachet.

Lieber GOTT, wie soll ich mich so hoch erheben, das ich mich soll rümen GOT-TES braut und Gottes Son meinen Bräutgam¹, wie komm ich armer stinckender Madensack² zu den grossen ehren? welche auch den Engeln im Himmel nicht widerfahren ist, das sich die ewige Maiestet so gar³ tieff herunter lasset inn mein armes fleysch und blut und so gar³ mit mir vereyniget, das Er auch ein leib mit mir sein will⁴, bin ich doch so gantz von dem fuß an biß an die Scheytel voll un-flatts, blatern⁵, grinds, Aussatz, sünde und stanck⁶ für Gott, wie soll ich dan der hohen, ewigen, herrlichen Maiestat braut und mit ir eyn leib heyssen⁴? Aber weil du es so haben wilt, so sei dir lob und danck inn ewigkeit.

Aus: Sommerpostille (zu Matth. 22, 1—14) (1544) = WA Bd. 22, S. 339, 26—35.
Fundorte: M 4.   V 592.   R 317.   W¹ Bd. 11, 2341.   C 2.
1) als Gottes Braut ... und ... als (zum doppelten Akk. vgl. D. Wb. Bd. 8, Sp. 1447). 2) sterblicher Leib; vgl. RN 32, 173, 8.   3) ganz.   4) Eph. 5, 31 f.   5) (schwarze) Pocken; vgl. WA Bibel Bd. 8, S. 225 (2. Mose 9, 9—11).   6) Gestank.

107   [Bl. A 2ᵇ]   Gebett lasset sich die gedancken von der Erwehlung nicht hindern¹.

Ich seie, wer ich wolle², so frag ich nichts darnach, dann ob ich gleich eyn Sünder und böß bin, so weyß ich doch, das darumb mein HErr Christus nicht eyn Sünder noch böse ist, sondern Er bleibet gerecht und gnädig; je sündhafftiger und böser ich bin, je stärcker will ich zu im ruffen und schreien und mich sonst an nichts kehren; dan ich habe jetz nicht weil zu disputieren, ob ich erwöhlet sei oder nicht; das aber fühle ich, das ich hülffe bedarff, komme derhalben und suche sie inn aller demut.

Aus: Hauspostille (zu Matth. 15, 21—28) (1559) = E. A.² Bd. 4, S. 340, 13—22 (WA Bd. 37, S. 314, 1—5; vgl. Bd. 52, S. 178, 38—179, 3).
Fundorte: R 6.   W¹ Bd. 13, 557.   K 189.   C 3.
1) ... sich durch die ...; vgl. RN 48, 41 (Nr. 51), 9.   2) S. o. Nr. 94 Anm. 1.

108   [Bl. A 3ᵃ]   Eyn anders.

Lieber GOtt, das Cananeisch weiblin war auch nicht erwöhlet, dann sie war eyne Heydin; hat sie nun gebetten und am Gebett solches sich nicht hindern lassen¹, so will ich auch betten; dann ich bedarff hülffe und muß diß und jenes haben, wo wolt ich es dann sonst nemmen oder suchen dan bei dir durch deinen Son und meinen Erlöser Jesum CHristum.

Aus: Hauspostille (zu Matth. 15, 21—28) (1559) = E. A². Bd. 4, S. 340, 25—31 (WA Bd. 37, S. 314, 4 f. vgl. Bd. 52, S. 179, 3—7).
Fundorte: B 613.   R 7.   W¹ Bd. 13, 557.   C 3.
1) sich dadurch am Gebet; vgl. RN 48, 41 (Nr. 51), 9.

109   [Bl. A 3ᵃ] Gebett grundet sich auff trei stucke, auff Gottes Gebott und verheyssung und auf die weise und wort, die CHRistus selbst gelehret hat.

Lieber HErre GOtt, du weist, das ich ja nicht von mir selbst und auß eygenem vermessen noch auff meine würdigkeyt für dich komme; dann so ich das wolte ansehen, so dürffte ich die augen nicht für dir auffheben und wüste nicht, wie ich anfahen solte zu betten, sondern darauf komme ich, das du selbst gebotten hast und ernstlich fodderst, das wir dich sollen anrufen und auch verheyssung zugesagt hast, dazu deinen eygen Son gesand, der uns geleret, was wir betten sollen und die wort fürgesprochen hat; darumb weyß ich, das dir solch Gebett gefallet, und mein vermessen, das ich mich GOttes kind für dir rümen¹ darf, scheine, wie groß es wölle, so muß ich dir gehorsam sein, das du es so haben wilt, darmit ich dich nit lugen straffe und mich über² andere sünde noch schwerer gegen dir versündige beyde³ mit verachten deines Gebots und³ unglauben an deine verheyssung.

Aus: Das 16. Cap. S. Johannis (zu 16, 23) (1538) = WA Bd. 46, S. 80, 27—38.
Fundorte: M 1.   O/Anh. 305.   G VII, 629.   V 534.   R 9.   W¹ Bd. 8, 613*.
K 187.   C 3.   Vgl. Schulz Nr. 56.
1) mich als ...; s. o. Nr. 106 Anm. 1.   2) über ... hinaus.   3) sowohl ... als auch.

110   [Bl. A 3ᵇ]   Eyn anders.

Lieber Gott, o das wir so fleissig weren zu betten zum wenigsten mit seuffzen deß hertzens¹, als du bist mit reytzen, locken, gebieten, verheyssen und nötigen zum Gebet. Ach wir sind ja zu faul und undanckbar, das vergibe du uns, lieber Gott, und stärcke uns den Glauben.

Aus: Bucheinzeichnung (2. Aufl. 1548) = WA Bd. 48, S. 109, 7—10 (Nr. 146).
Fundorte: M 6.   O/Anh. 307.   B 614.   V 535.   R 4.   W¹ Bd. 9, 1339*.   C 4.
Vgl. Schulz Nr. 17.
1) Vgl. Röm. 8, 26.

111   [Bl. A 3ᵇ]   Eyn anders.

Lieber HERR, ich soll und will betten auff dein Gebott und verheyssung; kanᵃ ichs nicht gut machen und nicht taug¹ noch gilt inn meinem Namen, so laß es gelten und gut sein inn meines Herren Christi namen.

Aus: Das 16. Cap. S. Johannis (zu 16, 23) (1538) = WA Bd. 46, S. 85, 11–13.

Fundorte: B 614.   G VII, 629.   V 535.   R 5.   W¹ Bd. 8, 620*.   K 188.   Vgl. Schulz Nr. 18.

a) *dan* Druckf.

1) taugt (zur ursprünglichen Form der 3. pers. sing. ohne ‚t' [wie mhd.] vgl. RN 33, 120, 30; Franke Bd. 2, S. 345.

112   [Bl. A 3ᵇ]   Eyn anders.

Hie komme ich, lieber Vatter, und bitte nit auß meinem fürnemmen noch auff eygene würdigkeit, sondern auff dein Gebott und verheyssung, so mir nicht feilen noch liegen¹ kan.

Aus: Großer Katechismus (1529) = WA Bd. 30ᴵ, S. 196, 3–5.

Fundorte: R 12.   W¹ Bd. 10, 128*.

1) mich nicht irreführen noch belügen kann.

113   [Bl. A 4ᵃ]   Eyn anders.

Tu Deus meus, praecepisti orationem . . .

Das ist.

Ach du mein Gott, du wilt das betten von uns haben und hast uns gebotten, mit gewisser zuversicht zu glauben, du werdest unser Gebett gewiß erhören¹; auff solch deinen befelch komm ich zu dir inn dem starcken vertrauen, du werdest mich erhören, Gib mir nur einen festen Glauben inn dich.

Aus: Sermon von der Bereitung zum Sterben (1519) (Rückübersetzung aus der lateinischen Übersetzung [E. A. op. var. arg. Bd. 3, S. 471, 38–472, 2]) = WA Bd. 2, S 697, 3–5. Den deutschen Urtext vgl. Nr. 287.

Fundorte: B 614.   R 11.   W¹ Bd. 10, 2312.   C 8.   Vgl. Schulz Nr. 58.

1) Ps. 91. 15; Jer. 29, 12.

114   [Bl. A 4ᵃ]   Gebet merckt auff die kräfftige zeugnussen deß gnädigen und Vätterlichen willen Gottes, darauß wir schliessen können, das uns Gott gewiß erhören und unser Gebet nicht abschlagen werde.

O Gott eyn Schöpffer Himmels und Erden, der du deinen Son Jesum Christum für mich inn die welt gesand hast, das er für mich gecreutzigt würde, stürbe und am dritten tag aufferstunde, gen himmel fure, das er solt sitzen zu deiner Rechten und alles inn seiner hand haben und seinen Geyst senden, das wir solten warten auff seine zukunfft¹, zu richten beide² lebendige und² toden, und also mit erlangen das ewig Reich, unser erbtheil, das du uns durch in wilt geben, darzu, o Herr Gott, hastu uns geben und eingesetz die Tauffe und das Sacrament deß leibs und bluts Christi, deines Sons, etc.; dann an dise deine Sacrament hastu uns Christenᵃ gebunden und dich darinnen geoffenbaret und zu ergreiffen befohlen.

Aus: Predigten über das 2. Buch Mose (zu 20, 2) (1564) = WA Bd. 16, S. 425, 22—32.
Fundorte: R 18.   W¹ Bd. 3, 1548*.   C 4.
a) Christum Druckf.
1) Ankunft.   2) sowohl ... als auch.

115   [Bl. A 4ᵇ]   Gebett hält sich alleyne an Mittler Christum.

Mein HErr CHriste, hastu durch deine aufferstehung meine sünde überwunden und unter die füsse getretten[1], warumb will ich mich förchten und erschrecken, warumb solt mein hertz nicht eyn guten muth haben und frölich sein?

Aus: Sommerpostille (1526) = WA Bd. 10^{I, 2}, S. 228 (Bd. 12, S. 508, 15—18).
1) besiegt; vgl. WA Bibel Bd. 10^I, S. 234/235; Bd. 12, S. 500/501 (Ps. 41, 10; St. Esth. 5, 2); auch u. Nr. 356 Anm. 1; Nr. 635 Anm. 2.

116   [Bl. A 4ᵇ]   Eyn anders.

Himlischer Vatter, der du alle ding geschaffen hast, der du die kinder Israel auß Egypten durchs rote Meer, durch die Wüsten und durch den Jordan gefüret hast, auß der hand Pharaonis erlöset, mit Himelbrot gespeiset, mit wasser auß dem[a] Felsen getrencket hast etc. Das alles aber geht mich nicht an; der du mit Noah grosse wunder angerichtet hast, gehet mich auch nicht an; der du Petrum auff dem Mör[1] liessest gehen, den aussetzigen befelch gabst, den Priestern sich zu erzeygen[2], gehet mich auch nicht an. Ich aber ruffe dich an und ergreiffe dich mit dem wort und zeichen, das mich angehet, nämlich also: Herr, der du mich erlöset hast durch das blut deines Sons Jesu Christi, das wort gehet mich an, durchtringet den Himmel, mit dem wort treffe ich gewißlich dich, damit hastu dich angebunden, das ich dich inn disem werck ergreiffen und treffen soll, erhöre mich.

Aus: Predigten über das 2. Buch Mose (zu 20, 2) (1564) = WA Bd. 16, S. 428, 31—429, 15.
Fundorte: W¹ Bd. 3, 1552.   C 5.
a) den Druckf.
1) = Meer (gerundete Form).   2) Matth. 8, 4; Luk. 17, 14.

117   [Bl. A 5ᵃ]   Eyn anders.

HERR Gott, himmlischer Vatter, ich halte mich für dein liebes kind und dich für meinen lieben Vatter nicht daher, das ichs verdienet oder immermehr[1] verdienen könte, sondern darumb, das mein lieber Herr, dein eyngeborener Son Jesus Christus, will mein bruder sein und von im[2] selbst solchs mir verkündigt und anbeut[3], das ich in soll für meinen bruder halten und er mich widerumb helt; solch dein kind woltestu mich sein und bleiben lassen ewiglich.

Aus: Sommerpostille (zu Joh. 20, 17) (1544) = WA Bd. 21, S. 215 (Bd. 46, S. 339, 13—17).
Fundorte: M 2.   B 615.   V 535.   W¹ Bd. 11, 872.   K 195.   C 6.
1) jemals (in Zukunft).   2) sich.   3) anbietet. — Vgl. den Predigttext.

118 [Bl. A 5b] Eyn anders.

O Herr Gott, ein Schöpffer Himmels und Erdrichs, für dir bin ich sicher, das ich
heilig bin und dein diener, nicht durch mich, der ich noch sünde inn mir fühle,
sondern durch Christum, der mir meine sünde geschenckt hat und für mich gnug
gethan[1].

> Aus: Festpostille (1527) = WA Bd. 17II, S. 445 (Bd. 17I, S. 311, 25—28).
> Fundorte: W1 Bd. 11, 3050.   G XIII, 1558 und 287.   C 7.
> 1) an meiner Stelle die Satisfaktion geleistet hat.

119 [Bl. A 5b] Eyn anders.

O Herr, wenn wir mit eynander rechten solten, wie ich lebe oder thue, so würde
ich nicht bestehen, und ob ich gleich Johannes der Teuffer were, dann ist es alles
noch nicht gabe, geschencke und barmhertzigkeit, sondern mein eigen werck und
leben; aber dadurch rühme ich mich fromm und deinen Diener[1], das du mir gibst
one unterlaß und, wie du Abrahe verheyssen hast, das du mir durch deinen
Christum wöllest barmhertzig sein[2]; bin ich nit fromm, so ist er aber fromm[3].
Bin ich nicht Gottes diener, so ist er aber Gottes diener, bin ich nicht ohne sorg
und forcht, so ist er aber aller sorge loß und on forcht, das ich mich also auß mir
schwing inn in selbst und mich rühme, das ich inn dir durch dich, Herr Christe, fromm sei. Dir sei lob inn ewigkeyt.

> Aus: Festpostille (1527) = WA Bd. 17II, S. 445 (Bd. 17I, S. 312, 18—28).
> Fundorte: V 535.   W1 Bd. 11, 3051.   C 6.
> 1) als fromm und als; s. o. Nr. 106 Anm. 1.   2) In der Nachschrift der als Vorlage
> benutzten Predigt heißt es (WA Bd. 17I, S. 312, 5 f.): *„quod tu mihi dedisti, quia Abra-*
> *hae promisisti, omni gratiam"*; dies ist eine Paraphrase des (der Predigt zugrundeliegen-
> den) Bibeltextes Luk. 1, 72—75, der sich zurückbezieht auf 1. Mose 22, 16—18 und Micha
> 7, 20; vgl. auch Luk 1, 54 f. Die (vom Bearbeiter der Predigt vollzogene) Beziehung der
> Abrahams-Verheißung auf Christus findet sich bei Luther häufig; vgl. RN 48, 17 (Nr. 20),
> 3 f.   3) rechtschaffen, gerecht; in der Bibel verwendet Luther ‚fromm' in diesem Sinne
> seit 1531 in bezug auf Gott, z. B. Ps. 25, 8; 92, 16 (WA Bibel Bd. 10I, S. 175 [vorher:
> *„recht"*, *„richtig"*]; 411 [vorher: *„aufrichtig"*]); vgl. auch RN 48, 216 (Nr. 288), 44.

120 [Bl. A 6a] Eyn anders.

Lieber Vatter, wiewol ich für deiner Maiestat nicht bestehen kan noch keyn[1]
Engel, es muß alles erbidmen[2] und erzittern, so hab ich allhie eynen CHristum,
dem du nicht kanst feind sein; unter den halte ich mich und auff dein wort, das
du mich durch den wilt annemmen; du wirst mich nicht verwerffen, du must ehe[3]
in verwerffen.

> Aus: Sommerpostille (1526) = WA Bd. 10I, 2, S. 286 (Bd. 10III, S. 163, 5—9).
> Fundorte: M 8.   O/Anh. 307.   V 536.   C 6.
> 1) noch ein (= Wiederholung der Negation).   2) erbeben.   3) zuvor.

121 [Bl. A 6ᵃ] Gebett geschicht inn und durch den Namen Jesu Christi.

Lieber Gott und Vatter, ich weyß gewiß, das du mich lieb hast; dan ich hab deinen Son und meinen Erlöser Jesum Christum lieb; inn solchem vertrauen und zuversicht will ich dich jetzund tröstlich[1] bitten, du wöllest mich erhören und mir geben, was ich bitt, nicht das ich so heilig oder fromm sei, sondern das ich weyß, das du umb deines Sons Jesu CHRisti willen gern alles geben und schencken wilt, inn desselben Namen trette ich jetzt für dich und bitte und zweifel gar nicht, mein Gebett (ich sei meiner person halben, wie ich wölle[2]) sei gewiß erhöret.

Aus: Hauspostille (1559) = E. A.[2] Bd. 5, S. 125, 28−38 (WA Bd. 37, S. 391, 11−14; vgl. Bd. 52, S. 299, 22−28).

Fundorte: M 9.   B 616.   G XI, 854.   V 536.   R 16.   W¹ Bd. 13, 1292*.
K 188.   C 7.

1) getrost.   2) S. o. Nr. 94 Anm. 1.

122 [Bl. A 6ᵇ] Eyn anders.

HERR GOtt, himlischer Vatter, der du deinen Son für mich hast lassen mensch werden, sterben, begraben etc. Inn desselben Namen ruffe ich dich an.

Aus: Predigten über das 2. Buch Mose (zu 20, 2) (1564) = WA Bd. 3, S. 426, 27−29.
Fundort: W¹ Bd. 3, 1550.

123 [Bl. A 6ᵇ] Eyn anders.

Ich bin froh, lobe und dancke dir, o Gott, das du mir umb sonst und auß lauter gnaden so überschwenglich Gut geschencket hast, nimpst von mir Sünd, Tod und Helle und gibst für mich deinen lieben Son und schenckest mir seine Güter alle Mit eynander.

Aus: Sommerpostille (1526) = WA Bd. 10ᴵ, ², S. 268 (Bd. 12, S. 557, 9−11. 17 f.).

124 [Bl. A 6ᵇ] Eyn anders.

O HERR, wiewol ich nicht würdig bin, eyn augenplick zu sehen den Himmel, vermag auch nicht mit meinen wercken mich zu erlösen von Sünd, Tod, Teuffel und Helle, jedoch hastu mir gegeben deinen Son Jesum Christum, der ist vil köstlicher und theurer dann der Himmel; er ist auch vil stärcker dann die Sünde, der Tod, der Teuffel und die Helle.

Aus: Festpostille (1527) = WA Bd. 17ᴵᴵ, S. 495 (Bd. 10ᴵᴵᴵ, S. 357, 2−6).
Fundorte: W¹ Bd. 11, 3198.   C 7.

125 [Bl. A 6ᵇ] Eyn anders.

Lieber HErr, durch deinen allerliebsten Son Jesum Christum bitt ich, du wöllest mir das und das geben; dann du bist mein GOtt und gnädiger Herr und Vatter, du must mir helffen und mich fromm machen.

Aus: Festpostille (1527) = WA Bd. 17^{II}, S. 367, 21—23; 368, 5 f.
Fundorte: B 615. W^1 Bd. 11, 2818 f.

126   [Bl. A 7^a] Kurtze Stoßgebetlein inn nöthen am besten.

Ach hilff uns, lieber Gott Vatter, Erbarm dich unser, lieber HERR Jesu Christe.

Duplikat zum Schluß von Gebet Nr. 386.

127   [Bl. A 7^a] Eyn anders.

O Domine, ecce hic tribulatio et angustia . . .
                              Das ist.
Lieber Gott, hie ist angst und Noth, ich stecke inn groser gefahr, jener mein mit-
bruder hat seine not, disem setzt der Teufel zu, die zeit wills nicht leiden nach-
zudencken, ob ich fromm oder wirdig sei, hilff mir jetz zu rechter zeit nach deinem wort.

Aus: In XV Psalmos graduum (1540) (deutsche Übersetzung) = WA Bd. 40^{III}, S. 24,
36—25, 15.
Fundorte: W^1 Bd. 4, 2403.   G IX, 1953.   C 8.

128   [Bl. A 7^a] Eyn anders.

Ach lieber Herre Gott, du bist mein lieber Vatter, von dir darf ich künlich alles
bitten; dann du kanst mir nichts versagen. So sagt mir auch mein Hertz, es soll
ja[1] sein, was ich bitten werde; so bitt ich nu, gib, das dein Name und wort bei
uns geheyliget werde, dagegen deß Teuffels Reich untergehe mit aller boßheit und
allem, was wider dein wort und willen ist.

Aus: Sommerpostille (1544) = WA Bd. 22, 282 App. (Bd. 17^I, S. 431, 18—20. 35—38.)
Fundorte: W^1 Bd. 12, 1156.   C 8.
1) gewiß (vgl. D. Wb. Bd. 4^{II}, Sp. 2193; auch o. Nr. 84 Anm. 2).

129   [Bl. A 7^b] Eyn anders.

HERR, da ist das Jamer[1] und unglück, das mich trucket und trenget, deß were
ich gern loß, so hastu gesagt: ‚Bittet, so werdet ir nemmen‛[2], das sind deine wort,
darauf komme ich und bitte.

Aus: Predigten über das 1. Buch Mose (zu 32, 9) (1527) = WA Bd. 24, S. 572, 20—22.
Fundorte: G IV, 723.   R 11.   W^1 Bd. 3, 764*.   C 8.
1) Während Luther durchgängig das Maskulinum verwendet (z. B. WA Bibel Bd. 8,
S. 180/181; Bd. 9^{II}, S. 48/49 [1. Mose 44, 34; 2. Kön. 13, 4]), stammt hier das ursprüng-
liche, aus der sächlichen Form des Adjektivs entstandene neutrale Substantiv von dem
Bearbeiter (Caspar Cruciger) dieses Luthertextes.   2) Joh. 16, 24.

130   [Bl. A 7ᵇ]   Gebett hat hertzlich verlangen nach der hülffe.

Lieber HErr Jesu Christe, mein begird ist so groß, das ichs mit worten nicht sagen kan, ich weyß nicht zu bitten; mein hertz sihestu, was soll ich mehr sagen, grösser ist mein leyd, dann mein klagen sein kan etc. Ich kan mir auch nit rahten mit meiner vernunfft und mich trösten mit meinem hertzen, das ist nue gar[1] dahin; on trost, on hilff, on raht ich nun bin; dann dein zorn, dein Hand und Pfeil sind über mich[2].

Aus: Die sieben Bußpsalmen (zu Ps. 38, 10 f.) (1517) = WA Bd. 1, S. 178, 31—33 und 179, 13—17.

Fundorte: W¹ Bd. 4, 2298 f.   C 8.   Ferner: Cubach'sches Gebetbuch, Ausgabe 1752, S. 957.

1) ganz.   2) Vgl. Ps. 38, 3.

131   [Bl. A 7ᵇ]   Eyn anders.

Mein GOtt, du wirst meine hoffnung nicht lasen, du wirst meinem beger wol antworten und gnug thun[1]; mir gebürt zu bitten und warten dein[2] und deiner gnaden, dein ists aber, das das du mich erhörest und meiner hoffnung gnug thust[1].

Aus: Die sieben Bußpsalmen (zu Ps. 38, 16) (1517) = WA Bd. 1, S. 181, 29—32.
Fundorte: R 17.   W¹ Bd. 4, 2303,   C 9.
1) Genüge tun, ... befriedigen.   2) deiner; zum Genitiv bei ,(er)warten' (wie mhd.) vgl. Dietz Bd. 1, S. 600; D. Wb. Bd. 3, Sp. 1044; Bd. 13, Sp. 2136. 2149 f.; Franke Bd. 3, S. 104 f.

132   [Bl. A 8ᵃ]   Gebet bittet, suchet, klopffet[1] und hält an[2].

Domine Deus adiuua me in hac calamitate ...
Das ist.
HErr Gott, hilff mir inn diser noht, erlöß uns von disem und anderm unglück, sihe doch, lieber himmlischer Vatter, wie du zu allen zeiten bei deinem volck ge-standen und demselben geholffen hast; ich will nicht ablassen, will nit auffhören zu klopffen[1], sonder will schreien und anklopffen biß zu ende meines lebens.

Aus: Genesisvorlesung (zu 25, 21) (1552) (deutsche Übersetzung) = WA Bd. 43, S. 380, 38—381, 3.
1) Vgl. Matth. 7, 7.   2) läßt nicht ab, bittet beständig; vgl. RN 30ᴵᴵᴵ, 206, 16.

133

= Gebet Nr. 84.

134   [Bl. A 8ᵇ]   Im Gebett soll man Gott seine güte auffs hertest fürhalten.

Thustu das, Herr, (das du uns nicht hilffest), so würstu deinem Namen eyn un-ehre und schmach auffthun[1], schone doch dein[2] selbst; was würde die Welt sagen, dan[3] das du eyn ungnädiger, greulicher Gott werest.

Aus: Predigten über das 1. Buch Mose (zu 18, 20 f.) (1527) = WA Bd. 24, S. 337, 31—338, 14.

Fundorte: V 537.   W¹ Bd. 3, 452.   C 10.

1) antun, zufügen.   2) deiner; s. u. Nr. 293 Anm. 1.   3) (anderes) als.

135   [Bl. A 8ᵇ] Wenn das hertz durch einen Spruch erwarmet ist, so knie nider oder stehe mit gefalten henden und augen gen Himel und sprich oder dencke, auffs kürtzest du kanst.

Ach himmlischer Vatter, du lieber GOtt, ich bin eyn unwürdiger, armer Sünder, nicht werth, das ich meine augen oder hende gegen dir auffhebe oder bette. Aber weil du uns allen gebotten hast zu betten und darzu auch erhörung verheyssen und über¹ dasselbeª uns beyde² wort und² weise gelehret durch deinen lieben Son, unsern Herren Jesum Christ, so komme ich auff solch dein Gebott, dir gehorsam zu sein, und verlasse mich auff deine gnädige verheyssung, und im Namen meines HErrn Jesu Christi bette ich mit allen deinen heyligen Christen auff Erden, wie er mich gelehret hat:

,Vatter unser, der du bist im Himmel,
Geheyliget werde dein Name,
Zukomme dein Reich³,
Dein wille geschehe wie im Himmel, also auch auff Erden,
Unser täglich Brot gib uns heute,
Und verlaß uns unser schulde, als wir verlassen unsern schuldigern³,
Und führe uns nicht inn versuchung,
Sondern erlöß uns von dem übel.'

Aus: Eine einfeltige Weise zu beten (1535) = WA Bd. 38, S. 360, 4—11.

Fundorte: B 33.   G IX, 1948.   R 14 und 146.   W¹ Bd. 10, 1688.   C 35.   Ferner: Gebete des Kurfürsten Johann Friedrich 1557, Bl. 37 (= Bibliographie II, 3). Neues christliches Betbüchlein (Magdeburg) 1587, S. 7 (= Bibliographie II, 8). Christliche Gebete (Weniger) 1597, Bl. 7 (= Bibliographie II, 9). Vgl. Schulz Nr. 1.

a) *das selbs* Luther.

1) über … hinaus.   2) sowohl … als auch.   3) Zu dieser Fassung des Vaterunsers vgl. WA Bd. 2, S. 86, 19. 25; s. auch u. Nr. 147 und 150.

136   [Bl. B 1ᵇ] Kurtz Gebettlin auff eyne jede Bitt im Vatter unser.
          Vorrede: Vatter unser, der du bist im himmel.

O Vatter unser, der du bist inn den Himmeln …

Aus: Auslegung deutsch des Vaterunsers (1519) = Betbüchlein (1522) = WA Bd. 2, S. 128, 4—6 = Bd. 10ᴵᴵ, S. 429, 10—12. Zu den Gebeten Nr. 136—173 vgl. auch den besonderen Abschnitt: Die Gebetsparaphrasen Luthers (s. u. S. 373 ff.).

137   [Bl. B 1ᵇ] Die Erste Bitt: Geheyliget werd dein Name.

O Vatter, wir erkennen unser schuld …

Aus: Auslegung deutsch des Vaterunsers (1519) = Betbüchlein (1522) = WA Bd. 2, S. 128, 11—17 = Bd. 10ᴵᴵ, S. 429, 19—25.

138   [Bl. B 2ᵃ]   Die ander Bitt: Dein Reich komme.

O Vater, das ist leyder war, wir empfinden . . .

Aus: Auslegung deutsch des Vaterunsers (1519) = Betbüchlein (1522) = WA Bd. 2, S. 128, 22—28 = Bd. 10ᴵᴵᴵ, S. 429, 31—430, 4.

139   [Bl. B 2ᵃ]   Die dritte Bitt: Dein will geschehe.

Das ist uns leyd, das wir dein heylsam hand . . .

Aus: Auslegung deutsch des Vaterunsers (1519) = Betbüchlein (1522) = WA Bd. 2, S. 128, 33—129, 2 = Bd. 10ᴵᴵ, S. 430, 11—18.

140   [Bl. B 2ᵃ]   Vierte Bitt: Unser täglich Brot gib uns heute.

Ach Vatter, es ist je war, niemand kan starck sein . . .

Aus: Auslegung deutsch des Vaterunsers (1519) = Betbüchlein (1522) = WA Bd. 2, S. 129, 9—20 = Bd. 10ᴵᴵ, S. 430, 26—431, 4.
1) ja.

141   [Bl. B 2ᵇ]   Fünfte bitt: Vergib unß unser schuld.

Ach Vatter, das laß dich erbarmen . . .

Aus: Auslegung deutsch des Vaterunsers (1519) = Betbüchlein (1522) = WA Bd. 2, S. 129, 25—33 = Bd. 10ᴵᴵ, S. 431, 10—18.

142   [Bl. B 3ᵃ]   Sechste Bitt: Führe uns nicht inn versuchung.

Schwach und kranck sind wir, o Vatter . . .

Aus: Auslegung deutsch des Vaterunsers (1519) = Betbüchlein (1522) = WA Bd. 2, S. 129, 37—130, 2 = Bd. 10ᴵᴵ, S. 431, 24—28.

143   [Bl. B 3ᵃ]   Sibend Bitt: Erlöse uns vom übel.

Dieweil dann das übel uns anfechtung gibt . . .

Aus: Auslegung deutsch des Vaterunsers (1519) = Betbüchlein (1522) = WA Bd. 2, S. 130, 7—13 = Bd. 10ᴵᴵ, S. 432, 3—9.

144   [Bl. B 3ᵇ]   Beschluß: Amen.

O Gott Vatter, dise ding, die ich gebetten hab . . .

Aus: Auslegung deutsch des Vaterunsers (1519) = WA Bd. 2, S. 127, 21—27: = Gebet Nr. 650.

145   [Bl. B 3ᵇ]   Eyn andere form, wie das Vatter unser zu betten. Vorrede und bereytunge, zu bitten die Sieben bitten von Gott.
Vatter unser, der du bist im Himel.

O allmechtiger Gott, dieweil du durch dein grundlose . . .

Aus: Eine kurze Form des Vaterunsers (1520) = Betbüchlein (1522) = WA Bd. 7, S. 220, 12—221, 14 = Bd. 10ᴵᴵ, S. 395, 14—396, 24.

146   [Bl. B 4ᵇ]   Die Erste Bitt: Geheyliget werde dein Name.

O allmechtiger Gott, lieber Himmlischer Vatter . . .

Aus: Eine kurze Form des Vaterunsers (1520) = Betbüchlein (1522) = WA Bd. 7, S. 221, 18—222, 18 = Bd. 10ᴵᴵ, S. 397, 4—398, 6.

147   [Bl. B 5ᵇ]   Die ander Bitt: Zu komme dein Reich.

Diß elend leben ist eyn Reich aller Sünde . . .

Aus: Eine kurze Form des Vaterunsers (1520) = Betbüchlein (1522) = WA Bd. 7, S. 222, 24—223, 28 = Bd. 10ᴵᴵ, S. 398, 12—399, 23.
Fundorte: Der Abschnitt Bd. 7, S. 222, 28—223, 2 findet sich als Kollektengebet in: A. Döbers Nürnberger Messe 1525 (Sehling Bd. 11, S. 52 und 56) und in der Lüneburger KO 1564 (Sehling Bd. 6ᴵ, S. 572). Das Gebet ging in den Kollektenzyklus der luth. Agenden über. Vgl. Schulz Nr. 55.

148   [Bl. B 6ᵇ]   Die drite Bitt: Dein will geschehe als im himmel und auf erden.

Unser will gegen deinem willen geachtet . . .

Aus: Eine kurze Form des Vaterunsers (1520) = Betbüchlein (1522) = WA Bd. 7, S. 224, 4—225, 14 = Bd. 10ᴵᴵ, S. 400, 4—401, 19; vgl. Gebet Nr. 758.

149   [Bl. B 8ᵃ]   Die vierte Bitt: Unser täglich Brot gib uns heut.

Das brot ist unser Herr Jesus Christus . . .

Aus: Eine kurze Form des Vaterunsers (1520) = Betbüchlein (1522) = WA Bd. 7, S. 225, 20—226, 14 = Bd. 10ᴵᴵ, S. 401, 24—402, 23; S. 403, Anm.; S. 403, 1—3; vgl. Gebet Nr. 651.

150   [Bl. C 1ᵃ] Die fünffte Bitt: Und verlaß uns unser schuld, als wir verlassen unsern schuldigern.

O Vatter, tröste uns unser gewissen . . .

Aus: Eine kurze Form des Vaterunsers (1520) = Betbüchlein (1522) = WA Bd. 7, S. 227, 1—23 = Bd. 10ᴵᴵ, S. 404, 1—405, 1: Vgl. Gebet Nr. 648.

151   [Bl. C 2ᵃ] Die sechste Bitt: Und nicht einfüre uns inn versuchunge.

Drei versuchung oder anfechtung haben wir . . .

Aus: Eine kurze Form des Vaterunsers (1520) = Betbüchlein (1522) = WA Bd. 7, S. 227, 29—229, 5 = Bd. 10ᴵᴵ, S. 405, 6—406, 13.

152   [Bl. C 3ᵃ] Die sibende Bitte: Sondern erlöse uns von dem übel.

Erlöse uns, o Vatter, von deinem ewigen zorn . . .

Aus: Eine kurze Form des Vaterunsers (1520) = Betbüchlein (1522) = WA Bd. 7, S. 229, 10—17 = Bd. 10ᴵᴵ, S. 406, 18—407, 7.

153   [Bl. C 3ᵇ] Das Vatter unser Gebett weise.

Ach Gott Vatter im Himel, du woltest uns . . .

Aus: Deutsche Messe (1526) = WA Bd. 19, S. 95, 26—96, 6.

154   [Bl. C 4ᵃ] Kurtze außlegung der Siben Bitte im Vatter unser.

Du bist unser Vatter, und wilt deine ehre . . .

Aus: Wochenpredigten über Matthäus 5—7 (zu 6, 7—13) (1532) = WA Bd. 32, S. 420, 21—421, 18.

155   [Bl. C 5ᵇ] Eyn eynfaltige weise, das Vatter unser zu betten.
                    Geheyliget werd dein Name.

Ach ja herr Gott lieber Vatter, heylige doch deinen Namen . . .

Aus: Eine einfältige Weise zu beten (1535) = WA Bd. 38, S. 360, 14—28; vgl. Gebet Nr. 768.

156   [Bl. C 6ᵃ] Dein Reich komme.

Ach lieber Herr Gott Vatter, du sihest, wie nicht alleyne . . .

Aus: Eine einfältige Weise zu beten (1535) = WA Bd. 38, S. 360, 29—361, 5; vgl. Gebet Nr. 769.

157   [Bl. C 6ᵇ] Dein will geschehe wie im Himmel, also auch auff Erden.

Ach lieber Herr Gott Vatter, du weyssest, wie die Welt ...

Aus: Eine einfältige Weise zu beten (1535) = WA Bd. 38, S. 361, 7—20; vgl. Gebet Nr. 770.

158   [Bl. C 7ᵃ] Unser täglich brot gib uns heut.

Ach lieber Herr Gott Vatter, gib auch deinen Segen ...

Aus: Eine einfältige Weise zu beten (1535) = WA Bd. 38, S. 361, 22—35.

159   [Bl. C 7ᵇ] Vergib uns unser schuld, als wir vergeben unsern schuldigern.

Ach lieber Herre Gott Vatter, gehe nit mit uns ...

Aus: Eine einfältige Weise zu beten (1535) = WA Bd. 38, S. 361, 37—362, 8.

160   [Bl. C 7ᵇ] Und füre uns nicht inn versuchung.

Ach lieber Herr Gott Vatter, erhalt uns wacker[1] und frisch ...

Aus: Eine einfältige Weise zu beten (1535) = WA Bd. 38, S. 362, 12—19.
1) munter.

161   [Bl. C 8ᵃ] Sondern erlöse uns von dem bösen.

Ach lieber Herr Gott Vatter, es ist doch dises elende leben ...

Aus: Eine einfältige Weise zu beten (1535) = WA Bd. 38, S. 362, 21—29: = Gebet Nr. 653.

162   [Bl. C 8ᵇ] Volgen die zehen Gebott.
            Das Erste Gebot: Du solt nicht ander Götter haben neben mir.

Ewiger Gott, du lehrest und fodderst von mir ...

Aus: Eine einfältige Weise zu beten (1535) = WA Bd. 38, S. 365, 6—27.

163   [Bl. D 1ᵇ] Das ander Gebott: Du solt den Namen deß Herren deines Gottes nicht mißbrauchen.

Hie lehrest du mich, lieber Gott, das ich deinen Namen ...

Aus: Eine einfältige Weise zu beten (1535) = WA Bd. 38, S. 365, 30—366, 9.

164   [Bl. D 2ᵃ]   Das dritte Gebott: Gedenck, das du den Feiertag heiligest.

Hierinnen lehrest du mich, lieber Gott, erstlich . . .

Aus: Eine einfältige Weise zu beten (1535) = WA Bd. 38, S. 366, 17–367, 14; vgl. Gebet Nr. 746.

165   [Bl. D 3ᵃ]   Das vierte Gebott: Du solt deine Vatter und deine Muter ehren.

Hie lehrne ich erstlich, dich Gott, meinen Schöpffer . . .

Aus: Eine einfältige Weise zu beten (1535) = WA Bd. 38, S. 367, 16–368, 34.

166   [Bl. D 5ᵃ]   Das fünffte Gebott: Du solt nicht töden.

Hie lehrest du mich erstlich, das du, lieber Gott . . .

Aus: Eine einfältige Weise zu beten (1535) = WA Bd. 38, S. 368, 35–369, 35.

167   [Bl. D 6ᵃ]   Das sechste Gebott: Du solt nicht Ehebrechen.

Hie lerest du mich abermal, lieber Gott . . .

Aus: Eine einfältige Weise zu beten (1535) = WA Bd. 38, S. 369, 36–370, 34.

168   [Bl. D 7ᵃ]   Das sibente Gebott: Du solt nicht stälen.

Erstlich lehrest du mich, lieber Gott, ich soll . . .

Aus: Eine einfältige Weise zu beten (1535) = WA Bd. 38, S. 371, 11–372, 2.

169   [Bl. D 8ᵃ]   Das achte Gebott: Du solt nicht falsch zeugnuß reden wider deinen Nächsten.

Hie lehrest du uns, lieber Vatter, erstlich wahrhaftig . . .

Aus: Eine einfältige Weise zu beten (1535) = WA Bd. 38, S. 372, 3–15.

170   [Bl. D 8ᵇ]   Das neunte und zehend Gebott: Du solt nicht begeren deines Nächsten hauß, item seines weibes.

Hie lehrest du uns erstlich, lieber Gott, wie wir . . .

Aus: Eine einfältige Weise zu beten (1535) = WA Bd. 38, S. 372, 18–25.

171   [Bl. E 1ᵃ]   Der Christlich Glaube. Der Erste Artickel von der Schöpfung.

Hie lerest du mich, ewiger Gott, mit kurzen wortten . . .

Aus: Eine einfältige Weise zu beten (1535) = WA Bd. 38, S. 373, 18−28. 33−374, 7; vgl. Gebet Nr. 714.

172   [Bl. E 1ᵇ]   Der ander Artikel von der Erlösung.

Hie lerest du mich, lieber Gott, wie wir durch Christum ...

Aus: Eine einfältige Weise zu beten (1535) = WA Bd. 38, S. 374, 11−28.

173   [Bl. E 2ᵃ]   Der dritt Artikel von der Heyligung.

Hiemit lerest du mich, lieber Gott und Vatter, wo ...

Aus: Eine einfältige Weise zu beten (1535) = WA Bd. 38, S. 374, 31−375, 8.

174   [Bl. E 2ᵇ]   Das Vatterunser mit einem Paternösterlichen fluch.

Geheiliget und geehret werde dein Name, geschendet und verfluchet werde deß Papsts Name sammt seinem Gott, dem Teuffel, dein Reich komme, zu grund gehe deß Antichrists Reich.

Aus: Vorrede zum Ratschlag etlicher Kardinäle (1538) = WA Bd. 50, S. 291, 4−7.
Fundort: W¹ Bd. 16, 2398.

175   [Bl. E 2ᵇ]   Eyn Gebetlein Lutheri an all drei Personen der
heyligen Dreyfeltigkeyt.

Ach GOtt Vatter, gib uns gnediglich, was zu leib und leben gehöret. Ach du son GOTtes, hilff uns von sünden, sei uns gnedig und gib uns deinen Geyst. Ach GOtt heiliger Geyst, heile, tröste und stercke uns wider den Teuffel und gib uns entlich[1] den sieg und die Aufferweckung vom Tode.

Aus: Der Segen, den man nach der Messe spricht (1532) = WA Bd. 30ᴵᴵᴵ, S. 581, 37.
40 und 582, 3−8.
Fundorte: B 305.   R 86.   W¹ Bd. 3, 2015.   C 62.
1) am Ende.

176   [Bl. E 3ᵃ]   Ein täglich Gebet Doctoris Martini Lutheri.

Ich dancke dir, mein Herr, Himmlischer Vatter, für alle deine wolthat, die du mir erzeigt hast, das du mich geschaffen hast zu eynem vernünfftigen Menschen und hast mich erlöset durch das unschuldige Blut deines lieben Sohns, meines lieben HERren und heylandes Jesu Christi; ich bitte dich, mein lieber Vatter, verleihe mir deine gnade, dein heyliges wort wol zu lernen, Christlich darnach zu leben und selig zu sterben durch Jesum Christum, deinen lieben Son, unsern HERREN.

Aus: Ein Büchlein für die christlichen Kinder (Zwickau 1528) (WA fehlt). Vgl. Gebet
Nr. 32.

Fundorte: B 180.   V 576.

177   [Bl. E 3b]   Gebettlin umb Gottes wort und Erkantnuß Göttliches willens sampt
gebürlicher dancksagung für dasselbige.

Lieber Herre Gott, hilff uns zum erkantnuß[1] CHristi nach aller deiner barmhertzigkeyt und sende inn die Welt die stimme Johannis mit vil Schaaren der
Evangelisten.

Aus: Adventspostille (1522) = WA Bd. 10I, 2, S. 207, 24–208, 2.

Fundorte: R 197.   W1 Bd. 11, 161.   C 63.

1) Von Luther (wie mhd.) unterschiedslos teils noch als Neutrum, teils auch als Femininum (z. B. u. Nr. 193) gebraucht; vgl. Dietz Bd. 1, S. 575 f.; RN 30II, 491, 5.

178   [Bl. E 3b]   Eyn anders.

Lieber Vatter, wir bitten, gib uns erstlich dein wort, das daß Evangelium rechtschaffen[1] durch die Welt gepredigt werde, zum andern[2], das es auch durch den
Glauben angenommen werde, inn uns würcke und lebe, das also dein Reich unter
uns geht durch das Wort und krafft deß Heyligen Geystes und deß Teuffels
Reich nidergelegt werde, das er keyn Reich noch Gewalt über uns habe, so lang
biß es entlich gar[3] zerstöret, die Sünde, Tod und Helle vertilget werde, das wir
ewig leben inn voller gerechtigkeyt und seligkeyt.

Aus: Großer Katechismus (1529) = WA Bd. 30I, S. 200, 30–36.

Fundorte: M 11.   B 649.   V 576.   W1 Bd. 10, 135.   C 62.

1) richtig; s. u. Nr. 290 Anm. 3.   2) zweitens.   3) ganz, völlig.

179   [Bl. E 4a]   Eyn anders.

Ach GOTT und Vatter aller armen Seelen, gib uns allen deine gnade und erleuchte
uns mit deiner warheyt.

Duplikat zu Gebet Nr. 182.

180   [Bl. E 4a]   Eyn anders.

O lieber GOtt, schicke uns dein lebendiges Wort zu und stelle deinen zorn ab,
das wir nicht mehr also hangen an der Menschen gericht, ‚Gib uns unser täglich
brot‘, Verleihe uns rechte Evangelische Prediger, die sich nicht förchten für den
Wölffen[1], die warheyt zu sagen.

Aus: Sermon von dem Reich Christi und Herodis (1521) = WA Bd. 7, S. 244, 20–24.

Fundort: W1 Bd. 12, 1473.

1) Vgl. Joh. 10, 12.

181   [Bl. E 4ᵃ]   Eyn anders.

Ewiger Gott und Vatter unsers Herren Jesu Christi, verleihe uns deine gnade
das wir die Heylige Schrifft wol und fleissig studieren und CHristum drinnen suchen und finden und durch in das ewige Leben haben, deß[a][1] hilff uns lieber GOtt
mit gnaden.

Aus: Predigt vom 6. August 1545 (1546) = WA Bd. 51, S. 11, 8—10.
Fundorte: M 12.   O/Anh. 308.   R 87.   W¹ Bd. 7, 1887*.   K 205.   Vgl. Schulz
Nr. 19.
a) *das* Luther.
1) dazu; zum Genitiv vgl. Franke Bd. 3, S. 103.

182   [Bl. E 4ᵇ]   Eyn ander Gebet zu Gott dem Vatter umb erleuchtung.

O Gott, Vatter aller armen elenden Seelen, gib uns allen deine gnade und erleuchte uns mit deiner warheyt, dir sei lob, ehr und danck inn ewigkeyt.

Aus: An Landgraf Philipp von Hessen vom 20. Juni 1530 (1557) = WA Br. Bd. 5,
S. 332, 94—96 (Nr. 1573) (vgl. Bd. 13, S. 134). Vgl. Gebet Nr. 179 (Duplikat).
Fundorte: R 196.   K 73.

183   [Bl. E 4ᵇ]   Eyn anders.

O Himlischer Vatter, dieweil deinen willen niemand leiden mag[1] und wir zu
schwach sind, das wir unsers willens und alten Adams[2] tödung dulden, bitten wir,
du wöllest uns speisen, stercken und trösten mit deinem heyligen wort und deine
gnade geben, das wir das Himlische Brot Jesum Christum durch die gantze welt
hören predigen und hertzlich erkennen mögen[3], das doch auffhöreten schädliche,
ketzerische, Irdische und alle Menschliche lere und also alleyne dein wort, das warlich unser lebendiges Brot ist, außgeteilet werde.

Aus: Auslegung deutsch des Vaterunsers (1519) = WA Bd. 2, S. 115, 19—26.
Fundorte: W¹ Bd. 7, 1151.   K 197.
1) kann.   2) sterblichen, sündigen Leibes; vgl. RN 48, 14 (Nr. 16), 3.   3) können.

184   [Bl. E 4ᵇ]   Gebett zu GOTT dem Son umb erleuchtung.

O *Dulcis Dux et Lux nostra Iesu Christe* ...
                              Das ist.
Ach du süsser Hertzog Jesu Christe, der du unser liecht bist, erleuchte und
stärcke unsere hertzen in deiner eygen krafft durch dein Heilsam wort zum
ewigen leben, ,dein ist die krafft und herligkeyt in ewigkeyt‘.

Aus: De votis monasticis (1521) (deutsche Übersetzung) = WA Bd. 8, S. 669, 15—17.
Fundorte: B 722.   R 196.   W¹ Bd. 19, 2042.

185   [Bl. E 5ª]   Eyn anders.

Lieber HERR, ich kan dich leyder nicht recht in mein hertz bilden[1], darumb
hilff doch und gib, das ich dich recht möge kennen und dein bilde werden[2].

Aus: Predigt vom 18. Juni 1534 (1535) = WA Bd. 37, S. 459, 29—31.
Fundorte: G VI, 615.   R 197.   W¹ Bd. 12, 1563.
1) einprägen; die gleiche Wendung auch WA Bd. 32, S. 45, 2.   2) Vgl. 2. Kor. 3, 18.

186   [Bl. E 5ª]   Eyn hertzlich Gebett.

Lieber Gott, du sprichst durch deinen lieben Son, ‚selig sein die, so dein wort
hören‘[1], wie vil billicher were es, das wir dich, O ewiger barmhertziger Vatter,
ohn unterlaß mit frölichem hertzen selig preiseten, dir danckten und lobten, das
du dich so freundlich, ja Vätterlich gegen uns armen würmlein erzeigest und mit
uns von der grösten und höchsten sache, nemlich vom ewigen leben und seeligkeit,
redest, gleichwol unterlesest du es nit, uns freundlich zu locken durch deinen Son,
dein wort zu hören, da er spricht: ‚Seelig sind, die GOTtes wort hören und behalten‘[1], als köntest du unsers gehörs nicht empären und wir, die ‚Erde und
Aeschen‘[2] sind, nicht viel tausentmal mehr deines seeligen Worts bedörffen. O wie
unaußsprechlich groß und wundersam ist deine Güte und gedult, widerumb ach
und wehe über die undanckbarkeyt und starrblindigheyt[3] deren, die dein Wort
nicht alleyne nicht hören wollen, sondern es auch mutwilliglich verachten, verfolgen und lästern.

Aus: Bucheinzeichnung (zu Luk. 11, 28) (1547) = WA Bd. 48, S. 127, 2—14 (Nr. 171a).
Fundorte: M 13.   V 577.   R 198.   W¹ Bd. 9, 1409*.   K 204.   C 73.
1) Luk. 11, 28.   2) 1. Mose 18, 27 (seit 1534; vgl. WA Bibel Bd. 8, S. 83); „aesche"
(wie mhd.) Nebenform zu ‚asche‘ (Dietz Bd. 1, S. 120).   3) Blindheit (bei offenen,
„starrenden" Augen [daher: Star]); vgl. D. Wb. Bd. 10ᴵᴵ, ¹, Sp. 267.

187   [Bl. E 5ᵇ]   Gebettlin zu Gott dem Vatter umb fortsetzung Göttliches worts.

Domine Deus, qui in nobis coepisti ...

Das ist.

HERre Gott, der du inn uns angefangen hast[1], unsere hertzen zu erwecken, das
wir den Schatz deines worts begeren, bitten und darnach verlangen tragen, Erfülle und vollbringe unsern wunsch und begird im werck und mit voller that[2]
zu lob und ehren deiner gnaden und deines lieben Evangelij, dir sei lob inn alle
ewigkeyt.

Aus: De instituendis ministris Ecclesiae (1523) (deutsche Übersetzung) = WA Bd. 12,
S. 169, 14—17.
Fundorte: V 578.   W¹ Bd. 10, 1814.
1) Vgl. Phil. 1, 6.   2) Lat. Vorlage: „opere plenissimo et copiosissimo".

188   [Bl. E 6ᵃ]   Eyn anders.

Lieber Herre Gott, fahre gnädiglich fort und gib gedeien, das unsere hertzen
fürter erleuchtet und geführet werden inn alle vollkommenheyt der Gnaden und
Erkantnuß Christi, der du bist gelobet und gebenedeiet inn ewigkeyt.

Aus: An die Böhmischen Landstände (1522) (deutsche Übersetzung) = WA Bd. 10ᴵᴵ,
S. 174, 20—22.
Fundort: W¹ Bd. 21, 25.

189   [Bl. E 6ᵃ]   Gebett zu Gott dem Sone umb vollziehung Göttlicher erkantnuß.

Lieber Herr Jesu Christe, bereyte, stärcke und befestige uns vollend zu deinem
ewigen Reich mit aller fülle deiner Weißheyt und erkantnuß, dir sei lob und
danck inn ewigkeyt.

Aus: An die Christen in Riga, Reval und Dorpat (1523) = WA Bd. 12, S. 150, 9—12.
Fundorte: R 203.   W¹ Bd. 10, 2069.

190   [Bl. E 6ᵃ]   Dancksagung für das bescherte Wort GOttes.

O GOTT Vatter aller barmhertzigkeit[1], wir dancken dir höchlich und alle zeit,
das du uns nach dem uberschwenglichen Reichtumb deiner gnaden[2] hast bracht zu
dem schatz deines worts, darinnen wir haben erkantnuß deines lieben Sons, das
ist eyn sicher pfand unsers lebens und seligkeyt, die im Himel zukönfftig ist und
bereytet allen, die inn reynem glauben und brünstiger liebe[3] bestendiglich ans ende
beharren, wie wir dann hoffen und bitten, du werdest uns barmhertziger Vatter,
erhalten und volkommen machen mit allen ausserweleten in eynem sinne zu
gleichem bild[4] deines lieben Sons Jesu Christi, unsers Herrn.

Aus: An die Christen in Livland (1525) = WA Bd. 18, S. 417, 4—15.
Fundorte: M 14.   O/Anh. 308.   V 578.   R 203.   W¹ Bd. 10, 286*.   C 74.
1) 2. Kor. 1, 3.   2) Eph. 2, 7.   3) 1. Petr. 4, 8.   4) Vgl. Röm. 8, 29;
2. Kor. 3, 18.

191   [Bl. E 6ᵇ]   Eyn andere dancksagung.

Lieber Gott und Vatter, wir loben und dancken dir billich[1] für dise deine unaußsprechliche barmhertzigkeit, das du uns auß deß Teufels Reich, darinnen wir alle
samt gefangen waren und durch unser eygen kraffte darauß nit konten ledig
werden, durch deinen lieben Son erlöset hast.

Aus: Galaterbriefkommentar (1535) (deutsche Übersetzung) = WA Bd. 40ᴵ, S. 97,
15—17.
Fundorte: R 206.   W¹ Bd. 8, 1627; Bd. 9, 405.   C 63.
1) mit Recht.

192   [Bl. E 6ᵇ]   Eyn andere.

Lieber GOtt, gib gnade, das wir auch wie David, Paulus und andere Heyligen unsern Schatz, der eben derselbig ist, den sie gehabt haben, so gros achten und uber alle Güter auff erden haben[1] und dir von hertzen dafur dancken, das du uns für andern vil tausent damit verehret hast; dann du hettest uns eben so wol mögen[2] in der Irre lassen lauffen als Türcken, Tattern[3], Juden und andere abgöttische, die von dem Schatz nichts wissen, oder verstockt lassen bleiben wie die Papisten, die disen unsern Schatz lestern und verdammen; das du uns aber in deine ‚grüne Aue‘ gesetzet und so reichlich mit guter weyde und ‚frischem Wasser‘ versorget hast[4], ist eitel gnade, darumb wir dir desto mehr zu dancken haben.

Aus: Der 23. Psalm über Tisch ausgelegt (1536) = WA Bd. 51, S. 280, 20—29.
Fundorte: V 578.   R 205.   W¹ Bd. 5, 396*.   C 74.
1) halten, wertschätzen.   2) können.   3) Tataren.   4) Ps. 23, 2.

193   [Bl. E 7ᵃ]   Für die Nachkomen.

Lieber Gott, gib, das die armen Seelen, die noch herzu kommen sollen, durchs Evangelium erleuchtet und wir sampt inen gesterckt werden in der erkantnuß unsers Herren Jesu Christi, welchem sei lob, danck und preiß in ewigkeyt.

Aus: Von beider Gestalt des Sakraments zu nehmen (1522) = WA Bd. 10ᴵᴵ, S. 14, 3—6.
Fundort: W¹ Bd. 20, 104.

194   [Bl. E 7ᵃ]   Umb die gnade deß H[eiligen] Geystes.

Lieber Gott, gib uns den H[eiligen] Geyst, der das gehörte wort inn unser hertzen schreibe[1], also das wirs annemmen, glauben und uns deß inn ewigkeyt freuen und trösten mögen.

Aus: Predigt vom 6. Januar 1546 (1546) (im Anschluß an 2. Kor. 3, 2 f.) = WA Bd. 51, S. 117, 35—37.
Fundorte: M 15.   O/Anh. 309.   V 579.   W¹ Bd. 12, 1497.   C 75.
1) Vgl. 2. Kor. 3, 2 f.

195   [Bl. E 7ᵃ]   Eyn anders.

Lieber Gott, verklere dein wort inn unsern hertzen durch deinen heiligen Geyst und mache es so liecht und heyß, das wir trost und freude davon empfinden.

Aus: Hauspostille (1559) = E. A². Bd. 5, S. 223, 3—6 = (WA Bd. 37, S. 409, 12; vgl. Bd. 52, S. 326, 11—14).
Fundorte: M 16.   O/Anh. 310.   W¹ Bd. 13, 1452.   C 75.   Vgl. Schulz Nr. 61.

196   [Bl. E 7ᵃ]   Eyn anders.

HERR Gott, lieber Vatter, der du deiner glaubigen hertzen durch deinen H[eiligen] Geist erleuchtet und gelehret hast, gib uns, das wir auch durch denselbigen Geyst rechten verstand haben und zu aller zeit seines trosts und krafft uns freuen durch denselbigen deinen Son Jesum Christum, unsern HERRN.

Aus: Wittenberger Gesangbuch 1543 (J. Klug) (zu: Nun bitten wir den heiligen Geist) = WA Bd. 35, S. 554. Vgl. Gebet Nr. 16.

Fundorte: R 234. W¹ Bd. 10, 1738. C 70 und 75. K 207.

197 [Bl. E 7b] Eyn anders.

Aeterne pater domini nostri IESU Christi, dona mihi ...
Das ist.

Ewiger Gott, eyn Vatter unsers Herrn Jesu Christi, gib mir deinen H[eiligen] Geyst, der in mir entzünde eynen rechten waren glauben, mich regiere, stercke und gründe[1]. O du Son deß ewigen Vatters Jesu CHRiste, schencke mir deinen Heyl[igen] Geyst.

Aus: Praelectiones in Joel (zu 3, 1 f.) (1547) = E. A. op. exeget. lat. Bd. 25, S. 237, 18—22 (deutsche Übersetzung). WA fehlt.
Fundorte: B 660. R 200. W¹ Bd. 6, 2325*. K 190.
1) stütze.

198 [Bl. E 7b] Eyn anders.

Lieber Gott und Vatter aller barmhertzigkeyt[1], verleihe uns deinen H[eiligen] Geyst, der uns erwecke und vermane, mit ernst zu suchen deine ehre und mit aller andacht, deß hertzens zu dancken für alle deine unzälige, unaußsprechliche güter und gaben[2] durch Jesum Christum, unsern Herrn und Heyland, dem sei lob und danck, ehr und preiß in ewigkeyt.

Aus: Vermahnung zum Sakrament des Leibes und Blutes Christi (1530) = WA Bd. 30II, S. 626, 13—18.
Fundorte: R 201. W¹ Bd. 10, 2717.
1) 2. Kor. 1, 3.   2) Vgl. 2. Kor. 9, 15.

199 [Bl. E 8a] Eyn anders.

Allmächtiger Gott, der du bist eyn beschützer aller, die auff dich hoffen, Ohn welches gnade niemand ichts[1] vermag noch etwas für dir gilt, laß deine barmhertzigkeyt uns reichlich widerfaren, auff das wir durch dein heyliges angeben dencken, was recht ist, und durch deine würckung auch dasselbige volbringen umb Jesu Christi, deines Sons unsers HERRN, willen.

Aus: Deutsche Messe (1526) = WA Bd. 35, S. 249; Bd. 19, S. 86, 15—87, 2 (Bd. 35, 557). Vgl. Gebet Nr. 1.
Fundorte: B 18. R 195. W¹ Bd. 10, 1758. K 192. C 75. Ferner: Betbüchlein für allerlei gemein Anliegen 1543, Bl. B 1a, jedoch in Ich—Form (= Bibliographie II, 2).
1) irgendetwas; RN 32, 122, 35.

200   [Bl. E 8ᵃ]   Eyn anders.

Lieber HERR Christe, gib uns deinen Geyst und gaben nit zu unserm Rhum, sondern zu nutz und besserung der Christenheyt, dazu auch alleyne der Geyst gegeben wird, wie Sanct Paulus spricht 1. Cor. 12: ,auff das es gleich und recht außgeteilet werde'[1], nemlich uns schand und scham für unser sünd und untugent, dir aber lob und ehr, lieb und danck für deine unaußsprechliche gnade und gaben[2] in ewigkeyt.

Aus: Der Prophet Sacharja ausgelegt (1527) = WA Bd. 23, S. 487, 12—17.
Fundorte: V 579.   R 202.   W¹ Bd. 6, 3297*.   K 200.   C 64.
1) 1. Kor. 12, 11.   2) Vgl. 2. Kor. 9, 14 f.

201   [Bl. E 8ᵃ]   Eyn anders.

Lieber HERR CHRiste, der du mein hertz mit deiner warheit erleuchtet hast, wöllest mir auch deinen H[eiligen] Geyst und krafft geben, zu thun und zu lassen, was deinem gnedigen willen wolgefellet.

Aus: An die Grafen Schlick vom 9. Okt. 1532 (1557) = WA Br. Bd. 6, S. 373, 18—21 (Nr. 1965).
Fundorte: M 17.   O/Anh. 310.   V 580.   R 202.   W¹ Bd. 20, 2099.   C 75.

202   [Bl. E 8ᵇ]   Klag über eygen blindheyt und unvermügen.

O HERRE Gott, was sind wir, wann du fallen lest? was machen wir, wann du die hand abthust, was können wir, wann du nimmer leuchtest? Ist das der freie will und sein Vermügen, das so bald auß dem gelerten eyn kind, aus dem klugen eyn Narr, auß dem weisen eyn wahnsinniger wird, wie schrecklich bist du in allen deinen wercken und gerichten etc.; laß uns wandeln im liecht, weil[1] wirs haben, das uns die finsterniß auch nicht ergreiffen[2].

Aus: Wider die himmlischen Propheten (1525) = WA Bd. 18, S. 112, 2—8.
Fundorte: R 211.   W¹ Bd. 20, 249.   C 76.
1) solange.   2) Joh. 12, 35.

203   [Bl. E 8ᵇ]   Gebettlein umb beständigkeyt.

Lieber GOtt, gib gnade, das wir dein teures wort mit dancksagung annemmen, im erkentniß[1] und glauben deines Sons, unsers Herren Jesu Christi, zunemmen und wachsen, inn bekentniß seines seligen worts bestendiglich bleiben biß ans ende.

Aus: Predigt am 15. Febr. 1546 (1546) = E. A². Bd. 20ᴵᴵ, S. 572 Anm. 46 (am Schluß hinter WA Bd. 51, S. 194, 37 aus Jen. 8 [1558] Bl. 340ᵃ [= Treuers Vorlage]).
Fundorte: M 18.   O/Anh. 310.   B 773.   W¹ Bd. 12, 1653.
1) S. o. Nr. 177 Anm. 1.

204   [Bl. F 1ª]   Eyn anders umb bestendigkeyt.

O Vatter aller barmhertzigkeyt[1], der du dein werck bei uns angefangen hast[2], wöllest uns weiter begaben mit allerley fülle der Weißheyt und erkantnuß, das wir gewiß werden inn unsern Hertzen und vollig erkennen, wie der Geyst, der unsern Herren aufferwecket hat, auch mit gleicher Macht und krafft inn uns wircke an unserm Glauben, dadurch auch wir von den Toden aufferstanden sind nach seiner Allmechtigen stärcke, die inn uns würcket durch dein heyliges wort, und gib uns die liebe, eynander zu dienen und ,eynes sinnes zu sein inn Christo, unserm Herrn'[3], das wir uns nicht förchten für dem widerwärtigen[4], für dem grimm deß Brandschwantz[a], der noch eyn wenig raucht[5] und nu an sein ende kommen ist, dem wollest du, lieber Vatter, wehren, das seine list nicht statt finde an unserm reynen glauben, sondern stärcke uns, das unser Creutz und leiden gerahte zur seligen und festen hoffnung der zukonfft[6] unsers Heylands Jesu CHRisti, deß wir täglich warten[7].

Aus: Epistel oder Unterricht von den Heiligen (1522) = WA Bd. 10ᴵᴵ, S. 164, 15—165, 12. Vgl. Gebet Nr. 687 [B] (dort mit Zusatz [A]).
    Fundorte: R 383 z. T. und 213.   W¹ Bd. 19, 1194.
    a) *Brandschwartz* Druckf.
    1) 2. Kor. 1, 3.   2) Vgl. Phil. 1, 6.   3) Phil. 4, 2 (seit 1530; vgl. WA Bibel Bd. 7, S. 223).   4) Widersacher; vgl. RN 48, 217 (Nr. 289), 7.   5) Jes. 7, 4. Anders als in der Bibel (*„rauchende lesschbrende"* [WA Bibel Bd. 2, S. 8 (1527)]) übersetzte Luther hier (Juli 1522) wohl in stärkerer Anlehnung an Vg (*„caudae titionum fumigantium"*), ebenso auch in WA Briefe Bd. 2, S. 403, 35; 444, 13; 479, 27; Bd. 3, S. 28, 37 (1521/23). Das Wort *„brandschwantz"* ist sonst nicht belegt; gemeint ist ein ,abgebrannter Stummel'.   6) Ankunft.   7) S. o. Nr. 131 Anm. 2.

205   [Bl. F 1ª]   Eyn anders.

Sihe, Herr, hie ist eyn lähr Faß, das bedarff wol, das man es fülle, Mein Herr, fülle es, ich bin schwach im glauben, stärcke mich, ich bin kalt inn der liebe, wärme[a] mich und mache mich hitzig, das meine liebe herauß flisse auff meinen Nechsten; ich habe nicht eynen festen starcken glauben, ich zweifele zu zeiten und kan dir nicht gäntzlich vertrauen. Ach Herr, hilff mir, mehre mir meinen glauben und vertrauen, inn dich habe ich den schatz aller meiner güter verschlossen, ich bin arm, du bist reich und bist kommen, dich der armen zu erbarmen, ich bin ein sünder, du bist gerecht. Hie bei mir ist der fluß der Sünde[1], inn dir aber ist die Fülle der gerechtigkeyt etc.; darumb bleibe ich bei dir, von welchem ich nemmen kan, nicht dem ich geben darf.

Aus: Sommerpostille (zu Matth. 9, 20—22) (1526) = WA Bd. 10ᴵ, ², S. 438, 17—25. 29 f.
    Fundorte: V 580.   W¹ Bd. 11, 2465.   C 76.   Vgl. Schulz Nr. 60.
    a) *warne* Druckf.
    1) Anspielung auf Matth. 9, 20.

206   [Bl. F 1ᵇ] Eyn anders.

HERR Gott, Vatter aller gaben und stärcke, bestetige und stärcke uns gnediglich inn deinemᵃ angefangenem wercke[1] durch deinen Heyl[igen] Geyst, auff das der Satan durch keyne list noch gewalt uns schweche noch müde mache, dein wort und reich zu verlassen; dann es ist itzt ferliche zeit, weil vil durch die rotten geyster[2] verfüret werden und vil auch abfallen, vil werden der gnaden Gottes überdrüssig und kalt, das sie, vom Satan mit list betrogen, sich duncken lassen, sie sein satt[3], können nue alles und hab keyn noht, werden also faul und undanckbar und bald hernach erger dann vorhin etc.; darumb laß du uns bleiben inn der brunst deß glaubens, das wir drinnen täglich zunemmen inn Christo Jesu, unserm rechten und eynigen helffer.

Aus: An N. N. vom 19. August 1532 (1557) = WA Br. Bd. 6, S. 349, 8—20 (Nr. 1953 A).
Fundorte: V 581.   R 214.   W¹ Bd. 21, 347.   C 76.
a) *deinen* Druckf.
1) Vgl. Phil. 1, 6.   2) Schwärmer; vgl. RN 33, 74, 5.   3) überdrüssig.

207   [Bl. F 2ᵃ] Biß ans ende bestendig zu verharren.

Ach lieber GOTT, stärcke und erhalte uns inn deiner gnade biß auff deine zu-kunfft[1]; dann es itzt leyder ferliche zeit ist worden durch die rottengeyster[2] und falsche lerer, welche allenthalben umbher schleichen und suchen, ob sie jemand betriegen möchten, so feiret[3] der Satan selbst auch nicht mit bösen, giftigen ge-dancken, dadurch er unsern glauben schwechen und stürtzen will, und unser ver-nunfft an ir selbst blind und dem glauben allzeit widerstrebt, weil sie Gottes reich und wort nicht achtet, sondern vil mehr hasset; darumb laß unser sache allein und bloß inn deiner krafft und stärcke bestehn.

Aus: An N. N. vom 19. August 1532 (1557) = WA Br. Bd. 6, S. 351, 5—13 (Nr. 1953 B).
Fundorte: M 19.   R 216.   W¹ Bd. 21, 348.
1) Ankunft.   2) S. o. Nr. 206 Anm. 2.   3) S. o. Nr. 92 Anm. 4.

208   [Bl. F 2ᵃ] Eyn anders.

Ach Vatter unsers Herrn Jesu Christi, der du das werck inn uns angefangen hast, wöllest es vollenden[1], damit wir bestendig bleiben mögen bei deinem wort und Euangelio, das wir gehöret, angenommen und geglaubt haben, biß an unser ende.

Aus: Predigt vom 5. August 1545 (1546) = WA Bd. 51, S. 1, 11—14.
Fundorte: M 20.   R 217.   W¹ Bd. 7, 1866*.
1) Phil. 1, 6.

209   [Bl. F 2b]   Umb beharrung biß ans ende.

Misericors Deus, rege corda nostra . . .

Das ist:

Barmhertziger Gott, regiere und behalte unsere Hertzen inn deiner Forcht und
mache uns voll glaubens und vertrauens auff deine Barmhertzigkeyt, das wir mit
fräuden unser Erlösung und die straff und gericht der Gottlosen Welt erwarten,
Amen Amen.

Aus: Genesisvorlesung (1550) (deutsche Übersetzung) = WA Bd. 42, S. 263, 40—42.

210   [Bl. F 2b]   Umb erhaltung inn erkanter Warheyt.

Lieber Herre Gott, behalte und bekräfftige uns inn deinem heyligen erkannt-
nuß und vollbring inn uns deine beruffung und angefangen werck[1] biß an das ende
durch deinen lieben Son, unsern Herrn Jesum Christum, mit dem heyligen Geyst,
gelobt inn ewigkeyt.

Aus: Vorrede zu A. Moibanus, Das herrliche Mandat (1537) = WA Bd. 50, S. 120,
28—32.
Fundorte: R 218 und 347.   T/Anh. 307.   W[1] Bd. 14, 196.   Vgl. Schulz Nr. 11.
1) Vgl. Phil. 1, 6.

211   [Bl. F 2b]   Umb behütung für ungedult.

Du bist mein Gott, ich aber bin mir selbers nichts, auff dich hoff ich und traue auff
mich selber nicht, an dir werde ich nicht zu schanden werden etc. Ich bitt dich
auch, laß mich nicht zu schanden noch zu spott und fräude werden meinen Feinden; dann was kan Feinden liebers und angenemmers sein, dann so der zu
schanden wird, den sie hassen etc. Laß mich deiner harren und inn spott und
unglück nicht abfallen noch dir zeit oder weise und mittel zu helffen mit meinem
Närrischen Gebet fürschreiben.

Aus: Scholie zu Ps. 24 (1559) (deutsche Übersetzung) = WA Bd. 31I, S. 479, 24 f. 29 f.;
480, 7—9.
Fundorte: R 218.   W[1] Bd. 4, 2256.

212   [Bl. F 3a]   Eyn anders.

Ach lieber Gott und Herr, stärcke und behalte uns inn deinem lieben reynen wort
durch Jesum Christum, unsern Herren, und hilff uns, das wirs danckbarlich erkennen und kräfftiglich mit guten Früchten bezeugen und zieren, dir sei lob und
danck inn ewigkeit.

Aus: Vorrede zu Ä. Faber, Von dem falschen Blut (1533) = WA Bd. 38, S. 131, 32—
35. Vgl. Gebet Nr. 219 (Duplikat).
Fundorte: M 21.   O/Anh. 311.   R 208 und 219.   W[1] Bd. 14, 302.   Vgl. Schulz Nr. 10.

213   [Bl. F 3ᵃ]   Umb erhaltung inn rechtem erkantnuß[1] biß ans ende.

Lieber Himmlischer Vatter, wir bitten dich von Hertzen, du wöllest uns inn angefangenem erkantnuß[1], gnaden und Liecht gnädiglich erhalten, stärcken und mehren, Auch wider alle listige angriffe der Teuffelischen boßheyt inn reynem, aufrichtigen, bestendigem sinn und verstande beschützen und beschirmen, wie uns das hoch vonnöten ist.

Aus: An die Christen zu Reutlingen (1526) = WA Bd. 19, S. 119, 18—22.
Fundorte: B 773.   R 220.   W¹ Bd. 17, 1914.
1) S. o. Nr. 177 Anm. 1.

214   [Bl. F 3ᵇ]   Eyn anders.

CHriste, lieber Herr, du selige, liebe warheit, behalt uns in deinem glauben und bekanntnuß[a].

Aus: Nachwort zu Die Lügend von St. Johanne Chrysostomo (1537) = WA Bd. 50, S. 64, 6—7.
Fundort: W¹ Bd. 16, 2533.
a) *erkenntnis* Luther.

215   [Bl. F 3ᵇ]   Dancksagung für das wort.

Lieber Vatter, du hast uns dein teures, Gnadenreiches heyl[iges] Evangelion gegeben und mit unaußsprechlichen grosen gnaden[1] überschüttet. Lieber Vatter, hilff, das wir dasselbige auch also behalten und dabei bleiben mögen und sonsten auch jedermann möchte geholffen werden.

Aus: Wochenpredigten über Joh. 16—20 (zu 17, 1) (1530) = WA Bd. 28, S. 78, 31—33 und 79, 13—15.
Fundorte: M 22.   G VI, 615.   R 207.   W¹ Bd. 8, 674*.   K 204.   C 63.
1) Vgl. 2. Kor. 9, 14 f.

216   [Bl. F 3ᵇ]   Umb behütung für verfürung.

O lieber Vatter, hilff und halte uns bei dem rechten heiligen wesen inn deinem wort, das uns der Teuffel nit erschleiche[1], berucke[2] und uberwältige mit seinem trefflichem[3] schein und Engelischer heyligkeyt.

Aus: Wochenpredigten über Joh. 16—20 (zu 17, 11) (1530) = WA Bd. 28, S. 145, 30—32.
1) unbemerkt an uns herankomme, Gewalt erlange über uns.   2) überliste, betrüge.
3) vortrefflichen.

217   [Bl. F 3ᵇ]   Eyn anders kurtzes hertzgebetlein.

Lieber Herr Christe, Erhalte uns bei reynem verstand deß worts und der H[eiligen] Sacrament und behüte uns durch dein gnad für allem Irrthumb.

Aus: Predigt vom 2. April 1540 (1540) = WA Bd. 49, S. 135, 2 f.
Fundorte: M 23. O/Anh. 311. R 207. T/Anh. 292. W¹ Bd. 7, 1023.

218 [Bl. F 4ª] Eyn schön treifachs gebett umb erhaltung bei dem wort.

Herr Jesu Christe, du liebe Sonn, halt fest und laß dich die¹ wolcken und wetter
nicht untertrucken oder den tag zur nacht machen, sondern erhebe dein schönes
Liecht uber alle wolcken und wetter und erhalt uns den Tag, das nit die wolcken
und wetter mit irem finsternuß² den Sieg behalten, sondern du mit deinem schönen Liecht obligest und überhand behaltest etc. Amen.

Erhebe, lieber Herr, das Liecht deines worts über uns und halt also drüber, das es
höher und stärcker leuchte inn unsern hertzen, dann alle anfechtung deß Teuffels,
todes und der Sünde, verzweiffeln, verzagen, erschrecken und alles unglück sein
kan; dann wo du das nicht thust, so ist uns der Teufel mit seinem Wetter und
wolcken zu mächtig und verfinstert und verdunckelt uns das liebe angefangen
Liecht deines Worts und bringet uns so jämmerlich drumb, das es hernach mit uns
ärger wird, dann es vorhin je gewesen.

Gott erhebe über uns dein angesicht und erhalt gewaltiglich das Liecht deines
werden worts inn unsern hertzen und laß dasselbe oben schweben³ wider den
mörder und lugner⁴, den Teuffel, welcher durch Mord und lugenlehre dasselbe
wort inn uns vertrucken⁵ und dämpffen⁶ will.

Aus: Segen, so man nach der Messe spricht (1532) = WA Bd. 30ᴵᴵᴵ, S. 581, 3—7. 8—15.
19—23.

Fundorte: B 650. W¹ Bd. 3, 2013 f. C 19.

1) dich durch die; vgl. RN 48, S. 41 (Nr. 51), 9.   2) Von Luther z. Tl. noch als
Neutrum (wie mhd.) gebraucht; vgl. RN 48, 9 (Nr. 10), 13.   3) obliegen.   4) Vgl.
Joh. 8, 44.   5) In der Vorlage: *„unterdrücken"*.   6) unterdrücken.

219 [Bl. F 4ᵇ] Eyn anders.

Lieber Herr und Gott stärcke und behalte uns . . .

Duplikat zu Gebet Nr. 212.

220 [Bl. F 4ᵇ] Umb stärckung und erhaltung beim wort Gottes für uns und unser
Nachkommen.

Lieber Gott, verleihe deine Gnade und hilff, das wir die Brieff deines worts und
verheysung wol verwahren, das sie uns der Teuffel nicht zurreisse, das wir inn
wolfart nicht sicher, inn trübsal nicht traurig noch verzagt sein, sondern immer inn
Gottes forcht leben, fest und beständig im Glauben und bekantnuß Jesu Christi
bleiben und das heylig Vatter unser mit Munde und hertzen stäts sprechen, das
du umb deines lieben Sons willen uns und unsere nachkommen bei der seligen
Lehre deß Evangelii wöllest erhalten.

Aus: Vieler schönen Sprüche aus göttlicher Schrift Auslegung (2. Aufl. 1548) = WA
Bd. 48, S. 227, 15—21 (Anh. I, 3). Vgl. Gebet Nr. 713 [B] (dort mit Zusatz [A]).
Fundorte: B 651. V 581. R 518 und 209. T/Anh. 326. W¹ Bd. 9, 1461*.

221   [Bl. F 4ᵇ]   Eyn anders.

Lieber Herre Gott, gib uns deine gnade, das wir die hertigkeyt unser Hertzen[1]
ablegen mögen, straff und schilt uns hart gnug, wie du wilt, alleyn nimm uns nur
dein heyliges wort nit und laß nicht unter uns einreissen Schwermer und Rottengeyster[2], die uns den schatz hinweg nemmen.

Aus: Hauspostille (1559) = WA Bd. 52, S. 841, 1—4.
Fundorte: M 24. R 210. W¹ Bd. 13, 1209*.
1) Vgl. Matth. 19, 8; Mark. 16, 14.   2) S. o. Nr. 206 Anm. 2.

222   [Bl. F 5ᵃ]   Wider deß Sathans gifftige pfeile.

Lieber Herr und treuer Heyland Jesu Christe, dich hat der Vatter aller Gnaden[1]
uns so reichlich offenbaret und geschencket, du wöllest uns deinen H[eiligen]
Geyst, den rechten und ewigen Tröster[2] senden, der uns stäts erhalte, stärcke und
beware wider alle gifftige feurige pfeil[3] deß sauren[4], schweren[5], argen geystes,
Amen, lieber Gott.

Aus: An Kurfürst Johann von Sachsen vom 20. Mai 1530 (1547) = WA Br. Bd. 5,
S. 327, 107—112.
Fundorte: R 224. W¹ Bd. 16, 824. Vgl. Schulz Nr. 24.
1) Vgl. 1. Petr. 5, 10.   2) Vgl. Joh. 14, 16 u. ö.   3) Eph. 6, 16.   4) schrecklichen, widrigen.   5) beschwerlichen leidigen.

223   [Bl. F 5ᵃ]   Lutheri ernstes Gebett umb bewarung für verstockung und abfall.

O schrecklicher und ernster Richter, wie heymlich oder gar greulich sind deine
Gericht, wie gewiß und sicher ist Pharao allezeit, ehe er im roten Meer ersaufft,
und sihet nit, das eben sein sicherheyt der rechte, ernste zorn Gottes uber in ist.
O wie unleidlich bistu, Gott, deß schimpffs[1] an deinem teuren wort, das du dich
auch deines liebsten kinds blut hast lasen kosten, und die menschen sitzen und
schmutzen[2] und lächeln, wann sie es verdammen und verfolgen. Recht ist dein Gericht, Himmlischer Vatter, du bist mein zeuge, das ich inn meinem hertzen angst
und sorg hab, wo der Jüngste tag nit das Spiel unternimpt[3], werdest du dein
Wort auffheben und teutscher Nation solche blindheyt senden und sie also ver-
stocken, das mir greulich ist, dran zu dencken. Herr, himmlischer Vatter, laß uns
in alle sünde fallen, so wir je[4] sündigen müssen, behüte uns aber für verstockung
und behalte uns an dem und inn dem, den du eynen Herren über sünde und
unschuld gesetzt hast[5], das wir denselben auch nicht verleugnen noch auß den
augen lassen, so wird uns freilich alle sünde, alle Tode, alle Helle nichts thun,
Ach, was solt uns etwas thun?

Aus: An Hartmut von Cronberg (1522) = WA Bd. 10^{II}, S. 57, 34−58, 3. 11−21.

Fundorte: B 774.   G II, 734.   V 582.   R 220.   W^1 Bd. 15, 1987.

1) wie wenig kannst du den Spott (Hohn) über … leiden.   2) schmunzeln.   3) unterbricht, beendet.   4) wenn wir schon.   5) zu einem … eingesetzt (zum doppelten Akk. vgl. D. Wb. Bd. 10^I, Sp. 647 ff.).

224   [Bl. F 5^b]   Eyn anders.

O Herr Gott, so wir ja[1] sündigen sollen, so laß uns andere sünde thun dann solche, da man dahin färet und scheucht[2] den segen als eyn fluch und eyn verstockt, verblend und verhärtet hertz bekommt, das weder sihet noch höret und im[3] schlechts[4] nit sagen lasset und meynet, es gehe im segen und nicht im Fluch.

Aus: Vier tröstliche Psalmen an die Königin zu Ungarn (1526) = WA Bd. 19, S. 606, 13−17.

Fundorte: R 223.   W^1 Bd. 5, 90.

1) wenn wir schon.   2) scheut.   3) sich.   4) schlechthin.

225   [Bl. F 5^b]   Eyn anders.

Lieber Gott, laß uns inn die Sünde nit fallen, so[1] die offenbare Warheyt nicht leiden will; dann da ist weder raht noch hülffe noch entschuldigung und der zorn entlich[2] angangen.

Aus: Sermon von der Sünde wider den Heiligen Geist (1529) = WA Bd. 28, S. 17, 22−24.

Fundort: W^1 Bd. 10, 1447.

1) die.   2) endgültig.

226   [Bl. F 6^a]   Gebett, wie der Mensch die sünde und sich selbst für Gott erkennen und zur gnade zuflucht suchen soll.

Lieber Gott, regiere du mich, das ich mit geystlichen Augen[1] mein angeborne Seuche[2] und schwachheyt erkenne und bekenne und also zum rechtem erkantnuß[3] Christi geführet und durch deinen heyligen Geyst regieret, gereyniget und geheyliget werde.

Aus: Tischrede vom 6. Jan. 1539 (1566) = (Aurifabers deutsche Übersetzung) WA *TR* Bd. 4, S. 450, 34−36. Vgl. Gebet Nr. 63.

Fundorte: M 25.   O/Anh. 312.   P 2.   B 329.   V 583.   R 243.   W^1 Bd. 22, 815*. K 207.

1) Vgl. Eph. 1, 18.   2) Krankheit.   3) S. o. Nr. 177 Anm. 1.

227   [Bl. F 6^a]   Beichte gegen Gott.

HErr, ich kan meine sünde nit zelen, die ich gethan habe oder noch thue, sondern hab sie deß mehrertheyls vergessen, Sehe sie auch nit gegenwärtig etc.; dan was inn mir und allen meinen kräften ist ausserhalb der gnad, ist alles sünde und verdampt etc. So weit nu gnad und glaub regieret, so bin ich fromm durch Christum, wo aber solchs wendet[1], so weyß und bekenn ich, das nichts guts bei und inn mir ist, da hastu es gar[2] auff eynen knauel[3]; wann ich gleich lang auffwickel[4], so find ich doch nichts anders etc.; ist nichts gut, was ich red, dencke, thue und lebe, on[5] deine gnad und Göttliche krafft, wann ich gleich aller Mönch heyligkeyt hette.

Aus: Sermon von der Sünde wider den Heiligen Geist (1529) = WA Bd. 28, S. 12, 10—12. 17 f. 20—23. 29—31.

Fundorte: P 3.   V 583.   R 247.   W¹ Bd. 10, 1439.   C 77.

1) aufhört.   2) ganz.   3) Ballen aus gewickeltem Garn.   4) es ... auflöse, abwickle.   5) außer.

228   [Bl. F 6ª]   Kurtz bekantnuß der sünden.

O Deus, pauperculus ego, plenus omni peccato ...
Das ist.
Ach mein GOTT, ich armer elender Mensch, voll aller sünden, muß an mir meinen wercken und kräfften gäntzlich verzweiffeln, weiß nichts anders fürzunemmen, dann das ich bitte und seuffze nach deiner barmhertzigkeit.

Aus: Operationes in Psalmos (1519) (deutsche Übersetzung) = WA Bd. 5, S. 127, 13—16.
Fundorte: P 5.   V 583.   R 249.   W¹ Bd. 4, 455.

229   [Bl. F 6ᵇ]   Eyn anders.

Lieber Herre Gott, ich weiß von keyner fromkeyt in meinem leib und leben, sondern das ist mein trost und trotz[1] für dir, das du eynem armen Sünder gerne gibst und alle Sünde verzeihest und vergibst auß lautter, bloser gnade.

Aus: Predigten über das 5. Buch Mose (zu 9, 1 ff.) (1564) = WA Bd. 28, S. 744, 26—29.
Fundorte: M 26.   O/Anh. 312.   P 5.   V 584.   R 250.   W¹ Bd. 3, 2709*.
1) Zuversicht.

230   [Bl. F 6ᵇ]   Eyn anders.

O Domine Iesu, Quoties et grauiter peccavi, ...
Daß ist.
Ach Herr Jesu Christe, du weist, wie offt und schwerlich ich gesündiget habe, ich kans nicht alles bedencken und ersehen, vergib gnädiglich.

Aus: In Esaiam Scholia (1534) (zu 39, 1 ff.) = WA Bd. 25, S. 247, 30 f.
Fundorte: M 27.   O/Anh. 312.   P 6.   W¹ Bd. 6, 748.

231   [Bl. F 7ᵃ]   Noch eyn anders.

HERR sei mir gnedig, ich erkenne mich für eynen armen Sünder, aber ich tröste
mich deiner gnade, das du befohlen hast, man soll vergebung der Sünden inn
deinem Namen predigen[1].

Aus: Hauspostille (zu Luk. 24, 36 ff.) (1559) = E. A². 5, 51, 40−52, 2 (WA Bd. 37,
S. 34, 14. 16. 18 f.; vgl. Bd. 52, S. 263, 38−264, 1).
Fundorte: M 28.   O/Anh. 313.   P 7.   R 250.   W¹ Bd. 13, 1175*.
1) Vgl. Luk. 24, 47.

232   [Bl. F 7ᵃ]   Bekantnuß eygener Nichtigkeyt.

Ach mein Herr Christe, all mein vermögen ist nichts, alle mein klugheit ist blindheyt und die grose thorheyt, all mein fromkeit und leben ist zur Hellen verdampt,
darumb befehle ich mich deiner gnaden, regiere mich nach deinem Geyst, laß nur
nichts in mir, das ich mich selbst regiere und klug sei, mache nur meinen sinn und
vernunfft gar[1] zu eynem Narren und halte mich inn deinem schoß.

Aus: Winterpostille (1532) = WA Bd. 20, S. 419, 35−420, 16 (vgl. ebd. S. 413 und
Bd. 10ᴵ, ², S. XX: L).
Fundorte: P 7.   B 330.   R 251.   W¹ Bd. 11, 2968*.   K 208.
1) ganz.

233   [Bl. F 7ᵃ]   Bekantnuß der Erbsünde.

Siehe, HERR, so war ists, das ich für dir eyn Sünder bin, das auch sünde mein
Natur, mein anhebendes wesen[1], mein Empfengnuß ist, schweig[2] dann die wort,
werck und gedancken und nachfolgend leben; eyn böser baum bin ich[3] und ‚von
Natur eyn kind deß zorns'[4] und der sünde, und so lang als dieselb Natur und
wesen in und an uns bleibet, also lang sind wir sünder und müssen sagen: ‚Verlaß
uns unser schuld'[5].

Aus: Die sieben Bußpsalmen (zu Ps. 51, 7) (1517) = WA Bd. 1, S. 188, 12−17.
Fundorte: M 29.   P 9.   R 252.   W¹ Bd. 4, 2317*.   C 78.
1) anfängliches Wesen (im Gegensatz zum „nachfolgenden Leben"). 	2) geschweige.
3) Vgl. Matth. 7, 17. 	4) Eph. 2, 3. 	5) S. o. Nr. 135 Anm. 3.

234   [Bl. F 7ᵇ]   Eyn anders.

Sihe, Herr, bin ich doch fleysch und blut so gemacht, welchs an im[1] selbst sünd
ist und nichts anders kan dann sündigen etc. Herr GOtt, ich bin eyn ubelthäter,
eyn sünder wider deine göttliche gebott, hilf du, mit mir ists verloren.

Aus: Sommerpostille (1526) = WA Bd. 10ᴵ, ², S. 235, 10 f. 18 f.
Fundorte: P 10.   V 584.   W¹ Bd. 11, 1012.   C 78.
1) sich.

235   [Bl. F 7b]   Ein anders.

Ach Gott, ich bekenne, das ich leyder, wie du mich beschuldigest, an mir habe eynen alten Adam[1] eyn böses fleysch, eyn verkertes Hertz, das eyn schatz alles ubels ist; vergib mir dasselbige und endere es durch die gewaltige widergeburt deines Geystes und schaffe mich zu ‚eyner neuen Creatur' inn Christo[2].

Aus: [Randglosse Treuers:] „Vber das 12. ca. Math."; nicht identifiziert.
Fundorte: M 30.   O/Anh. 313.   P 11.   B 329.   V 585.
1) sterblichen Leib; vgl. RN 48, 14 (Nr. 16), 3.   2) 2. Kor. 5, 17.

236   [Bl. F 7b]   Aber[1] eyn anders.

O Deus, totum hoc, quod sum, vivo ...
Daß ist.
O Gott, alles, was ich bin, lebe, thue und red, ist alles dermassen, das es deß todes und verdamnuß wirdig ist.

Aus: Confitendi ratio (1520) (deutsche Übersetzung) = WA Bd. 6, S. 162, 37 f.
Fundorte: M 31.   P 11.   W¹ Bd. 19, 992.
1) abermals, wiederum.

237   [Bl. F 7b]   Beicht gebettlin.

Ach Herr GOtt, was solt ich doch mit dir zancken oder trotzen, dieweil an mir nichts gutes ist von meiner Mutter leib an? Es ist der baum mit den früchten böß und verderbet[1], darumb bekenne ich, das du sagst, auff das du recht behaltest.

Aus: Auslegungsentwurf zu Ps. 51 (1559) (deutsche Übersetzung) = WA Bd. 31¹,
S. 540, 10—12.
Fundorte: M 32.   P. 12.   W¹ Bd. 4, 2185.
1) Vgl. Matth. 7, 17.

238   [Bl. F 8a]   Eyn gemeyne beicht, so der HERR D. Martin Luther, täglich, wann er hat wollen schlaffen gehen, gesprochen.

Mein Lieber Vatter, ich bekenne allwege, du sihest es, ...

Aus: Ein newe Betbüchlin (Otto) 1565, Bl. Y 3a = Gebet Nr. 100 (dort mit Zusatz [B]).
Vgl. Gebet Nr. 39.

239   [Bl. G 1a]   Eyn andere Christliche Bekantnuß[1] oder Beicht Doctoris Martini Lutheri, welche er Gott täglich und oftmals auß grund seines Herzen gethan.

O Gott Vatter inn ewigkeyt, du wöllest heute nit ansehen den unzelichen hauffen meiner sünden, welche mir stäts für meinen augen stehen, wollest mir die nicht zusachen[2], sondern wollest mir sie durch deinen Mitler und unsern versöner Christum zudecken und wöllest heut dein auffsehen[3] haben inn das angesicht deines gesalbten, deines Christi, durch den alleyn ich bei dir mag[4] gnade erlangen (ohn welchen auch niemand zu dir mag[4] kommen in seinem verdienst, inn seiner arbeyt[5]), die du mir durch das Evangelion hast lassen tröstlich anbieten und feyl tragen[6] (ob ich dirs wölleglauben); soll dein eyniger[7] Son, mein Mitler, sammt allem, das Er hat, mein sein. Er soll mein Gerechtigkeit, mein Heyligung und mein Erlösung sein, durch denselbigen gnade[a] mir mein GOTT inn ewigkeyt, schaffe forthin mein Leben, sterben und aufferstehung inn CHRIsto nach deinem Göttlichen willen.

Aus: Johann Spangenberg, Kleiner Katechismus (Magdeburg [1541] 1543), Bl. E 7[a] (WA fehlt). Vgl. Gebet Nr. 35.

Fundorte: P 19.   B 344.   V 587.   R 258.

a) *Gnade* Druckf.

1) ,*Bekenntnis*‘ verwendet Treuer (ebenso wie Luther [RN 30[III], 338, 12] entsprechend dem Mhd.) sowohl als Femininum wie auch als Neutrum (s. u. Nr. 244 Überschrift). 2) zur Last legen, anlasten (D. Wb. Bd. 16, Sp. 732).   3) deinen Blick richten, acht haben; vgl. RN 32, 31. 30.   4) kann.   5) Mühsal (Dietz Bd. 1, S. 111). 6) feilhalten (Dt. Rechtswörterbuch Bd. 3, Sp. 463 f.)   7) einziger.

240   [Bl. G 1[b]]   Eyn ander Bekantnuß und bitt.

Aus mir bin ich verdorben, dein Geyst, o HERR, muß mich lebendig machen und erhalten; dann ohne den Heyligen Geyst selbst ist keyne Gnade oder Gabe gnugsam für dir, dann durch Adam ist uns allen alle fräude verlohren, die muß one verdienst auß Gnaden wider gegeben werden.

Aus: Die sieben Bußpsalmen (zu Ps. 51, 13 f.) (1517) = WA Bd. 1, S. 191, 18—20. 22 f. Fundorte: P 21.   R 264.   W[1] Bd. 4, 2323*.

241   [Bl. G 1[b]]   Der gläubigen Seelen bekantnuß gegen Christo.

Ego sum tuum peccatum, tu mea Iustitia . . .

Das ist.

HERR, ich bin deine Sünde, du meine Gerechtigkeyt[1], darumb bin ich frölich und triumphier unerschrocken; dann meine Sünde überweget[2] und überwältiget deine Gerechtigkeyt nicht, auch wird deine Gerechtigkeyt mich nicht eynen Sünder lassen sein noch bleiben. Gelobet seistu, o HERR, mein treuer Gott, mein Erbarmer und Erlöser, auff dich alleyne vertraue ich, darumb werde ich nimmermehr zuschanden werden.

Aus: Aufzeichnung von 1543 (deutsche Übersetzung) = WA *TR* Bd. 5, S. 272, 10—13. 15—18. Vgl. Gebet Nr. 71.

Fundorte: P 22.   B 355.   V 588.   R 266.   W[1] Bd. 22, 1949*.   K 212.   C 79.

1) Vgl. 2. Kor. 5, 21.   2) überwiegt, übertrifft.

242   [Bl. G 2ᵃ]   Eyn anders.

Tu Christe es peccatum et maledictu meum ...

Das ist.

Lieber Herr Christe, du bist meine sünde und mein fluch[1], ja vil mehr ich bin deine sünde, dein fluch, dein Tod, dein zorn Gottes, deine Hell, du dagegen bist meine gerechtigkeyt[1], mein Segen, mein Leben, meine hulde Gottes und mein Himmel.

Aus: Galaterbriefkommentar (zu 3, 14) (1535) (deutsche Übersetzung) = WA Bd. 40 I, S. 454, 20—23.

Fundorte: P 23.   B 356.   V 588.   W¹ Bd. 8, 2202.

1) Vgl. 2. Kor. 5, 21; Gal. 3, 13.

243   [Bl. G 2ᵇ]   Eyn anders.

Tu, Domine Iesu, es iustitia mea ...

Daß ist.

O Herr Jesu Christe, du bist meine gerechtigkeyt, ich aber deine sünd[1], du hast auf dich genommen, was mein ist, und mir gegeben, was dein ist, du hast auff dich genommen, das du nicht warst, und mir gegeben, das ich nit war.

Aus: An Georg Spenlein vom 8. April 1516 (1556) (deutsche Übersetzung) = WA Br. Bd. 1, S. 35, 25—27.

Fundorte: P 24.   V 589.

1) Vgl. 2. Kor. 5, 21.

244   [Bl. G 2ᵇ]   Eyn reynes Bekantnuß[1].

HErr, ich nemme alle deine Güter, wolthat und gnad als eyn Sünder und verzweifelter Mensch, wie ich gehe und stehe, deß ewigen zorns und Hellischen feuers werd, wann du soltest nach recht und verdienst mit mir handeln. Aber ich sehe nicht meine sünde noch was ich verdienet habe, sondern dein wort und ernstlich Gebot an, das du heyssest, vermanest und treuest[2], das niemand keyn[3] werck für dich bringe, etwas zu verdienen, sondern auß Vätterlicher güte vergebung der sünde und allerley wolthat empfahe und inn der reynen zuversicht deiner gnade stehe und bleibe.

Aus: Predigten über das 5. Buch Mose (zu 9, 1) (1564) = WA Bd. 28, S. 748, 22—29.

Fundorte: P 25.   R 264.   W¹ Bd. 3, 2712*.

1) S. o. Nr. 239 Anm. 1.   2) drohst.   3) irgendein; die doppelte Negation dient der Verstärkung der einfachen Negation; vgl. RN 30ᴵᴵᴵ, 238, 33.

245   [Bl. G 3ᵃ]   Eyn Gebett wie sich eyn armer sünder für Gott demütigen soll.

[a] *O Domine, sum ego lutum tuum ...*

Das ist.

[b] Ach Herr, ich bin dein Thon, du bist mein Töpffer und Werckmeyster, weil dann du selbst mich eynen sünder[1] erklärest, will ich mich deinem Wort ergeben,

gern erkennen und bekennen das gottloß wesen, welches inn meinem fleysch, ja inn der gantzen natur sich mercken lest, auff das du gepreiset werdest, ich aber zuschanden werde, auff das du seiest gerecht und das leben, ich aber mit allen andern Menschen lauter sünde[2] und Tod, das du seiest und bleibest das höchste gut, ich aber sampt allen Menschen das aller ärgste übel, diß alles erkenne und bekenne ich, und dahin werde ich gewiesen durch dein verheyssung und dein gesetze, nicht durch meine vernunfft, welche diß gottloß wesen gerne decken und schmucken wolte, aber es ist mir mehr gelegen an dem, das deine ehre bestehe und vermehret werde.

Aus: Enarratio Psalmi LI (zu v. 6) (1538) = WA Bd. 40[II], S. 372, 36—373, 22.
[a] = Gebet Nr. 91.
[b] Fundorte: P 27.   V 589.   R 244.   W[1] Bd. 5, 764.   C 78.
1) zu einem Sünder.   2) Vgl. 2. Kor. 5, 21.

246   [Bl. G 3[b]]   Vorbereytung deß Gebetts umb vergebung der sünden.

Hilff uns, GOtt, allen, das wir zu uns selbst wider kommen und deinen zorn mit rechtem glauben abbitten.

Aus: Sermon von dem Gebet ... (1519) = WA Bd. 2, S. 179, 31 f.
Fundorte: P 29.   W[1] Bd. 10, 1719.

247   [Bl. G 3[b]]   Eyn andere.

Ach Herr, ich hab leider vil und offt gesündiget, itzt in dem, itzt in eynem andern. Nue kommt die straffe nicht, sondern verzeucht, was bedeutet es aber? Gewißlich anders nichts, dann das, ob die straff gleich verborgen ist, sie doch gewißlich kommen wird; darumb, lieber Vatter, vergib, ich will ablassen und mich bessern.

Aus: Hauspostille (1559) = E. A[2]. 5, S. 417, 7—12 (WA Bd. 36, S. 227 u. f.; vgl. Bd. 52, S. 440, 10—14).
Fundorte: P 30.   B 344.   R 252.   W[1] Bd. 13, 1860*.

248   [Bl. G 4[a]]   Kunst gebettlein[1], wann man in recht erkantnuß der sünde kummt.

Lieber Gott, ich bekenne mich für dir eynen grossen sünder, und die zehengebott treiben und stossen mich stracks zur hellen, aber das leret mich das lieb Evangelium, das dises für dir die höchste weißheyt sei, wissen und glauben, das du also gesinnet seiest und ein solch reich durch Christum gestifftet habest, das du wollest gnedig sein und helffen den armen verdampten sündern; so knüpffe ich nue aneinander in eyn wort meine beichte und bekantnuß: Ich bin ja eyn sünder, Aber doch ist mir GOtt gnedig, ich bin dein feind, Aber du bist mein freund. Billich[2] würde ich verdammt, Aber doch weiß ich, das du mich nicht wilt verdammen, sondern selig und zu einem erben im Himel haben, ja das wilt du, das hastu mir lassen predigen und befohlen, zu glauben umb deines lieben Sons willen, den du für mich gegeben hast.

Aus: Sommerpostille (1544) = WA Bd. 22, S. 209, 16 f. 22−31.
Fundorte: M 33.   O/Anh. 314.   P 30.   B 343.   V 589.   R 246.   W¹ Bd. 11, 2032*.   C 82.
1) Gebet voller Erkenntnis.   2) zu Recht.

249   [Bl. G 4ᵇ]   Vergebung der sünden auß gnaden zu suchen.

HERR, ich kan mit dir nicht rechten, ich weiß mit meinen wercken für dir nicht zu bestehen; dann Johannes ist vil heyliger gewesen dann ich und hat doch auf seine heiligkeyt nicht gebauet; ich will wol gerne mich für sünden hüeten, from sein, keusch und züchtig leben. Aber damit ist mir nicht geholffen, das alleyne hilfft mich[1], das du durch den heyligen Johannem hast predigen lasen, das wir sollen selig werden durch vergebung der sünden[2].

Aus: Hauspostille (1559) = E. A². 6, S. 372, 32−40 (WA Bd. 36, S. 198, 32−35; vgl. Bd. 52, S. 651, 30−34).
Fundorte: P 33.   R 266.   W¹ Bd. 13, 2659*.   K 208.
1) ‚helfen‘ von Luther gelegentlich auch mit dem Akkusativ der Person verbunden; vgl. RN 30ᴵᴵᴵ, 350, 5/24.   2) Mark. 1, 4.

250   [Bl. G 4ᵇ]   Appellation vom Richterstuel zum gnadenstuel.

O Domine non possumus tecum in iudicio contendere . . .
Das ist.

O HERRE Gott, wir können für dir inn deinem gericht mit dir nicht rechen[1], wir vermügen nicht weder unsere gerechtigkeit[2] noch von unsern sünden wegen mit dir fechten noch disputieren; dann ‚wann du wilt sünde zurechnen‘[3] und uns für dem strengen gerichte fragen, ob wir gerecht sein, so sind wir verloren und können nicht bestehen; darumb appelieren wir vom Richterstuel zum gnadenthron[4], ist etwas dir gefelliges von uns geschehen, so kompts doch von dir und auß deiner gabe; derhalben siehe uns an mit den augen deiner barmhertzigkeyt, nit mit den augen deiner gestrengen gerechtigkeyt; dann wo du unser sünde uns nit auß gnaden vergeben und für uns deine augen zuthun wirst, so kan uns nit geholffen werden.

Aus: In XV Psalmos graduum (zu 130, 1) (1540) (deutsche Übersetzung) = WA Bd. 40 III, S. 347, 16−22.
Fundorte: P 34.   G IX, 1952.   R 260.   W¹ Bd. 4, 2827*.   K 210.
1) (ab)rechnen (in der lat. Vorlage: ‚contendere‘; in gleicher Weise hat Treuer in Nr. 251 Zl. . . .; „rechtens" der Vorlage in „rechens" abgewandelt; vgl. aber oben Nr. 249 Zl. . . .: „rechten").   2) Lat. Vorlage: „de nostra iusticia et peccato . . .".   3) Ps. 130, 3.   4) Vgl. Röm. 3, 25; Hebr. 4, 16; 9, 5.

251   [Bl. G 5ª]   Eyn andere appellation.

Lieber Herr, für der welt bin ich wol[1] unschuldig und sicher, das sie mich nicht
strafen noch für den Richter füren kan; dann ob ich nicht alles gethan hab, so
begere ich doch von eynem jglichen, das er mir vergebe etc.* aber für dir, Herr,
kan ich nicht handeln, wann es soll rechens[2] gelten, sondern wil stracks appellie-
ren und mich beruffen von deinem Richterstuel zu deinem gnadenstuel etc.[3]**
und von keynem recht wissen, sondern zum Creutz knien und gnade bitten und
nemmen, wo ich kan.

Aus: Predigt vom 24. Nov. 1532 (1533) = WA Bd. 36, S. 366, 25—27. 32—34. 36 f.
Fundorte: P 34.   B 361.   R 261 mit Zusatz.   W[1] Bd. 9, 549*.   K 211.   Bei *
und ** sind in K folgende Stücke zur Vervollständigung des Luthertextes eingefügt:
* *„um Gottes willen, wie ich auch Jedermann vergebe. Damit habe sie gestillet, daß
sie kein Recht mehr wider mich hat. Aber vor dir muß ich wahrlich die Federn nieder-
schlagen[4], und mich selbst allerdinge[5] zur Schuld bekennen und sprechen wie David selbst
Psalm 143[, 2]: Herr, gehe nicht ins Gericht mit deinem Knecht, denn vor dir ist kein
Mensch gerecht!"*
** *„Vor der Welt Richterstuhl laß ich wohl geschehen, daß man mit mir vom Recht
handelt; da will ich antworten und thun, was ich soll."*
1) ganz.   2) S. o. Nr. 250 Anm. 1.   3) Vgl. dazu WA Bd. 36, S. 367, 1 ff.
4) mich demütigen; vgl. WA Bd. 28, S. 753, 25; Bd. 30[I], S. 207, 11.   5) in allen
Stücken.

252   [Bl. G 5ᵇ]   Wann die sünde am hefftigsten beissen, so helt sich der glaub an
Christum und suchet bei im alleyne vergebung der sünden.

Lieber Herr Jesu Christe, ich fühle meine sünde, sie beissen, jagen und schrecken
mich, wo soll ich hin, ich sehe dich, HErr Jesu Christe, an und glaube, wie wol
schwechlich, an dich, doch halte ich mich an dich und bin gewiß, du hast gesprochen: ‚Wer an mich glaubt, soll haben das ewig leben‘[1]; ob nue gleich mein gewissen beschweret ist und die sünde mich erschrecken und das hertz zittern macht, so
hastu doch gesagt: ‚Mein son, sei getrost, dir sind deine sünde vergeben‘[2] und
‚du solt das ewig leben haben, und ich will dich aufferwecken am Jüngsten tage‘[3].

Aus: Wochenpredigten über Joh. 6—8 (zu 6, 42) (1565) = WA Bd. 33, S. 112, 11—24.
Fundorte: P 37.   B 355.   V 590.   R 271.   W[1] Bd. 7, 2004*.   C 82.
1) Joh. 6, 47.   2) Matth. 9, 2.   3) Joh. 6, 40. 54.

253   [Bl. G 5ᵇ]   Umb gnade.

Ich glaub[a] an Christum, der von der Jungfrau Maria geboren ist, gelitten und gestorben ist, und verlaß mich darauff, das er selber sagt, ‚wer zu im kommt, den
wolle er nicht außstossen‘[1]; auff dise wort verlasse ich mich und komme darauff
zu dir, lieber HERR Christe; dann das ist dein wille und hertz, auch dein mund;
die wort sein mir gnug und gewiß, ich weiß wol, das du mir nicht leugst[b][2], die
wort werden mir nicht feilen[3], du wilt die nit verstossen, die zu dir kommen. Ob

ich schon eyn bube[4] bin und nicht gnug heylig oder fromm, das ich bestehen könte, so bistu dennoch warhafftig und wilt, das ich ,am Jüngsten tage soll auferwecket'[5] werden; ob ich nue nicht kan bestehen, so wirstu doch, lieber Herr Christe, wol[6] stehen und mich nicht verwerffen.

Aus: Wochenpredigten über Joh. 6—8 (zu 6, 39) (1565) = WA Bd. 33, S. 95, 35—96, 13.
Fundorte: P 39.   V 591.   R 272.   W¹ Bd. 7, 1887*.
a) *Glaub* Druckf.   b) *lengst* Druckf.
1) Joh. 6, 37.   2) mich nicht belügst (zum persönlichen Dativ vgl. D. Wb. Bd. 6, Sp. 1275; Franke Bd. 3, S. 125).   3) micht nicht irreführen.   4) Schurke; vgl. RN 33, 96, 5.   5) Joh. 6, 39.   6) fest.

254   [Bl. G 6ª]   Kurtz Stoßgebettlein umb vergebung der sünden.

HERR, ich bin eyn sünder und kan mir mit meinem vermögen nicht helffen; darumb komme ich, das du mir helffest.

Aus: Sommerpostille (1526) = WA Bd. 10¹, ², S. 227 (Bd. 12, S. 504, 15—17).
Fundorte: P 41.   W¹ Bd. 11, 900.   C 83.

255   [Bl. G 6ª]   Inn Trangsall der sünden zum Hirten Christo zufliehen.

Ach GOtt, da sind deine wort, das ,über eynen sünder, der sich bekeret, eyne grössere freude ist im Himel'[1] und das alle gerechten und Engel sollen deß sünde vertretten[2] und zudecken, nu, ach Gott, bin ich da, der ich meine sünde füle, bin schon gericht, mir ist nun alleine eynes Hirten vonnöten, der mich suche, darumb will ich mich frei[3] auff das Evangelium erwegen[4] etc. Ach GOTT, ich weiß, das du gesagt hast, ich will mich an die wort halten, ich sei das schaff und der grosche, du seist der hirte und das weib[5].

Aus: Sommerpostille (zu Luk. 15, 1—10) (1526) = WA Bd. 10¹, ², S. 322 (Bd. 10¹¹¹, S. 221, 26—31; 222, 1—3).
Fundorte: P 41.   R 274.   W¹ Bd. 11, 1678*.   K 208.   C 83.
1) Luk. 15, 10.   2) Fürbitte einlegen für.   3) ohne Scheu.   4) verlassen.
5) Vgl. Predigttext.

256   [Bl. G 6ᵇ]   Eyn anders.

Ach, mein GOTT, sihe dein Gesetze ist mir nhue eyn spiegel worden, dadurch erkenne ich, das ich eyn verdorben und verlohren Mensch bin, O Gott, nue hilff mir, umb deines eingebornen Sons willen.

Aus: Sommerpostille (1526) = WA Bd. 10¹, ², S. 329 (Bd. 10¹¹¹, S. 251, 4 f.).
Fundorte: P 43.   W¹ Bd. 11, 1814.   C 83.   Vgl. Schulz Nr. 63.

257   [Bl. G 6ᵇ]   Gebett umb Erlösung vom fluch deß gesetzes.

HERR Gott, wer kan dein gebott halten, je mer du gebeutst, je weniger man thut;
wir solten dir trauen und dein gebott halten, das thun wir nicht, finden nichts
mehr am gesetz, dann das nichts guts an uns ist; dann Moses hat es drumb geben,
das es den fluch offenbaren soll[1]. etc.; so komm nue, Herr, und gib uns den segen,
erlöse uns von disem fluch[2], das gesetz hilfft nichts zum gewissen, der segen muß
es allein thun.

> Aus: Predigten über das 1. Buch Mose (zu 22, 17 ff.) (1527) = WA Bd. 24, S. 394,
> 24—30.
> Fundorte: P 43.   R 279.   W¹ Bd. 3, 532*.
> 1) Vgl. Gal. 3, 10.   2) Gal. 3, 13.

258   [Bl. G 6ᵇ]   Eyn anders.

Hie im gesetz ist eitel Tod und GOttes zorn, nue ist das Evangelium dein wort;
darumb halte, was du gesagt hast, das du uns den segen gebest durch den gebene-
deieten samen, der kommen ist, der uns solches gebe und helffe vom tod durch
leben, von sünde durch gerechtigkeyt[1].

> Aus: Predigten über das 1. Buch Mose (zu 22, 17 ff.) (1527) = WA Bd. 24, S. 394,
> 34—395, 6.
> Fundorte: P 45.   W¹ Bd. 3, 532.
> 1) Zur Deutung der Nachkommensverheißung in 1. Mose 22, 18 auf Christus vgl. RN
> 48, 17 (Nr. 20), 3 f.

259   [Bl. G 7ᵃ]   Umb abwendung verdienter zornstraf.

Domine, ne in furore tuo arguas me ...

HErr, straf mich nit in deinem zorn und züchtige mich nit in deinem grimm[1],
strafe mich, das bin ich wol zu friden, will auch gerne leyden, das du mich
züchtigest, allein thue es nit in deinem zorn und grimm.

> Aus: Genesisvorlesung (zu 12, 18 f.) (1550) (deutsche Übersetzung) = WA Bd. 42,
> S. 492, 11—13.
> Fundorte: P 45.   B 378.   R 279.   W¹ Bd. 1, 1243.
> 1) Ps. 6, 2.

260   [Bl. G 7ᵃ]   Eyn anders.

O Domine, si ita mecum agis, feram patienter ...
                              Das ist.
O lieber Herr, wann du ja also mit mir handelst, will ichs mit gedult leiden und
bekenne, das ich wol viel eyn härtere straffe verdienet habe, darumb so erbarme
dich mein; wiltu je nicht haben, das ich soll eyn Erb sein, so machs doch mit mir

also, das ich möge eyn knecht bleiben, ja wie das Cananeisch weiblin sagt[1], will ich mich dessen nicht weigern, inn deinem hause eyn hündlin zu sein, das ich zum wenigsten die brosamen essen möge, die doch sonst ohn gefahr[2] auff die Erden fallen und zertretten werden; du bist mir von keynerley rechtswegen etwas schuldig, darumb halt ich mich an deine gnad und barmhertzigkeit.

Aus: Genesisvorlesung (zu 21, 15 f.) (1550) (deutsche Übersetzung) = WA Bd. 43, S. 174, 27—32. Vgl. Gebet Nr. 589 (Duplikat).

Fundorte: P 46.   B 361.   G X, 1382.   K 217.   C 107.

1) Matth. 15, 27.   2) von ungefähr, zufällig (lat. Vorlage: „temere"); vgl. RN 32, 476, 36.

261   [Bl. G 7b]   Bekantnuß und abbitt der sünde.

Ich bin eyn armer sünder, o Gott, vergib mir meine sünde, ich will gerne meines verdiensts geschweigen, schweig du alleyn deines Gerichts etc.[1*]. O Gott, ich will mit meinen wercken nichts für dir verdienen, sondern sie alleyn dahin richten, das ich damit dem Nächsten diene und will mich an deine blose barmhertzigkeyt halten.

Aus: Sommerpostille (1526) = WA Bd. 10$^{I, 2}$, 343 f. (Bd. 10^{III}, S. 279, 7 f. 13—15).
Fundorte: P 48.   B 362.   R 267.   W^1 Bd. 11, 1948*.   K 209.   Bei * ist in K folgendes Stück zur Vervollständigung des Luthertextes eingefügt:
* „Also sagt David: ‚Gehe nicht ins Gericht mit deinem Knecht, denn vor dir wird kein Lebendiger rechtfertig seyn'[2]."
1) ‚(ge)schweigen' (wie mhd.) mit Genitiv; vgl. RN 30^{III}, 228, 3; Franke Bd. 3, S. 112.
2) Ps. 143, 2 (Textfassung vor 1531 WA Bibel Bd. 10^I, S. 568).

262   [Bl. G 7b]   Abbitte mit außschliessung eygener wercke.

Lieber Vatter, darumb komme und bitt ich, das du mir vergebest, nicht das ich mit wercken gnug thun oder verdienen könne, sondern weil du es verheyssen hast und das Sigill daran gehengt[1], das so gewiß sein soll, als habe ich eyn absolution, von dir selbst gesprochen.

Aus: Großer Katechismus (zur 5. Bitte) (1529) = WA Bd. 30^I, S. 208, 4—8.
Fundorte: P 49.   W^1 Bd. 10, 145.
1) (mit einem äußerlichen Zeichen) bestätigt; zum Verständnis vgl. WA Bd. 30^I, S. 207, 24 ff.

263   [Bl. G 8a]   Eyn anders.

Ich hab gelebet, wie ich kan, so bitt ich, du wöllest je nicht mein leben und thun ansehen, sondern deine Barmhertzigkeyt und Güte, durch Christum verheyssen, und umb derselben willen mir geben, was ich bitte etc. Erhöre mich, weil du zu betten befohlen und erhörung zugesagt hast.

Aus: Das 14. und 15. Kap. S. Johannis (zu 14, 13 f.) (1538) = WA Bd. 45, S. 541,
4—6. 9.

Fundorte: P 50. B 378. G VII, 629. W¹ Bd. 8, 138.

264   [Bl. G 8ª]   Mitten inn der Sünde nider gekniet und gebettet.

Ach lieber Vatter, vergib mir und hilff mir herauß etc., darmit mich der Teuffel
nicht tieffer hinein werffe und ewig behalte.

Aus: Das 16. Kap. S. Johannis (1539) = WA Bd. 46, S. 80, 11—13.
Fundort: P 51.

265   [Bl. G 8ª]   Eyn anders.

Lieber HERRE Gott, ob ich wol gesündiget habe, so zörnest du dannoch nit mit
mir und bist mir nicht gramm, darumb das Christus, Mein lieber HERR, mich
durch seinen Tod widerumb mit dir versönet, mir meine Sünde vergeben und sein
Gerechtigkeyt und Verdienst mir zu eygen geschencket.

Aus: In Esaiam Scholia (1532) (deutsche Übersetzung) = WA Bd. 25, S. 228, 23—25.
Fundorte: M 24. O/Anh. 315. P 15. R 275. W¹ Bd. 6, 684.

266   [Bl. G 8ª]   Eyn Trostgebettlein der vergebung halb.

O *Domine, habeo tuam promissionem* . . .

Das ist.

O HErr, ich habe deine verheyssung, das meine gerechtigkeyt inn deiner barmhertzigkeyt bestehen soll, welche gerechtigkeyt nichts anders ist dan deine gnädige
vergebung, dadurch du die sünde und missethat nit wilt zurechnen, dabei bleib ich.

Aus: In XV Psalmos graduum (zu 130, 4) (1540) = WA Bd. 40III, S. 349, 29—31.
Fundorte: P 52. V 591. R 281. W¹ Bd. 4, 2831*. C 21.

267   [Bl. G 8ᵇ]   Umb grosse Erbarmung.

Ach GOtt, keyn Mensch noch Creatur mag¹ mir helffen noch trösten, also groß ist
mein Elend; dan nicht leiblich noch zeitlich ist mein schade, darumb du, der
du Gott bist und ewig alleyn mir helffen kanst, Erbarme du dich mein; dan on
dein erbarmen alle ding mir schrecklich und bitter sind. Nun bitte ich aber dein
erbarmen, nicht das kleyne, als du dich zeitlich über die leibliche Noht erbarmst,
sondern nach deiner grossen barmhertzigkeyt, als dasª du dich über der seelen
not erbarmest.

Aus: Die sieben Bußpsalmen (zu 51, 3) (1517) = WA Bd. 1, S. 186, 2—8.
Fundorte: P 53. B 369. R 268. W¹ Bd. 4, 2312*. K 210.
a) *das* fehlt bei Luther.
1) kann.

268   [Bl. G 8ᵇ]   Gebett aller Heyligen auff Erden.

Lieber Herre GOtt, ich bekenne und glaube, das ich eyn verdampter sünder bin, darum bitt ich dich, absoluiere und wäsche und tauffe mich umb CHristus willen, so weyß ich, das du mir gnädig bist, ich vergebung der sünden habe und rein und schneeweiß bin[1].

Aus: Predigt vom 1. April 1540 (1540) = WA Bd. 49, S. 122, 31–34. Vgl. Nr. 683.
Fundorte: P 54.   G VII, 629.   R z. T. 277.   W¹ Bd. 7, 999.
1) Vgl. Eph. 5, 26.

269   [Bl. H 1ᵃ]   Eyn anders.

O Allmechtiger Gott ich, bekenne mich eynen armen sünder, rechen du der alten schuld nit[1].

Aus: Festpostille (1527) = WA Bd. 17ᴵᴵ, 445 (Bd. 17ᴵ, S. 297, 24 f.).
Fundorte: P 54.   W¹ Bd. 11, 3034.
1) rechne ... du die alte Schuld nicht an.

270   [Bl. H 1ᵃ]   Eyn anders.

HErr, ich habe gesündigt und vil böses gethan, das ist mir leid. Aber du bist ein solcher Gott, der nit ansihet, wie fromm oder wie böse man ist, wann man nue[1] auf deine güte sihet und trauet.

Aus: Predigten über das 1. Buch Mose (zu 7, 1) (1527) = WA Bd. 24, S. 184, 24–27.
Fundorte: P 55.   R 278.   W¹ Bd. 3, 231*.
1) = nun (das auch die Bedeutung ‚nur‘ haben kann [so in der Vorlage]; D. Wb. Bd. 7, Sp. 995).

271   [Bl. H 1ᵃ]   Abbittung täglicher gebrechen.

Ach Herr, das es dir nur nit mißfalle. Ach Herre GOtt, ich hab übel gethan. O Herr, decke zu, biß[1] gnedig; ich solt es wol besser gemacht haben, ich habs aber leyder nicht gethan.

Aus: Der 112. Psalm Davids gepredigt (zu v. 1) (1526) = WA Bd. 19, S. 305, 31 f. 34; 306, 11–13.
Fundorte: P 56.   W¹ Bd. 5, 1604.
1) sei; zu dieser Imperativform (wie mhd.) vgl. RN 32, 88, 25; Franke Bd. 2, S. 193.

272   [Bl. H 1ᵃ]   Täglich gebett der Christen.

HErr GOtt, erbarme dich unser, ‚gedencke an deine barmhertzigkeit, die von ewigkeit wäret‘[1].

Aus: Genesisvorlesung (1552) (deutsche Übersetzung) = WA Bd. 43, S. 545, 32 f.
Fundorte: P 56.   W¹ Bd. 2, 492.
1) Ps. 25, 6.

273   [Bl. H 1ª]   Eyn anders.

Lieber Herr Gott, wir bekennen, das wir gesündiget haben, erbarme dich unser
und vergibe uns unsere sünde.

Aus: Genesisvorlesung (1554) (deutsche Übersetzung) = WA Bd. 44, S. 336, 9. 10.
Fundorte: P 57.   W¹ Bd. 2, 1781.

274   [Bl. H 1ᵇ]   Gebett in täglichen gebrechen.

Domine, redemisti de captivitate ...
                    Das ist.
HErr, du hast mich eynmal auß allem gefengnuß erlöset, erlöse mich fürter allwege, die sünde hastu mir vergeben, vergib mir sie fürter allwege, den Teuffel
hastu gewürget, würge in fürter allwege¹, das gesatz hastu abgethan, thue es
fürter allwege¹.

Aus: In XV Psalmos graduum (zu 126, 4) (1540) (deutsche Übersetzung) = WA Bd.
40ᴵᴵᴵ, S. 190, 27−29.
Fundorte: P 57.   B 370.   W¹ Bd. 4, 2606*.   K 195.
1) überall, allezeit.

275   [Bl. H 1ᵇ]   Umb vergebung der Erbsünd.

Pro hoc malo te oro, O Deus, quo nos humiliasti ...
                    Das ist.
Ich bite dich, lieber Gott, für diß übel, damit du uns gedemütiget hast von unser
ersten geburt her und für dise böse jare, in welchen wir den allgemeynen unter-
gang unser aller von wegen der sünd empfunden haben; solch groß übel bitten wir
dir hiemit ab und bitten ewige vergebung der sünden, das du ja nicht nach deinem
gesetz wider dises stetwerende übel verfaren woltest. Darnach bitten wir auch
erledigung¹ von der straff, auff das wir nit alleyne gerecht sein, sondern auch
frölich und hertzlich, wolgemut und lustig² sein mögen³ und das unsere ernidri-
gung und sünde hinweg genommen werden durch vergebung der sünden und das
vilfeltige übel, so wir für augen sehen, durch verenderung in freude und heyl,
welchs alsdan erfolget, wann wir von aller straf und pein erledigt⁴ werden.

Aus: Enarratio Psalmi XC (zu v. 15) (1541) (deutsche Übersetzung) = WA Bd. 40ᴵᴵᴵ,
S. 582, 18−20. 22−28.
Fundorte: P 58.   R 269.   W¹ Bd. 5, 1159.
1) Befreiung.   2) Zur Bedeutung vgl. F. Tschirch, Probeartikel zum Wörterbuch der
Bibelsprache Luthers (Göttingen 1964), S. 176 f.   3) können.   4) befreit.

276   [Bl. H 2ª]   Umb verzeyhung täglicher sünde.

O Domine, dedisti nobis filium tuum . . .

Das ist.

O Allmechtiger Gott, du hast uns deinen Son gegeben, solch dein geschenck erhalte uns, wir fallen und straucheln offt mit gedancken, worten und wercken; solches verderbt uns die freude, die wir in dir haben sollen; darumb ob wir wol täglich sündigen, unfleissig und undanckbar sein, so bleibe du doch unser Gott, und also, das du seiest freundlich und holtselig, das ist, das wir erhalten werden im fried und freud deß heyligen Geystes.

Aus: Enarratio Psalmi XC (zu v. 17) (1541) (deutsche Übersetzung) = WA Bd. 40III, S. 589, 36—590, 16. Vgl. Gebet Nr. 684.

Fundorte: P 60.   R 302.   W¹ Bd. 5, 1167*.   K 194.

277   [Bl. H 2ᵇ]   Umb verzeyhung der sündlichen geburt.

Hilff, lieber Herre Gott, das wir der neuen leiblichen geburt deines lieben Sons teylhafftig werden und bleiben und von unser alten sündlichen geburt erledigt[1] werden durch denselben deinen Son Jesum Christum, unsern HERREN.

Aus: Wittenberger Gesangbuch 1543 (J. Klug) (zu: Vom Himmel kam der Engel Schar) = WA Bd. 35, S. 264 (vgl. ebd. S. 553). Vgl. Gebet Nr. 11.

Fundorte: P 61.   R 227.   W¹ Bd. 10, 1732.   K 205.   C. 67.   Ferner: Handbüchlein (Schemp) 1561, Bl. 27ᵇ (= Bibliographie II, 5).

1) befreit.

278   [Bl. H 2ᵇ]   Um erlösung von sünde und Tod.

Allmechtiger Vatter, ewiger Gott, der du für uns hast deinen Son deß Creutzes pein lassen leiden, auff das du von uns deß feindes gewalt triebest, verleihe uns, also zu begehen[1] und dancken seinem leiden, das wir dadurch der sünden vergebung und vom ewigen Tod erlösung erlangen durch denselbigen deinen Son Jesum Christum, unsern Herren.

Aus: Wittenberger Gesangbuch 1543 (J. Klug) (zu: Mit Fried und Freud fahr ich dahin) = WA Bd. 35, S. 553. Vgl. Gebet Nr. 14.

Fundorte: P 62.   R 229.   W¹ Bd. 10, 1734.   K 206.   C 69.   Ferner: Handbüchlein (Schemp) 1561, Bl. 28ª (= Bibliographie II, 5).

1) festlich zu begehen (auch in bezug auf die Totenfeier).

279   [Bl. H 3ª]   Umb behütung für sünden.

Lieber GOTT, verleihe mir gnade, das ich durch meine sünde niemand ursach gebe, das er sich an mir ergere.

Aus: Aufzeichnung von Justus Jonas vom 7. Juli 1527 über Luthers schwere Erkrankung = WA Bd. *TR* 3, S. 86, 5 f. Vgl. Gebet Nr. 47.

Fundorte: P 62.   W¹ Bd. 21, 167*.

280   [Bl. H 3ª]   Dancksagung für vergebung der sünden.

Ich dancke dir, barmhertziger Gott, du himlischer Vatter, das du mir meine sünde
vergeben hast durch deinen lieben Son Jesum Christum.

Aus: Sommerpostille (1544) = WA Bd. 22, 296 (WA Bd. 49, S. 150, 20—22).
Fundorte: P 63.   W¹ Bd. 11, 1046.

281   [Bl. H 3ª]   Eyn andere dancksagung.

O Gütiger Heyland, wie weißlich¹ hastu es angegriffen, du bist je mein bruder,
das weiß ich, wie im Psalm stehet: ‚Ich will deinen Namen erzehlen meinen brü-
dern‘². Ob du nue gleich Gott bist, mein Herr Christe, und gleich eyn König
himels und erden, so kan ich mich nit für dir fürchten; dann du bist mein gesell,
mein bruder, mein fleysch und blut, ich laß mich das nicht irren³, das ich eyn
sünder bin und du heylig; dann wer ich nit eyn sünder gewesen, so hettest du nit
für mich dürffen⁴ leiden, darumb bin ich getrost. Ich seheª auch, wie in deim
stammregister⁵ gute und böse beschrieben werden, davon du hast wöllen geboren
werden, auf das du ja trösten möchtest die forchtsamen und blöden⁶ gewissen, das
sie frisch auff dich vertraueten, als hettest du unsere sünd hinweg genommen, wie
du sie dann hinweg genommen hast, und das wir deß gewiß würden, hastu uns
dein wort hie gelassen, welches uns dasselbige gewiß zusaget, dir sei lob in ewigkeyt.

Aus: Festpostille (1527) (zu Matth. 1, 1—16) = WA Bd. 17ᴵᴵ, S. 471, 37—472, 12.
Fundorte: P 63.   V 592.   R 294.   W¹ Bd. 11, 3121*.   C 20 und 83.
a) stehe Druckf.
1) weise.   2) Ps. 22, 23; vgl. Hebr. 2, 11 f.   3) ... mich dadurch nicht irreführen; vgl. RN 48, 41 (Nr. 51), 9.   4) zu leiden brauchen.   5) Stammbaum (in
dem ausgelegten Text Matth. 1).   6) verzagten.

282   [Bl. H 3ᵇ]   Aber¹ eyn andere dancksagung.

Lieber Herre Gott, was wir haben und brauchen, ist alles dein, wir habens je²
nicht gemacht, wir habens nit von uns noch auß uns selbst, sondern du hasts uns
gegeben, es ist dein geschenck und gabe; das aber ist sonderlich dein eygen werck
und barmhertzigkeyt, das wir dem Teuffel entlauffen, von sünden frei und ledig
worden sind, derhalben gebüret dir alleyne die ehr davon und nicht mir.

Aus: Hauspostille (1559) = E. A². 4, S. 122, 14—21 (vgl. WA Bd. 52, S. 55, 6—10).
Fundorte: P 66.   G XI, 853.   R 296.   W¹ Bd. 13, 183*.   Vgl. Schulz Nr. 59.
1) abermals, wiederum.   2) ja.

283   [Bl. H 3ᵇ]   Dancksagung dem Mittler Christo.

Lieber HERR Jesu Christe, ich laß mir gnügen, das ich an dir eynen süssen Erlöser und treuen Hohenpriester habe, dich will ich loben und preisen, so lang ich
lebe.

Aus: Resolutiones disputationum de indulgentiarum virtute (1518) (deutsche Übersetzung) = WA Bd. 1, S. 527, 11 f.

Fundorte: B 370.   R 297.   W¹ Bd. 15, 507.   C 69.

284   [Bl. H 4ᵃ]   Dancksagung umb vergebung der sünden.

Ich füle wol rechte sünde, die mir Gottes gerichte dreuen und schrecken, doch sinds nur sauere[1], finstere wolcken. Aber dein gnade, lieber Gott, waltet und herschet über uns, der gnaden himel ist mechtiger dann der sünden gewölcke, der gnadenhimel bleibt ewiglich, der sünden gewölcke vergehet etc.; gelobet seistu Gott, das deine Gnade über uns waltet und mechtiger ist dan unsere sünde.

Aus: Der 117. Psalm ausgelegt (1530) = WA Bd. 31ᴵ, S. 246, 20 f. 22—25. 29 f.

Fundorte: P 67.   B 378.   V 593.   W¹ Bd. 5, 1684.

1) drohende; vgl. WA Bd. 31ᴵ, S. 246 Anm. 5.

285   [Bl. H 4ᵃ]   Gebettlein umb den rechten glauben und umb vermehrung und sterckung desselben.

Hilff Gott, das wir eynmal rechten glauben überkommen[1], den wir sehen in aller schrifft geordert werden.

Aus: Vier tröstliche Psalmen an die Königin zu Ungarn (zu 37, 40) (1526) = WA Bd. 19, S. 571, 21 f.

Fundorte: P 68.   W¹ Bd. 5, 33.

1) erlangen.

286   [Bl. H 4ᵃ]   Eyn anders.

Allmechtiger Gott, der du durch den tod deines Sons die sunde und tod zu nit gemacht und durch sein Aufferstehung, unschult und ewiges leben widerbracht hast, auff das wir, von der gewalt deß Teuffels erlöset, in deinem Reich leben, verleihe uns, das wir solchs von gantzen hertzen glauben und in solchem glauben bestendiglich dich allezeit loben und dir dancken, durch denselben deinen Son Jesum Christum, unsern Herren.

Aus: Wittenberger Gesangbuch 1543 (J. Klug) (zu: Jesus Christus, unser Heiland) = WA Bd. 35, S. 553 f. Vgl. Gebet Nr. 15.

Fundorte: P 69.   R 232.   W¹ Bd. 10, 1735.   K 206.   C 69.   Ferner: Trostbüchlein (Walther) 1558, Bl. S 2ᵃ (= Bibliographie II, 4). Lehr- und Gebetbüchlein (Glaser) 1565, Bl. Z 4ᵃ (= Bibliographie II, 6). Handbüchlein (Schemp) 1561, Bl. 30ᵃ (= Bibliographie II, 5). Neues christliches Betbüchlein (Magdeburg) 1587, S. 113 (= Bibliographie II, 8).

287   [Bl. H 4ᵇ]   Eyn anders.

Mein GOtt, du hast gebotten, zu bitten und zu glauben, die bitte werde erhöret; darauf bitte ich und verlasse mich, du wirst mich nicht lassen[1] und mir eynen rechten Glauben geben.

> Aus: Sermon von der Bereitung zum Sterben (1519) = WA Bd. 2, S. 697, 3—5. Vgl. Gebet Nr. 113 (Rückübersetzung aus der lat. Übs.).
> Fundorte: P 69.   K 189.
> 1) verlassen.

288   [Bl. H 4ᵇ]   Eyn anders, wann du die Sonne ansihest.

Ach Gott, der du also schöne, feine Creaturen geschaffen hast, Gib mir auch eyn recht Erkantnuß und eynen starcken, festen glauben.

> Aus: Festpostille (1527) = WA Bd. 17ᴵᴵ, S. 408, 34 f.
> Fundorte: P 70.   B 97.   W¹ Bd. 11, 2936.

289   [Bl. H 4ᵇ]   Eyn anders.

Allmächtiger Gott, ewiger Vatter, der du uns durch deinen lieben Son, unsern Herren und Heyland Jesum CHristum, so reichlich erleuchtet hast, Stärcke uns auch durch deinen Heyli[gen] Geyst mit völligem glauben und gib uns krafft, das wir solchem Liecht treulich und fleissig folgen und dich sampt allen Heyden preisen und loben beyde mit lehren und[1] leben. Dir sei danck und ehre für alle deine unaußsprechliche Gnade und gaben[2] inn ewigkeyt.

> Aus: Der 117. Psalm ausgelegt (1530) = WA Bd. 31ᴵ, S. 255, 1—2; 256, 1—2; 257, 1—2.
> Fundorte: P 71.   R 228.   W¹ Bd. 5, 1703*.   K 192.   Vgl. Schulz Nr. 40.
> 1) sowohl … als auch.   2) Vgl. 2. Kor. 9, 15.

290   [Bl. H 5ᵃ]   Eyn anders.

Converte captivitatem nostram, O Deus …
                    Das ist.

‚Wende, O Herr, unser gefengniß‘[1], das ist, erlöse uns, die wir sein erstling deiner neuen Creatur[2], auff das, gleich wie die erlösung durch Christum volkomlich und zu guter genüge geschehen ist, das wirs auch also rechtschaffen[3] und zu guter genüge ergreiffen und empfinden mögen[4], und wie durch deine mechtige hand das Meer vom dürren[5] winde verdrucknet[6], also laß außdörren alles, was von unser gefengniß[7] übrig ist, das es alles vergehe und verzeret werde wie die Beche, die im winter fliessen und im Sommer versiegen müssen[8].

> Aus: In XV Psalmos graduum (zu 126, 4) (1540) (deutsche Übersetzung) = WA Bd. 40ᴵᴵᴵ, S. 190, 32—35; 191, 19—23.
> Fundorte: P 71.   R 297.   W¹ Bd. 4, 2607*.   K 195.   C 84.

1) Ps. 126, 4.   2) Jak. 1, 18.   3) richtig, wirklich (im Gegensatz zum bloßen Schein), vollkommen (lat. Vorlage: „*plene*"); vgl. RN 48, 210 (Nr. 280), 7.   4) können.   5) austrocknenden (lat. Vorlage: „*siccus*").   6) Vgl. 2. Mose 14, 21.   7) Gefangenschaft; Luther gebraucht das Femininum gelegentlich, besonders für die Bedeutung ‚Gefangenschaft', während ‚gefengnis' im heutigen Sinne neutral gebraucht wird (D. Wb. Bd. 4I, 1, Sp. 2125).   8) Ps. 126, 4.

291   [Bl. H 5ª]   Wider den unglauben.

O HERR, mehre uns den Glauben, ich wolt wol von hertzen gern dich für meinen hertzlieben Vatter und Christum für meinen Bruder halten, aber mein fleysch will leyder nicht folgen; darumb hilff meinem unglauben, das ich deinem Namen möge die ehre geben und dein Wort für war halten.

Aus: Kirchenpostille (1544) = WA Bd. 22, 215 (Bd. 46, S. 343, 24—28).
Fundorte: P 73.   B 661.   G XIII, 1557 und 197.   R 287.   W¹ Bd. 11, 876*.
K 190.   C 84.

292   [Bl. H 5ᵇ]   Eyn anders.

Lieber HERR Jesu CHriste, verleihe uns dein gnad und Geyst, das wir dich mit fräuden annemmen, deinem Evangelio glauben und durch dich selig werden.

Aus: Hauspostille (1559) = E. A.². Bd. 4, S. 22, 32—34 (obiges Gebet beruht auf dem freien Zusatz Rörers am Schluß seiner Druckbearbeitung von WA Bd. 37, S. 610—613).
Fundorte: P 73.   W¹ Bd. 13, 33.

293   [Bl. H 5ᵇ]   Wider schrecken und zagen.

Barmhertziger ewiger GOTT, der du deines eygen Sons[1] nicht verschonet hast: sondern für uns alle dahin gegeben, das er unser Sünde am Creutz tragen solt, verleihe uns das unser hertze inn solchem Glauben nimmermehr erschrecke noch verzage, durch denselben deinen Son Jesum CHristum unseren HERREN.

Aus: Wittenberger Gesangbuch 1543 (J. Klug) (zu: Mit Fried und Freud fahr ich dahin) = WA Bd. 35, S. 553. Vgl. Gebet Nr. 13.
Fundorte: P 74.   R 232.   W¹ Bd. 10, 1733.   K 206.   C 69.   Ferner: Trostbüchlein (Walther) 1558, Bl. S 4ª (= Bibliographie II, 4). Lehr- ... und Gebetbüchlein (Glaser) 1565, Bl. Z 4ª (= Bibliographie II, 6).
1) zum Genitiv bei ‚(ver)schonen' vgl. Franke Bd. 3, S. 103.

294   [Bl. H 5ᵇ]   Umb stärckung deß glaubens.

Lieber HErr Christe, erhalte und stärcke uns inn reynem Erkantnuß[1] und eynigkeyt deß glaubens biß auff den tag deiner herrlichen zukonfft[2], dir sei lob, ehr und preiß mit GOtt dem Vatter in ewigkeyt.

Aus: Wochenpredigt über Johannes 17 (1530) = WA Bd. 28, S. 200, 30—33.
Fundorte: P 75. W¹ Bd. 8, 803. K 190.
1) S. o. Nr. 177 Anm. 1.   2) Ankunft.

295   [Bl. H 6ᵃ]   Umb mehrung deß glaubens.

Lieber HErr Jesu Christe, der du dein werck in uns angefangen hast, mehre und
vollführe dasselbige¹ mit gnaden auff den tag deiner herrlichen zukonfft², das wir
mit fräuden dir entgegen lauffen und ewiglich bei dir bleiben mögen³.

Aus: An die Christen in Livland (1525) = WA Bd. 18, 421, 14—17.
Fundorte: P 75.   R 298.   W¹ Bd. 10, 294.   K 190.
1) Phil. 1, 6.   2) Ankunft.   3) können.

296   [Bl. H 6ᵃ]   Eyn anders.

HERR, mehre uns den Glauben, Herr, hilff unserm unglauben¹. HERR, stärck
unser schwachheyt, das wir dir anhangen und uns in dir lassen begnügen, es gehe
mir, wie es solleᵃ.

Aus: Festpostille (1527) = WA Bd. 17ᴵᴵ, S. 380, 4—6.
Fundorte: M 35.   O/Anh. 315.   P 76.   G XIII, 1557 und 1552.   W¹ Bd. 11, 2839.
a) *wölle* Festpostille (vgl. auch WA Bd. 7, S. 258, 11: wöl).
1) Vgl. Mark. 9, 24.

297   [Bl. H 6ᵃ]   Umb eynen festen glauben.

Ich bin unerschrocken, dann ich habe Gottes Son, welchen mir GOtt auß liebe
geschencket hat, das kan nicht fälen¹; dann da steht Gottes wort, das heylig Evangelium, welchs davon bezeuget, Dein wort aber, O HErr, und dein Son Jesus
werden mich nicht betriegen, auff denselben traue und baue ich; wo ich aber
nicht starck gnug bin im Glauben, so gib doch gnad, das ichs fester glaube; dan
sonst kan ich zu solchem hohen geschenck und liebe nichts thun.

Aus: Hauspostille (1559) = E. A.² Bd. 5, S. 232, 27—36 (vgl. WA Bd. 52, S. 332,
26—31).
Fundorte: P 76.   G XI, 854.   R 286.   W¹ Bd. 13, 1454*.
1) fehlschlagen, irreführen.

298   [Bl. H 6ᵃ]   Umb den waren Glauben.

Ich dancke dir, mein lieber GOtt, das ich gelehrnet hab, das ich meine sünde nicht
soll angreiffen mit meiner eygen busse oder den glauben anfahen mit meinen
wercken und meine sünde tilgen, für den Menschen dörffte ich es wol¹ thun, für
der Welt und dem Richter gilt es, aber für dir Gott ist eyn ewiger zorn, da kan
ich nicht gnug für thun, ich müste verzagen; darumb dancke ich dir, das eyn

ander für mich meine sünde angegriffen, sie getragen und dafür bezalet und ge-
büsset hat, das wolte ich gerne glauben. Es dancket mich auch fein recht und tröstlich sein. Aber ich kan mich nicht drein ergeben, ich finde es inn meiner krafft nit,
das ichs thun könte, ich kans nicht begreiffen, wie ich wol solt. Herr, zeuch du
mich, hilff mir und schencke mir die krafft und gabe, das ichs glauben möge, wie
David der Prophet im 51. psalm seuffzet: ‚Schaffe inn mir, GOtt, eyn reynes
hertz und gib mir eynen neuen gewissen Geyst'[2], eyn neu reynes hertz vermag ich
nicht zu machen, es ist dein geschöpff und Creatur; gleich wie ich die Sonn und
Mond nicht machen kan, das sie auffgehen und helle scheinen am Himmel, so
wenig kan ich auch verschaffen, das daß Hertze reyn sei und ich eynen gewissen
geyst, eynen starcken, festen mut habe, der steiff[3] sei und nicht zappele, zweifele
oder wackele an deinem wort.

Aus: Wochenpredigten über Joh. 6—8 (1565) = WA Bd. 33, S. 285, 15—286, 8.
Fundorte P 78.   V 593.   R 283.   W[1] Bd. 7, 2176*.   C 84.
1) gewiß.   2) Ps. 51, 12.   3) unerschütterlich.

299   [Bl. H 7ª]   Kurtze Gebettlin umb vermehrung deß Glaubens.

O Herr, hilff uns und mehre uns den glauben, dann one dich ists mit uns verlohren.

Aus: Sommerpostille (1544) = WA Bd. 22, S. 348 (Bd. 17[I], S. 449, 29 f.).
Fundorte: P 81.   W[1] Bd. 11, 2371.

300   [Bl. H 7ª]   Ein anderes.

Lieber Gott, erhalte uns bei dem Hauptstuck und laß uns dasselb länger, auf das
wir im erkantnuß[1] desselben und im rechten Glauben an Christum mögen wachsen
und zunemen und entlich mögen selig werden.

Aus: Hauspostille (1559) = E. A². Bd. 5, 203, 24—29 (WA Bd. 37, 409, 3 f.; vgl. Bd.
52, S. XIX).
Fundorte: M 36.   P 81.   W[1] Bd. 13, 1451.
1) S. o. Nr. 177 Anm. 1.

301   [Bl. H 7ª]   Ein anderes.

HERR Jesu Christe, an dich glaube ich alleyne, hilff mir.

Aus: Heerpredigt wider den Türken (1529) = WA Bd. 30[II], S. 186, 33 f.
Fundorte: M 36.   P 82.   W[1] Bd. 20, 2726.

302   [Bl. H 7ª]   Ein anders.

Lieber Herr, wiewol ich der sachen gewiß bin, so kan ichs doch one dich nicht erhalten.

Aus: Sommerpostille (1544) = WA Bd. 22, S. 348 (Bd. 17^I, S. 449, 18 f.).
Fundorte: P 82. G XIII, 1558. W^1 Bd. 11, 2370.

303   [Bl. H 7^a] Umb erhaltung inn bestendigkeyt deß Glaubens.
Umb bestendigkeyt, wann es gleich alls solte über eynen hauffen gehen[1].

Gott hilf uns, das wir mögen gewiß sein, das dein wort die warheyt ist, wann es
zum treffen kommen wird, da es nicht anders sein kan, da das Teutschland wird
in eynander fallen[2] wie Jerusalem[3], das wir dan Feste halten durch deinen Heyligen Geyst.

Aus: Wochenpredigten über Joh. 6—8 (zu 8, 28) (1566) = WA Bd. 33, S. 617, 28—34.
Fundorte: P 82.   B 57.   W^1 Bd. 7, 2494.
1) zertrümmert, vernichtet werden.   2) zugrunde gehen.   3) Vgl. Luk. 19, 43 f.

304   [Bl. H 7^a] Eyn anders.

Barmhertziger Gott, du hast mir gegeben, das ich eyn Christen[1] bin worden. Hilff,
das ich es bleibe und nemme von tag zu tag zu im glauben; wann gleich die gantze
Welt solt fallen und sich jederman rotten[2] würde und der Teuffel alle Töpffe zu-
brechen[3] solte, so gib, das ich mich nicht dran kehre, sondern mit deiner Göttlichen hülfe bei dem Evangelio bleibe.

Aus: Sommerpostille (1544) = WA Bd. 22, S. 350 (Bd. 17^I, S. 456, 25—29).
Fundorte: P 83.   B 57.   G XIII, 1558 und 548.   V 594.   W^1 Bd. 11, 2379.   C 85.
1) ein Christ (mhd.: *kristen*); vgl. Dietz Bd. 1, S. 373 f.   2) zusammenscharen, ver-
schwören; vgl. WA Bibel Bd. 10^I, S. 206/207; Bd. 11^I, S. 158/159 (Ps. 35, 15; Jes. 54, 15).
3) alles zerstören; vgl. WA Bd. 20, S. 29, 12 f.

305   [Bl. H 7^b] Eyn anders.

Allmächtiger, ewiger GOtt, der du uns gelehret hast, inn rechtem glauben zu
wissen und zu bekennen, das du inn trei personen gleicher Macht und ehren eyn
eyniger[1], ewiger Gott und dafür anzubetten bist, wir bitten dich, du wöllest uns
bei solchem Glauben allzeit feste erhalten wider alles, das da gegen uns mag fechten, der du lebest und regierest von ewigkeyt zu ewigkeyt.

Aus: Wittenberger Gesangbuch 1543 (J. Klug) (zu: Gott der Vater wohn uns bei)
= WA Bd. 35, S. 554. Vgl. Gebet Nr. 17.
Fundorte: P 84.   R 236.   W^1 Bd. 10, 1739.   K 207.   C 71.   Ferner: Handbüchlein (Schemp) 1561, Bl. 31^b (= Bibliographie II, 5).
1) einziger.

306   [Bl. H 7^b] Umb erhaltung im Glauben biß ans ende.

Himlischer Vatter, ich bitte dich von hertzen grund, du wöllest mich nach deiner
grundlosen Güte stärcken und mit deinem Geyst erleuchten und bewaren, damit

ich mit fräuden und dancksagung erkennen möge die selige lehre von deinem Sone, unserm Herren Jesu CHristo, zu welcher ich durch deine gnade beruffen und kommen bin auß den greulichen vorigen Finsternuß[1] und Irrthummen. Lieber Vatter, solch erkantnuß mir gegeben und dein werck inn mir angefangen, wöllest du biß zu ende inn jenes leben und auff die fröliche zukonfft[2] meines HErren Jesu Christi bewahren und vollbringen[3].

Aus: An Hans Luther vom 15. Februar 1530 (1545) = WA Br. Bd. 5, S. 239, 22—31.
Fundorte: P 85   B 58.   V 595.   R 346.   W[1] Bd. 10, 2307.   K 191.   C 75.
1) Finsternissen.   2) Ankunft.   3) Phil. 1, 6.

307   [Bl. H 8ª]   Kurtz Stoßgebettlein.

HERRE Gott, erhalte uns inn deiner gnade, inn Christo erzeyget.

Aus: Wochenpredigten über Matthäus 5—7 (1532) = W[2] 7, 677, 43 f. (am Schluß hinter WA Bd. 32, S. 544, 7 aus Jen. 5 [1557], Bl. 488ª = Treuers Vorlage).
Fundorte: P 87.   W[1] Bd. 7, 975.

308   [Bl. H 8ª]   Umb überwindung durch den Glauben.

HERRE Gott, Himmlischer Vatter, du weyssest, das wir in so mancher grosser gefahr für menschlicher schwacheit nit mögen[1] bleiben, verleihe uns beyde an leib und Seel[2] krafft, das wir alles, so uns umb unser sünde willen quelet, durch deine hülffe überwinden umb Jesus Christus, deines Sohns, unsers HErren, willen.

Aus: Deutsche Litanei (1529) = WA Bd. 30[III], S. 36, 1—11; Bd. 35, S. 555. Vgl. Gebet Nr. 5.
Fundorte: P 87.   R 345.   W[1] Bd. 10, 1743.   K 200.   Ferner: Feuerzeug christlicher Andacht 1537, Bl. F 1ª (= Bibliographie II, 1). Betbüchlein für allerlei gemein Anliegen 1543, Bl. A 4ᵇ, jedoch in der Ich-Form (= Bibliographie II, 2). Lehr- ... und Gebetbüchlein (Glaser) 1565, Bl. Z 5ª (= Bibliographie II, 6).
1) können.   2) sowohl ... als auch.

309   [Bl. H 8ª]   Umb freie Bekantnuß[1] deß glaubens.

Allmächtiger, ewiger GOTT, wir bitten dich hertzlich, gib uns, das wir deinen lieben Sohn erkennen und preisen, wie der heylige Simeon[2] in leiblich in Arm genommen und geystlich gesehen und bekant hat durch denselben deinen Son Jesum Christum, unsern Herrn.

Aus: Wittenberger Gesangbuch 1543 (J. Klug) (zu: Mit Fried und Freud fahr ich dahin) = WA Bd. 35, S. 553: Vgl. Gebet Nr. 12.
Fundorte: P 87.   R 229.   W[1] Bd. 10, 1733.   K 205.   C 68.
1) S. o. Nr. 239 Anm. 1.   2) Luk. 2, 25—32.

310   [Bl. H 8ᵇ]   Umb fräudige bekantnuß[1].

O lieber HERR Jesu Christe, hilff uns durch deinen Geyst, dich und dein wort
zu bekennen mit beständigem glauben für diser blinden, unartigen[2] Welt und
vergib den elenden Tyrannen sampt irem hauffen ire sünd (der verfolgung) und
erleuchte alle irrige und verfürte hertzen mit dem Liecht deiner gnaden und sei
mit uns Armen[a], das du uns behütest und bewarest reyn und unsträflich auff deine
zukonfft[3], dir sei lob und ehr mit dem Vatter und Heyligem Geyst inn ewigkeyt.

Aus: Vorrede zu: Von Herrn Lenhard Keiser in Bayern verbrannt (1527) = WA Bd.
23, S. 452, 27–33.
Fundorte: P 88.   B 57.   G III, 1609.   R 379.   T/Anh. 313.   W¹ Bd. 21, 174.   C 63.
Vgl. Schulz Nr. 14.
a) *Amen* Druckf.
1) S. o. Nr. 239 Anm. 1.   2) bösartigen.   3) bis zu deiner Ankunft.

311   [Bl. H 8ᵇ]   Bekantnuß deß Glaubens.

HERR Christe, ich bleib bei dir und hange an dir und glaub an dich; dann du
bists alleyn, darnach will ich hingehen und die zehen Gebott für mich nemmen
und inn guten wercken mich üben. Aber mein Hauptstuck soll sein, das ich mich
an dich halten will und das durch dich mir das leben geschencket werde.

Aus: Wochenpredigten über Joh. 6–8 (zu 6, 40) (1566) = WA Bd. 33, S. 109, 18–26.
Fundorte: P 89.   V 595.   R 299.   W¹ Bd. 7, 2001*.

312   [Bl. H 8ᵇ]   Begiriges Glaubensgebett.

Mein HErr Jesu Christe, du bist ja der eynige[1] Hirte und ich leyder das ver-
lorene Schaf, das inn der Irre gelauffen ist, und ist mir angst und bang und wolte
gern from sein, eynen gnädigen Gott und friede im gewissen haben, so höre ich
allhie, das dir ja so bang ist nach mir als mir nach dir[2], mir ist angst und wehe,
wie ich zu dir komme und mir geholffen werde, so bistu inn ängsten und sorgen
und begerest anders nichts, dann das du mich wider zu dir bringest; so komme
nun zu mir, suche und finde mich, das ich also auch komm zu dir und lobe und
ehre dich ewiglich.

Aus: Sommerpostille (zu Luk. 15, 4–6) (1544) = WA Bd. 22, S. 53 (ebd. S. 52 Zl. 3
lies: Bd. 36, 270, 24 . . .) (Bd. 36, S. 292, 34–41).
Fundorte: M 37.   P 90.   V 596.   R 281.   W¹ Bd. 11, 1705*.   C 20.
1) alleinige.   2) daß du dich so nach mir sehnst wie ich nach dir; vgl. WA Bd. 54,
S. 220, 22.

313   [Bl. J 1ᵃ]   Glaube steht steiff[1] auff Christum.

Lieber Herr Christe, ich weyß keynen heyligen, ich bin eyn armer Sünder und
hab den tod verdienet, aber über[2] die sünde und Tod halt ich mich an dich und

will von dir nicht weichen, ich hab dich, lieber Herr Christe, ergriffen, du bist mein Leben und das ist deß VAtters wille, das alle, die an dir hangen, das ewig leben haben und von den Toden sollen aufferwecket werden, es gehe mir drüber, wie es wölle, ich werde geköpfft oder verbrant, so kan es doch keyn ander[a] thun; dann es sonst alles den stich nicht hält[3], der Glaub an dich muß außhelffen.

Aus: Wochenpredigten über Joh. 6—8 (zu 6, 40) (1566) = WA Bd. 33, S. 113, 21—37.
Fundorte: P 92. R 282. W[1] Bd. 7, 2005*. C 20.
a) *ander leben* Luther.
1) gründet sich unerschütterlich; vgl. RN 30[III], 277, 19.   2) an Stelle der (D. Wb. Bd. 11[II], Sp. 108.   3) nicht standhält; vgl. RN 32, 28, 14.

314   [Bl. J 1[b]]   Freude Glaubiger hertzen über der unaußsprechlichen gnade Gottes, durch Christum erworben und geschencket.

Ach du barmhertziger Gott, wie ein freuntseliger, holtseliger Vatter bist du doch, der du so vätterlich und hertzlich mit uns armen, verdambten sündern handelst, wirffst deinen eynigen[1] Son Jesum Christum, dein höchstes und bestes gut, dem Tode, Teuffel etc. inn den Rachen und verhengest[2], das er in die tieffe herunter feret, auf das er wider in die höhe fare und das gefengnuß, so uns alle gefangen hielt, gefangen neme[3].

Aus: Predigt vom 31. Mai 1527 (zu Eph. 4, 8—10) (1551) = WA Bd. 23, S. 719, 26—32.
Fundorte: M 38. P 93. G XII, 790. R 300. W[1] Bd. 5, 1961*. C 85.
1) einzigen.   2) läßt geschehen.   3) Eph. 4, 8.

315   [Bl. J 1[b]]   Glaube würcket dancksagung für alle gnadenreiche wolthat.

Ich dancke dir, du ewiger barmhertziger Gott und Vatter, das du deinen lieben eynigen[1] Son uns armen sündern geschencket hast, der Menschlich natur angenommen, für uns gelitten, gecreutziget und gestorben ist und vom tod wider auferstanden, gen himel gefaren und unser gefengnuß, das uns gefangen hielt, gefangen[2], das wir dadurch deine liebe kinder und seine brüder und ‚miterben' aller seiner ewigen himlischen güter sind[3]. Gib gnade und deinen heyligen Geyst, das er uns erhalte in disem glauben biß an unser ende.

Aus: Predigt vom 31. Mai 1527 (zu Ps. 68, 19) (1551) = WA Bd. 23, S. 725, 17—24.
Fundorte: P 94.   B 264.   G IX, 1940 und XII, 790.   W[1] Bd. 5, 1967*.   K 191.
C 86.
1) einzigen.   2) Eph. 4, 8.   3) Röm. 8, 17.

316   [Bl. J 2[a]]   Gebett, das Gott den nachkommen und schwachglaubigen auch den glauben geben wölle.

Lieber Herre Gott, verleihe deine gnad, das die jugent und die, so noch geboren sollen werden und die schwachglaubig sind und noch nicht wol unterrichtet sind, auch die alten leute mögen eynen rechten verstand in der lere haben und behalten, das sie auch mittburger der Engel werden, wie wir sind, die an Christum glauben.

Aus: Auslegung des 1. und 2. Kapitel Johannis (zu 1, 51) (1565) = WA Bd. 46, S. 716, 20—24.
Fundorte: M 39.   O/Anh. 316.   P 96.   C 86.

317   [Bl. J 2ᵃ]   Trostgebettlein von der Tauffe.

Ich dancke dir, mein Herr Christe, mit hertz und mund preise und lobe ich dich für der welt, das du der bist, der mir gnedig ist und hilffst, dann also hab ichs angenommen inn der Tauffe, das du mein HErr und Gott solt sein und keyn ander.

Aus: Predigt über den 65. Psalm (1534) = WA Bd. 37, S. 429, 31—34.
Fundorte: P 97.   G VI, 615.   V 596.   W¹ Bd. 5, 927.   C 86.

318   [Bl. J 2ᵃ]   Für eyn Kind, so man tauffen will.

Lieber Gott, du wöllest disem kinde nit alleyne von deß Teuffels gewalt helffen, sondern auch stercken, das es mög[1] wider in ritterlich[2] im leben und sterben bestehn.

Aus: Taufbüchlein aufs neue zugerichtet (1526) = WA Bd. 19, S. 537, 27—29.
Fundorte: W¹ Bd. 10, 2625.   C 86.
1) könne.   2) tapfer; vgl. WA Bibel Bd. 12, S. 404/405 (1. Makk. 14, 26).

319   [Bl. J 2ᵇ]   Von der Absolution.

O DEus, qui signum et verbum tuum mihi dedisti ...
                                        Das ist.
Lieber Gott, der du mir neben deinem heiligen wort gewisse warzeychen gegeben hast, mich zu versichern, das meines Herren Christi leben, gnade und himmel, darinnen er ist, meine sünde, Tod und Helle mir zu gut alle gantz und gar aufgehaben[1] habe. Solche verheyssung wirstu mir gewiß halten; darauff bin ich so gewiß, das die wort, damit mich der Kirchendiener von sünden loß gesprochen hat, so fest und krefftig sein, als ob ich sie von dir, o Gott, selbst gehöret hette; ists nu Gottes wort, wie es dann ist, so muß und wirds gewiß auch geschehen und ergehen, wie die wort lauten, darauf beruhe ich und in solcher hofnung und vertrauen will ich willig sterben.

Aus: Sermon von der Bereitung zum Sterben (1519) = WA Bd. 2, S. 694, 10—14 (Rückübersetzung aus der lateinischen Übersetzung E. A. op. var. arg. Bd. 3, S. 467, 20—28).
Fundorte: P 98.   B 433.   V 596.   R 293.   W¹ Bd. 10, 2307.   Vgl. Schulz Nr. 46.
1) aufgehoben; vgl. RN 30ᴵᴵ, 141, 5.

320   [Bl. J 3ᵃ]   Vom Sacrament deß Abentmals Christi, unsers HERRN.
Gebett für der Empfahung.

Mein Herr Christe, ich bin gefallen, wolt wol[1] gerne, das ich starck were, so
hastu nu uns das Sacrament darumb eingesetzt, das wir unsern glauben dadurch
entzünden und stercken und uns also geholfen werde[2], darumb bin ich da und
wils empfahen etc. Herr, sihe, da ist das wort, hie ist mein gebrechen und
kranckheyt, so hastu selbst gesagt: ‚Kompt her zu mir alle, die ir mühselig und
beladen seit, ich will euch erquicken'[3], darumb gehe ich herzu und laß mir
helffen.

Aus: Sommerpostille (zu Luk. 24, 30—35) (1526) = WA Bd. 10ᴵ⋅², S. 226 f. (Bd. 12,
S. 498, 26—29; 499, 7—9. 13).
Fundorte: P 100.   B 470.   V 597.   R 314.   W¹ Bd. 11, 891*.   C 86.
1) sehr.   2) Vgl. dazu RN 48, 227, 11.   3) Matth. 11, 28.

321   [Bl. J 3ᵃ]   Gebettlein für die, so sich kalt und faul befinden
zum wort und Sacrament.

HERR, ich bin eyn fauler Esel, darumb komme ich, das du mir helffest und mein
Hertz anzündest.

Aus: Sommerpostille (1526) = WA Bd. 10ᴵ⋅², S. 227 (Bd. 12, S. 500, 13—15).
Fundorte: P 101.   W¹ Bd. 11, 894.

322   [Bl. J 3ᵃ]   Eyn anders.

Lieber HERR, ich füle mich so schwach, so kranck und verzagt, dennoch will ich
mich das nicht irren lassen[1], will dennoch zu dir kommen, das du mir helffest;
dann du bist je[2] der hirte, dafür halte ich dich, darumb will ich an meinen
wercken verzagen.

Aus: Sommerpostille (1526) = WA Bd. 10ᴵ⋅², 242 (Bd. 12, S. 536, 7—11).
Fundorte: P 102.   W¹ Bd. 11, 1076.
1) dadurch nicht irreführen lassen; vgl. RN 48, 41 (Nr. 51), 9.   2) ja.

323   [Bl. J 3ᵇ]   Gebett für der empfahung des Herrn Abentmals.

HErr, war ists, das ich nit wirdig bin, das du gehest unter mein dach[1], so bin ich
doch nottürfftig und begirig deiner hülffe und gnade, das ich auch möge fromm
werden, so komme ich auff keyn anders verlassen; dann ich jetzt süsse wort gehört habe, das du mich mit zu deinem tisch ladest und sagst mir unwürdigen zu,
ich soll vergebung aller sünden haben durch dein leib und blut[2], so ichs esse und
trincke in disem Sacrament, Amen, lieber HERR, dein wort ist war, da zweyffel
ich nicht an, und darauff esse und trincke ich mit dir, mir geschehe nach deinen
worten.

Aus: Sermon von der würdigen Empfahung des Leichnams Christi (1531) = WA Bd.
7, S. 695, 1—9.

Fundorte: P 107.   B 464.   G I, 679.   V 598.   R 313.   W¹ Bd. 12, 1766*.   K 214.
C 86.   Ferner: Feuerzeug christlicher Andacht 1537, Bl. H 5ᵇ (= Bibliographie II, 1).
Vgl. Schulz Nr. 47; ferner: F. Schulz, Ein Abendmahlsgebet Luthers, in: Dienende Kirche,
Festschrift J. Bender, Karlsruhe 1963, S. 105 ff.

1) Vgl. Matth. 8, 8.   2) Matth. 26, 28.

324   [Bl. J 3ᵇ]   Eyn anders.

Ecce, mi Domine Iesu Christe, miseriam meam respice ...
[I]   Das ist.

Ach, sihe doch an, aller liebster Herr Jesu CHriste, mein jammer, ich bin für mich
arm und ellend und bin doch so träg und faul zu solcher deiner artznei¹, das ich
mich schier gar nicht sehne zum ‚reichtumb deiner Gnaden‘²; darumb bitte ich
dich, o HERR, entzünde inn mir eyne rechte begirde und verlangen nach deiner
gnaden und gib mir eynen festen glauben an deine verheyssung, damit ich dich,
meinen lieben GOTT, nicht beleydige mit meinem heyllosen unglauben und
schentlichen überdruß.

[II]   [Bl. J 4ᵃ]   In ettlichen getruckten büchlein findet man vorgehendes gebett
            also verdeutscht.

Mein Herr Jesu Christe, sihe an meine verderbte Natur, dann ich dürfftiger³ und
elender Mensch habe eynen eckel vor der artzney¹, die du mir zur vergebung der
sünden und seligkeyt geordnet⁴ hast, ich befinde in mir keyn hertzlich verlangen
nach dem reichthumb deiner gnaden², zünde an in meinem hertzen, lieber Herr,
das verlangen deiner barmhertzigkeyt und den glauben an deine verheyssung,
auf das ich dich, meinen treuesten Herren, mit meinem schendlichen unglauben
und leydigem überdruß nicht erzürne und wirdiglich esse und trincke von dem
brot und wein deines leibs und blutes und durch dise heylsame speiß gestercket
und erhalten werde zu dem ewigen leben.

[III]   [Bl. J 4ᵇ]   Voriges gebett eyn wenig anders.

Mein Herr Jesu Christe, sihe an meine unseligkeyt, elend und dürftigkeyt, ich bin
dürfftig³ und arm und dennoch so verdrossen zu diser artzney¹, das ich mich auch
nach den reichthummern deiner gnaden² nicht sene; derhalben, o mein Herr, entzünde in mir die begirde deiner gnaden und den glauben deiner zusage, damit
ich dich, meinen allerfrömbsten und aller gütigsten GOTT, nicht beleydige durch
mein verkerten unglauben und faulheyt.

[I] Aus: Sermo de digna praeparatione cordis (1518) = WA Bd. 1, S. 331, 30—34
(deutsche Übersetzung).
Fundorte: P 104.   B 471.
[II] [Ohne Quellenangabe Treuers für diese Fassung] Nicht identifiziert.
Fundorte: P 105.   B 471.   R 311.

[III] Quelle: Eislebener Ergänzungsbd. 1 (1564) Bl. 6ᵃ.

Fundorte: P 107.   G XII, 783.   V 598.   R 310.   W¹ Bd. 12, 1753*.   K 213.
C 87.

1) Vgl. dazu RN 48, 227, 11.   2) Vgl. Eph. 1, 7; 2, 7.   3) armer (so in der
I. Fassung).   4) verordnet.

325   [Bl. J 4ᵇ]   Eyn anders vor der Empfahung.

Herr Jesu Christe, du hast das Sacrament deines leibs und bluts darumb eingesetzt und den trost uns gelassen, das man da vergebung der sünden¹ finden soll,
so fühle ich, das ich sein notürfftig² bin, ich bin in sünde gefallen und stehe in
forcht und verzagen, bin nicht kün, dein wort mit zu bekennen, habe so vil und so
vil gebrechen, darumb komme ich nu, das du mich heilest, tröstest und sterckest.

Aus: Fastenpostille (1525) = WA Bd. 17ᴵᴵ, S. 247 (Bd. 15, S. 495, 22—26).
Fundorte: P 108.   B 479.   G IX, 1950.   R 316.   W¹ Bd. 11, 813*.   K 214.
1) Matth. 26, 28.   2) seiner bedürftig; zum Inhalt vgl. RN 48, 227, 11.

326   [Bl. J 5ᵃ]   Aber¹ eyn anders.

Ich bin ein armer sünder, ich darf² hülff und trost, ich will hingehen zu des Herrn
Abentmal und mich mit meines lieben Herrn Jesu Christi leib und blut speisen;
dann du, Herr Jesu Christe, hast die Sacrament darumb eingesetzt, das alle
hungerige und dürstige seelen gespeiset und erquicket werden, du wirst mich nit
schelten, vil weniger erwürgen³, wann ich nur inn dem Namen komme, das ich
wil⁴ gesegnet sein, hülffe und trost haben.

Aus: Hauspostille (1559) = E. A². Bd. 4, 495, 38—496, 6 (WA Bd. 37, S. 350, 7—10).
Fundorte: P 110.   B 464.   R 315.   W¹ Bd. 13, 703*.
1) abermals, wiederum.   2) bedarf; s. u. Nr. 737 Anm. 1.   3) töten; vgl. RN 48, 52
(Nr. 68), 23 f.   4) Nachschrift der Lutherpredigt (WA Bd. 37, S. 350, 9): „wen[n]
ich nur in isto nomine wil . . .".

327   [Bl. J 5ᵃ]   Eyn kurtzes.

Ach HERR, ich bin eyn groser sünder, komm derhalben jetzt zu deinem Abentmal
und will mit dir essen und zweiffel nicht, ich werde dir eyn lieber und werder
Gast sein.

Aus: Hauspostille (1559) = E. A². Bd. 5, S. 69, 2—6 (WA Bd. 37, S. 379, 11 f.; vgl.
Bd. 52, S. 215, 29—30).

Fundorte: P 111.   B 465.   R 315.   W¹ Bd. 13, 669.

328   [Bl. J 5ᵃ]   Nach der Empfahung deß Hochwürdigen Sacraments.

Ach, du lieber Herre GOtt, der du uns bei disemᵃ wunderbarlichen Sacrament deines leidens zu gedencken und predigen befohlen hast¹, verleihe uns, das wir

solchs deines Leibs und bluts Sacrament also mögen brauchen, das wir deine Erlösung inn uns täglich fruchtbarlich empfinden.

Aus: Wittenberger Gesangbuch 1534 (J. Klug) (zu: Gott sei gelobet und gebenedeiet)
= WA Bd. 35, S. 556. Vgl. Gebet Nr. 18.
Fundorte: P 111.   B 504.   V 600.   R 231.   W¹ Bd. 10, 1746.   K 214.   C 69.
a) *disen* Druckf.
1) 1. Kor. 11, 24 f.; Luk. 22, 19.

329   [Bl. J 5ᵇ]   Eyn anders.

Wir dancken dir, Allmechtiger HErre Gott, das du uns durch dise heylsame Gabe
hast erquicket, und bitten deine Barmhertzigkeyt, das du uns solches gedeien las-
sest zu starckem Glauben gegen dir und zu brünstiger liebe[1] unter uns allen durch
Jesum Christ, deinen Son, unsern Herren.

Aus: Deutsche Messe (1526) = WA Bd. 19, S. 102, 8–11; Bd. 35, S. 556, Vgl. Gebet
Nr. 2.
Fundorte: P 112.   W¹ Bd. 10, 1747.   K 215.   C 69 und 87.   Ferner: Feuerzeug
christlicher Andacht 1537, Bl. H 6ᵃ (= Bibliographie II, 1). Handbüchlein (Schemp) 1561,
Bl. 24ᵇ (= Bibliographie II, 5). Neues christliches Betbüchlein (Magdeburg) 1587, S. 220
(= Bibliographie II, 8).
1) Vgl. 1. Petr. 4, 8.

330   [Bl. J 5ᵇ]   Klage und Gebet nach der empfahung deß Sacraments.

HERR Christe, ich geh zum Sacrament und bleibe dannoch wie vor one frucht,
ich habe so grossen schatz empfangen, der bleibet da bei mir ligen und ruhen, das
klag ich dir; hastu mir den schatz gegeben und geschenckt, so gibe auch, das er
frucht und eyn ander wesen inn mir schaffe, sich beweise und erzeyge gegen meinen Nächsten.

Aus: Fastenpostille (1525) = WA Bd. 17ᴵᴵ, S. 247 (Bd. 15, S. 502, 12–16).
Fundorte: P 112.   G IX, 1951 und XIII, 1557.   V 600.   R 324.   W¹ Bd. 11, 820.
C 87.

331   [Bl. J 5ᵇ]   Ein anders.

Lieber Herre Gott, und Vatter im Himmel, Hilff uns mit deinem Heyligen Geyst
durch Christum, deinen Sohn und unsern Erlöser, das wir dir für diß Abentmal
von hertzen dancken und das würdiglich brauchen mögen zu unser seligkeyt.

Randglosse Treuers: „Kirchenpostil am Ostermittwoch"; nicht identifiziert.
Fundorte: P 113.   B 503.   C 88.

332 [Bl. J 6ᵃ] Tröstliche erinnerung der gnaden auß dem Sacrament.

Lieber GOtt, du hast mir zugesagt und eyn gewiß zeychen deiner Gnaden inn den Sacramenten gegeben, das Christus leben meinen Tod inn seinem Tod überwunden habe, sein gehorsam meine sünde inn seinem leiden vertilget, seine liebe meine Hell in seinem verlassen[1] zerstöret habe; dises zeychen, solch zusagen meiner seeligkeyt, wird mir nicht liegen noch triegen[2]; dan du hasts gesagt, du kanst nicht liegen[3] weder mit worten noch mit wercken etc.; da bleib ich auff, da sterb ich auff.

Aus: Sermon von der Bereitung zum Sterben (1519) = WA Bd. 2, S. 693, 8–13; 694, 14.

Fundorte: P 114. B 504. R 321. W¹ Bd. 10, 2305.

1) Verlassenheit; vgl. Matth. 27, 46.   2) mich nicht belügen (s. o. Nr. 253 Anm. 2) noch betrügen; zu dieser formelhaften Verbindung vgl. RN 32, 193, 7/20.   3) lügen.

333 [Bl. J 6ᵃ] Eyn andere erinnerung und trost wider deß Teuffels anfechtung.

Gratias Deo ago, dedit mihi Sacerdos ...
                        Das ist.
Dir sei lob und danck, lieber GOtt, es hat mir nu der Priester den leib und blut meines Herren Christi gereychet, welches eyn gewiß warzeychen und zusagung ist, das ich inn die gemeynschafft Christi, aller Engel und ausserweleten auffgenommen sei, auf das sie mich widerumb lieben, sich meiner annemmen, für mich betten und mein anligen und not auf sich nemmen, mich stärcken, meine gebrechen helffen tragen und die Helle mit mir überwinden. Nu zweiffele ich nicht, solches alles werde seinen fortgang haben; dann das warzeychen, mir von Gott geben, wird mich nimmermehr betriegen, so kan und mag[1] mir auch solches niemand rauben noch nemmen, und ich wolte lieber mich der gantzen Welt und meiner selbst verzeihen[2] dann an diser verheyssung zweifeln; dan ich weyß, das du mein Gott warhafftig und gewiß genug bist, weyß auch, das du mit deinem wort und Sacrament niemand auffsetzest[3] noch betreugest, darumb ich sei wirdig oder unwirdig, weyß ich doch gewiß, ich sei eyn glied der Christenheyt; deß zum warzeychen hab ich diß Sacrament empfangen, mir ists vil besser und träglicher[4], ich sei unwürdig, dann das ich an Gottes Warheyt zweifeln solte, darumb ,troll dich nur, Sathan'[5], wann du mich eynes andern bereden[6] wilt.

Aus: Sermon von der Bereitung zum Sterben (1519) = WA Bd. 2, S. 694, 22–32 (Rückübersetzung der lateinischen Übersetzung E. A. op. var. arg. Bd. 3, S. 468, 5–24).
Fundorte: P 117. R 324. W¹ Bd. 10, 2308.

1) vermag.   2) entledigen, lossagen von (D. Wb. Bd. 12ᴵ, Sp. 251 ff.).   3) verführst.   4) erträglicher.   5) Matth. 4, 10 (bei Luther [WA Bd. 2, S. 694, 31] heißt es wie in der Bibel [WA Bibel Bd. 6, S. 24/25]: *„heb dich, Satan"*; ,troll dich' begegnet aber auch bei Luther, z. B. WA Bd. 14, S. 351, 36 f.; Bd. 19, S. 355, 3)).   6) zu etwas anderem überreden; zum Genitiv vgl. Franke Bd. 3, S. 113.

334   [Bl. J 7ᵃ]   Trostgebettlein inn gemeyn[1] von Sacramenten.

Barmhertziger GOtt, ich bin ja eyn armer sündiger Mensch ...

= Gebet Nr. 94. Duplikat zu Gebet Nr. 610.
1) im allgemeinen.

335   [Bl. J 7ᵇ]   Eyn anders.

Ach, du mein Gott, ob ich wol eyn armer Sünder bin, so bin ich dannoch keyn
sünder. Eyn sünder bin ich meiner selbst halben und ausserhalb Christo. Aber
inn meinem Herrn Christo und ausserhalb mir bin ich keyn Sünder[1]; dann er hat
mit seinem teuren Blut[2] alle meine Sünde außgetilget, wie ich festiglich glaube,
derhalben ich auch deß zum warzeychen getaufft, auch durch GOttes wort ab-
solviert und meiner Sünden frei, ledig und loß gesprochen und mit dem Sacrament
deß waren leibs und bluts meines Herrn Jesu Christi gespeiset und getrencket bin
worden als durch gewisse gnadenzeychen, und das ich vergebung der sünden empfangen habe, die mir mein lieber Herr Jesus Christus durch sein liebes blut verdienet, erworben und erlanget hat[3], deß[4] danck ich im inn ewigkeyt.

Aus: In Esaiam Scholia (1534) = WA Bd. 25, S. 229, 26—31 (deutsche Übersetzung).
Fundorte: P 121.   B 509.   V 601.   R 317.   W¹ Bd. 6, 687.   C 88.   Vgl. Schulz
Nr. 48.
1) Vgl. Gal. 2, 20.   2) 1. Petr. 1, 19.   3) Vgl. 1. Petr. 1, 18 f.; Offb. 5, 9.
4) dafür; vgl. Franke Bd. 3, S. 108.

336   [Bl. J 8ᵃ]   Eyn anders.

Domine Deus, tu me absolvisti per fratrem ...
Das ist.
HERR GOtt, du hast mich durch eynen bruder absolvieret, getaufft und mit deinem leib und blut gespeiset; mach mit deinem Knecht, wie es dir gefället, ich will
darüber nicht zörnen noch dich lästern, sondern will alles mit gedult vertragen[1];
dan ich will nicht, das dein Bund, mit mir inn der Heyligen Tauffe und Abentmal
deß Herrn auffgerichtet, soll zunichte werden.

Aus: Genesisvorlesung (1554) = WA Bd. 44, S. 396, 35—38 (deutsche Übersetzung).
Fundorte: P 124.   B 508.   R 327.   W¹ Bd. 2, 1944*.
1) ertragen, erdulden.

337   [Bl. J 8ᵃ]   Vorbereytung zu folgenden gebetten.

O Domine, quamquam merito irasceris nobis ...
Das ist.
Ach, HERRE, wiewol du billich[1] mit uns von wegen unser sünden zörnest, jedoch
hastu das Menschlich geschlecht noch nie so gar[2] verlassen, das du darauß nicht

soltest allzeit eyn Kirchlein für dich behalten haben, derer wonung und zuflucht du gewesen[3], die sich auch alles guten zu dir getröstet und versehen[4] haben.

Aus: Enarratio Psalmi XC (1541) = WA Bd. 40[III], S. 502, 22–26 (deutsche Übersetzung).

Fundorte: V 602. W[1] Bd. 5, 1096. C 88.

1) zu Recht. 2) ganz. 3) Ps. 90, 1. 4) alles Gute von dir erhoffen und erwarten (D. Wb. Bd. 4[I, 3], Sp. 4559 f.; Bd. 12[I], Sp. 1251 f.; Franke Bd. 3, S. 105 f.).

338 [Bl. J 8[b]] Das uns Gott wolt glider seiner Kirchen sein lassen.

Lieber Gott, gib deine gnad, das wir das häufflin sind, die Christum gerne annemmen und singen Hosianna, GOtt sei gelobt[1], das wir disen König haben und Christen sein heyssen; dann er unser König ist und wir sind inn seinem Namen getaufft und inn seinem blut gewaschen[2], hilff, das wir dabei bleiben.

Aus: Hauspostille (zu Matth. 21, 1–9) (1559) = E. A[2]. Bd. 4, S. 8, 40–9, 8 (WA Bd. 36, S. 379, 4–7; vgl. Bd. 52, S. XIII).

Fundorte: V 602. R 225. W[1] Bd. 13, 11[*]. K 205. C 67.

1) Matth. 21, 9. 2) Offb. 1, 5.

339 [Bl. J 8[b]] Eyn anders.

Ach, HErre Gott, das ich auch möcht unter dem haufen sein, da man singet von den wercken und wolthaten Christi[1] und müste helffen dancken, loben, predigen. O, wie frölich wolt ich sein[2]. Ach, Herr, thue mir die Thor auff und hilff mir dahinein[3].

Aus: Das schöne Confitemini (zu Ps. 118, 19) (1530) = WA Bd. 31[I], S. 161, 22–25.

Fundorte: V 603. W[1] Bd. 5, 1789.

1) Vgl. Ps. 118, 15. 2) Ps. 118, 24. 3) Ps. 118, 19.

340 [Bl. K 1[a]] Umb bestendigkeyt, zu beharren bei der Gemeyne Christi.

HERR, du hast die sach angefangen, du hast mir dein heyliges wort gegeben und mich unter die, so dein Volck sint, so dich erkennen, loben und preisen, angenommen, so gib nun hinfort gnade, das ich bei deinem Wort bleiben und nimmermehr von deiner heyligen Christenheyt scheyden möge.

Aus: Der 23. Psalm über Tisch ausgelegt (1536) = WA Bd. 51, S. 295, 3–7.

Fundorte: G VI, 615. W[1] Bd. 5, 422.

341 [Bl. K 1[a]] Eyn anders.

Lieber Gott, erhalte uns und unser armes häufflein, das wir mögen dem greulichen zorn entfliehen und unter denen erfunden werden, die den armen Christum ehren und dienen und deß Gerichts zu seiner rechten[1] frölich und seliglich erwarten[2].

Aus: Sommerpostille (1544) (zu Matth. 25, 31—46) = WA Bd. 22, S. 423, 24—27 (Bd. 45, S. 329, 21 f.).
Fundort: C 89.
1) Vgl. Matth. 25, 34.   2) S. o. Nr. 131 Anm. 2.

342   [Bl. K 1ª]   Umb stärckung zu beharren.

Herre Gott, lieber Vatter, stärcke uns durch deinen reichen Geyst inn Christo Jesu und nicht inn den Fürsten; dann Christus lebt und Fürsten sterben, das ist gewiß und beweißt sich täglich.

Aus: An ausgewiesene Leipziger vom 4. Oktober 1532 (1547) = WA Br. Bd. 6, S. 372, 27—29.
Fundorte: W¹ Bd. 10, 2225.   C 89.

343   [Bl. K 1ª]   Umb beförderung und erhaltung der Kirchen.

„Sanctificetur Nomen tuum', hoc est ...
Das ist.
,Geheyliget werde dein Name', das ist, gib und fromme Gottesfürchtige lerer in der kirchen, die deinen Namen der welt offenbaren und kund thun, nemlich das du gnädig und barmhertzig seiest und uns umb deines lieben Sons willen, der für uns gecreutziget und gestorben ist, unsere sünde verzeihen und das ewige leben geben wilt, auff das alle menschen sich auf deine gnade und barmhertzigkeyt verlassen und dich anrufen, dich preisen und dir dancken etc. ,Dein Reich komme', das ist, gib uns den Heil[igen] Geyst, der uns regiere und erhalte, das wir nit wider zu rucke fallen in das Reich deß Satans, der sich unterstehet, das wort, den glauben und den rechten Gottesdienst gantz und gar zu vertilgen.

Aus: Genesisvorlesung (1550) = WA Bd. 43, S. 136, 29—37.
Fundorte: R 353 und 445.   T/Anh. 317.   W¹ Bd. 1, 2052*.   K 197.   C 89.   Vgl. Schulz Nr. 35.

344   [Bl. K 2ª]   Umb glückseligen Fortgang deß Reichs Christi.

Ach, du lieber Gott, himlischer Vatter, gib glück und heyl dem Son David, deinem lieben Son Jesu Christo, zu seinem Königreich, laß in auch bei uns einreiten[1] inn deinem Namen, das es gebenedeiet sei und wolgehe.

Aus: Adventspostille (zu Matth. 21, 1—9) (1522) = WA Bd. 10¹, ², S. 61, 18—20.
Fundorte: R 225.   W¹ Bd. 11, 62.   C 67.
1) Vgl. den Predigttext.

345   [Bl. K 2ᵃ]   Eyn anders.

Lieber HERRE GOtt, bring und gib dein Reich CHRisti, der heyligen Christenheyt glück und heyl, thu abe alle menschen lere und laß alleyne Christum unsern
König sein, der alleine durch sein Evangelion regiere und uns sein Füllen[1] sein
lasse.

Aus: Adventspostille (zu Matth. 21, 1–9) (1522) = WA Bd. 10ᴵ˒ ², S. 62, 6–9.
Fundorte: R 354.   W¹ Bd. 11, 63*.   C 89.
1) Vgl. Matth. 21, 2. 7 (Predigttext).

346   [Bl. K 2ᵃ]   Umb erhaltung der Kirchen Christi biß ans ende.

HErr Jesu Christe, erhalte uns dein kleynes heufflein und sei mit uns biß auff den
tag deiner Herrligkeyt und unser seligkeyt und laß denselben tag bald kommen.

Aus: Vorrede zu Aquila, Sermon vom Almosengeben (1533) = WA Bd. 38, S. 74,
21–24.
Fundorte: R 355.   W¹ Bd. 14, 313.

347   [Bl. K 2ᵃ]   Eyn anders.

Lieber Herr Gott, laß uns dein gnedig wort hören, behalt uns bei deiner verheyssung, das wir nit fallen in das murren und ungedult, erhebe dich, wirff eyn fehn-
lin auff[1], laß dein wort fest bei uns stehn, das wir uns darnach richten, wie man
sich nach dem panier im Heer richtet.

Aus: Coburgpsalmen (zu Ps. 4, 7) (1559) = WA Bd. 31ᴵ, S. 275, 7–11.
1) richte ... auf; vgl. Jes. 5, 26.

348   [Bl. K 2ᵇ]   Klage von wegen der Kirchen unfall[1].

O GOtt, wie blind, ja unsinnig[2] sind wir Christen worden; wann will deß zorns
ein end sein, himlischer Vatter, das wir der Christenheyt unfall[1], dafür wir zu
bitten versamlet werden in der kirchen, spotten, lestern und richten, das macht
unser tolle sinnlichkeyt[3].

Aus: Von den guten Werken (1520) = WA Bd. 6, S. 241, 27–30.
1) Unglück.   2) von Sinnen.   3) die auf das Irdisch-Leibliche gerichtete Men-
talität (D. Wb. Bd. 9, Sp. 1193).

349   [Bl. K 2ᵇ]   Eyn andere klage.

O Herr Christe, was will für eyn wüst wesen in künfftiger zeit werden, wanns
so schrecklich zugehet, da die lehre kaum recht angangen ist.

Aus: An Melanchthon vom 27. Oktober 1527 (1556) = WA Br. Bd. 4, S. 272, 8 f.

350   [Bl. K 2ᵇ]   Klage und bitte der Christlichen kirchen halben.

O Aeterne pater Domini et liberatoris nostri Iesu Christi ...

Das ist.

Allmechtiger, ewiger, barmhertziger Gott und Vatter unsers lieben Herrn und Heylands Jesu Christi, wir sehen und fühlen, wie es deiner kirchen in disem leben gehet, was sie für glück hat und wie sie so mancherley weise[1] vom Teuffel und von der welt geplaget wird. Darumb bitten wir dich umb desselbigen deines eingebornen Sohns willen, erstlich du wollest unsere hertzen mit deinem H[eiligen] Geyst trösten und stercken, auff das wir von so vil grosser fahr nit überweltiget werden noch unterligen, zum andern wöllest auch der feinde fürnemmen und anschlege nicht alleyne hindern, sondern mit deiner treuen und wunderbarlichen hülffe der gantzen welt anzeygen, erkleren und beweisen, das du für deine kirche sorgest, sie regierest, schützest, erhaltest und errettest, der du lebest und regierest, eyn ewiger Gott, Gott Vatter, Gott Son, Gott heiliger Geyst, von ewigkeyt zu ewigkeyt.

Aus: Joel Propheta cum commentariis (1547) = E. A. exeg. op. lat. Bd. 35, S. 303 (deutsche Übersetzung).

Fundorte: B 651.   G IX, 1952.   V 603.   R 355.   W¹ Bd. 6, 2425*.   C 89.

1) auf mancherlei Weise (lat. Vorlage: *„varie"*).

351   [Bl. K 3ᵇ]   Stoßgebettlein umb schutz der Kirchen und seines worts.

Hilff, Gott, der warheyt alleyn und sonst niemands[1].

Aus: Freiheit des Sermons päpstlichen Ablaß und Gnade belangend (1518) = WA Bd. 1, S. 393, 21.

Fundort: W¹ Bd. 18, 581.

1) Zur Übertragung des Genitiv-‚s' auf die übrigen Kasus vgl. V. Moser, Frühneuhochdeutsche Grammatik Bd. 1ᴵᴵᴵ, S. 81 § 130, 6a; Franke Bd. 3, S. 120 f.

352   [Bl. K 3ᵇ]   Umb errettung.

O HERR Jesu Christe, der du beider teil hertzen erkennest, rette deine ehre und deine warheyt, das die unglaubigen bekennen müssen, dise lehre inn unsern Kirchen sei deine warheyt und das du unsere kirchen warhafftiglich erhörest.

Aus: Tischrede (undatiert) = WA *TR* Bd. 4, S. 549, 13–16. Vgl. Gebet Nr. 67.

Fundorte: G XII, 727 und 790.   V 604.   R 357.   W¹ Bd. 14, 1362.

353   [Bl. K 3ᵇ]   Eyn anders.

Ach Herr, es ist ja keyn ander Gott dann du, der alte rechte ewige Gott etc.; weisestu[1] auch oder gedenckest du nicht, das du uns verheyssen hast, unser Gott zu sein, und hast uns bißher noch nie lassen verderben? so wirstu uns ja auch jetzt nicht lassen verderben; dan du bist unser Gott, in dem wir leben und nicht sterben[2], wie du uns gered hast.

Aus: Der Prophet Habakuk ausgelegt (1526) = WA Bd. 19, S. 377, 6 f. 24—27.
Fundorte: R 357.   W[1] Bd. 6, 3133.
1) weißt du.   2) Ps. 118, 17.

354   [Bl. K 3[b]]   Eyn anders.

Lieber Gott, hilff uns in diser fehrlichen zeit, da wir mitten unter den wölffen sind, das sie uns nicht zerreissen und verschlingen und das wir in deinem und deines Sons, unsers Herrn Jesu Christi, erkantnuß[1] bleiben mögen ewiglich.

Aus: [Randglosse Treuers:] „Kirchpostil in festo trium Regum"; nicht identifiziert.
Fundorte: M 41.   R 358.
1) S. o. Nr. 177 Anm. 1.

355   [Bl. K 4[a]]   Der betrübten Kirchen gebett.

HErr Allmächtiger Gott, der du der elenden seuffzen nicht verschmehest[1] und der betrübten hertzen verlangen nicht verachtest, sihe doch an unser gebett, welches wir zu dir in unser not fürbringen, und erhör uns gnediglich, das alles, so beide vom Teufel und[2] Menschen wider uns strebet, zu nicht und nach dem raht deiner güte zutrennet[3] werde, auff das wir, von aller anfechtung unverseret, dir inn deiner gemein dancken und dich allezeit loben durch Jesum Christ, deinen Son, unsern Herren.

Aus: Deutsche Litanei (1529) = WA Bd. 30[III], S. 35, 12—28 (Bd. 35, S. 557): = Gebet Nr. 3.
Fundorte: R 359.   W[1] Bd. 10, 1764.   K 220.   C 90. Ferner: Feuerzeug christlicher Andacht 1537, Bl. E 8[a] (= Bibliographie II, 1). Betbüchlein für allerlei gemein Anliegen 1543, Bl. B 1[b] (= Bibliographie II, 2). Lehr- ... und Gebetbüchlein (Glaser) 1565, Bl. Z 4[b] (= Bibliographie II, 6).
1) Vgl. Ps. 102, 18.   2) alles, was sowohl ... als auch.   3) abgetrennt, vernichtet.

356   [Bl. K 4[a]]   Wider den Sathan.

Lieber HERR CHRIste, der du uns bißher treulich beigestanden hast, tritte fürter den Satan unter unser füsse[1].

Aus: Von der Wiedertaufe an zwei Pfarherrn (1528) = WA Bd. 26, S. 174, 6 f.
Fundorte: W[1] Bd. 17, 2691.   C 90.
1) unterwirf ... uns den Satan; zur Redensart s. o. Nr. 115 Anm. 1.

357   [Bl. K 4b]   Eyn anders.

Lieber HErr Jesu Christe, du eyniger[1] Heyland und rechter Siegman[2], behalte deinen sieg und triumph inn unsern hertzen wider[a] den Teufel und erfreue uns durch deine hülf und wunder in uns, das wir tröstlich hoffen und bitten, wie du uns geboten und verheyssen hast.

Aus: An Jonas von Stockhausen vom 27. November 1532 (1545) = WA Br. Bd. 6, S. 387, 56—388, 60.
Fundorte: B 874.   R 340.   W[1] Bd. 10, 2053.   C 97.   Vgl. Schulz Nr. 23.
a) *widen der* Druckf.
1) alleiniger.   2) Sieger (D. Wb. Bd. 10[I], Sp. 944).

358   [Bl. K 4b]   Eyn anders.

Lieber VATTER, laß uns hie nicht lang leben, auff das vollkommen werde in uns dein Reich und wir erlöset werden gäntzlich von deß Teuffels Reich oder, so dirs also gefellet, noch lenger in disem elend uns zu lassen, so gib uns deine gnade, das wir dein Reich in uns mögen anheben[1] und on unterlaß mehren, dem Teuffel sein Reich mindern und zerstören.

Aus: Auslegung deutsch des Vaterunsers für die Laien zur 2. Bitte (1519) = WA Bd. 2, S. 97, 37—98, 2.
Fundorte: R 340.   W[1] Bd. 7, 1121.   C 91.
1) anfangen können.

359   [Bl. K 4b]   Eyn ander kurtz Stoßgebettlein.

O Christe, der du den Teuffel überwunden hast[1], hilff mir auch, ach HERR CHRiste, hilff mir, laß[2] mich nicht etc.

Aus: Predigt vom 22. Februar 1523 (zu Matth. 4, 1—11) (1524) = WA Bd. 11, S. 25, 11 f. 25 f.
Fundorte: W[1] Bd. 12, 1662.   C 5.
1) Vgl. den Predigttext.   2) verlaß.

360   [Bl. K 5a]   Das Gottes werck befodert[1] und deß Teuffels werck verstöret werden.

Sumus vexati peccatis et oppressi morte . . .
Das ist.
Lieber Gott, wir sind mit sünden wol[2] geplagt und mit dem Tod umbfangrn, wir sind der Teuffel schendliche leibeygene leut gewesen, gib uns nu wider dein werck, welches ist gerecht und lebendig machen und helffen wider deß Teuffels werck, damit er uns auß dem leben inn Tod gestürtzt hat, welches werck, du, lieber Son GOTtes, Jesu Christe, zu zustören auff erden kommen bist und hast den tod verstöret[3] und das leben wider ans liecht gebracht.

Aus: Enarratio Psalmi XC (1541) = WA Bd. 40^{III}, S. 584, 19—21. 24—27 (deutsche Übersetzung).

Fundorte: R 341. W^1 Bd. 5, 1161. C 90.

1) gefördert. 2) sehr. 3) vernichtet; vgl. 1. Kor. 15, 55 f.

361 [Bl. K 5^a] Wider den Teuffel.

Ach Gott, zihe dem Sathan schnell die haut ab[1] und bringe in an tag[2], damit man sehe, was es geholffen, was wir bißher geschriben[a].

Aus: Wider die Verkehrer kaiserlichs Mandats (1523) = WA Bd. 12, S. 66, 35 f.

Fundorte: Po 179^b. R 342. W^1 Bd. 15, 2639.

a) *damit* bis *geschriben*] *so wirtts denn helffen, was wyr itzt schreyen* Luther.

1) reiß ... die Larve herunter. 2) mache ihn offenbar.

362 [Bl. K 5^b] KlagGebett über die Welt.

Ach Herre Gott vom Himel, wo sind die Wasserströme, ja blutströme, die billich[1] unsere augen weynen solten inn diser letzten, greulichen, schrecklichen zeit deß unaußsprechlichen, unmäßlichen[2] zorns Gottes über die welt umb irer sünd und undanckbarkeyt willen.

Aus: Weihnachtspostille (1522) = WA Bd. 10$^{I, 1}$, S. 672, 22—673, 3.

Fundorte: G XIII, 1556. R 343.

1) zu Recht. 2) unermeßlichen.

363 [Bl. K 5^b] Eyn anders.

HErre Gott, wie groß ist doch die Impietet[1], gottloß wesen und undanckbarkeyt der welt, die deine unaußsprechliche Gnade[2] so verachtet und verfolget.

Aus: Tischrede vom 2. Februar 1538 (1566) = WA Bd. *TR* 3, S. 571, 30—32 (deutsche Übersetzung). Vgl. Gebet Nr. 61.

Fundort: W^1 Bd. 22, 821.

1) Gottlosigkeit. 2) Vgl. 2. Kor. 9, 15.

364 [Bl. K 5^b] Wider die gotloß welt Stoßgebetlin.

O *Deus, prohibe tu, ne succedat impiorum conatus.*

Das ist.

O Lieber GOtt, wehre und verhüte, damit der gottlosen fürnemmen nicht für sich gehn noch gerahten mögen.

Aus: Genesisvorlesung (1552) = WA Bd. 43, S. 543, 26 (deutsche Übersetzung).

365   [Bl. K 5ᵇ] Eyn anders.

Ach, lieber Herr Christe, ‚zukomme dein Reich‘[1], zerstöret und zu grunde[2] müssen vertilget werden Welt und alles, was dawider ist und nicht will auffhören zu toben und zu trotzen wider dich und dein blut und tode etc. Reche doch eynmal dein Namen, blut und gut an der verzweifelten[3] gottlosen Welt.

Aus: Predigt vom 10. Dezember 1531 (zu Luk. 21, 25–28) (1532) = WA Bd. 34ᴵᴵ, S. 474, 28–31. 33 f.

Fundorte: R 342. W¹ Bd. 7, 1374*.

1) S. o. Nr. 135 Anm. 3.   2) vollkommen.   3) heillosen.

366   [Bl. K 6ᵃ] Eyn anders.

CHriste, lieber Herr, hilff uns in dein Reich, hie ist nichts gutes, der Teuffel ist Apt inn der Welt[1] und seine brüder sind allzumal bruder Rausch[2] und heyßt *curavimus Babylonem et non sanatur* (wir heylen Babel, aber sie will nicht heyl werden)[3]. Es ist Tauff und Crisam[4] verlorn an der lieben, zarten[5] frucht.

Aus: Vorrede zu Andreas Moibanus, Der 29. Psalm Davids (1536) = WA Bd. 50, S. 43, 14–17.

Fundort: W¹ Bd. 14, 177.

1) Sprichwörtlich; vgl. RN 30ᴵᴵ, 330, 16 f./32 f.; WA Bd. 17ᴵ, S. 467, 33; Bd. 38, S. 368, 23.   2) Bruder Liederlich; vgl. WA Bd. 50, S. 43 Anm. 6.   3) Jer. 51, 9.   4) (Bei der Taufe verwandtes) Salböl; vgl. RN 32, 350, 40. Zu der Redewendung: „*Tauff und Crisam verlorn*“ (= es ist alles verloren, dahin) vgl. WA Bd. 47, S. 577, 20; Wander Bd. 4, Sp. 1047 Nr. 5; E. Thiele, Luthers Sprichwörtersammlung (Weimar 1900), S. 117 Nr. 99.   5) Hier ironisch: bei den feinen, sauberen Früchtchen; die gleiche Wendung WA Bd. 38, S. 73, 35 f.; vgl. auch RN 30ᴵᴵ, 124, 28.

367   [Bl. K 6ᵃ] Wider unser eygen fleysch und blut.

O Gott Vater, sihe, wie werd ich bewegt, gereytzt zu dem und disem laster und verhindert an dem und disem guten werck; wehre, lieber Vatter, und hilff mir, laß mich nicht vertilgen[a] und hinein fahren[1].

Aus: Auslegung deutsch des Vaterunsers für die Laien (zur 6. Bitte) (1519) = WA Bd. 2, S. 123, 23–25.

Fundorte: G I, 679.   W¹ Bd. 7, 1165.

a) *unter ligen* Luther.

1) hineinfallen.

368   [Bl. K 6ᵃ] Wann man böse bewegung fület.

O Vatter, das ist gewiß eyn anfechtung, über mich verhengt, hilff, das sie mich nit verfüre und bethöre[a], hilff Gott, das michs nicht bewege und umbwerffe.

Aus: Auslegung deutsch des Vaterunsers für die Laien (zur 6. Bitte) (1519) = WA Bd. 2, S. 123, 38 f.

Fundorte: G I, 679, W¹ Bd. 7, 1165.

a) *bekore* [= versuche, anfechte] Luther.

369 [Bl. K 6ᵃ] Eyn anders.

Ach, Christe, sihe, wie ich da lige und gefallen bin, Ach, Christe, wie du überwunden hast, so hilff mir auchᵃ, das ich deine hülffe spüre und füle, auff das mein Glaub gestärckt werde und deine Majestet gepreiset.

Aus: Predigt vom 22. Febr. 1523 (zu Luk. 8, 5 ff.) (1524) = WA Bd. 11, S. 24, 23 — 25, 3.

Fundorte: G XII, 789. W¹ Bd. 12, 1661.

a) *auff* Luther.

370 [Bl. K 6ᵇ] Wider ärgernuß.

Lieber GOtt, schicke Werckleute inn deine Ernd[1] und deine Engel, das sie weg nemmen die ärgernuß[2], der jetzund sehr vil ist im Reich Gottes.

Aus: Vom Mißbrauch der Messe (1521) = WA Bd. 8, S. 483, 33 f.
Fundorte: W¹ Bd. 19, 1307. C 91.
1) Matth. 9, 38. 2) Matth. 13, 41.

371 [Bl. K 6ᵇ] Wider den Antichrist und Bapst zu Rom mit seinem anhang.

Domine Deus, da, ut tantum crescat odium nostrum . . .

Daß ist.

Lieber Herre Gott, verleihe deine Gnad, das inn uns ja so sehr[1] wachse und zunemme der haß und eckel gegen dem greuel der verwüstung[2], als sehr[1] inn uns wachsen und zunemmen soll die ware danckbarkeyt und liebe gegen solche deine Göttliche barmhertzigkeyt, inn Christo Jesu uns geschenckt. Dir sei lob und preiß in alle ewigkeyt.

Aus: Vorrede zu: Exemplum theologiae et doctrinae papisticae (1531) = WA Bd. 30ᴵᴵᴵ, S. 497, 19 — 22 (deutsche Übersetzung).

Fundorte: M 42. Po 179ᵇ. W¹ Bd. 19, 811.

1) so sehr . . . als sehr = *tantum . . . quantum* (so lat. Vorlage). 2) Vgl. Dan. 9, 27; 11, 31; 12, 11; Matth. 24, 15.

372 [Bl. K 7ᵃ] Eyn anders.

Aeterne Deus et pater Domini nostri Iesu Christi, revisa . . .

Das ist.

Ewiger Gott und Vatter unsers Herrn Jesu Christi, Besuche uns doch entlich nach

deiner wunderbarlichen güte und laß erscheinen den tag der zukunfft[1] der herrligkeyt deines lieben Sons, damit der ungerechte, ‚der Mensch der sünden, das kind
deß verterbens'[2] zerstöret werde und entlich auffhören müsse mit seinen teuffelischen verführungen, damit er leyder alle augenplick vil tausent seelen verführet
und inn Abgrund der Hellen stürtzet, inndem er sie zwinget zu halten seine greuel[3]
und seines Widerchristischen stuls tyrannei, darzu sage alles volck: Amen, Amen[4].

Aus: Ad librum Ambrosii Catharini responsio (1521) = WA Bd. 7, S. 778, 15—21
(deutsche Übersetzung).
Fundorte: Po 180[a].   R 360.   W[1] Bd. 18, 1944.
1) Ankunft.   2) 2. Thess. 2, 3.   3) S. o. Nr. 371 Anm. 2.   4) „... *das heisst,*
Ja, Ja, Es sol also geschehen" (u. a. Bd. 30[I], S. 378, 6—9); vgl. RN 48, 52 (Nr. 68), 34.

373   [Bl. K 7[b]]   Eyn anders.

Lieber GOtt, mache der lästerung deß Bapstums eynmal eyn ende und ‚heylige
deinen Namen' wider, das ‚dein Reich auch eynmal komme' und ‚dein wille geschehe', ‚Amen, Amen'[1] und falle das lästerliche Bapstumb und, was dran hanget,
inn abgrund der Helle, wie Johannes verkündigt inn Apocalypsi[2]. Amen[1] sage,
wer eyn Christ sein will.

Aus: Glosse auf das vermeinte kaiserliche Edikt (1531) = WA Bd. 30[III], S. 388, 18—22.
Fundorte: M 44.   Po 180[a].   R 361.   W[1] Bd. 16, 2062.
1) S. o. Nr. 372 Anm. 4.   2) Offb. 14, 8; 18, 2.

374   [Bl. K 7[b]]   Wider den greuel der Meß und anderer Abgötterei im Bapstumb.

Ach, Gott vom himmel, ist das nit zu hoch und zuviel übermacht[1], wiltu nicht
auch eynmal drein sehen. Schreiet das nicht zu dir gen Himmel, wann hat dann
jemals eyne Sünde gen Himmel geschrien? Sollen die nicht ungestrafft bleiben, die
deinen Namen lästern[2], wie gehen dann dise allerschandlichsten lästerer so frei[3]
hin? Solt der Türck und alle plage nicht glück wider uns haben? Solten doch die
schier für Sünden verzagen, die solche lästerunge hören und sehen müssen wie
Loth zu Sodoma[4].

Aus: Glosse auf das vermeinte kaiserliche Edikt (1531) = WA Bd. 30[III], S. 355, 26—32.
Fundorte: Po 180[a].   R 362.   W[1] Bd. 16, 2038.
1) übertrieben.   2) 2. Mose 20, 7.   3) ohne Scheu.   4) 1. Mose 19, 4 f.

375   [Bl. K 7[b]]   Gebett wider die Papisten.

Lieber Gott, so fromm die Papisten sein für dir und so gut sach[1] sie zu kriegen[2]
haben, so groß glück wöllest du inen, lieber Herregott, geben.

Aus: Warnung an seine lieben Deutschen (1531) = WA Bd. 30[III], S. 281, 8 f. Vgl. Gebet
Nr. 43.
Fundorte: G V, 619.   W[1] Bd. 16, 1968.
1) Ursache, Rechtsgrund.   2) Krieg zu führen; vgl. RN 48, 107 (Nr. 143), 2. 4.

376   [Bl. K 8ᵃ]   Eyn anders.

Komm, HErr Jesu Christe, und erlöse uns von dem Entechrist[1], stoß seinen stul
in abgrund der Hellen, wie er verdienet hat, das auffhöre Sünde und verterben.

Aus: Auf das überchristlich Buch Emsers Antwort (1521) = WA Bd. 7, S. 671, 14—16.
Fundort: M 43.
1) Antichrist.

377   [Bl. K 8ᵃ]   Wider die, so sich tringen inn den ungeystlichen Stande.

O Gott, straffe alle die, so da sich tringen, Bapst, Bischoff, Cardinäl, Pfaffen,
Mönch, geystlich zu werden, und harren nit, das sie darzu gezwungen oder be-
rufft[1] werden; dann sie suchen gewißlich nur ehr und fressen, sauffen und gute tag
und werden Ochsen[2], Tyrannen im volck, und ertichten[3] nur Menschengesetze,
dein Evangelium zu dempffen[4], zu welchem allen werden sie verursacht, das sie
sehen Güter bei der kirchen, von Königen zu erhalten der armen geben[5]; straff,
straff, wehre, wehre, lieber Herre Gott, wehre, die Christenheyt gehet drob zu
boden, es sind böse Rohrfincken[6].

Aus: Auslegung des 67. 68. Psalms (zu v. 31) (1521) = WA Bd. 8, S. 31, 14—21.
Fundorte: R 363.   W¹ Bd. 5, 1012.
1) berufen; zur schwachen Flexion: vgl. Franke Bd. 2, S. 362.   2) Vgl. den Auslegungstext.   3) ersinnen, denken sich ... aus.   4) unterdrücken.   5) zur Erhaltung der Armen gegeben.   6) Vgl. den Auslegungstext und die seit dem 15. Jh.
belegte Redewendung: ,Wie ein Rohrspatz (-sperling) schimpfen' (der Spatz gehört zur
Familie der Finken); H. Paul und W. Betz, Deutsches Wörterbuch (5. Aufl. Tübingen
1966), S. 516; D. Wb. Bd. 8, Sp. 1133; Wander Bd. 3, S. 1711.

378   [Bl. K 8ᵃ]   Eyn anders.

Lieber Gott, behüte mich für denen, die ire ehre suchen unter dem schein der
ehre Christi, wie heutigs tags thun die Papisten etc. Ich kan wol dencken, ich
werd nit unangefochten bleiben. Aber, lieber Herre Gott, wehre du, das sie mir
nicht über den kopff wachsen, das sie nicht gewinnen und mich nicht verführen
auff ire lehre, so hats keyn not.

Aus: Coburgpsalmen (zu 19, 14) (1559) = WA Bd. 31ᴵ, S. 345, 4—8.
Fundort: W¹ Bd. 4, 2066.

379   [Bl. K 8ᵇ]   Eyn anders Trostgebettlein.

Du weißt, mein Herr Jesu Christe, wie mein hertz stehet gegen deine Ertzlästerer,
da verlaß ich mich auff und laß es walten inn deinem Namen, Amen. Sie werden
dich je eynen Herren bleiben lassen.

Aus: Von dem Papsttum zu Rom wider den hochberühmten Romanisten (1520) = WA
Bd. 6, S. 286, 16—19.

Fundort: W¹ Bd. 18, 1198.

380   [Bl. K 8ᵇ]   Gebett für die Papisten.

Lieber Gott, wende von inen deinen zorn und erlöse sie von dem bösen Geyst,
der sie besessen hat.

Aus: Wider die Bulle des Endchrists (1520) = WA Bd. 6, S. 621, 29 f.

Fundort: W¹ Bd. 15, 1742.

381   [Bl. K 8ᵇ]   Wider den Bapst oder Antichrist.

Ach, Herr Gott, der[1] blindheyt, der sicherheyt und unwissenheyt Bapsts und der
Bischoffen, Es sind doch Larven[2] und bleiben Larven, leyder mit allzu grossem
vortheyl deß Teuffels und nachtheyl der armen, elenden Seelen.

Aus: Wider den falsch genannten geistlichen Stand (1522) = WA Bd. 10ᴵᴵ, S. 153,
20—23.

Fundort: W¹ Bd. 19, 900.

1) ach und wehe über (‚ach‘ wie mhd. mit Gen.; vgl. Dietz Bd. 1, S. 38, 767).   2) Mas-
ken (hinter denen sich der Teufel verbirgt) (D. Wb. Bd. 6, Sp. 208; RN 32, 337, 38).

382   [Bl. K 8ᵇ]   Dancksagung umb erlösung vom Bapstumb.

Gratias agimus tibi, o Deus, quod ab his pestibus …

Das ist.

HErre GOtt, wir dancken dir, das wir von so vil Teuffeln der Papisten erlöset
sein und nun haben die rechte religion, rechtschaffene[1] erkantnuß und verstand
der heyligen schrifft.

Aus: Genesisvorlesung (1550) = WA Bd. 42, S. 540, 27 f.

1) rechte; s. o. Nr. 290 Anm. 3.

383   [Bl. L 1ᵃ]   Eyn ander dancksagung.

HErr Gott, himlischer Vatter, ich danck dir, das du mich durch das Evangelium
deines lieben Sons jetzt also erleuchtet hast, das ich den greuel deß Bapstumbs
erkennen und frei dawider reden, ja auch lachen und spotten kan.

Aus: Vorrede zu Erasmus Alberus, Der Barfüsser Mönche Eulenspiegel (1542) = WA
Bd. 53, S. 410, 10—12.

Fundort: W¹ Bd. 19, 2442.

384   [Bl. L 1ª]   Eyn schöne dancksagung.

CHriste, tibi gratia, suavissime Redemptor, qui nos ...
Das ist.
JEsu Christe, du allerliebster Heyland, dir sei lob und danck, das du uns abermals
von den toden erwecket hast und hast uns gezeyget den Judas Ischarioth, wie er,
‚mitten entzwey geborsten, sein eingeweyd ausgeschüttet'[1], nit alleyn greulich
hesslich stincket, sondern für jederman verachtet, verlassen, verlachet, zu schand
und spot worden ist. Amen. Herr, deine gericht sind rechtschaffen[2], du wöllest
uns, lieber Herr, erhalten und ‚bewaren für disem argen geschlecht ewiglich, dann
es wird allenthalben voll gottlosen, wo solche lose leute unter den Menschen
herschen'[3].

Aus: Vorrede zu: Epistola Hieronymi ad Evagrium (1538) = WA Bd. 50, S. 343, 9—
15 (deutsche Übersetzung).
Fundort: W¹ Bd. 14, 365.
  1) Apg. 1, 18.   2) recht (s. o. Nr. 290 Anm. 3); vgl. Ps. 119, 75 und u. Nr. 405.
3) Ps. 12, 8 f.

385   [Bl. L 1ᵇ]   Wider den Papst und Türcken.

Aeterne pater Domini nostri Iesu Christe, rogamus te ...
Das ist.
Ewiger Gott und Vatter unsers Herrn Jesu Christi, wir bitten dich, du wollest in
disen betrübten und gefehrlichen zeiten durch deinen heyligen Geyst unsere
hertzen zu warer buß erwecken, das wir deinem wort gehorchen, für allen sünden
und ärgernussen uns hüten und auff besserung deß lebens mit ernst gedencken,
und du, Son GOTTES, wir ruffen dich an, du wöllest der Türcken grimm und
wüten brechen und deß Bapsts gottlose anschlege hindern und zu rucke treiben,
auff das nit durch blutvergiessen, krieg und verzehrung deiner lieben Kirchen das
liecht deines worts, durch welches alleyn der weg zum ewigen leben gezeyget
wird, gentzlich bei uns außgelescht werde.

Aus: Praelectiones in Joel (zu 2, 18—20) (1547) = E. A. exeget. op. lat. Bd. 25, S. 203,
3—13 (deutsche Übersetzung).
Fundorte: R 364.   W¹ Bd. 6, 2270*.

386   [Bl. L 2ª]   Wider den Türcken.

Lieber HERR Jesu CHriste, komm vom Himmel herab mit dem Jüngsten gericht
und schlage beyde Türcken und[1] Bapst zu boden sampt allen Tyrannen und gottlosen und erlöse uns von allen sünden und von allem übel, Amen. Ach hilff uns,
lieber GOTT VATTER, erbarme dich unser, lieber Herr Jesu Christe.

Aus: Vom Kriege wider die Türken (1529) = WA Bd. 30ᴵᴵ, S. 148, 26—29. Vgl. Gebet Nr. 126 (Duplikat).
Fundorte: Po 179ᵇ.   Geistliche Wasserquelle (Bas. Förtsch) 1619.
  1) sowohl ... als auch.

387   [Bl. L 2b]   Eyn ander starck Gebett wider den Türcken.

Himlischer Vatter, wir haben es ja wol verdienet ...

= Gebet Nr. 85.

388   [Bl. L 3b]   Klage deß Elenden zustandes der Kirchen.

O HERRE Gott, allzusehr zurissen, allzusehr zutretten, O HERR CHRISTE, allzwüeste und verlassen sind wir elenden Menschen inn disen letzten ‚tagen deß zorns'1, unser Hirten sind wölfe, unser wächter sind verrähter, unser schutzherrn sind feinde, unser Vätter sind mörder und unser lerer sind verfürer, Ach, Ach, Ach, wann, wann, wann will dein gestrenger zorn auffhören.

> Aus: Weihnachtspostille (1522) = WA Bd. 10I, 1, S. 287, 10—14; vgl. WA *TR* Bd. 5, S. 376, 17—22. Vgl. Gebet Nr. 79.
> Fundorte: G XIII, 1556.   R 366.   W1 Bd. 11, 298*.
> 1) Vgl. Röm. 2, 5 u. ö.

389   [Bl. L 4a]   Wider die Rottengeyster.

Lieber HERR, gib gnade wider die Rotten und Secten, das sie davon fallen1, trenne und teile sie, mache sie nuhr uneynig, das sie zu boden gehen, darumb das sie so manchfeltig dich mit iren secten erzürnen und verderben dein eynig2 volck, lere und Namen.

> Aus: Über das 1. Buch Mose Predigten (1527) = WA Bd. 24, S. 236, 5—9.
> Fundorte: Po 181a.   G IV, 723.   W1 Bd. 3, 307.
> 1) Vgl. die von Luther kurz zuvor (WA Bd. 24, S. 235, 33) zitierte Stelle Ps. 5, 11: *„das sie fallen von yhrem furnemen".*   2) einziges.

390   [Bl. L 4a]   Eyn anders.

Du lieber Gott, du weist, das wir recht1 und unsere widersacher unrecht sind. Aber man kan es niemand berichten2, sie lassen inen3 nicht sagen, reissen mit irer falschen lere immer mehr eyn4, derhalben, lieber GOTT, nimm du das schwert inn die hand und schlage drein und mach deß spiels eyn ende, wie dann solches offt geschiehet, wann die Rottengeyster5 untergehen und sie inn ihren lugen zuschanden werden und dagegen das GOTTLiche wort, das lang inn schanden und unehren gestanden ist, wider zu ehren wird. Also bettet auch David: ‚HERR, schaffe mir Recht, dann ich bin unschuldig'6, darumb, lieber Gott, felle du eyn urtheyl für uns, sprich du das Recht für uns.

> Aus: Predigt vom 12. Mai 1525 (zu Ps. 26, 1 ff.) (1566) = WA Bd. 17I, S. 230, 28—35; 231. 13 f. 16 f.
> Fundorte: Po 180b.   R 367.   W1 Bd. 5, 428.
> 1) In der Vorlage: *„recht haben".*   2) darin ... belehren; vgl. RN 30II, 537, 5/23. 3) sich.   4) dringen ... ein; vgl. RN 32, 33, 7.   5) Schwärmer; s. o. Nr. 206 Anm. 2.   6) Ps. 26, 1 (Predigttext).

391   [Bl. L 4b]   Wider die Schwermer und Rottengeyster.

O Domine, nos quidem libenter docebimus ...

Das ist.

Lieber GOTT, wir wöllen gerne lehren; du wöllest bei uns stehen, so haben wir
die hoffnung, weil die falsche Lehre so geschwind und schleunig fort reisset[1], das
daß, was bald geschiehet, auch bald untergehen soll; dann noch nie keyn[2] Ketzerei
entlich[3] bestanden, sondern alleyn dein Wort hat allzeit gewonnen und den Sieg
behalten.

Aus: In XV Psalmos graduum (zu 120, 4) (1540) = WA Bd. 40III, S. 35, 36 — 36, 8.
Fundort: Po 180b.
1) weiter(ein)reißt (D. Wb. Bd. 4I, 1, Sp. 27).   2) irgendeine; zur doppelten Negation s. o. Nr. 244 Anm. 3.   3) endgültig (lat. Vorlage: *„ad extremum"*).

392   [Bl. L 5a]   Wider die Scharrhansen[1], so dem Bapst gern wider inn
Sattel helffen wolten.

Allmächtiger, ewiger GOTT, Vatter unsers Heylands Jesu Christi, wir bitten dich,
weil unsere Feinde im grunde nichts anders suchen (sie färben[2] und schmucken ir
thun, wie sie wöllen) dann vertilgung rechter Lehre, und das sie wider mögen[3]
auffrichten und bestättigen[4] deß leydigen Bapstumbs lästerliche greuel[5] und lugen,
du wöllest ‚die Blutgirigen und falschen‘, (wie sie der Heylig Geyst nennet) ‚inn
die gruben hinunter stossen, das sie ir leben nicht zur helffte bringen‘[6] mögen[3]
noch außrichten, was sie inen[7] fürgenommen haben, Amen, Amen, und spreche
eyn jeglicher, der auff den HERRN hoffet und sein Wort lieb hat, Amen, Amen[8].

Aus: Bucheinzeichnung (zu Ps. 55, 23 f.) (1547) = WA Bd. 48, S. 52, 27—35.
Fundorte: M 45.   R 368.   W1 Bd. 9, 1369*.
1) (übermütige) Prahlhänse, Maulhelden; vgl. WA Bd. 31I, S. 80, 1—14; 81, 4; 82, 11.
2) geben einen äußerlich schönen Anstrich.   3) können.   4) befestigen.   5) S. o.
Nr. 392 Anm. 5.   6) Ps. 55, 24 (Auslegungstext).   7) sich.   8) S. o. Nr. 372
Anm. 4.

393   [Bl. L 5a]   Für die, so unwissent verführet werden.

Lieber GOTT, erbarme dich deß elenden irrenden Volcks und setze inen ire
lästerung nit zu ewiger Sünde.

Aus: Auslegung des 109. 110. Psalms (1518) = WA Bd. 1, S. 679, 27—28.
Fundorte: V 604.   W1 Bd. 5, 1315.

394   [Bl. L 5a]   Eyn Gebett, Unserm Herrngott eyn fräudiges gewissen deß hochwürdigen Sacraments halben entweder im sterben oder am jüngsten Gericht zu
antworten[1].

[A] Mein lieber HERR Jesu Christe, Es hat sich eyn hader über deinen worten
im Abentmal erhaben[2] ...

[B] Were nun eyn Finsternuß drinnen, so wirstu mirs wol zugut halten, das ichs nicht treffe, wie du dann deinen Aposteln zu gut hieltest, das sie dich nicht verstunden inn vilen stucken, als da du von deinem leiden und aufferstehen verkündigest[3] und sie doch die Wort, wie sie lauteten, behielten und nicht anders macheten, wie auch deine liebe Muter nit verstund, da du ir sagtest, Luce 2: ‚Ich muß sein inn dem, das meines Vatters ist‘[4], und sie doch einfältiglich die wort inn irem hertzen behielt und nit andere darauß machet[5]. Also bin ich auch an disen deinen worten bliben: ‚Das ist mein leib‘[6] etc. und hab mir keyn anders drauß machen wöllen noch machen lassen, sondern dir befohlen und heymgestellet, ob etwas finster drinnen were, und sie behalten, wie sie lauten, sonderlich weil ich nicht finde, das sie wider eynigen[7] Artickel deß Glaubens streben.

Aus: Vom Abendmahl Christi Bekenntnis (1528)
[A] = Gebet Nr. 90.
[B] = WA Bd. 26, S. 446, 41–447, 11.
    Fundorte: Po 181ª.   B 527.   V 599.   R 369.   W¹ Bd. 20, 1300.
    1) überantworten, übergeben; vgl. RN 32, 360, 31.   2) erhoben.   3) Vgl. Mark. 9, 32.   4) Luk. 2, 49 f.   5) Luk. 2, 51.   6) Matth. 26, 26 parr.   7) irgendeinen.

395   [Bl. L 6ª]   Eyn anders.

Ach, lieber Herr Gott, erledige[1] uns von der rechten geystlichen Pestilentz deß leydigen Sathans, damit er jetzt die Welt vergifftet und beschmeisset[2], sonderlich durch die Sacramentslästerer und vil andere Rotten, und behalte uns inn reynem glauben und ‚brünstiger liebe‘[3], unbefleckt und unsträfflich auff deinen tag mit allen ausserweleten.

Aus: Ob man vor dem Sterben fliehen möge (1527) = WA Bd. 23, S. 377, 21–24; 379, 4 f.
    Fundorte: Po 181ᵇ.   R 371.   W¹ Bd. 10, 2349.
    1) befreie.   2) beschmutzt, besudelt.   3) 1. Petr. 4, 8.

396   [Bl. L 6ª]   Dancksagung, das Gott die Sacramentierer zu schanden gemachet.

Ich dancke dir, Jesu Christe, mein Herr, das du deine Feinde (die Sacramentschender) inn iren eygen worten also meysterlich fahen und zu schanden machen kanst, zu stärcken unsern glauben inn deinen eynfältigen[1] worten.

Aus: Vom Abendmahl Christi Bekenntnis (1528) = WA Bd. 26, S. 280, 28–31.
    1) einfachen, schlichten.

397   [Bl. L 6ª]   Wider die falschen Brüder eyn Klaggebettlin.

Himlischer Vatter, das ist die geringste anfechtung, das uns die welt haßt und verfolgt, daran auch derª Satan nicht benüget[1], Sondern unter uns selbst gedenckt er seinen mutwillen zu üben und, ob wir seiner larven[2], den Papisten[b], von aussen zu starck sind, will er uns durch uns selbst von inen zutrennen und vertilgen, das wehre im Gott, unser Vatter.

Aus: Von beider Gestalt des Sakraments (1522) = WA Bd. 10[II], S. 11, 15—19.

Fundorte: Po 181[b].   R 421.   W[1] Bd. 20, 102.

a) *den* Druckf.   b) *seinen larven und Papisten* sinnwidrige Änderung Treuers.

1) womit sich ... nicht zufrieden gibt (Dietz Bd. 1, S. 254 f.; RN 30[II], 26, 2.   2) S. o. Nr. 381 Anm. 2.

398   [Bl. L 6[b]]   Gottlose leute fragen nichts nach Himlischen dingen, da dagegen die Gottfürchtigen täglich drumb bitten.

O Domine, Hypocritae mane venientes ...
Das ist.

O Herr, dise heuchler kommen wol ,früe‘[1], nicht das sie für dir beten wolten, nicht das sie deiner bedürfften oder das sie begereten, erhöret zu werden, sie haben eynen Eckel, voller schand und laster sind sie, sie samlen sich nicht zu dir, ,schicken sich auch nicht, das sie drauff merckten‘[1], erleuchtet und bekeret werden, sondern du solt dich nach inen schicken, sie bilden dich nach inen[2], vergleichen dich nach[3] iren gedancken, nit das sie erleuchtet möchten werden, ja vil mehr verblendet und verstocket, welches ihnen begegnen wird, darumb das dir nicht (wie sie wol meinen) ,gottloß wesen gefellet‘. Sonder ,wer böse ist, bleibet nicht für dir‘[4]. Nun komme ich und samle mich zu dir und ,schicke mich zu dir, das ich drauff mercken will‘[1], das du mich leyten solt in deiner gerechtigkeyt, mich erleuchten und ,deinen weg für mir her bereyten‘[5]. Aber jene bringen ire gute wercke und verdienst, damit sie desto mehr sünd und schaden davon tragen mögen; dann sie als gesunde dörffen keynes[6] Artztes nicht[7], ich als eyn schwacher und krancker suche eynen Artzt, der mir helffen mög[8].

Aus: Operationes in Psalmos (zu 5, 5 und 7) (1519) = WA Bd. 5, S. 139, 34—140, 6. (deutsche Übersetzung).

Fundorte: R 421.   W[1] Bd. 4, 488*.

1) Vgl. Ps. 5, 4.   2) sich.   3) bringen dich in Einklang mit.   4) Ps. 5, 5 (Auslegungstext).   5) Ps. 5, 9.   6) bedürfen eines; s. u. Nr. 737 Anm. 1. — Zur doppelten Negation s. o. Nr. 244 Anm. 3.   7) Luk. 5, 31.   8) könne.

399   [Bl. L 7[b]]   Umb erlösung von Heuchlern.

O Gott, der du bist eyn Gott meines heyls, bei dem alleyn mein heyl ist, und nit inn mir noch inn meiner gerechtigkeyt oder irgenteyner Creaturn, Erlöß mich von den kindern deß bluts[1], die ire seligkeyt inn ire frommkeyt setzen und darumb diser Lehre widerstreben, die alleyne die Sünder bekeret.

Aus: Die sieben Bußpsalmen (zu 51, 16) (1517) = WA Bd. 1, S. 192, 20—24.

Fundorte: R 423.   W[1] Bd. 4, 2325.

1) wie hier (1517) deutet Luther in der 1. Psalmenvorlesung (1513/15) Ps. 51, 16

(„*Libera me de sanguinibus*"): „*Sanguines sunt propinqui secundum carnem* [wohl in An-lehnung an Lyra, Post. moral., z. St.: „*Id est a consanguineis impedientibus*"] ... *et usque hodie homines carnales*" (WA Bd. 3, S. 286, 32—24). Später jedoch versteht er „*sanguines*" (bzw. דָּמִים) wie schon die sonstige mittelalterliche Auslegung (vgl. *Gl. ord.;* Lyra, *Post. lit.;* auch J. Reuchlin, *De rudimentis hebraicis* [Pforzheim 1506], S. 128: „*de sanguinibus id est a poena sanguinis*") wohl auf Grund des in v. 2 genannten historischen Zusammenhangs als „*poena homicidii. Es dunck mich das nicht vir sanguinum sein*" (WA Bibel Bd. 3, S. 53, 6); vgl. auch WA Bd. 31I, S. 514, 18 f.; Bd. 40II, S. 442, 1 ff./18 ff.

400   [Bl. L 7b]   Wider die Lästerer.

Sihe doch an, Herr, das die Widersächer dich lästern und schelten, so schilt sie wider, ‚beschuldige sie‘[1], klage sie an, mache, das sie es fülen, führe sie zur Schulen[2], gib inen eyn böß gewissen, das sie wissen, das sie unrecht thun und also ablassen von iren gedancken; es sind ja ‚rahtschläge der gottlosen‘, wie im ersten Psalm steht[3], so verschaffe du, das ire lehr nit also hinauß gehe, wie sie es fürnemmen.

Aus: Coburgpsalmen (zu 5, 11) (1559) = WA Bd. 31I, S. 279, 25—30.
Fundorte: V 606. R 351. W1 Bd. 5, 1888*.
1) Ps. 5, 11 (Auslegungstext).   2) belehre sie; vgl. Wander Bd. 4, Sp. 278 Nr. 40.
3) Vgl. Ps. 1, 5 f.

401   [Bl. L 7b]   Eyn anders.

Lieber HErre GOtt, das müssen wir hören, auff, auff lieber Herr, Sihe ja nicht lange zu und stärcke[1] ire lästerung.

Aus: Coburgpsalmen (zu 10, 12) (1559) = WA Bd. 31I, S. 299, 31 f.
Fundort: W1 Bd. 4, 1951.
1) Luther: „*ne confirmes illorum blasphemias*".

402   [Bl. L 7b]   Wider die falschen Censores.

Lieber Herre Gott, sei du Herr, regiere du und Menschen laß nicht regieren, sie wollen sonst über dich und dein wort und volck regieren, darumb laß sie geur-theylet werden für dir; dann für der Welt werden sie nicht gerichtet, sondern sie sind selber Richter, kämen sie aber eynmal für dich und höreten dein Gericht und urtheyl über sie, da weyß ich, sie solten anders gesinnet werden.

Aus: Coburgpsalmen (zu 9, 20) (1559) = WA Bd. 31I, S. 293, 29—34.
Fundorte: R 418. W1 Bd. 4, 1951.

403   [Bl. L 8a]   Eyn anders.

Herr, ich will nit, das meine sach[1] von den menschen gerichtet werde, bei denselben hab ich schon verlorn, da werd ich nichts außrichten; dann sie verdammen, darumb richte du und vertritt meine sache[1] und treibe jene zu rucke.

Aus: Coburgpsalmen (zu 17, 2) (1559) = WA Bd. 31^I, S. 320, 2—4.
Fundorte: R 418.   W^1 Bd. 4, 2013.
1) Rechtssache (lat. Vorlage: *„causa"*).

404   [Bl. L 8^a]   Wider die Reformierer und Meyster der Religion.

Ach Herr, das du inn die gantze Welt setzest eynen Gesetzlehrer, was sind sie doch anders dann Menschen, sie sagen, sie wissens selber wol, das sie Menschen sein, sie wöllen aber gleichwol Götter sein und haltens für eyn ,raub', das sie Götter sein[1], sie lassen sich duncken, sie habens von inen[2] selber. So sie sich aber für Menschen hielten, würden sie sich dir unterwerfen und sich nit also erheben über das wort, würden auch über dich nit sein wollen, darumb gib inen eynen Meyster.

Aus: Coburgpsalmen (zu 9, 21) (1559) = WA Bd. 31^I, S. 294, 1—7.
Fundorte: R 417.   W^1 Bd. 4, 1952.
1) Vgl. Phil. 2, 6.   2) sich.

405   [Bl. L 8^b]   Gebett für die verfolger.

Lieber HERR Gott, ists müglich, das noch etliche Bischoff und Tyrannen, so das Evangelium verfolgen, bekeret werden, so bitten und begeren wirs von hertzen, ist es aber nicht müglich, wie nun mehr leyder zu besorgen, weil man so lang und vil an inen vermanet, gebetten und das beste fürgewant und sie doch mutwilliglich[1] wider die bekante warheyt toben, so wollen wir sie deinem gericht lassen befohlen sein, ,dein gericht ist recht'[2].

Aus: Sommerpostille (1544) = WA Bd. 21, S. 310, 24—29.
Fundorte: B 785.   V 607.   W^1 Bd. 12, 741.   C 91.
1) rücksichtslos.   2) Ps. 119, 75.

406   [Bl. L 8^b]   Umb rach wider die falschen lerer und Tyrannen.

Ach Herr, der du eyn ,Gott der rache'[1] bist, der du alleyn der Recher und Sträffer bist aller boßheyt etc., brich herfür, laß dich sehen und an tag kommen, das dich jedermann sehe etc.; dann Tyrannen und falsche propheten haben überhand genommen, die haben sich herauß gethan und lassen sich sehen und gehen im schwang[2], du aber schweigest stille, verbirgest dich, als werest du begraben und könnest nicht mehr; dann du werest und straffest nicht solche boßheyt. Darumb bitten wir, brich doch auch eynmal herfür, guck herauß und laß dein Antlitz blicken wider sie, und das billich[3]; dann du bist ein ,Gott der rache'[1], dir gebüret je zu rechen und zu straffen, rechen[4] dich doch selber; ist dann rache dein werck und ist jetzt so hoch vonnöten, warumb verbirgst du dann dich im finstern und lest dich so gar nicht sehen?

Aus: Vier tröstliche Psalmen an die Königin zu Ungarn (zu 94, 1) (1526) = WA
Bd. 19, S. 582, 22 f.; 583, 14—16. 18—26.

Fundorte: Po 182b. B 782. R 419. W¹ Bd. 5, 50. C 91.

1) Jer. 51, 56. 2) stehen in voller Blüte; vgl. RN 32, 230, 11/29; WA Bd. 28,
S. 86, 13. 3) mit Recht. 4) räche; zu dieser Nebenform vgl. D. Wb. Bd. 8, Sp. 22.

407 [Bl. M 1ᵃ] Eyn anders.

Ists nit zeit, zu richten und zu rechen, lieber Herr? hastu doch geschwiegen, biß
beide Tyrannen und¹ ketzer obliegen², hoch herfaren, brangen³, als die gewonnen haben und uns gantz und gar gedempft⁴, das sie alles alleyne und wir nichts
sind etc.; du lest sie so ferne⁵ kommen und überhand nemmen, das sie sicher
sind und sich schon bereyt⁶ rhümen, freuen, singen und jauchtzen als gewiß, das⁷
mit uns verlohren sei, und solchen Triumpff lesest du so lang weren und sihest
zu, möchte doch wol eyn frommer Mensch dencken, es were nichts mit dir und
mit deinem wort etc.; beide Tyrannen und¹ ketzer sind so gar⁸ mechtig worden,
das die Tyrannen von irem dinge also frei waschen⁹ und plaudern, als sei ir ding
alleyn alles und unser ding gar nichts; deßselbigen gleichen die ketzer haben sich
auch auffs waschen⁹ gegeben¹⁰, das man nichts höret dann ire treume, unser lere
und glauben kan kaum dafür mucken¹¹.

Aus: Vier tröstliche Psalmen an die Königin zu Ungarn (zu 94, 2—4) (1526) = WA
Bd. 19, S. 584, 30—33; 585, 8—12. 17—22.

Fundorte: Po 182b. R 420. W¹ Bd. 5, 54.

1) sowohl ... als auch. 2) die Oberhand gewinnen. 3) stolz daherziehen; vgl.
RN 32, 94, 12. 4) unterdrückt. 5) weit. 6) bereits (vgl. RN 32, 484, 37); zu
der Wortverbindung „schon bereits" vgl. RN 33, 240, 29. 7) daß es. 8) sehr.
9) schwatzen. 10) sich ... verlegt (Dietz Bd. 2, S. 23). 11) dagegen ankommen,
zu Wort kommen (D. Wb. Bd. 6, Sp. 2610 f.).

408 [Bl. M 1ᵇ] Wider die Tyrannen und verfolger, der sibende Psalm Davids, von
Doctor Luthern gebetsweise gestellet.

[2] Auff dich trau ich, Herr mein GOtt, hilff mir von allen meinen verfolgern
und errette mich.

Ja lieber HERR Jesu CHRIste, du weisest¹ es, das gleich wie der bub Simei demᵃ
frommen David schuld gab und flucht im als eynem bluthunde, der das Königreich dem Saul hette genommen². Also schelten mich jetzt böse meuler auch, als
hete ich durch Secten, auffrhur, blutvergiessen dem Bapst sein reich zuschanden
gemachet. Wie soll ich thun? ir ist zu vil, ich weiß keyn rath noch hülffe ohn
alleyne bei dir; darumb trau ich auff dich, hilff mir, mein HERR und mein Gott,
von solchen Tyrannen und verfolgern, die wol wissen, das sie mich fälschlich
beliegen³ und selbst eitel bluthunde und mörder sint.

[3] Das sie nicht wie Lewen meine Seele erhaschen und zurreissen, weil keyn
Erretter da ist.

Sie habens warlich im sinn, lieber Herr, und grummen⁴ wie die Löwen wider mich, keyne sach ligt inen so hart an⁵ als der Luther; wann sie den zurrissen hetten, so weren sie seelig, hie hilfft keyn demütigen noch erbieten, keyn flehen noch beten, Sondern eitel Lewen grimm und wüten. eitel würgen und schaden ist da.

[4—6] Herr, hab ich solchs gethan und ist unrecht inn meinen händen, hab ich boses vergolten, die mir friedlich waren oder meine Feinde ohne ursach außgezogen, so verfolge mein feind meine seele und erhasche sie und zutrette mein leben inn die Erden und lege meine ehre in den staub.

Ja, mein HERR und GOtt, ist meine lehre auffrürisch und rottisch⁶ oder ketzerisch, wie sie sagen, und habe nit vil mer die rechte eynigkeyt deß Glaubens und der liebe geleret und die Oberkeyt und friede mer gepreiset dan sie allesamt, Habe ich auch dem Bapstumb mutwilliglich⁷ und nicht durch ir selbst treuen^b8 und hetzen ir Tyrannei geschwecht und außgezogen⁹, So sei du Richter und straffe mich ohne gnade. Laß meine feinde zu ehren und mich zuschanden werden, ir ding empor in den Himmel und meine lehre inn den abgrund der Hellen fallen. Ist aber der keyns und meine lehre ist für dir recht und gefellig und doch sie nicht wollen auffhören zu wüten und zu toben,

[7] So stehe auff, Herr, in deinem zorn und hebe dich über den grimm meiner feinde, und erwecke mir das gericht, das du gebotten hast.

Es ist bißher Gnade gnug gewesen, sie wollen derselbigen¹⁰ schlechts¹¹ nit. Wolan, so laß doch sehen, ob dein zorn höher und mächtiger sei dann ir grimm, laß sie anlauffen¹² und sich stossen, das sie stürtzen und pürtzeln, und bestettige damit das gericht und ampt deß worts, das du mir befohlen und mich darzu beruffen hast; dann du weist, das ich mich selbst zu solchem Ampt und werck wider den Bapst und meine feinde nicht eingedrungen noch dasselb gesucht habe. Sondern du hast mich hinnein bracht über und wider meine gedancken und wissen durch ir unrugiges toben und blutdürstiges wüten.

[8] Und laß sich die gemeyne der leute umb dich her samlen und umb derselbigen willen komm wider empor.

Ist doch mein hertzlich bitten und wunsch, mein fleissiges leren und schreiben nit anders den dahin gericht, das der Elende hauf deines volcks, so durch Menschen treume und secten so jämerlich zurtrennet und zurjagt und wie eyn Herde schaff zurscheucht, verirret^c waren, widerumb zu dir versammlet und von den Rotten allenthalben zu dir bekeret werden, in dem eynigen¹³ glauben und Geyst dich erkenneten als iren eynigen¹³ hirten und Meyster und ‚Bischoff irer seelen‘¹⁴. Umb welcher willen ich auch noch bitte, du wöllest dich und dein wort erhöhen und erhalten durch unser Ampt, auf das sie bei dir bleiben mögen; dann ich ja nit gesucht habe, das sie an mir hangen solten oder ich ehrlich¹⁵ und hoch worden^d. Sondern zu dir habe ich sie geweiset und an dich gehenget, das du hoch empor, herrlich und löblich unter inen sein soltest.

[9ᵃ] Der HERR richtet das volck.

Du bist alleyn Richter, Meyster, Lerer, prediger im volck, wir aber sind nur dein werckzeug, wir pflantzen und begiessen, du ‚gibst^e das gedeien‘¹⁶.

[9ᵇ] Richte mich, Herr, nach meiner gerechtigkeyt und fromkeyt.

Wiewol ich für dir eyn armer sünder bin, der dein gericht nit leiden¹⁷ kan, so weiß ich doch, das ich wider meine feinde recht habe und frumm bin; dann meine lehr ist recht und unsträfflich, so thu ich auch am leben inen keyn leyd, sondern alles gut; dann ich suche fried, ich bitte für sie, aber sie wollen nicht und verdammen beyde meine lehre und[18] leben, darumb bitte ich umbs recht, richte, urteile und beweise, das sie mir unrecht thun, beyde am leben und[18] an der lehre. Amen.

[10] Laß der Gottlosen Boßheyt eyn ende werden und fordere die Gerechten; dann du, gerechter Gott, prüfest hertzen und Nieren.

Wollen sie nit auffhören, so schaffe, das sie müssen auffhören mit yhrem wüeten und verfolgen, und bestettige unser lere und thun[f], welches da recht ist durch dein wort und Geyst, und decke auff und mache zuschanden ir falsches leren und leben; dan du weist, das ir hertz und Nieren voller buberei und schalckheyt ist, ob sie wol von aussen sich schmucken mit aller heuchellei und gutem schein, bei dem armen Man glimpff und zufall[19] zu finden. Solches alles wirstu thun, das weiß ich; dann

[11] Mein schilt ist bei Gott, der den auffrechten hertzen hilfft.

Ich weiß, das du mich verthädigen[20] wirst, unsere lere beschirmen, und solten die Tyrannen börsten[21] und toll werden; dann unser Gott hilfft den auffrichtigen von hertzen und nie den falschhertzigen und schalcksheyligen[22].

Aus: Von heimlichen und gestohlenen Briefen (zu Ps. 7, 2—11) (1529) = WA Bd. 30[II], S. 44, 10—46, 21.

Fundorte: Po 182[b]. B 652. V 607. R 412. W[1] Bd. 19, 649. Vgl. Preuß, S. 230 Anm. 1.

a) *den* Druckf.   b) *treiben* Luther.   c) *verriret* Druckf.   d) *werden* Druckf. e) *bist* Druckf.   f) *mit yhrem* bis *thun* fehlt; vgl. WA Bd. 30[II], S. 46, 10 f.

1) weißt.   2) 2. Sam. 16, 7 f.   3) verleumden (Dietz Bd. 1, S. 252).   4) knurren (Ablautbildung zu ,grimmen' [so Luther an der vorliegenden Stelle] = ,mit den Zähnen fletschen'; D. Wb. Bd. 4[I, 6], S. 635 f.).   5) ist ihnen so wichtig.   6) aufrührerisch, ketzerisch; vgl. RN 30[II], 44, 33.   7) vorsätzlich.   8) drohen.   9) entzogen, abgetan; RN 30[II], S. 45, 1.   10) S. o. Nr. 89 Anm. 2.   11) schlechterdings. 12) sich den Kopf einrennen.   13) einzigen, alleinigen.   14) 1. Petr. 2, 25.   15) angesehen, berühmt.   16) Vgl. 1. Kor. 3, 6.   17) ertragen.   18) sowohl ... als auch.   19) Ehre und Beifall; vgl. RN 30[II], 28, 31 und 46, 15.   20) Zu dieser Form vgl. D. Wb. Bd. 12[I], Sp. 1875.   21) bersten (gerundete Form).   22) falschen Heiligen; Scheinheiligen; vgl. RN 32, 362, 29.

409   [Bl. M 4[a]]   Gebett für und wider eynen Tyrannen.

Ist er zubekeren, mein Herr Jesu Christe, so bekere in doch, wo nicht, so were ihm doch bald, was soll er die deinen, dein wort und werck so lang hindern und lestern, Amen, Amen, lieber Herr.

Aus: An Georg Spalatin vom 5. Januar 1528 (1556) = WA Br. Bd. 4, S. 341, 48—51.

410   [Bl. M 4[a]]   Wider die Christenmörder.

Lieber GOtt, gib uns deine gnade und ,sende wider in deine ernde rechte arbeyter'[1]

und straf die ‚Mörder' und ‚zünde ihre statt an'[2], die deine knecht und deinen Son
auß dem weinberg stossen und töden on unterlaß[3].

Aus: Wider den falsch genannten Stand (1522) = WA Bd. 10[II], S. 158, 11 – 13.
Fundorte: B 782.   W[1] Bd. 19, 907.
1) Matth. 9, 38.   2) Matth. 22, 7.   3) Matth. 21, 33 ff.

411   [Bl. M 4[a]]   Vor die Juden.

Ach Gott, Himlischer Vatter, wende dich und laß deines zorns über die Juden
gnug gewest und eyn ende sein umb deines lieben Sons willen.

Aus: [Randglosse Treuers:] „Tom. 8 von beyder gestalt des Sacraments"; nicht identifiziert.

412   [Bl. M 4[b]]   Gebettlin in trübsal.

Lieber Gott, ich bin deine Creatur und geschöpf, du hast mir eyn Creutz und leiden zugeschickt und sprichst zu mir: leide dich[1] eyn wenig umb meinetwillen, ich
will dirs wol bezalen; ja gerne, lieber Gott, weil du es so wilt haben, will ichs
von hertzen gerne thun.

Aus: Sommerpostille (1544) = WA Bd. 22, S. 54 (Bd. 41, S. 315, 26 – 31).
Fundorte: M 46.   O/Anh. 317.   V 612.   W[1] Bd. 12, 965.   C 96.
1) halte … still; vgl. WA Bd. 41, S. 315 Anm. 1.

413   [Bl. M 4[b]]   Eyn anders.

O Herr Jesu Christe, der du sitzest zur rechten deß Vatters und bist für mich
armen sünder gestorben, warer Gott und Mensch, erquicke mir meine arme seele.

Aus: Hauspostille (1559) = E. A[2]. Bd. 5, 201, 23 – 25 (WA Bd. 37, S. 408, 16 f.; vgl.
Bd. 52, S. XIX).
Fundort: W[1] Bd. 13, 1448.

414   [Bl. M 4[b]]   Inn groser widerwertigkeyt.

‚Ach Gott, straf mich nit im zorn'[1], laß in gnaden sein und zeitlich[2], sei Vatter
und nit Richter, wie Augustinus auch spricht: ‚Ach Gott, börne[3] hie, haue hie,
schlag hie und schone unser[4] dort'.

Aus: Die sieben Bußpsalmen (zu 6, 2) (1517) = WA Bd. 1, S. 159, 27 – 30.
Fundorte: R 408.   W[1] Bd. 4, 2263*.   K 221.
1) Ps. 6, 2 (Auslegungstext).   2) eine begrenzte Zeit (im Gegensatz zu ‚ewig').
3) brenne; gerundete Nebenform zu nd. ‚bernen' (Dietz Bd. 1, S. 329; vgl. auch RN 33,
634, 1).   4) S. o. Nr. 293 Anm. 1.

415   [Bl. M 4b]   Eyn anders.

CHriste, lieber Herr und trost, tröste und stercke uns, das wir deinen willen tragen, loben und dancken mögen.

Aus: An Autor Broitzen vom 25. August 1534 (1550) = WA Br. Bd. 7, S. 96, 12—14.
Fundort: W¹ Bd. 10, 2361.

416   [Bl. M 4b]   Eyn anders.

Lieber Vater, schlahe und streiche[1] getrost[2] zu, ich habs leyder wol[3] verschuldet, doch laß es eyn vatterrute sein, wie du dann alle deine kinder, so du lieb hast, steupest; dan welche du umb irer sünde willen nicht straffest, sind nicht kinder, sondern bastarte Heb. 12.[4], darumb streiche, peitsche, dresche flugs auf uns, gerechter Richter, doch auch Barmhertziger VATTER, also aber, das du dein Göttlich VATTERhertz von uns nicht wendest, auff das wir dich hie dort ewiglich loben und preisen mögen.

Aus: Vermahnung zu wahrer Buße (1548) = WA Bd. 48, S. 232 App. zu Zl. 28/33; 231, 33 f.; 232 App. zu Zl. 34 ü. 34/44.
Fundorte: B 677.   G VIII, 631.   V 612.   R 409.   W¹ Bd. 9, 1463.   K 221.   C 96.
Ferner: Lehr- ... und Gebetbüchlein (Glaser) 1565, Bl. Z 4a (= Bibliographie II, 6).
1) Scil. mit der Rute.   2) furchtlos, unbekümmert (D. Wb. Bd. 4¹, ³, Sp. 4553 f.).
3) durchaus.   4) Hebr. 12, 7 f.

417   [Bl. M 5a]   Eyn anders.

HERR, du thust recht, ob du uns gleich straffest; dann für dir, HErr, haben wir kein[a] Recht, wir hoffen aber, du werdest gnediglich straffen und zu seiner zeit aufhören umb Christi willen.

Aus: Sommerpostille (1544) = WA Bd. 22, 283 (Bd. 37, S. 537, 35—37).
Fundort: W¹ Bd. 11, 2217.
a) *dein* Druckf.

418   [Bl. M 5a]   Eyn anders.

O Vater, tröste und stercke mich elenden, armen Menschen mit deinem Göttlichen wort, ich mag[1] deine hand nit leiden und ist mir doch verdammlich, so ich sie nicht leide; darumb stercke mich, mein Vatter, das ich nicht verzage.

Aus: Auslegung deutsch des Vaterunsers für die Laien (zur 4. Bitte) (1519) = WA Bd. 2, S. 107, 24—27.
Fundorte: G I, 679.   W¹ Bd. 7, 1137.
1) kann.

419   [Bl. M 5ᵃ]   Eyn anders umb gedult.

Lieber HErr Jesu Christe, tröste und stercke mein hertz durch deinen Geyst in
fester gedult biß zum seligen ende dises und alles unfals[1], dir sei lob und ehre
sammt dem H[eiligen] Geyst ewiglich.

Aus: An Sybille Baumgärtner vom 8. Juli 1544 (1547) = WA Br. Bd. 10, S. 606,
46—50.

Fundorte: M 47.   B 677.   R 410.   Vgl. Schulz Nr. 39.

1) Unglücks, Unheils.

420   [Bl. M 5ᵇ]   Eyn gebett inn grosen Nöten.

O *Deus, opressisti nos calamitatibus* ...

Das ist.

Du hast uns, lieber Gott, mit vil widerwertigkeyt überschüttet und deinen zorn
wol[1] zuerkennen geben. Lieber Gott, höre nu auch auff, du hast uns lang gnug
getödet, genug gepresset, belastiget, gnug gedemütigt, kere dich doch wider zu
uns und sei uns gnedig, zeige uns, wie freundlich und barmhertzig du seiest, damit wir in solchem schrecken unsere hertzen trösten und stillen mögen.

Aus: Enarratio Psalmi XC (zu v. 13) (1541) = WA Bd. 40ᴵᴵᴵ, S. 577, 20—24 (deutsche Übersetzung). Vgl. Gebet Nr. 694.

Fundorte: R 405.   W¹ Bd. 5, 1155*.

1) genau.

421   [Bl. M 5ᵇ]   Eyn anders.

HErr Jesu Christe, ich glaube an dich, du bist mein einiger[1] helffer, dich rufe ich
an in allen nöten, HERR so du wilt, kanstu mir wol[2] helffen, so du aber nicht
wilt, will ich diß Creutz und unglück umb deines Namens willen gerne leiden.

Aus: Hauspostille (1559) = E. A². Bd. 6, 249, 27—32 (WA Bd. 45, S. 264, 15—17; vgl.
Bd. 52, S. XXIII).

Fundorte: M 48.   O/Anh. 318.   R 407.   W¹ Bd. 13, 2311*.   K 218.   C 97.   Vgl.
Schulz Nr. 38.

1) alleiniger.   2) bestimmt.

422   [Bl. M 6ᵃ]   Gebettlin im Creutz.

Ach, lieber Vatter, du bist ja mein lieber vatter; dann du hast ja deinen eynigen[1]
lieben Son für mich gegeben, darumb wirstu ja nit mit mir zürnen noch mich
verstossen, du sihest meine Not und schwachheyt, darumb wöllest du mir helffen
und mich retten.

Aus: Sommerpostille (1544) = WA Bd. 22, S. 138, 28—31.

Fundorte: M 49.   O/Anh. 318.   R 406.   W¹ Bd. 12, 1045.   C 96.   Vgl. Schulz
Nr. 37.

1) einzigen.

423   [Bl. M 6ᵃ]   Eyn anders.

Ach, ‚Vatter aller barmhertzigkeyt und GOTT alles trosts'[1], stercke und krefftige mich durch deinen Geyst, biß erscheine und komme dises werck, darauff du uns heyst harren inn allen trübsalen; dann du ‚nicht von hertzen die Menschen plagest und betrübest' Thren. 3[2] und, wie S. Augustin fein tröstlich sagt: ‚Der Herr lest nichts böses geschehen, wan er nicht etwas gutes könte drauß schaffen'.

Aus: An Fürst Georg von Anhalt vom 9. März 1545 (1548) = WA Br. Bd. 11, S. 48, 33—38 (deutsche Übersetzung).
Fundorte: R 408.   W¹ Bd. 10, 2289.   C 97.
1) 2. Kor. 1, 3.   2) Klagel. 3, 33.

424   [Bl. M 6ᵃ]   Exempel wie inn Geystlichen anfechtungen der glaube kempffet, betet und uberwindet, wie Lutherus selbs practiciret und inn seiner zugleich leiblichen und Geystlichen anfechtung[1] Anno 1527. also gebettet.

[A] Mein allerliebster Gott, wann du es so wilt haben ...
Darauf hat er seine augen empor gehaben[2] und mit groser brunst seines hertzens das Vatter unser und den sechsten Psalm gar außgebettet[3], darnach gesagt:
[B] HErr, mein allerliebster Gott, ach wie gerne hette ich mein blut vergossen ...
[C] Mein allerliebster HERR Jesu CHRISTE, du hast mir gnediglich verliehen ...
[D] Du weist, HERR, das ir vil, denen du es gegeben hast ...
[E] Du weist, HERR, das mir der Satan auf mancherley weise nachgestellet hat ...
[F] O mein lieber HERR Jesu CHRISTE, der du gesprochen hast ...
[G] Mein allerliebster GOTT, du bist ja eyn GOTT ...
[H] O mein allerliebster GOTT und VATTER, du hast mir viel edler treuer gaben geben ...

= Gebet Nr. 93. Vgl. Gebet Nr. 48.
1) Über diese (seit 6. Juli 1527) schweren Anfechtungen vgl. Köstlin-Kawerau, Martin Luther Bd. 2, S. 168—171.   2) gehoben.   3) ganz zu Ende gebetet; vgl. WA Bd. 28, S. 77, 3 f./15; Bibel Bd. 9ᴵ, S. 430/431 (1. Kön. 8, 54); s. auch o. Nr. 100 Anm. 7 („aussprechen").

425   [Bl. M 8ᵃ]   Inn allerley anfechtung.

HERR CHRISTE, der du alle anfechtung uns zu gut überwunden hast, gib uns auch stercke, das wirs durch dich überwinden und seelig werden mögen.

Aus: Hauspostille (1559) = E. A². Bd. 4, S. 338, 11—14 (WA Bd. 37, S. 307, 32 f.; vgl. Bd. 52, S. 177, 18—20).
Fundorte: M 50.   R 334.   C 97.

426   [Bl. M 8ª]   Eyn anders.

Wir sind umgeben hinden und fornen mit anfechtungen und mögen uns derselben nicht entschlahen[1], aber, O VATTER unser, hilff uns, das wir nicht hinein faren, das ist, das wir nicht drein verwilligen und, also überwunden, unterdruckt werden.

Aus: Auslegung deutsch des Vaterunsers für die Laien (zur 6. Bitte) (1519) = WA Bd. 2, S. 123, 6—9.
Fundorte: R 334.   W¹ Bd. 7, 1164.   C 97.
1) vermögen ihnen nicht zu entgehen.

427   [Bl. M 8ª]   Inn Kranckheyt.

Lieber GOTT, du bist eyn GOtt deß Lebens, eyn ‚Gott deß Trostes‘[1], eyn Gott der gesundheyt und freuden[a], fare fort und mache auß[2], was du angefangen hast[3], auff das der widergott, das ist der Teuffel, eyn GOTT deß Todes und traurens, der kranckheyt etc., sein werck lassen müsse.

Aus: An Kurfürst Johann von Sachsen vom 28. März 1532 (1547) = WA Br. Bd. 6, S. 277, 10—14.
Fundorte: B 1108.   W¹ Bd. 10, 2116.
a) *freunden* Druckf.
1) 2. Kor. 1, 3.   2) vollende; vgl. RN 30III, 215, 14.   3) Phil. 1, 6.

428   [Bl. M 8ª]   Gebet für eyne krancke, angefochtene Weibsperson, die Doctor Luther besuchet, getröstet und also für sie gebettet hat.

HERR Gott, himlischer Vatter, der du uns und die krancken hast heissen betten, wir bitten dich durch Jesum Christum, deinen lieben Son, das du dise deine dienerin von irer kranckheyt und von deß Teufels banden Vätterlich erlösen wollest, schone doch, lieber Herr, irer selen[1], die du sammt irem leibe durch deines lieben Sons Jesu Christi blutvergiessen erworben und errettet hast, von den sünden deß Todes und deß Teuffels gewalt[2].

Aus: Trostrede (1566) = WA TR Bd. 3, S. 518, 30—34; 520, 3—8. Vgl. Gebet Nr. 60.
Fundorte: R 349.   W¹ Bd. 22, 1266*.
1) S. o. Nr. 293 Anm. 1.   2) Vgl. WA Bd. 30I, S. 297, 1—3 (Kl. Kat.).

429   [Bl. M 8ᵇ]   Gebett Doctor Luthers in seiner kranckheyt zu Schmalkalden.

O du treuer Got, mein Herr Jesu Christe, hat dein Name so vilen leuten geholffen, hilff mir doch auch, mein lieber Gott, du weist ja, das ich dein wort mit treu und fleiß geleret hab, *si est pro gloria nominis tui,* dienet es zu deines Namens ehre, so hilff mir, das es besser werde, *si non,* wo aber nit, so schleuß mir die augen zu, es muß doch eynmal sein. O Herr Jesu Christe, wie fein ist es, das eyner mit dem schwert *pro verbo tuo* (für dein wort) stirbt, nun mein Herr Jesu

Christe, *ego morior inimicus tuis inimicis*, ich sterbe inns Bapsts Bann, aber er stirbt in deinem Bann. *Ego gratias tibi ago, mi Domine Iesu Christe, quia in cognitione nominis tui morior* (ich dancke dir, das ich im erkantnuß[1] deines Namens sterbe), ich will nun thun, was Gott will, und ergebe mich gar[2] in seine gnad. „*Si bona suscepimus de manu Domini, mala cur non sustineamus*", ‚haben wir guts empfangen von Gott und solten das böse nit auch annemmen'[3]? *Ego morior in odio Papae* (ich sterbe eyn feind deß Bapsts) deß bößwichts, *qui se extulit supra Christum*, der sich über Christum gesetzt und erhaben[4] hat.

Aus: Gebet in Schmalkalden vom 18. Februar 1537 (1566) = WA *TR* Bd. 6, S. 301, 29—302, 3. Vgl. Gebet Nr. 82.

Fundorte: R 392. W[1] Bd. 22, 1946.

1) S. o. Nr. 177 Anm. 1.   2) ganz.   3) Hiob 2, 10.   4) erhoben.

430   [Bl. N 1ª]   Inn gefärligkeyt uber ordenlichen beruff.

Domine Deus, non mea temeritate incidi . . .
Das ist.
HErre Gott, ich bin ja nicht auß eygenem frevel oder durst[1] in dise not geraten, dazu auch auß keynes weisen oder Narren rath, sondern du hasts gesagt, du hast michs geheissen; darumb habe ich daran recht gethan, und dises ist nun deine sach[2]; deine verheyssung und treue wird jetzt angefochten, du wirst deine treu und glauben und nit meinen glauben inn allewege retten müssen.

Aus: Genesisvorlesung (zu 32, 9—12) (1552) = WA Bd. 44, S. 81, 14—18.

1) Verwegenheit (lat. Vorlage: „*temeritas*").   2) Lat. Vorlage: „*tua res agitur*" (Gellius, *Noct. att.* 1, 18, 84).

431   [Bl. N 1ᵇ]   Inn verfolgung.

Lieber GOtt, du hast mir Hauß und Hoff, Weib und Kind gegeben, ich habs selber nie gezeuget, dieweil es dann dein ist, so will ichs auff dich wagen, du wirst mirs wol[1] erhalten, wiltu mich haben, so wirstu mir wol[1] anders geben; dann du hast verheyssen, gnug zu geben hie und dort ewiglich. Wiltu mich nicht hie haben, so bin ich dir eynen Tod schuldig, wann du mich forderst, der mich zum ewigen leben bringe, so wage ichs nun frölich von deines worts wegen, darzu hilff mir, Herr Christe.

Aus: [Randglosse Treuers:] „Kirchpostill Dom[inica] 6. post Trinitat."; nicht identifiziert.

Fundorte: V 616.   Vgl. Schulz Nr. 62.

1) ganz, sicher.

432   [Bl. N 1ᵇ]   Eyn anders.

Lieber VAtter, wiewol nichts da ist und ich nichts sehe, will ich dannoch am wort halten, du wirst wol[1] helffen, ich habs zuvor auch versucht.

Aus: [Randglosse Treuers:] „Kirchpostill Dom[inica] 20. Trinitat."; nicht identifiziert.
1) sicher.

433   [Bl. N 1ᵇ]   Gebett eynes untertruckten umb der warheyt willen.

Weil mein hoffnung in dir ist, HERR Gott, so erhöre mich, mein Gott, und laß
nit dazu kommen, das meine feinde in mir freud und rhum erleben, laß gnug
sein, das sie mich hassen und verfolgen umb der warheyt willen, das sie nit auch
recht darzu behalten, die es doch nit haben, dann sie in sich und nit in dich hoffen.

Aus: Die sieben Bußpsalmen (zu 38, 17) (1517) = WA Bd. 1, S. 182, 9—13.
Fundorte: B 764.   R 377.   W¹ Bd. 4, 2304*.   Vgl. Schulz Nr. 25.

434   [Bl. N 2ᵃ]   Eyn anders.

Ich leide vil und geht mir übel, aber meinen Feinden gehet es wol, sie leben, ich
sterbe ohne unterlaß, sie sind mächtig und starck, ich werd on unterlaß niderge-
truckt, sie sind in ehren, ich in schmach, sie im friede, ich inn unfriede. Sie mehren
sich und haben ir vil, die inen günstig sind, die sie loben, die es mit ihnen halten,
ich bin alleyn verlassen, und niemans¹ helts mit mir noch ist mir günstig, ich bin
eyn Eynsammer, von allen verlassen und verachtet. Darumb, lieber Herre Gott,
nimm du mich auff und verlaß mich nicht, eile mir zu helffen. dann alle andere
helffen mir zu verderben, ich such keyn Heyl noch seligkeyt weder inn mir selbst
noch inn niemand anders dann bei dir alleyne.

Aus: Die sieben Bußpsalmen (zu 38, 20—23) (1517) = WA Bd. 1, S. 183, 15—21. 38 f.;
184, 13. 17 f.
Fundorte: B 765.   V 616.   R 375.   W¹ Bd. 4, 2308.   K 218.
1) S. o. Nr. 351 Anm. 1.

435   [Bl. N 2ᵃ]   Gebett eynes beklagten umb deß bekantnuß deß Evangeli willen.

Lieber Herre GOTT, ich will dir zu lob und ehren diß leiden; dan ich nicht
alleyn dises leidens, sondern auch deß todes schuldig bin für dir, mein haut und
haar und gantzer Cörper ist schuldig, drumb will ichs in deim gehorsam und willen auffnemmen und dulden, es sei trübsal oder angst oder verfolgung oder
Hunger oder bloß¹ oder ferligkeyt oder schwert, und wills in solchem glauben
leiden, das du dadurch gelobet und gepreiset werdest.

Aus: Hauspostille (1559) = E. A². Bd. 4, 397, 30—38 (WA Bd. 37, 323, 33—324, 1;
vgl. Bd. 52, S. XXVII).
Fundorte: B 764.   R 377.   W¹ Bd. 13, 772*.   K 219.   Vgl. Schulz Nr. 26.
1) Blöße.

436   [Bl. N 2ᵇ]   Sehr hefftiges und ernstes Gebett der bekenner, so umb der warheyt willen verfolget werden.

Quid tandem fiet, si nos omnes perdideris, Domine? . . .
Das ist.

Was hastu für, lieber Herr? was meinstu, das zuletzt draus wolle werden, wann du uns also wilt lasen verterben und zu schanden werden? das wird dir zur schmach gereichen und zu nachteyl deiner ehren gedeien; dann daher werden die Heyden und alle unglaubige ursach nemmen, beide wider dein volck und¹ dein Heyliges wort zu lestern; wann nun dann wir gleich alle verderben, so were es doch dir eyn schand; dann wir sein ja dein erbe und dein theyl, den du dir erwehlet hast, du kanst dich ja selbs nit leugnen, vil weniger dein wort widerrufen; dan was wiltu für eyn ander volck haben, wann du uns verstossen willt? wir sein dein erbteil und dein eigenthumb, welches du herrlich gezieret hast mit deinem gesatz und Gottesdiensten. Sollen nu die Heyden unser² mächtig werden? wiltu nu dein eygenthum dir rauben und nemmen lassen von denen, die dich schenden, lästern und verfolgen? Darumb HERR, bedencke erstlich die gefahr, so dir selbst drauf stehet, das dadurch dein erbtheyl dir entzogen wird, darnach deine ehre geschendet wird; dan sonst keyn ander volck ist, welchs deinen Namen und GOttesdienst hat; wann du uns nun verstossen woltest, würde es nicht alleyn über uns außgehen, sondern deine Ehre würde es entgeltenᵃ müssen; dann wann du uns verderben lest, wird jederman schliessen, dise deine lehre und GOTTESdienst sei vergebens und du selbst seiest nichts mehr dann eyn bloser Name, da nichts dahinder ist, weil du geschehen lesest, das wir, die wir alleyn dein wort gehabt und deinen Namen wider aller Heyden Götzen bekennet haben, zuschanden werden und sollen dazu noch verterbet werden von den Abgöttischen Heyden und so Gottlosen leuten; dardurch werden sie ire Götzen widerumb herrlichᵇ rühmen wider dich und sagen, mit dir sei es lauter nichts, ihre Götzen sein der rechte GOtt.

Aus: Joel-Auslegung (zu 2, 17) (1526) = WA Bd. 13, S. 104, 13—17; 105 App. Zl. 1— 12 (deutsche Übersetzung).
Fundorte: Po 183ᵃ.   V 617.   W¹ Bd. 6, 2104.
a) engelten Druckf.   *b) hertzlich* Druckf.
1) sowohl . . . als auch.   2) über uns; zum Genitiv vgl. Franke Bd. 3, S. 115.

437   [Bl. N 4ᵃ]   Ernstlichs Gebet Doctoris Martini Lutheri zu Wormbs auff dem Reichstag Anno Domini 1521¹.

Allmechtiger, ewiger GOTT, wie ist es nur eyn ding umb die welt, wie sperret sie den leuten die Meuler auff, wie klein und gering ist das vertrauen der Menschen auff GOTT, wie ist das fleysch so zart und schwach und der Teuffel so gewaltig und geschefftig durch seine Apostel und Weltweisen, wie ziehet sie so bald die hand ab² und schnurret dahin³, laufft die gemeyne ban und den weiten weg zur Hellen zu, da die gottlosen hingehören, und sihet nur alleyn bloß an, was prechtig und gewaltig, gros und mechtig ist und ein ansehen hat. Wann ich nun meine augen dahin wenden soll, so ists mit mir auß, die Glock ist schon gegossen[4] und das urteyl gefellet, ach GOTT, ach GOtt, o du mein GOtt, du mein Gott, stehe du mir bei wider aller welt vernunfft und weißheyt, thu du es, du must es thun, du alleyn, ist es doch nicht mein, sondern deine sache, habe ich doch für meine person alhie nichts zuschafen und mit disen grosen Herren der welt zu thun, wolte ich doch auch wol gute gerühige tage haben und unverworren sein[5]. Aber dein ist die sache, Herr, die gerecht und ewig ist. Stehe mir bei, du treuer, ewiger GOtt, ich verlasse mich auf keynen Menschen, es ist umbsonst und vergebens, es hincket alles, was fleysch ist und nach fleysch schmeckt, o GOTT, o GOTT, hörest du nicht, mein GOTT, bistu tod? nein, du kanst nicht sterben, du verbirgest dich alleyn, hastu mich darzu erwehlet? ich frage dich, wie ich es dann gewiß weiß, ey so walte es Gott; dann ich mein lebenlang nie wider solche grose HERREN gedacht zu sein, habe mir es auch nie fürgenommen, ey GOTT, so stehe mir bei inn dem Namen deines lieben Sohns Jesu CHRISTI, der mein schutz und schirm sein soll, ja meine feste burg, durch krafft und sterckung deines Heyligen Geystes. HERR, wo bleibestu? du mein GOTT, wo bistu? komm komm, ich bin bereyt, auch mein leben drumb zu lassen, gedultig wie eyn Lämblin; dann gerecht ist die sache und dein, so will ich mich von dir nicht absondern ewiglich, das sei beschlossen inn deinem Namen; die Welt muß mich über[6] mein gewissen wol[7] ungezwungen lassen, und wann sie noch voller Teuffel were und solt mein leib, der doch zuvor deiner hände werck und geschöpff ist, darüber zu grund und boden[8], ja zu trümmern gehen[9], dafür aber dein wort und Geyst mir gut ist[10], und ist auch nur umb den Leib zu thun, die seel ist dein und gehöret dir zu und bleibet auch bei dir ewig. Amen. Gott helff mir.

Aus: Eislebener Lutherausg. Bd. 1 (1564) = WA Bd. 35, S. 213 f. (vgl. WA Br. Bd. 10, S. 488 und Bd. 13, S. 324). Vgl. Gebet Nr. 37.

Fundorte: B 765.   G XII, 789.   V 618.   R 372.   W[1] Bd. 6, 3135.

1) Vgl. dazu WA Bd. 35, S. 212—215.   2) wendet sie sich ... (von Gott) ab; vgl. WA Bd. 36, S. 435, 28.   3) fährt dahin (D. Wb. Bd. 9, Sp. 1418 f.).   4) Sprichwort; vgl. WA Bd. 51, S. 649, 32 und 680 Nr. 124.   5) meine Ruhe haben; vgl. RN 30[II], 30, 3 f.; WA Bd. 16, S. 547, 7; Bd. 20, S. 515, 11; Bd. 34[I], S. 160, 5.   6) wegen, in bezug auf.   7) ganz.   8) Vgl. RN 48, 84 (Nr. 114), 10 f.   9) S. o. Nr. 86 Anm. 3.   10) bürgt mir; vgl. WA Bd. 48, S. 123 (Nr. 166), 10 (nebst RN).

438   [Bl. N 5a] Gebett, wann inn der verfolgung deß Evangelii beyde gewalt und[1] Secten sich täglich mehren.

HERR, du bist zwar reyner augen und sihest nicht gern gewalt und unrecht, wann beweisest du es dann auch mit der that? uns dunckt, du wöllest uns für unrecht und jene für gerechte halten, so wir doch gewiß sind, das wir recht und sie unrecht haben etc. Ich glaube es und bins gewiß, das du alleyn Gott bist und die gottlosen one deinen willen nichts mögen[2] thun, warumb sihest du dann zu und schweigest?

Aus: Der Prophet Habakuk ausgelegt (zu 1, 13) (1526) = WA Bd. 19, S. 378, 25—28; 379, 20—22.

Fundort: W¹ Bd. 6, 3135.
1) sowohl ... als auch.   2) können.

439   [Bl. N 5ᵃ] Gebett D. Martini Lutheri unter dem Reichstag zu Augspurg,
Anno Domini 1530 auß dem gezeugnuß Viti Dietrichs.

Ich weyß, das du unser lieber Gott und Vatter bist ...

= Gebet Nr. 99. Vgl. Gebet Nr. 33.

440   [Bl. N 5ᵇ] Dancksagung der bekenner der Warheyt im Creutz.

Gratias ago tibi, Christe, fili Dei, qui me ...
Das ist.
Ich dancke dir, Herr Christe, du Son Gottes, das du mich würdig geachtet hast,
inn so heyliger, guter sache etwas zu leiden.

Aus: An Kurfürst Friedrich den Weisen vom 21. November 1518 (1545) = WA Bd. 1,
S. 246, 414−416 (deutsche Übersetzung): = Gebet Nr. 442 (Duplikat).
Fundort: V 620.

441   [Bl. N 5ᵇ] Dancksagung für die Creutzschule.

Gratias, Christe, tibi ago, qui me ...
Das ist.
Ich dancke dir, mein lieber Herr Jesu Christe, das du mir auch eyn partickel deß
heyligen Creutzes zugetheylet hast.

Aus: An Georg Spalatin vom 9. September 1521 (1566) = WA Br. Bd. 2, S. 388, 31
(deutsche Übersetzung).
Fundort: V 620.

442   [Bl. N 5ᵇ] Eyn andere dancksagung für das liebe Creutz.

Lieber GOTT, ich dancke dir, das dein lieber Sohn Jesus Christus mich armen
Sünder würdig achtet, das ich inn diser heyligen guten sache trübsal und verfolgung leiden soll.

Duplikat zu Gebet Nr. 440.

443   [Bl. N 5ᵇ] Dancksagung, das wir Christo zugehören und sein eygen sein.

Wir dancken dir, lieber HErre Gott, das du uns unter die zal rechnest, so dir
zugehören und dein eygen sein; dann weil wir wissen, das wir dein wort haben
und umb desselbigen willen verfolget werden und die Welt zu feind haben,

darumb wir sicher und gewiß sein und keynen zweifel haben, das wir zu disem häufflin gehören, welchs das ewige leben haben soll.

Aus: Wochenpredigten über Johannes 17 (1530) = WA Bd. 28, S. 88, 22—26.

444   [Bl. N 6ᵃ]   Ermunterung unter dem Creutz.

Ach, du himmlischer Vatter, bistu mir so nahend[1], und ich wuste es nicht, wie ist mir jetzund so wol, laß nun Esau kommen und alle Teuffel, so fürchte ich mich nicht; dann ich hab dich, meinen HErren und meinen Gott; zuvor habe ich den Rucken gesehen inn grosser angst und ließ mich duncken, das du mir den Tod trewest[2], und mein hertz ward inn grosser angst, als würstu mich irgend[3] in die helle stossen, jetz aber sehe ich nun dein angesicht.*

Aus: Genesisvorlesung (zu 32, 31 f.) (1552) = WA Bd. 44, S. 112, 34—40 (deutsche Übersetzung).
Fundorte: V 620.   R 410.   W¹ Bd. 2, 1182*.   K 222.   Bei * ist in K folgendes Stück zur Vervollständigung des Luthertextes hinzugefügt:
   * *„Ey wie habe ich doch so einen gnädigen Gott. Ich war schon verzaget und gieng in die Hölle hinab; nun sehe ich aber, daß mir dieser Kampf zum Leben nütze gewesen ist. Ich hätte nimmermehr gemeinet, daß Gott so nahe bei mir wäre.“*
   1) Nebenform (wie mhd.) zu dem Adverb ‚nahen‘; vgl. V. Moser, Frühneuhochdeutsche Grammatik Bd. 1ᴵᴵᴵ, S. 57.   2) androhtest.   3) etwa, vielleicht (D. Wb. Bd. 4ᴵᴵ, Sp. 2157).

445   [Bl. N 6ᵃ]   Dancksagung, das Gott noch Martyrer hat auff Erden.

Danck, lob und ehr sei dir, Vatter unsers lieben HERRN Jesu Christi, das du uns die zeit wie im anfang widerumb hast lassen sehen, darinnen deine Christen für unsern augen und von unsern augen und von unser seiten dahin geruckt[1] zur Marter (das ist) zum Himmel und heyligen werden, die mit uns gessen, getruncken (wie die Apostel von Christo sagen, Act. 4.[2]) und inn ehren frölich geweßt sind, wer het es mögen glauben für 20 jaren, das du, Herr Christe, so nahe bei uns werest und über Tisch und zu Hause durch deine treue Martyrer und lieben Heyligen essest, trinckest, redest und lebtest.

Aus: Vorrede zu Robert Barnes Glaubensbekenntnis (1540) = WA Bd. 51, S. 449, 9—17.
Fundort: W¹ Bd. 21, 187*.
   1) entrückt; vgl. WA Bd. 51, S. 449 Anm. 1.   2) Apg. 1 (!), 21.

446   [Bl. N 6ᵇ]   Gebett für die, so umb deß Evangelii willen inn armut gerahten.

Ach lieber Herr, laß dich doch jammern[1] deß armen, grossen volcks, beyde Man, weib und[2] kinder, die dir so weit nachgezogen sind, dich zu hören, dencke doch, das sie nun lange zeit bei dir geblieben und beharret und haben nichts zu essen und, wann du sie ungessen von dir lisest, unterwegen, eh sie heym kemen, verschmachten müssen, sonderlich was da sind schwache leute, weiber und kinder, dencke doch, das etliche sind von ferne kommen, gib, was inen nutz ist zu leib und zu seel.

Aus: Sommerpostille (zu Mark. 8, 1–9) (1544) = WA Bd. 22, S. 123, 33–40.
Fundorte: R 378.   W¹ Bd. 11, 1870*.
1) hab Erbarmen mit; zum Genitiv vgl. Franke Bd. 3, S. 107.   2) sowohl … als auch.

447   [Bl. N 7ᵃ]   Gebett umb liebe zum Göttlichen wort.

Lieber GOTT und Vatter, schreibe durch deinen lieben Heyligen Geyst in unsere hertzen¹ das jenige, was so reichlich in der schrifft gefunden wird, und laß uns stettig dran gedencken und vil tieffer zu hertzen gehen dan unser eigen leben und, was uns mag lieb sein auff erden.

Aus: An Königin Maria von Ungarn (?) 1531 (1545) = WA Br. Bd. 6, S. 196, 33–37.
Fundorte: B 180.   R 380.   W¹ Bd. 10, 2018.   C 92.
1) Vgl. 2. Kor. 3, 2 f.

448   [Bl. N 7ᵇ]   Gebett umb erkantnuß aller Göttlichen wolthaten.

HErr Gott, himlischer Vatter, von dem wir one unterlaß allerley guts¹ gar überflüssig² empfahen und täglich für allem übel gantz gnädiglich behütet werden, wir bitten dich, gib uns durch deinen Geyst solchs alles mit gantzem hertzen in rechtem glauben zu erkennen, auf das wir deiner milten³ güte und barmhertzigkeyt hie und dort ewiglich dancken und loben durch Jesum Christ deinen Son unsern Herrn.

Aus: Wittenberger Gesangbuch 1543 (J. Klug) (zu: Herr Gott, dich loben wir) = WA Bd. 35, S. 249 (Bd. 35, S. 557). Vgl. Gebet Nr. 7.
Fundorte: B 17 und 181.   R 332.   W¹ Bd. 10, 1758..   K 191.
1) alles erdenklich Gute.   2) ganz im Überfluß.   3) freigebigen.

449   [Bl. N 7ᵇ]   Dancksagung umb Göttliche Regierung.

Tibi gratia, o Deus, qui nos conservas in verbo …
Daß ist.
Lieber Gott, dir sei lob und danck, das du uns im wort, glauben und Gebett täglich erhaltest, das wir inn demut und deiner Forcht für dir zu wandeln wissen und uns nicht vermessen auff eygene weißheyt, gerechtigkeyt, kunst¹ und stärcke, sondern alleyn deiner krafft uns rühmen können, der du, wann wir schwach sein, starck bist und durch uns als die schwachen täglich überwindest² und den sieg behaltest, dir sei lob und danck inn ewigkeyt.

Aus: Galaterbriefkommentar (1535) = WA Bd. 40ᴵ, S. 321, 33–38 (deutsche Übersetzung).

Fundorte: B 599. W¹ Bd. 8, 1970. C 92.
1) Erkenntnis. 2) siegst.

450 [Bl. N 8ᵃ] Eyn anders.

Gratias agimus tibi, Deus pater, pro inexhausta ...

Das ist.

Wir dancken dir, HERR Gott Vatter, für deine unaußsprechliche, unerschöpff-
liche güte und liebe gegen uns und bitten dich, du wöllest uns also zubereyten,
das wir dir als schöne Lustgärtlin gefallen mögen, auff das vil leut unserer früchte
geniessen mögen¹ und durch uns zu aller Gottseligkeyt gereytzet werden.

Aus: Amos-Auslegung (1536) = WA Bd. 13, S. 206 App. Zl. 9—12 (deutsche Übersetzung).
Fundorte: R 333. W¹ Bd. 6, 2567*. C 92.
1) können (zum Genitiv bei ‚genießen' s. u. Nr. 670 Anm. 3).

451 [Bl. N 8ᵃ] Dancksagung wegen anderer Heyligen leute.

Benedico te et gratias ago tibi, pijssime DEUS ...

Das ist.

Ich dancke und preise dich, du gütiger Herre Gott, das du disen heyligen Man mit
lauter Gnade und barmhertzigkeyt beseliget¹ hast und auß eynem vertorbenen
sündenklumppen² eyn solch fürtrefflich Gefäß der ehren³ zubereytet hast.

Aus: Decem praecepta (zum 1. Gebot btr. Heiligenverehrung) (1518) = WA Bd. 1,
S. 419, 25—27 (deutsche Übersetzung).
Fundort: W¹ Bd. 3, 1745.
1) beglücken (D. Wb. Bd. 1, Sp. 1613). 2) Lat. Vorlage: *„peccati perditionisque
massa"*; zu ‚*massa perditionis*' vgl. Augustin, *Serm.* 27, 12, 13 (MPL Bd. 38, Sp. 177);
Enchiridion I, 99 (ebd. 40, Sp. 278). 3) Vgl. Röm. 9, 21.

452 [Bl. N 8ᵇ] Umb besserung deß lebens und Christlichen gehorsam.

CHRiste, lieber Herr Und Meyster, du hast uns den rechten sinn deines Worts
auffgethan, mehre und stärcke uns denselbigen und hilff darzu, das wir auch darnach leben und thun; dir sei lob und danck sampt dem Vatter und Heyligen
Geyst inn ewigkeyt.

Aus: Wochenpredigten über Matthäus 5—7 (1532) = WA Bd. 32, S. 301, 33—36.
Fundorte: V 621. R 328. W¹ Bd. 7, 527*. Vgl. Schulz Nr. 13.

453 [Bl. N 8ᵇ] Umb gnade, nach Gottes willen zu leben.

Lieber Gott, sehe hin, nimm hin mein hertz und füre mich nach deinem willen,
ichᵃ laß¹ mich dir gäntzlich.

Aus: Die sieben Bußpsalmen (zu 143, 8) (1517) = WA Bd. 1, S. 217, 28 f.
Fundorte: B 455. W¹ Bd. 4, 2374.
a) *vnd* Druckf.
1) überlasse.

454 [Bl. N 8ᵇ] Eyn anders.

O Vatter, laß mich nicht dahin fallen, das es nach meinem willen gehe, brich meinen willen, wehre meinem willen, es gehe mir, wie es wölle, das mirs nicht nach meinem, sondern alleyne nach deinem willen gehe; dann also ist es im himmel, da keyn eygener willen ist, das dasselb auch so sei auff Erden.

Aus: Auslegung deutsch des Vaterunsers (zur 2. Bitte) (1519) = WA Bd. 2, S. 105, 5–9.
Fundorte: B 456. R 329. W¹ Bd. 7, 1133.

455 [Bl. O 1ᵃ] Eyn anders.

O Gott, Vatter aller barmhertzigkeyt¹, gib uns durch Christum, deinen lieben Son, den Geyst der eynigkeyt und krafft, zu thun deinen willen.

Aus: Unterricht der Visitatoren (1528) = WA Bd. 26, S. 200, 34–201, 1.
Fundorte: R 329. W¹ Bd. 10, 1910.
1) 2. Kor. 1, 3.

456 [Bl. O 1ᵃ] Eyn anders.

Ach, Gott Vatter aller weißheyt und vermögens, ich bitte dich, gib deinen Heyligen Geyst reichlich, zu thun und schaffen, was dir wolgefallet inn Christo, deinem Son.

Aus: An Lazarus Spengler vom 15. August 1528 (1545) = WA Br. Bd. 4, S. 536, 95–97.
Fundorte: B 455. R 329. W¹ Bd. 10, 2783.

457 [Bl. O 1ᵃ] Umb gedult inn leidenszeit.

Lieber Vatter, ‚dein wille geschehe', nicht deß Teuffels und unserer Feinde wille noch alles deß, so dein Heyliges Wort verfolgen und dämpffen¹ will oder dein Reich hindern, und gib uns, das wir alles, was drüber zu leiden ist, mit gedult tragen und überwinden, das unser armes fleysch auß schwachheyt oder trägheyt nicht weiche noch abfalle.

Aus: Großer Katechismus (3. Bitte) (1529) = WA Bd. 30ᴵ, S. 203, 1–5.
Fundorte: G IV, 723. W¹ Bd. 10, 138.
1) unterdrücken.

458   [Bl. O 1ᵃ]   Gebett umb beständige hoffnung.

Lieber Herre Gott, stärcke uns und verleihe uns gedult, das wir der grossen hoffnung[1], so uns fürgestellet ist, mit solchem glauben und bestendigkeyt erwarten mögen, wie wir billich thun sollen.

Aus: Randglosse Treuers: „Tom. 5. im 45. cap. deß ersten buchs Mose"; nicht identifiziert.
Fundort: B 671.
1) S. o. Nr. 131 Anm. 2.

459   [Bl. O 1ᵇ]   Umb Christlichen wandel.

Allmächtiger HErre Gott, verleihe uns, die wir glauben, das dein eyniger[1] Son, unser Heyland, sei gen Himel gefahren, das auch wir mit im geystlich und im geystlichen wesen wandeln und wonen durch denselbigen deinen Son Jesum Christum, unsern Herren.

Aus: Wittenberger Gesangbuch 1543 (J. Klug) (zu: Nu bitten wir den Heiligen Geist) = WA Bd. 35, S. 554. Vgl. Gebet Nr. 19.
Fundorte: R 233.   W¹ Bd. 10, 1736.   K 206.   C 70.   Ferner: Handbüchlein (Schemp) 1561, Bl. 30ᵇ (= Bibliographie II, 5). Neues christliches Betbüchlein (Magdeburg) 1587, S. 115 (= Bibliographie II, 8).
1) einziger.

460   [Bl. O 1ᵇ]   Eyn anders umb gedult.

Lieber GOTT, verleihe uns auch eyn friedlich hertz und guten mut im kampf und unruge wider den Teuffel, auff das wir nicht alleyn erdulden und entlich obligen[1], Sondern auch mitten im kampff und unruge friede haben mögen, dich loben und dancken und nit murren noch ungedultig werden wider deinen göttlichen willen, damit der fride in unserm hertzen den sieg behalte[2], das wir nichts wider dich, unsern Gott, noch Menschen durch ungedult fürnemmen, sondern beyde innwendig und[3] außwendig gegen Gott und den Menschen still und friedlich bleiben, biß der entliche[4] und ewige friede komme.

Aus: Der Segen, so man nach der Messe spricht (1532) = WA Bd. 30ᴵᴵᴵ, S. 581, 27—34.
Fundorte: B 676.   R 411.   W¹ Bd. 3, 2014.   C 93.
1) am Ende die Oberhand behalten.   2) Vgl. Phil. 4, 7; Kol. 3, 15.   3) sowohl … als auch.   4) endgültige.

461   [Bl. O 2ᵃ]   Umb anstellung[1] Christliches lebens.

Ach hilf, Gott, das mein leben recht angestellet[2] sei, ich bin nicht so gar[3] reyne one sünde. Aber den rechten weg habe ich angefangen zu gehen, wiewol ich noch schebig und kretzig[4] bin und vil sünde und gebrechligkeyt inn mir sind.

Aus: Predigt über den 26. Psalm (1565) = WA Bd. 17ᴵ, S. 239, 15—18.
Fundorte: V 622.   R 330.   W¹ Bd. 5, 438*.
1) Einrichtung, Ordnung.   2) eingerichtet, geordnet.   3) ganz.   4) räudig
(abgeleitet von ‚schaben‘ und ‚kratzen‘).

462   [Bl. O 2ᵃ]   Eyn anders.

Lieber Herr, ich komm eben darumm, das du mich fromm machest und mir helff-
fest.

Aus: Sommerpostille (1526) = WA Bd. 10ᴵ, ², S. 242 (Bd. 12, S. 536, 7—9).
Fundorte: R 330.   W¹ Bd. 11, 1073.

463   [Bl. O 2ᵃ]   Umb Christlichen gehorsam.

HErr Gott, ich habe dein Gebott ja ubertretten, ich bin ungedultig gewesen inn
widerwertigkeytᵃ, ich bin nicht mitleidig und barmhertzig. Ich helffe nicht meinem Nächsten etc. Aber lieber Gott, geuß du ein dein gnad und gib mir deinen
Heyli[gen] Geyst, auff das ich mög dir gehorsam sein und dein Gesetz etlicher
massen¹ halten.

Aus: Hauspostille (1559) = E. A². Bd. 6, 21, 19—25 (WA Bd. 37, S. 530, 4—6; vgl.
Bd. 52, S. XXI).
Fundorte: G XI, 856 und 691.   W¹ Bd. 13, 1942.   C 92.
a) *widertigkeyt* Druckf.
1) einigermaßen.

464   [Bl. O 2ᵃ]   Eyn anders.

Ach Herr, ich sehe, das ich nit kan auffhören mit sündigen, ich kan deß bösen nit
müd werden, darumb bitt ich dich, hilff, das ich der Welt feind werde und lust
und liebe zu dir gewinnen möge.

Aus: Hauspostille (1559) = E. A². Bd. 5, S. 63, 20—24 (WA Bd. 37, S. 377, 25—27;
vgl. Bd. 52, S. 211, 11—13).
Fundorte: W¹ Bd. 13, 660.   C 92.

465   [Bl. O 2ᵃ]   Gebett, das lehr und leben zusammen stimme.

Lieber Gott, gib uns allen, das wir auch leben, wie wir lehren, und die Wort auch
in die that bringen, unser ist viel, die da sagen: ‚Herr, Herr‘¹ und loben die
lehre, aber das thun und folgen will nit hernach, lasse ja nit durch uns selbst das
heylige wort Gottes verunheyliget werden.

Aus: Eine treue Vermahnung, zu allen Christen (1522) = WA Bd. 8, S. 687, 21—26.
Fundorte: M 51.   O/Anh. 319.   B 456.   V 622.   R 331.   W¹ Bd. 10, 425*.
1) Matth. 7, 21.

466   [Bl. O 2ᵇ]   Umb Gottes gnade, seinen willen zu vollbringen.

Barmhertziger GOtt, der du uns widerumb deiner gnaden Liecht hast lasen aufgehen durch Jesum Christum, unseren Herrn, erleuchte, ermane und stärcke unsere hertzen mit kraft deines Heyligen Geystes, inn bestem glauben und hitziger
liebe, in allen dingen zu thun, was dein Vätterlich gnädiges wolgefallen ist, zu
ehren und lob deines heyligen Evangelii, zu trost und nutz aller Gläubigen inn
Christo, dir sei danck, lob und preiß ewiglich.

Aus: An die Herren deutsches Ordens (1523) = WA Bd. 12, S. 244, 27—33.
Fundorte: B 456.   R 331.   W¹ Bd. 19, 2176.   Vgl. Schulz Nr. 49.

467   [Bl. O 2ᵇ]   Eyn anders.

Lieber GOtt, sei uns gnädig und mache uns fromm, das wir deinen Namen ehren,
dein Reich mehren und deinen willen thun.

Aus: An die Pfarrherrn wider den Wucher zu predigen (1540) WA Bd. 51, S. 424, 7—9.
Fundorte: M 52.   O/Anh. 319.   B 455.   W¹ Bd. 10, 1089.

468   [Bl. O 3ᵃ]   Eyn anders.

O komm, Herr Jesu Christe, und hilff uns und gib uns gnad, das wir thun können, was das Gesetze von uns erfordert.

Aus: Auslegung des 1. und 2. Kapitels Johannis (zu 1, 17) (1565) = WA Bd. 46, S. 661,
36—38.
Fundort: V 622.

469   [Bl. O 3ᵃ]   Umb besserung und fortfarung.

Lieber Herre Gott, gib uns deine gnade, unser leben zu bessern und inn angefangenem glauben fortzufaren.

Aus: Festpostille (1527) = WA Bd. 17ᴵᴵ, S. 445 Zl. 6 f.
Fundort: W¹ Bd. 11, 3019.

470   [Bl. O 3ᵃ]   Eyn anders.

Lieber Herr Christe, mach auß uns Menschen rechte volkommene Christen.

Aus: Auslegung des 118. Psalms (Confitemini) (1530) = WA Bd. 31ᴵ, S. 182, 27.
Fundort: W¹ Bd. 5, 1815.

471   [Bl. O 3ᵃ]   Umb ware frommkeyt.

Ach GOtt, gib uns deinen Geyst, das wir nicht alleyn äusserlich fromm werden für
der Welt, sonder auch für Gott im hertzen.

Aus: Auslegung der zehn Gebote (1528) = WA Bd. 16, S. 528, 4 f.
Fundorte: M 53.   B 455.   V 622.   W¹ Bd. 3, 1691.

472   [Bl. O 3ª]   Das Gott im unsern unvollkommenen gehorsam wolte gefallen lassen.

Domine, petivimus tuum opus, ibi nos nihil agimus ...
Daß ist.

[A] HErr, wir haben gebetten umb dein Werck, darinnen würcken wir nichts, sondern lassen dich würcken, und wir empfahen nur von dir deine gaben und geschenck; dan daselbst erzeygest du dich uns und machest uns selig alleyne durch dein werck, welches du thust, wann du uns erlösest von disem schaden, welchen der Satan dem gantzen menschlichen geschlecht inn Adam zugerichtet hat, nämlich von sünde und ewigem tod. Nach solchem deinem werck kommen wir auch mit unserm werck, damit wir als die gerechtfärtigen¹ heylig hier einergehn² inn allem gehorsam deines worts,

[B] und solchs gefällt dir und ist dir angenem und kompt doch auch auß deiner gnaden her und fleußt auß deinem ersten werck, hierinnen wöllestu, unser HErr und Gott, uns freuntlich sein, damit wir dir gefallen, weil wir durch den Tod deines Sons mit dir versönet sein.

Aus: Enarratio Psalmi XC (zu v. 17) (1541) = WA Bd. 40ᴵᴵᴵ, S. 588, 21—30.
[A] Vgl. Gebet Nr. 698.
[B] Vgl. Gebet Nr. 697.
Fundorte: W¹ Bd. 5, 1165.   C 93.
1) Gerechten (Dietz Bd. 2, S. 84).   2) einhergehen; vgl. die umgestellte Form ‚erein-‘ (Dietz Bd. 1, S. 507). Zum md. Wegfall des anlautenden ‚h‘ vgl. Franke Bd. 1, S. 263 f.

473   [Bl. O 3ᵇ]   Umb gnädige annemmung unser unreynen werck.

HERR, diß und diß werck hab ich gethan, die frucht ist geboren; wann du es nach der strenge urtheylen woltest, so möcht¹ es nicht bestehen, die frucht lebt, ist aber noch unreyn, doch wie unreyn es immer ist, so würstu es doch annemmen, dieweil ich die unreynigkeyt bekenne und der reynigung² begere.

Aus: Festpostille (1527) (zu Luk. 2, 22—32) = WA Bd. 17ᴵᴵ, S. 385 (Bd. 12, S. 423, 21—24).
Fundorte: G XIII, 1557.   W¹ Bd. 11, 2872.
1) könnte.   2) Zum Genitiv bei ‚begehren‘ vgl. Franke Bd. 3, S. 104.

474   [Bl. O 4ª]   Eyn anders.

O Herr Gott, das werck ist dein, das da gelobt und gerühmet wird, laß auch den Namen dein sein, nicht ich, Herr, sondern du hast diß gethan, der du ‚mächtig‘ alle ding thust, ‚und heylig ist dein Name‘¹.

Aus: Das Magnificat (zu Luk. 1, 49) (1521) = WA Bd. 7, S. 576, 18—20.
Fundort: W¹ Bd. 7, 1275.
1) Vgl. den Auslegungstext.

475   [Bl. O 4ᵃ]   Umb brüderliche liebe.

HERR, daran fählet mirs, du gibst dich mir so reichlich und uberflüssig[1], ich kan aber widerumb nicht also thun gegen meinen Nächsten, das klag ich dir und bitte, laß mich doch so reich und kräfftig werden, das ichs auch thun könne.

Aus: Fastenpostille (1525) = WA Bd. 17ᴵᴵ, 247 (Bd. 15, S. 499, 14—17).
Fundorte: G XIII, 1557.   W¹ Bd. 11, 816.   C 94.
1) im Überfluß.

476   [Bl. O 4ᵃ]   Eyn anders.

Ach sihe, mein Gott, du hast mir da zum Exempel gesetzt Christum, das ich soll auch also leben, aber das vermag ich nicht. Ach, lieber Gott, wandele mich, gib mir dein gnad.

Aus: Sommerpostille (1526) = WA Bd. 10ᴵ, ², S. 330 (Bd. 12, S. 626, 10—12).
Fundort: W¹ Bd. 11, 1825.

477   [Bl. O 4ᵇ]   Eyn anders.

Ach, HErr, gib mir eyn friedlich, freuntlich, sanft hertz gegen jederman und reynige mich umb Christus willen von allen sünden.

Aus: Hauspostille (1559) = E. A². Bd. 5, 67, 16—18 (Bd. 37, S. 378, 34 f.; vgl. Bd. 52, S. 214, 14).
Fundorte: M 54.   R 350.   W¹ Bd. 13, 667*.

478   [Bl. O 4ᵇ]   Eyn anders.

Lieber Vatter im himmel, verleihe uns umb deines lieben Sons Christi willen deinen H[eiligen] Geist, das wir rechte schuler Christi werden und eyn solch hertz haben, da eyn unerschöpfte quel der liebe inne sei, die nimmermehr versige.

Aus: Hauspostille (1559) = E. A². Bd. 5, 313 (fehlt sowohl in Rörers Nachschrift WA Bd. 37, S. 103, 18 als auch in Dietrichs Hauspostille WA Bd. 52, S. 391, 10).
Fundorte: B 424 und 666.   V 622.   W¹ Bd. 13, 1663.   C 94.

479   [Bl. O 4ᵇ]   Umb gnade, dem Nächsten zu vergeben.

Lieber Herre Gott, wasᵃ ists, es geschicht mir unrecht, ich habs je[1] umb disen Menschen nicht verdienet, aber ich muß auch hinder sich[2] und über mich sehen, wie ich mit dir dran bin, da finde ich eyn groß Kerbholtz[3] und lang Register[4], das überweiset[5] mich, das ich zehen mal ärger bin und hab zehenmal, ja tausentmal mehr wider dich gesündiget dann mein Nächster wider mich; darumb gebüret mir, die krümme inn die beuge zu schlagen[6] und sagen: O HERR, vergib, ich will auch vergeben.

Aus: Hauspostille (1559) = E. A². Bd. 6, S. 213, 32—42 (WA Bd. 37, S. 196, 28—31; vgl. Bd. 52, S. 531, 28—34).

Fundorte: M 55. B 423. V 623. W¹ Bd. 13, 2240. C 94.

a) *verum* Luther; *wahr* Hauspostille.

1) jedenfalls. 2) rückwärts, zurück. 3) auf dem die Schuld verzeichnet ist; vgl. WA Bd. 9, S. 155, 22: *„unser kerbholtz ist vuller kreutze geschniten"*. 4) Schuldbuch, Sündenregister; vgl. RN 48, 54 (Nr. 70), 8. 5) überführt. 6) die Krümmung wieder gerade zu machen; hier: die Sünde wieder gut zu machen. Vgl. WA Bd. 15, S. 312, 15 f. und Anm. 1.

480   [Bl. O 4ᵇ]   Eyn anders.

Sihe, mein HErr Christe, da hat mich mein Nächster eyn wenig beschädiget, hat mir eyn wenig zu nahe gered an meiner ehr[1], hat mich gehindert eyn wenig an meinem gut, das kan ich nit leiden[2], darumb wolt ich ine gern tod haben. Ach, mein Gott, laß dir das geklagt sein, ich wolte im gern hold sein, vermags doch leyder nit. Sihe, wie ich so gantz kalt, ja so gantz tod bin. Ach Herr, ich kan mir nicht helffen, da stehe ich hindan, machstu mich anders, so bin ich fromm, sonst bleib ich, wie ich vorhin gewesen bin.

Aus: Sommerpostille (1526) = WA Bd. 10^{I, 2}, S. 329 (Bd. 12, S. 623, 23—624, 5).
Fundorte: M 56. V 623. W¹ Bd. 11, 1822. C 94.

1) mich an meiner Ehre gekränkt; vgl. RN 30^{III}, 341, 7; auch u. Nr. 557 Anm. 2. 2) ertragen.

481   [Bl. O 5ᵃ]   Fürbitte für andere leut.

Ach, Vatter, ich bitt für den hauffen N.; ich weyß, du wilt es so haben, das ich bitt, das ich das Gebet nicht verachte, aber dein will soll allezeit geschehen; dann ich möchte für eynen etwas bitten, der für dir solches nicht werth were, darumb machs nach deinem Göttlichen willen, du wirsts wol besser machen, dann ich je gedacht hette.

Aus: Sommerpostille (1526) = WA Bd. 10^{I, 2}, S. 355 (Bd. 10^{III}, S. 310, 4—11).
Fundort: W¹ Bd. 11, 2045.

482   [Bl. O 5ᵃ]   Fürbitte für eynen armen sünder.

Ach mein GOtt, von dem höre ich, das er leit[1] inn der sünde, der ist gefallen, Ach, Herr, hilff im wider auff.

Aus: Sommerpostille (1526) = WA Bd. 10^{I, 2}, S. 312 (Bd. 10^{III}, S. 219, 4 f.).
Fundorte: W¹ Bd. 11, 1672.

1) liegt (Kontraktion aus mhd. *,ligit'*).

483   [Bl. O 5ᵃ]   Eyn anders.

Ach, Gott, ich sihe, das der eyn Sünder ist, steckt dem Teuffel im rachen, hilff im, lieber Herr etc. Ach, himmlischer Vatter, ich bin nun durch deine gnade gläubig, darumb bitt ich dich, mein GOTT, gib disem armen Menschen auch eynen glauben.

Aus: Sommerpostille (1526) = Bd. 10[I, 2], S. 351, 30 f.
Fundorte: R 624.   W¹ Bd. 11, 2006.

484   [Bl. O 5ᵇ]   Gebett Doct. Martini Luthers für eyne person, die Gott seinen glauben aufgesagt und dem Teuffel sich ergeben hat.

HErr GOTT, Himlischer Vatter, der du uns durch deinen lieben Son befohlen hast zu beten und das predigampt in der Heyligen Christlichen Kirchen geordnet und und eingesetzt hast, das wir die brüder, so etwan[1] durch eynen feyl[2] übereilet werden[3], mit sanfftmütigem Geyst unterweisen und wider zurecht bringen sollen, und Christus, dein lieber Son, sagt selber, er sei nit kommen dann nur alleyne umb der sünder willen[4], darumb bitten wir dich für disen deinen diener, du wollest ime seine sünde vergeben und inn den Artickel der vergebung der sünden wider einschliessen und in den Schoß deiner Heyligen Kirchen wider annemmen umb deines lieben Sons willen, unsers HERREN Christi.

Aus: Gebet bei der Absolution Valerius Glockners vom 13. Februar 1538 (1566) = WA TR. Bd. 3, S. 581, 21−582, 4/583, 3−10. Vgl. Gebet Nr. 62.
Fundorte: M 57.   B 425.   R 348.   W¹ Bd. 22, 1179*.
1) irgendwann.   2) Vergehen, Sünde.   3) unversehens verfallen in.   4) Matth. 9, 13.

485   [Bl. O 5ᵇ]   Gebett für die Nachkommen, GOtt wolte sie mit uns hinweg nemmen.

Lieber Herre Gott, ich bitte dich, du wöllest unser jetziges geschlecht zugleich mit uns sterben lassen; dann wann wir nun hinweg werden sein, so werden die allerfährlichsten zeiten folgen.

Aus: Genesisvorlesung (1544) = WA Bd. 42, S. 247, 15−18 (deutsche Übersetzung).
Fundort: W¹ Bd. 1, 615.

486   [Bl. O 6ᵃ]   Dancksagung für der H[eiligen] Engel schutz.

[A]   Lieber Himlischer VATter, ich dancke und lobe dich darumb . . .
[B]   Dann das ist dein rhum, das du deine ehre, weißheyt und macht in schanden, narrheyt und schwachheyt beweisest[1], du alleyn solt die ehre haben, das du eyn mächtiger, weiser und gnediger Gott bist, das geschicht dann, wann du uns durch deine liebe Engel hilfst, das wir den Teuffel schlagen, das[2] hilff uns, lieber Gott.

Aus: Predigt von den Engeln (1531)
[A] = Gebet Nr. 87.
[B] = WA Bd. 32, S. 121, 20—24.
    Fundorte: M 59.   B 570.   G V, 619.   V 624.   R 239.   W¹ Bd. 10, 1248*.   C 99.
Vgl. Schulz Nr. 5.
1) Vgl. 1. Kor. 1, 25; 2. Kor. 13, 4.   2) dazu.

487   [Bl. O 6ᵃ]   Eyn andere dancksagung.

Lieber GOtt, ich dancke dir, das du uns also mit deinen lieben Engeln versorget
und geschützet hast und solche himlische Fürsten über uns gesetzet hast.

Aus: Predigt von den Engeln (1531) = WA Bd. 32, S. 117, 25—27.
Fundorte: M 58.   O/Anh. 319.   R 240.   W¹ Bd. 10, 1242.

488   [Bl. O 6ᵇ]   Gebett umb der lieben Engel schutz.

Lieber Gott, du weysest¹, was der böse feind im sinn hat, ,umb uns her gehet wie
eyn brüllender Lewe und sucht, das er uns verschlinge‘²; sende deine Heylige
Engel und wehre im.

Aus: Predigt von den Engeln (1531) = WA Bd. 32, S. 121, 6—8.
Fundort: W¹ Bd. 10, 1248.
1) weißt.   2) 1. Petr. 5, 8.

489   [Bl. O 6ᵇ]   Eyn anders.

Lieber Gott, laß heute deinen Heyligen Engel bei mir sein, mich regieren und füren, schützen und leren wider den Teuffel.

Aus: Predigt von den Engeln (1531) =WA Bd. 32, S. 119, 25—27.
Fundort: W¹ Bd. 10, 1245.

490   [Bl. O 6ᵇ]   Umb bewarung für abfall.

Lieber VATter, du hast mich heyssen beten, laß mich nicht durch die versuchung
zu rucke fallen.

Aus: Großer Katechismus (6. Bitte) (1529) = WA Bd. 30ᴵ, S. 210, 7. 8.
Fundort: W¹ Bd. 10, 148.

491   [Bl. O 6ᵇ]   Umb behütung für versuchung.

Oramus, Domine, ne nos inducas in tentationem ...
                                Das ist.
Wir bitten dich, du treuer Gott, du wollest uns nicht inn versuchung führen und,

wo wir deinen zorn ja nicht abhalten, jedoch auffziehen[1] mögen[2], das zum wenigsten etlichen auß dem zukünfftigen feuer geholffen werde. Deß sich umb unser
sünde willen gewißlich gantz Teutschland zu versehen hat.

Aus: Genesisvorlesung (zu 19, 15) (1550) = WA Bd. 43, S. 74, 12—15 (deutsche Übersetzung).
1) aufschieben, hinhalten (lat. Vorlage: *„differre"*); vgl. RN 30[II], 269, 13/30.
2) können.

492   [Bl. O 7a]   Umb bewärung für lästerung.

Domine Deus, serva me per Christum ...
Das ist.
Lieber Herre Gott, hilff mir durch Christum, das die lästerung bei mir nicht ent-
springe, das ich dir sagen solte, du leugest, ich fühle und empfinde zwaar das
widerspiel[1] wol, Aber ich habe dein wort, welchs mir nicht feilen[2] kan, ja das
ist mir alles in allem.

Aus: Genesisvorlesung (1552) = WA Bd. 43, S. 570, 31—33 (deutsche Übersetzung).
Fundort: W[1] Bd. 2, 557.
1) Gegenteil.   2) mich nicht irreführen, vgl. RN 30[II], 37, 6.

493   [Bl. O 7a]   Umb erlösung vom ubel.

Lieber VAtter, das übel und die pein trucket mich, und leid[1] vil unglück und
beschwerde und fürchte mich für der Helle, erlöse mich davon, doch nicht anders,
dann so es dir ehrlich und löblich[2] und dein Göttlicher wille ist, wo das nicht, so
geschehe nit mein, sondern dein wille[3], dan mir dein Götliche ehr und will lieber
ist dan alle mein ruh und gemach[4] zeitlich und ewiglich.

Aus: Auslegung deutsch des Vaterunsers (zur 7. Bitte) (1519) = WA Bd. 2, S. 126,
16—21.
Fundorte: R 381.   W[1] Bd. 7, 1170*.
1) ich erleide.   2) als wenn es dir zur Ehre und zum Lob gereicht; vgl. R 30[II], 518,
22.   3) Luk. 22, 42.   4) Wohlbehagen.

494   [Bl. O 7b]   Umb erlösung vor uns selbst.

CHriste IESU, tolera nos et libera nos ...
Das ist.
CHriste Jesu, habe gedult mit uns und erlöß uns entlich auch von uns selbst.

Aus: Conciunculae quaedam (1537) = WA Bd. 45, S. 423, 8 (deutsche Übersetzung).
Fundort: W[1] Bd. 12, 2375.

495   [Bl. O 7^b] Umb Erlösung von allem unglück.

Lieber VATter, hilff doch, das wir deß unglücks alles loß werden.

Aus: Großer Katechismus (7. Bitte) (1529) = WA Bd. 30^I, S. 210, 26 f.
Fundort: W¹ Bd. 10, 149.

496   [Bl. O 7^b] Umb uberwindung aller Not.

Ach Vatter und GOtt alles trosts[1], verleihe uns durch dein Heyliges wort und
Geyst eynen festen, frölichen und danckbarn glauben, damit wir dise und alle
not mögen[2] seliglich überwinden und entlich schmecken und erfaren, das es die
warheyt sei, da dein lieber Son Christus selbst spricht: ‚Sei getrost, ich hab die
welt überwunden‘[3].

Aus: An Margarete Luther vom 20. Mai 1531 (1545) = WA Br. Bd. 6, S. 105, 99 − 103.
Fundorte: M 62.   R 344.   W¹ Bd. 10, 2115.   C 95.   Vgl. Schulz Nr. 12.
1) 2. Kor. 1, 3.   2) können.   3) Joh. 16, 33.

497   [Bl. O 7^b] Eyn anders.

HErr Jesu Christe, du rechter Hirt, der du dein blut für uns vergossen hast[1], sei
gnediglich bei uns, weyde und regiere uns mit deinem H[eiligen] Geyst und
tröste uns in aller not, damit wir deinen Namen ehren und alle not überwinden
mögen[2].

Aus: An die Christen zu Frauenstein vom 27. Juni 1531 (1557) = WA Br. Bd. 6,
S. 132, 31 − 35.
Fundorte: M 61.   B 280.   W¹ Bd. 10, 2731.
1) Matth. 26, 28 parr.   2) können.

498   [Bl. O 8^a] Umb abwendung alles übels.

O Deus, quis similis est tibi, remittens iniquitatem ...
                               Das ist.
‚O Gott, wo ist eyn solcher GOtt, wie du bist? der die sünde vergibt und erlö-
schet[1] die Missethat den übrigen deines Erbteils, der du deinen zorn nit ewiglich
beheltest; dann du bist barmhertzig, du erbarmst dich unser Missethat und
wirffest alle unsere sünde in die tieffe deß Meers‘[2]. Solche deine barmhertzigkeyt
behalte über uns ewiglich, das wir im liecht deines worts wandeln, aller gefahr
deß Sathans und der welt entfliehen mögen[3] durch Jesum Christum, deinen Son,
unsern erlöser.

Aus: Praelectiones in Micha (zu 7, 18 f) (1542) = E. A. exeget. op. lat. Bd. 26, S. 461,
3 − 12 (deutsche Übersetzung).
Fundorte: G IX, 1952.   R 424.   W¹ Bd. 6, 3031*.   K 213.   C 95.

1) Druckf. für „*erlesset*" (als Übersetzung von „*remittens*")? Auch in Luthers Übersetzung von Micha 7, 18 (WA Bibel Bd. 11^{II}, S. 286/287) steht: „*erlesset*". — 2) Micha
7, 18 f.   3) können.

499   [Bl. O 8^b]   Umb erhaltung bei dem guten.

Lieber VAtter, behüte uns für aller falscher lehre, das wir bei deinem reinen und
lauterm Evangelio bleiben, dardurch wir auch Heylig werden, laß uns nicht davon
fallen noch geraten auf falsche scheinende Heyligkeyt; dann es ist doch sonst verloren, wo du nicht heltest; dann der Teuffel ist zu schalckhafftig[1] und der schein
und ärgernuß falscher lere ist zu groß, das nit müglich ist, mit all unser klugheyt
und krafft zu überwinden, und dein lieber Son Christus selbst saget, das auch
‚die Ausserweleten‘ kaum entgehen, das sie nit ‚inn irthumb verfüret werden‘[2].

Aus: Wochenpredigten über Joh. 17 (zu v. 11) (1530) = WA Bd. 28, S. 144, 34—
145, 13.
Fundorte: R 425.   W^1 Bd. 8, 745*.
1) arglistig, heimtückisch.   2) Matth. 24, 24.

500   [Bl. O 8^b]   Lutheri gebett für Teutschland.

Ach Herre Gott, laß dichs erbarmen über das arme Teutschland, steure dem Teufel
nach deiner grossen gewalt, schütze deine kirche wider deine feinde. O Vatter,
verkläre deinen Sohn. Siehe nicht an unser sünde. Gib uns deinen Heyligen Geyst
und warhafftig, rechtschaffen[1] bekantnuß deines reynen worts inn deiner furcht.

Aus: Tischrede vom 13. Juni 1542 (1566) = WA *TR* Bd. 4, S. 522, 21—23; 523,
16—19 (Aurifaber). Vgl. Gebet Nr. 66.
Fundorte: M 63.   B 759.   R 426.   W^1 Bd. 22, 2350*.
1) rechtes; s. o. Nr. 290 Anm. 3.

501   [Bl. O 8^b]   Gebett inn gemeyn für alle Christen inn allerley[1]
                Christlichen Ständen.

Ich dancke dir, mein lieber Herr Christe, das du mich also gefüret und behüet
hast, biß ich daher kommen bin, da ich bin; du wirst mir auch zum seligen auß-
gang helffen, dir sei lob und ehr inn ewigkeyt sampt dem Vatter und heyligem
Geyst inn ewigkeyt.

Aus: Vorrede zum Catalogus aller Bücher Luthers (1533) = WA Bd. 38, S. 134, 22—25.
Fundorte: V 625.   W^1 Bd. 14, 469.
1) jeder Art von, allen.

502   [Bl. P 1^a]   Eyn anders.

Lieber Gott, inn meinem Beruff ist dein wort und befelch, darauff gehe ich hin
und werffe mein Netz auß[1] und laß dich sorgen, wie es gerahten werde.

Aus: Hauspostille (zu Luk. 5, 1—11) (1559) = E. A². Bd. 5, 327, 33—36 (WA Bd. 36, S. 204, 10—12; fehlt WA Bd. 52, S. 401, 22).
Fundorte: M 64.   O/Anh. 320.   R 440.   W¹ Bd. 13, 1705*.   C 100.   Vgl. Schulz Nr. 2.

1) Vgl. den Predigttext.

503   [Bl. P 1ª]   Kurtz Stoßgebettlin.

Lieber HErr Christe, gib stärck und weißheyt zu thun, was dir wolgefället.

Aus: An Kurfürst Johann von Sachsen vom 6. März 1530 (1531) = WA Br. Bd. 5, S. 261, 117 f.
Fundort: R 440.

504   [Bl. P 1ª]   Eyn anders.

Lieber Herrgott, du hast mir befohlen, also zu glauben, zu lehren, zu regieren und zu thun, das will ich auff deinen Namen wagen und dir lassen befohlen sein, was mir darob widerfahren mag.

Aus: [Randglosse Treuers:] „Hauspostill am 3. Sontag nach Trinitat."; nicht identifiziert.
Fundorte: G XIII, 1558.   R 439.

505   [Bl. P 1ª]   Eyn anders.

Domine, non sunt ista in manua mea ...
                              Das ist.
HErre Gott, dise Güter stehen nicht inn meiner gewalt, ich bin nur eyn werckzeug dazu und thue darbei, was ich vermag, ich schaffe und thue, arbeyte und sorge, heysse und befehle, wache und laß mirs sauer werden. Gib, du lieber Herr, inn welches gewalt es alles stehet, fruchtbarlich gedeien, sonst wird alle müh und arbeyt vergebens sein.

Aus: In XV Psalmos graduum (zu 127, 1) (1540) = WA Bd. 40III, S. 211, 19—22 (deutsche Übersetzung).
Fundorte: B 819.   R 437.   W¹ Bd. 4, 2638.

506   [Bl. P 1ᵇ]   Eyn anders.

Scio, Domine, additurum te mihi Angelum ...
                              Das ist.
HERR, ich weyß, du wirst mir deinen Engel zugeben, welcher alles regieren wirt, ich will die hand und zunge darzu thun und will sonst thun, was mir gebüret, für das ander würstu wol¹ sorgen.

Aus: Genesisvorlesung (zu 24, 7) (1550) = WA Bd. 43, S. 317, 22—25 (deutsche Übersetzung).

1) gewiß.

507   [Bl. P 1b] Gebett inn gemeyn auff alle ämpter und beruff inn
           nöten zu sprechen.

Himlischer Vatter, du bist je mein Herr und Gott, der mich geschaffen hat, da ich
nichts war, dazu mich erlöset hast durch deinen Son; nu hastu mir dises ampt be-
folen und aufferlegt, da geht es nit, wie ich will, und ist so vil, das mich trucket
und ängstet, da ich bei mir selbst weder raht noch hilff finde, darumb laß ich dir
auch solches befohlen sein. Gib du rath und hilff und sei selbst alles inn disen
sachen.

Aus: [Randglosse Treuers:] „Haußpostill am 3. Sontag nach Trinitat."; nicht identifiziert.

Fundorte: V 625.   R 436.   C 95.

508   [Bl. P 2a] Trostgebett in anfechtung deß berufs.

Lieber Herre Gott, ich habe ja dein wort . . .

= Gebet Nr. 88.

509   [Bl. P 2a] Eyn Gebett eyner frommen Oberkeyt oder auch eynes frommen
           Seelsorgers, wann er von seinen unterthanen und schäflin durch die Tyrannen
           außgetrieben und verjagt wirt.

O Deus, fac oro, ut populorum turba . . .
Das ist.

Ach mein GOtt, ich bitte, verleihe deine gnade, ,das die leut sich wider zu mir
samlen'[1], mir beipflichten und sich zu mir halten; dann solches würde inen zu
allrm besten gereychen, wann sie dir gehorsam leysteten, der du mich inen zum
Regenten und Fürsteher gesetzt hast, auff das sie nicht inn der irre umbher zihen
wie Schafe on eynen Hirten noch eynem jeglichen Reuber untern füssen ligen[2]
müssen wie eyn Volck one Haupt. Bin ichs für mein person nicht werth noch
würdig, so bistu doch würdig, dem ich gehorche, und were schad, wann sie solten
umb meinet willen zersträuet und jedermanns raub werden; vil mehr setze mich
wider in mein Ampt, das ,die zersträueten inn Israel gesamlet' werden, Psal. 147[3],
gleich wie die glider zu irem leib gefüget werden; darumb begere ichs nicht für
mich, sondern umb der versamlung der leute willen; derselben[4] jamert mich
irenthalben und ihrer verführung halben gehts mir zu hertzen, für sie und nicht
für mich bitt ich.

Aus: Operationes in Psalmos (zu 7, 7 f.) (1520) = WA Bd. 5, S. 230, 14 f. 17—22;
231, 26—28 (deutsche Übersetzung).

Fundorte: V 625.　　R 301.　　W¹ Bd. 4, 712*.　　K 227.　　In K ist folgendes Stück zur Vervollständigung des Luthertextes vorangestellt.

„*Stehe auf, Herr*‛, *und erzeige deinen Grimm, leide solches nicht länger, steure dem Zorn meiner Verfolger, und strecke deine Hand aus über ihre wüthende Grausamkeit, auf daß du ihr Gebiete und Herrschaft über mich austilgest. Erwache doch dermaleins und gedenke meiner! Und solches bitte ich, nicht um meinetwillen, sondern um des Gerichts und Amts willen, daß nicht Alles in Frevel einherwandle und untereinander gemenget gehe, weil Niemand ist, der die Sache recht ordnet und regiert, sonderlich weil alle Dinge, durch dich geordnet und befohlen, sollen regiert werden.*"

1) Ps. 7, 8.　　2) unterworfen sein, von … beherrscht sein. (lat. Vorlage: „*expositus*").　3) Ps. 147, 2.　　4) Zum Genitiv s. o. Nr. 446 Anm. 1.

510　　[Bl. P 3ᵃ]　Dancksagung für Gottes segen zum beruff.

Ah Domine Deus, ignosce infirmitati meae …
Das ist.

Ach lieber HERRgot, verzeihe mir meine schwachheyt; dann diese grosse wolthaten, so du durch mich so vilen Menschen erzeygest, hab ich mit keynem weynen oder seuffzen, mit keynem creutz oder leiden verdienen können, du bist eyn solcher Gott, der mehr gibt, dann ich immer hab hoffen und begreiffen können.

Aus: Genesisvorlesung (zu 41, 1—7) (1554) = WA Bd. 44, S. 400, 16—19 (deutsche Übersetzung).
Fundort: V 626.

511　　[Bl. P 3ᵃ]　Gebett für das Predig ampt.

Ewiger Gott, eyn Vatter unsers lieben Herrn Jesu Christi, eyn Gott der warheyt und ‚Vatter alles trosts‛¹ und fräude, vollfüre du dein angefangen werck² und bringe es gewaltiglich zum ende zu deines Namens lob und ehren und aller Gläubigen seligkeyt, zu entlichem³ urtheyl und straff deß Bapstumbs und seiner Abgötter, deß Satans sambt seinen Engeln.

Aus: Vorrede zu Anton Corvinus' Epistelauslegung (1537) = WA Bd. 50, S. 110, 17—23.
Fundorte: M 66.　　R 444.　　W¹ Bd. 14, 354.
1) 2. Kor. 1, 3.　　2) Phil. 1, 6.　　3) endgültigem.

512　　[Bl. P 3ᵇ]　Gebett, die heylige Schrifft fruchtbarlich zu studieren.

Domine Deus, si tibi placuerit per me aliquid fieri …
Das ist.

Ach lieber Gott, gefällt es dir, durch mich etwas außzurichten zu deinen ehren und nit zu meinen oder eyniges¹ Menschen rum, so verleihe mir auß lauter gnad und barmhertzigkeyt den rechten verstand deines worts.

Aus: An Georg Spalatin vom 18. Januar 1518 (1556) = WA Br. Bd. 1, S. 133, 33—35 (deutsche Übersetzung).

Fundorte: V 627. Vgl. Schulz Nr. 20b.

Die Gebete Nr. 512 und 516, verbunden durch einen Passus aus Gebet Nr. 513 sind Grundlage einer Text-Kompilation, die als „Sakristeigebet" Luthers bekanntgeworden ist:

„HErr Gott, lieber Vater im Himmel, ich bin wohl unwürdig des Amtes und Dienstes, darin ich Deine Ehre verkündigen, und der Gemeinde pflegen und warten soll. Aber weil Du mich zum Hirten und Lehrer des Wortes gesetzet hast, das Volk auch der Lehre und des Unterrichts bedürftig ist, so sei Du mein Helfer und laß Deine heiligen Engel bei mir sein. [512] Gefällt es Dir dann, durch mich etwas auszurichten zu Deinen Ehren und nicht zu meiner, oder der Menschen Ruhm, so verleihe mir auch aus lauter Gnade und Barmherzigkeit den rechten Verstand Deines Wortes, [513] und vielmehr, daß ichs auch thun möge. [516] O Jesu Christe, Sohn des lebendigen Gottes, Hirte und Bischof unsrer Seelen[2], sende Deinen heiligen Geist, der mit mir das Werk treibe, ja der in mir wirke das Wollen und Vollbringen[3] durch Deine göttliche Kraft."

Der Text, dessen Eingangsteil an Amtsgebete von A. Pankratius, auch an Gedanken Luthers im Gebet Nr. 515 erinnert, fehlt in den Gebetssammlungen für den Pfarrer von Löhe und Dieffenbach (= Bibliographie III, 3). Das „Sakristeigebet" ist erstmals erschienen in Chr. F. Boeckh, Ev.-luth. Agende, Nürnberg 1870, S. 1. Die Agende bringt weitere Kompilationen aus Luthertexten als Vermahnungen bei Taufe, Trauung und Begräbnis und dürfte daher Primärquelle des Gebetes sein. Vgl. die Ausführungen von P. Althaus d. Ä., die bei Albrecht, S. 130 ff. zitiert sind. Vgl. auch Schulz Nr. 20.

1) irgendeines. 2) 1. Petr. 2, 25. 3) Phil. 2, 13.

513 [Bl. P 3b] Eyn anders.

Da, Domine, ut haec recte intelligam ...

Das ist.

Gib, lieber Herre Gott, deine gnade, das ich dein wort recht verstehe, und viel mehr, das ichs auch thun möge etc. Sihe doch, allerliebster Herr Jesu Christe, solt diß mein studieren nicht zu deinen ehren alleyn gereychen, so lasse mich lieber keynen buchstaben verstehen und gib mir nur, so vil mir armen Sünder nutz ist, zu deinen ehren.

Aus: Ratio vivendi sacerdotum 1518 (1556) = WA Br. Bd. 1, S. 397, 24 f. 33—35 (deutsche Übersetzung).

Fundorte: Po 175a. V 627. W1 Bd. 21, 631. C 100. Vgl. Schulz Nr. 21.

514 [Bl. P 4a] Gebett eynes Predigers.

Lieber GOtt, ich habe angefangen zu predigen und das Volck zu lehren. Es will aber nicht fortgehen[1], es stößt sich[a] hie und da[2], aber es schadet nicht; weil du mir befohlen hast, dein Wort zu predigen, will ich davon nicht ablassen, mißraths, so mißrähts dir, geraths, so gerahts mir und dir.

Aus: Hauspostille (zu Luk. 5, 1—11) (1559) = E. A². Bd. 5, 327, 27—32 (WA Bd. 36, S. 204, 6—8; fehlt WA Bd. 52, S. 401, 22).

284

Fundorte: Po 176[b]. V 627. R 452. W[1] Bd. 13, 1705*. K 230. C 100.

a) fehlt bei Treuer entgegen der Vorlage.

1) vorangehen. 2) an allen Ecken und Enden; vgl. WA Bibel Bd. 9[I], S. 179 (Randgl. zu Ruth 4, 1): „... id est, aliquo, Wo du wilt".

515 [Bl. P 4[a]] Eyn ander Gebett eynes Predigers.

Domine Deus, tu constituisti me ...
Das ist.

Herr Gott, du hast mich inn deiner Kirchen eynen Bischoff und Pfarrherr gesetzt[1], du sihest, wie ich so ungeschickt bin, solch groß und schwer Ampt recht außzurichten, und wo es ohn deinen Rath gewest were, so hett ichs schon vor langst alles mit eynander verterbet, darumb ruffe ich dich an; ich will zwaar[2] gern meinen Munde und mein Hertz darzu leihen und neygen, ich will das Volck lehren, ich will auch selbst immer lehrnen und mit deinem wort umbgehen und demselben fleissig nachdencken; brauche du mein[3] als deines Werckzeuges, alleyne, lieber HERRE, verlasse du mich nicht, dann wo ich werde alleyne sein, so werde ichs leichtlich alles mit eynander verterben.

Aus: Genesisvorlesung (1552) = WA Bd. 43, S. 513, 9—15 (deutsche Übersetzung).
Fundorte: Po 175[b]. G X, 1383. V 627. R 450. W[1] Bd. 2, 404*. K 229. C 100.
Vgl. Albrecht, S. 131 Anm. 1, Preuß, S. 230 f. und Schulz Nr. 9.
1) S. o. Nr. 223 Anm. 5. 2) fürwahr. 3) S. o. Nr. 85 Anm. 4.

516 [Bl. P 4[b]] Eyn anders.

JESU CHRISTE, Fili DEI, qui es propitiatorium ...
Das ist.

JEsu Christe, du Son deß lebendigen Gottes, der du bist unser versönopffer und ‚gnadenstul'[1], der Ertzbischoff unserer seele[2], sende deinen Heyl[igen] Geyst inn unser hertzen[3], der mit mir das werck treibe, ja vil mehr, ‚der inn mir würcke das wöllen und vollbringen'[4] durch deine Göttliche krafft.

Aus: De instituendis ministris Ecclesiae (1523) = WA Bd. 12, S. 193, 27—31 (deutsche Übersetzung).
Fundorte: Po 176[b]. B 896. W[1] Bd. 10, 1868. Vgl. Schulz Nr. 20c.
1) Vgl. Röm. 3, 25; Hebr. 4, 16. 2) 1. Petr. 2, 25; vgl. 5, 4. 3) Gal. 4, 6.
4) Phil. 2, 13.

517 [Bl. P 5[a]] Dancksagung für die Teutsche vertollmetschung.

Ich dancke dir, mein Gott, das ich inn teutscher zungen dich, meinen GOtt, also höre, als ich und die Widersächer mit mir anher nit funden haben weder inn Latinischer, Griechischer noch Hebraischer sprache.

Aus: Vorrede zu: Ein deutsch Theologia (1518) = WA Bd. 1, S. 379, 8—10.
Fundort: W[1] Bd. 14, 206.

518   [Bl. P 5ᵃ]   Demütiges Gebett eynes Predigers.

Lieber himlischer VATter, rede du . . .

= Gebet Nr. 86 [A].

519   [Bl. P 5ᵇ]   Gebett eynes Predigers inn Religions streiten.

Herr, wann du es nicht machest, so ist es ungemacht. Herr, wiltu nicht helffen,
so will ich gerne zu schanden werden, die sach ist nit mein, darumb will ich keyne
Ehre drinne haben, ich will gerne deine Larve[1] sein, alleyn das du streitest.

Aus: Predigt vom 24. März 1525 (1564) = WA Bd. 17ᴵ, S. 145, 21–23.
Fundorte: Po 182ᵃ.   W¹ Bd. 9, 571.   C 101.
1) Nachschrift der zugrundeliegenden Predigt (WA Bd. 17ᴵ, S. 145, 6): *„tuum organum“*.

520   [Bl. P 5ᵇ]   Dancksagung eines Predigers, wann er sein Ampt verrichtet hat.

Domine JESU CHRISTE, iustificator . . .
                        Das ist.
Lieber HErr Jesu Christe, der du uns gerecht machest und unser Heyland bist
und mir nit alleyn gnade und krafft verliehen hast, die Heylige Schrifft auß-
zulegen, sondern auch meinen zuhörern, dasselb anzuhören, erhalte und stercke
mich und meine zuhörer, das wir von tag zu tag je lenger und mehr wachssen
und zunemmen in erkantnuß deiner gnad und ungeferbtem[1] glauben, damit wir
unanstössig und unstreflich erfunden werden am tage unserer erlösung; dir sei Ehr
und preiß mit dem VATTER und Heyligen GEYST inn alle ewigkeyt.

Aus: Galaterbriefkommentar (1535) = WA Bd. 40ᴵᴵ, S. 183, 28–184, 5 (deutsche
Übersetzung).
Fundorte: Po 177ᵇ.   B 897.   V 628.   R 452.   T/Anh. 289.   W¹ Bd. 8, 2853*.   K 230.
Ferner: Hanauische Kirchen- und Schulordnung, Straßburg 1659, S. 30. Vgl. Schulz Nr. 16.
1) ungeheucheltem (lat. Vorlage: *„non simulatus“*); WA Bibel Bd. 7, S. 260/261 (1. Tim.
1, 5) als Übersetzung von ἀνυπόκριτος.

521   [Bl. P 6ᵃ]   Eynes Predigers Gebett wider seine Feinde und Lesterer.

Lieber Gott, fell du eyn urtyel für mich, sprich du das recht für mich, ich schreie
darumb und bitte, das meine sach[1] möge gerechtfertiget[2] und gerichtet werden;
dann sie ist gerecht, und ich bin meiner sachen gewiß, so wöllen die Rottengeyster
auch recht und gewiß sein, aber sie sinds nicht; dann mitt inen ists eyne halß-
starrigkeyt und verstockung, das sie für irer Teuffelischen blindheyt die warheyt
nicht sehen. Aber ich weyß, das meine lehre auß GOTTES eingeben sei und das
sie warhafftig und rechtschaffen[3] sei unnd ohne wandel[4]. HERRE, sie sind un-
gerecht, ich aber weyß, das meine sach recht ist. Sie werden dise lere nicht tadeln[a],
straffen sie aber diesselbige, so thun sie unrecht, dann ich weiß, das sie für Gott
recht ist.

Aus: Predigt vom 12. Mai 1525 über Ps. 26, 1 (1565) = WA Bd. 17^I, S. 231, 16 f.
21—27; 232, 27—29.

Fundorte: R 453. W^1 Bd. 5, 429. 431.

a) *tadeln werden* aus der Vorlage übernommenes Versehen.

1) Rechtsfall.   2) (gerecht) beurteilt.   3) recht; s. o. Nr. 290 Anm. 3.   4) unwandelbar, ohne Makel.

522   [Bl. P 6^b]   Eyn anders.

Ich wegere[1] das leiden und straffe nicht, ich bin willig und bereyt darzu, ja es ist billich und recht, das ich nur leide, und bin gleich[2] ‚zum leiden bereyt‘[3], geborn und geordnet[4]; dan ich voller sünden bin; eym sünder gebüret sein straf und pein von Gott. Ich bitt nur, das die nit recht behalten, die dem[a] leidenden, demütigen und dem gecreutzigten[b] leben feind sind, gerade als weren sie gerecht und[5] nicht leiden, sondern friede und ehre verdienet.

Aus: Die sieben Bußpsalmen (zu 28, 18) (1517) = WA Bd. 1, S. 182, 16—21.

Fundorte: R 455.   W^1 Bd. 4, 2305.

a) *den Druckf.*   b) *gecreutzigsten* Druckf.

1) (ver-) weigere.   2) geradezu.   3) Ps. 38, 18 (Auslegungstext).   4) verordnet, bestimmt.   5) Ergänze: hätten.

523   [Bl. P 6^b]   Eyn anders.

Ach GOtt, du sihest, das sie allzumal mich umb deines Worts willen schenden, lerstern und verdammen, Ich aber habe niemand, der mich lobe[a], preise, verklere, verteydinge[1] mich und beweise, das ich recht lehre, gleich wie dein lieber Sohn CHRIstus zu dir auch gesprochen: ‚Verklere mich, auff das ich dich auch verklere‘[2]. Gib Geyst, thu wunder und zeychen, damit meine lehre bestettiget werde, so verklere ich dan und predige dich, das du rechter GOtt und mein Vatter seiest, so glaubet man dann mir und werden beide verkleret.

Aus: Vier tröstliche Psalmen an die Königin zu Ungarn (zu 109, 1) (1526) = WA Bd. 19, S. 597, 6—13.

Fundorte: R 455.   W^1 Bd. 5, 76.   C 101.

a) *denn du mit den deinen. Darümb schweige nicht, das ist lobe,* fehlt infolge Homoioteleutons (vgl. WA Bd. 19, S. 597, 7 f.).

1) verteidige; vgl. RN 32, 362, 10.   2) Joh. 17, 1.

524   [Bl. P 7^a]   Aber[1] eyn anders.

Mein GOtt, meine feinde beliegen[2] und lestern mich schentlich und fälschlich, das meine lehre, dein wort muß irthumb, ketzerisch, aufrürisch und verdambt sein; darumb schweige du nicht und lobe mich wider ir schelten und schenden.

Aus: Vier tröstliche Psalmen an die Königin zu Ungarn (zu 109, 2) (1526) = WA Bd. 19, S. 597, 25—28.

Fundorte: R 453.   W¹ Bd. 5, 77.
1) abermals, wiederum.   2) verleumden (Dietz Bd. 1, S. 252).

525   [Bl. P 7ª]   Eyn anders.

Lieber Herr Christe, ist dir solchs widerfaren, da du mit so trefflichen wunder-
wercken kommen bist, so mag¹ ich wol schweigen und nit klagen, wann ich umb
deß Evangelii willen auch veracht, verlacht und verfolget werde.

Aus: Hauspostille (1559) = E. A². Bd. 4, S. 57, 8 − 12 (WA Bd. 36, S. 387, 1 f.; vgl.
Bd. 52, S. 29, 37 − 30, 1).
Fundort: W¹ Bd. 13, 85.
1) kann.

526   [Bl. P 7ª]   Ein anders.

Thue, Herr, wol an mir umb deines Namens willen, du sihest ja, das die sache¹
dich angehet, deinen Namen, dein wort, deine Ehre preise ich, so lestern sie das
alles, lesestu² mich, so verlestu auch deinen Namen, aber das ist unmüglich etc.;
darumb errette mich.

Aus: Vier tröstliche Psalmen an die Königin zu Ungarn (zu 109, 22) (1526) = WA
Bd. 19, S. 610, 21 − 24. 26.
Fundorte: R 456.   W¹ Bd. 5, 96.
1) Streitfall, Rechtssache.   2) verläßt du.

527   [Bl. P 7ª]   Eyn anders.

Laß nicht gelten noch helffen, das sie mir und den meinen fluchen, sondern je
mehr sie fluchen, je¹ mehr du segne, und lehnen sie sich etwa wider mich auff, so
laß sie nur bald zu schanden werden.

Aus: Vier tröstliche Psalmen an die Königin zu Ungarn (zu 109, 28) (1526) = WA
Bd. 19, S. 614, 13 − 15.
Fundorte: R 457.   W¹ Bd. 5, 101.
1) je ... um so.

528   [Bl. P 7ᵇ]   Eyn anders.

Ach, Herr, gleich wie sie ‚den fluch‘ im Geyst ‚anziehen als eyn täglich kleyd‘¹,
also laß sie auch eyn offentlich schandkleyd äusserlich tragen, damit sie für aller
welt für deine feinde erkant und verachtet werden.

Aus: Vier tröstliche Psalmen an die Königin zu Ungarn (zu 109, 29) (1526) = WA
Bd. 19, S. 614, 26 − 29.
Fundorte: R 457.   W¹ Bd. 5, 102.
1) Ps. 108, 19.

529   [Bl. P 7ᵇ]   Gebett eynes verjagten predigers.

HErr, ,zele meine flucht, fasse meine threnen inn deinen sack'[1], wann schon keyn Mensch mein Ellend bedencken will, schauest du doch, Herr, so gnau drauf, das du alle meine schrit zelest inn meiner flucht, wie weit, wie ferne ich verjagt werde und lauffen muß, unnd vergissest keyner threnen, die ich weyne, sonder ich weyß, das du sie alle inn dein Register anschreibest und nicht vergessen wirst.

Aus: An die aus Oschatz vertriebenen Evangelischen vom 20. Januar 1533 (1547) = WA Br. Bd. 6, S. 422, 23—29.

Fundorte: M 67.   Po 183ª.   V 628.   R 459.   W¹ Bd. 10, 2226.

1) Ps. 56, 9.

530   [Bl. P 7ᵇ]   Johann Hussen gebett, als er zum feuer ging.

O Jesu, du Son Gottes, der du für uns gelitten hast, erbarme dich mein.

Aus: Nachwort zu Johann Agricolas Übersetzung zu Hus' Gefangenschaftsbriefen (1537) = WA Bd. 50, S. 38, 13—14.

Fundorte: M 68.   W¹ Bd. 16, 2564.

531   [Bl. P 7ᵇ]   Gebett für eyn Concilium.

Lieber Herr Jesu Christe, gib uns deinen Geyst, zu betten und denen, so das Concilium regieren sollen, zu suchen, was Gottes ist, und zu vergessen oder zu verachten, was ir eygen ist.

Aus: Vorrede zu Johann Agricolas Übersetzung von Hus' Gefangenschaftsbriefen (1537) = WA Bd. 50, S. 25, 5—7, 15—18.

Fundort: W¹ Bd. 16, 2537.

532   [Bl. P 8ª]   Das Christus selbs wolte eyn Concilium halten.

Ach lieber Herr Jesu Christe, halte du selber Concilium . . .

= Gebet Nr. 89.

533   [Bl. P 8ª]   Vorbereytung zum Gebet für die Oberkeyt.

Lieber Gott, wie ist doch das so eyn unbillich ding, dieweil alle Reich inn der Welt durch Gebet der Kirchen erhalten werden und inn Flor stehen, das gleichwol die arme kirche eben von denselben unterdruckt und so jämmerlich mit füssen getretten wird, welchen sie doch so treulich hilfft mit irem gebet; dann alleyn die kirch ists, welcher Gott disen fleiß und sorg befohlen hat, das sie für die Könige bitten soll, wie Sanct Paulus vermanet 1. Timothei 2.[1], und dasselb darumb, das man Fride, Zucht, gute Ordnung und sicherheyt haben muß, das Wort außzubreyten und eyne Kirche durchs Wort zu samlen, wie die Historien der ersten Herrschaften und Monarchien deß Babylonischen und Assyrischen Reichs zeugen[2].

Aus: Genesisvorlesung (1550) = WA Bd. 43, S. 161, 9—14 (deutsche Übersetzung).
Fundorte: M 75.   O/Anh. 322.   Vgl. Schulz Nr. 8.
1) 1. Tim. 2, 1 f.   2) Vgl. WA Bd. 53, S. 9 und Anm. 1.

534   [Bl. P 8b]   Gebett für alle Oberherren.

Allmächtiger Herre Gott, erleuchte und bewege doch eynmal die hertzen der Potentaten, dein wort zu förchten und demütiglich gegen im zuhandeln.

Aus: Vermahnung an die Geistlichen (1530) = WA Bd. 30II, S. 272, 20 f.
Fundorte: M 69.   R 462.   W1 Bd. 16, 1123.

535   [Bl. P 8b]   Gebett für die Oberkeyt, das sie sich an den Predigern nicht vergreiffe.

Lieber Gott, hilff, das die Oberkeyt erkenne deinen willen mit forcht und demut und deinen Son, der sie durch sein blut ertheuret und erarnet hat[1], auch sein wort und Diener, die armen Pfarrherr und Kirchendiener, die sonst wol[2] geplagt sind, ehren; dann sie billich[3] von weltlichen Regenten schutz und trost haben solten, damit ir Ampt eyn Gottes dienst würde.

Aus: An den Amtmann und Rat zu Creuzburg vom 27. Januar 1543 (1554) = WA Br. Bd. 10, S. 258, 122—126 (vgl. Bd. 13, S. 314).
Fundorte: M 70.   V 629.   R 462.   W1 Bd. 10, 1902.
1) teuer erkauft und erworben (Dietz Bd. 1, S. 597; RN 30II, 448, 24); vgl. Offb. 5, 9; 1. Petr. 1, 18 f.   2) sehr.   3) zu Recht.

536   [Bl. P 8b]   Umb gute Regierung.

Serva, Domine, populum tuum, ius, iudicia ...
                                        Das ist.
HERR, erhalte du dein volck, gericht, gerechtigkeyt und alle billigkeyt[1] inn der policey[2] und weltregimenten, damit es inn eyner rechten ordnunge zugehe, auf das gemeiner[3] friede nicht zerrüttet durch auffrur und heimische Meuterey, damit auch nicht zucht und Erbarkeyt durch Ehebruch und andere laster geschendet und verunehret werd.

Aus: In XV Psalmos graduum (1540) = WA Bd. 40III, S. 416, 27—30 (deutsche Übersetzung).
Fundorte: R 466.   W1 Bd. 4, 2919*.   K 228.   C 102.   Ferner: Neues christliches Betbüchlein (Magdeburg) 1587, S. 372 (= Bibliographie II, 8).
1) Rechtmäßigkeit.   2) Regierung (lat. Vorlage: *„administratio politica"*).   3) allgemeiner.

537   [Bl. Q 1ᵃ]   Eyn anders.

Allmächtiger Gott, erleuchte die Oberkeyt und bewege sie zu thun, was recht ist.

Aus: An Kurfürst Joachim I. von Brandenburg vom 5. Oktober 1528 (1528) = WA
Br. Bd. 4, S. 580, 138 f.

538   [Bl. Q 1ᵃ]   Gebett für Keyserliche Maiestat.

Lieber Herre GOtt, regiere deß Keysers hertz zu deinem lob und Ehre und zu deß
Reichs wolfart.

Aus: An die Fürsten Johann und Georg von Anhalt vom 12. Juni 1541 (1558) = WA
Br. Bd. 9, S. 440, 11 f.
  Fundorte: M 71.   O/Anh. 321.   V 629.   R 463.   W¹ Bd. 17, 849.   C 101.

539   [Bl. Q 1ᵃ]   Für einen Christlichen Landesherren.

Ach Vatter aller gnaden[1], du wollest N., unsern Landherrn, als mitten unter den
Wölffen, auch ohne zweyffel nicht gar[2] frei von bösen Geystern, sonderlich inn
disen wüsten fährlichen zeiten barmhertziglich erhalten inn deinem erkantnuß[3]
und reynem Wort, darzu behüten für allen bösen Wercken, sonder deinen Geyst
senden und in zu eynem angenemen Werckzeug zubereyten, dardurch er viel und
grossen nutz und frommen zu lob und ehre deines Worts außrichte, wie dann
durch in vil nutz und guts geschehen kan vilen betrübten, verlassenen, irrigen
Seelen.

Aus: An Landgraf Philipp von Hessen vom 20. Juni 1530 (1557) = WA Br. Bd. 5,
S. 330, 24—32 (zum Datum vgl. Bd. 13, S. 134).
  Fundorte: V 629.   R 463.   W¹ Bd. 17, 2380.   C 102.
  1) Vgl. 1. Petr. 5, 10.   2) ganz.   3) S. o. Nr. 177 Anm. 1.

540   [Bl. Q 1ᵇ]   Gebett Doct. Martini Luthers für Churfürst Johansen, als er
        hefftig kranck war.

[A] Lieber Herre Gott, erhöre doch unser gebet nach deiner zusage, lasse uns
doch dir die Schlüssel nicht für die füsse werffen[1]; dan so wir zu letzte zornig
uber dich werden und dir deine Ehre und Zinßgüter[2] nicht geben, wo wiltu dan
bleiben? Ach, lieber Herr, wir sind dein, mach es, wie du wilt, alleyn gib uns
gedult.
[B] Lieber Gott, du hast eynen Titel[3], das du der armen seuffzen und Gebett
erhörest, wie David sagt: ‚Er thut den willen derer, die in förchten‘[4] und erhöret
ir Gebett. Lieber Herr, bitten wir doch keyn böses, laß uns dir die Schlüssel
nicht für die Thür werffen[1].

Aus: Gebet vom 18./20. August 1537 für die Kurfürstin Elisabeth von Brandenburg
(1566) = WA TR Bd. 3, S. 487, 33—36. 38—41 (vgl. auch Bd. 5, S. 438, 28—439, 3).
Vgl. Gebet Nr. 80.

Fundorte: R 464.   W¹ Bd. 22, 809*.
1) den Dienst aufkündigen; vgl. Wander Bd. 4, Sp. 252 Nr. 43; WA Tischreden Bd. 1, S. 96, 21 f.   2) Zinsabgaben (für ein Lehen); vgl. D. Wb. Bd. 15, Sp. 1521 f.; WA Tischr. Bd. 1, 546.   3) Namen, Ansehen.   4) Ps. 145, 19.

541   [Bl. Q 1ᵇ]   Gebett Doct. Martini Lutheri für Churfürst Johans Fridrichen etc.

Lieber Herr Christe, du wöllest gnädiglich inn unserm lieben Landsfürsten seine angefangene gaben, vernunft und weißheyt stärcken, mehren und erhalten und für allemᵃ falschen tuck¹ und list deß Feindes sampt seinem Amptᵇ behüten zu aller Welt heyl und zu ehren deinemᶜ heyligen Namen und Evangelio.

Aus: Widmungsbrief zur Danielübersetzung an Kurprinz Johann Friedrich von Sachsen (1530) = WA Bib. Bd. 11ᴵᴵ, S. 287, 25—29.
Fundorte: M 72.   O/Anh. 321.   R 465.   W¹ Bd. 6, 1429*.
a) allen Druckf.   b) anhang Luther.   c) deinen Druckf.
1) Zum Maskulinum vgl. RN 48, 151 (Nr. 196), 79.

542   [Bl. Q 2ᵃ]   Gebett weltlicher Oberkeit.

Mi Deus, haec vita eiusmodi est, non ut standum nec otiandum ...
Das ist.

Lieber Gott, dieweil es umb diß leben also geschafen¹ ist, das man darinnen nit müssig stehen noch gehn soll, sondern allweg² etwas fürhaben, es sei im Hauß oder weltregiment, So verleihe du deine gnade, das wir solchs weißlich³, das ist in demut und deiner forcht verrichten und uns erinnern, das wir von wegen unser sünde deinem zorn unterworfen sein, damit wir nicht inn der grundsuppe⁴ der welt gefunden werden, die weder nach leben noch nach Tod fraget noch etwas davon weiß, sondern nur den bauch füllet, Ehr und gewalt⁵ dabei suchet; die gehen daher inn eusserster verachtung deß zornigen Gottes, fragen weder nach Gnade noch zorn, leben inn grosser Narrheyt und thumkünheyt⁶; darumb erhalte uns in der weißheyt, das ist inn deiner forcht, dann ‚der weißheyt anfang‘ oder die höchste weißheyt ‚ist die forcht GOttes‘⁷, deinen zorn für augen haben und darnach inn aller demut einher gehen.

Aus: Enarratio Psalmi XC (zu v. 12) (1541) = WA Bd. 40ᴵᴵᴵ, S. 574, 18—575, 15.
Fundorte: V 630.   R 466.   W¹ Bd. 5, 1153.
1) beschaffen.   2) immer.   3) weise.   4) Bodensatz; vgl. RN 32, 339, 38.
5) Macht, Ansehen.   6) Frechheit, Verwegenheit (Dietz Bd. 1, S. 461).   7) Spr. 1, 10; Sir. 1, 16.

543   [Bl. Q 2ᵇ]   Eyn anders.

Tu Pater coelestis, adsis mihi, adiuva, rege ...

Daß ist.

Du mein lieber Himlischer Vatter, stehe bei mir, hilf mir, regiere und füre du mich und gib, das ich mich auf meine weißheit nit verlase.

Aus: Genesisvorlesung (1552) = WA Bd. 43, S. 513, 24. 22 f. (deutsche Übersetzung).

544   [Bl. Q 3ᵃ]   Gebett eynes Fürsten und Regenten.

O DEUS, creator et gubernator omnium ...
Das ist.

O GOTT, du schöpffer und regierer aller dinge, welchen mein seele lieb hat, unterweise mich, wie ich deinen weinberg, mir befohlen, bewaren soll, zeige mir, wo ich dich finden soll, das du mir beystand leistest, dem volck wol und treulich fürzustehen; ich bin inn der welt Regierung als in eyner finstern nacht und dickem Nebel, du aber wonest im hellen Mittag, ach das ich auch solte im Mittag, das ist im friede regieren, laß mich nicht verzagen noch inn deinen grossen¹ beschwerungen unterliegen, gib glückseligen fortgang, gedeuen² und ruhig Regiment.

Aus: [Randglosse Treuers:] „In paraphrasi orationis Salomonis"; nicht identifiziert. Vgl. Gebet Nr. 40.

Fundorte: B 905.   V 631.   W¹ Bd. 5, 2506.   C 102.

1) Statt *„deinen großen"* in der lat. Vorlage nur: *„tantis".*   2) Gedeihen (D. Wb. Bd. 4ᴵ, ¹, Sp. 1985).

545   [Bl. Q 3ᵇ]   Eyn anders.

Domine Deus, ego sum Princeps, Magistratus ...
Das ist.

Lieber Herr Gott, ich bin eyn Fürst, Regent, Rath, Amptman, Prediger, Doctor oder Lehrer. Nun ist aber das Regiment dein, dein ist das Reich, Gericht und aller raht, gib mir die gnade und Macht, das mein rahten und thaten¹ in disem Ampt glückselig sein möge.

Aus: Genesisvorlesung (1544) = WA Bd. 44, S. 406, 25—28 (deutsche Übersetzung).
Fundorte: B 907.   G X, 1384.   R 471.   W¹ Bd. 2, 1969*.

1) mein Raten und mein Tun; das aus ‚Tat' abgeleitete verb. ‚taten' begegnet vor allem in der vorliegenden reimenden Verbindung (vgl. D. Wb. Bd. 11ᴵ, ¹, Sp. 313).

546   [Bl. Q 3ᵇ]   Gebett eines Regenten und Oberherrn.

Hilff mir, lieber Gott, mein Königreich handhaben¹, das ich mein Land und leut regieren möge und thue solches umb deines befelchs willen, damit deine ehre bestehe.

Aus: Coburgpsalmen (zu 7, 7) (1559) = WA Bd. 31ᴵ, S. 283, 16—18 (deutsche Übersetzung).
Fundorte: R 472.   W¹ Bd. 4, 1911.   C 103.

1) schützen (RN 30ᴵᴵ, 125, 25).

547   [Bl. Q 3b]   Ein anders.

Domine Deus, ego sum filius bubulci ...

Daß ist.

Mein Herr und GOtt, für dir bin ich nichts bessers dann eynes Kühhirten Son
und eyn kind der sünden; weil du aber wilt, das die Welt regieret, der frid erhalten und die bösen gestraffet werden, und zu solchem Ampt mich beruffen hast,
so will ich dir hierinnen gern gehorchen und folgen, wiewol ich viel lieber da-
heym on eyn Ampt sein wolt, doch weil ich deinem willen und gebott gehorsam
zu leysten mich schuldig erkenne, will ich inn schuldiger forcht und demut mein
Ampt außrichten etc.; ich bin zwar mir zu gut[1] noch von meinet wegen keyn
Fürst noch Regent, sonder umb deinet willen und umb notturfft der leut willen;
ich für mich könte wol[2] ohn eyn Reich, Cantzel, volck und gemeyne und on eyn
ampt sein und leben und könthe wol[2] selbst daheyme das jenige lesen, welches ich
offentlich verrichten[3] muß; weil du es aber so haben wilt und mich zum Hirten
und lerer deß worts gesetzet, das volck auch lehr und unterricht bedürfftig, so
geschehe dein wille.

Aus: Genesisvorlesung (zu 41, 40) (1554) = WA Bd. 44, S. 434, 1—11 (deutsche Übersetzung).
Fundorte: R 472.   W¹ Bd. 2, 2040*.
1) in meinem Interesse, zu meinem Vorteil (lat. Vorlage: *„non enim mihi sum princeps"*).   2) gut.   3) Lat. Vorlage: *„doceo"*.

548   [Bl. Q 4b]   Eyn anders.

Domine DEUS, ego malim privatus latere ...

Das ist.

Mein Herr und Gott, du weist, das ich lieber wolt daheim eynsam und privat
sein, ohne scepter, krone, golt und silber, ohn allen pracht[1] und prangen, aber du
wilt mich inn diß ampt haben, du hast mich für andern erhaben[2]; darumb will
ich mich deinem willen ergeben und nicht meinen begirden und wollusten, sondern
dem gemeynen nutz auffs beste fürstehen.

Aus: Genesisvorlesung (zu 41, 40—43) (1554) = WA Bd. 44, S. 436, 1—4 (deutsche
Übersetzung).
Fundorte: V 631.   R 474.   W¹ Bd. 2, 2045*.   K 226.   C 103.
1) Von Luther zum Tl. noch (wie mhd.) als Maskulinum gebraucht; vgl. WA Bibel
Bd. 11I, S. 19 (Worterklärg. zu Jes. 23, 9); RN 32, 445, 5.   2) erhoben.

549   [Bl. Q 4b]   Eyn anders.

O lieber Herre GOtt, dein Name sei heylig; dann warumb machestu mich zum
Regenten, zum prediger, so du doch wol weist, das ich deinem willen nicht kan
gnug thun. Sei aber du mein helffer und laß deine heylige Engel auch bei mir sein,
du wilt aber auff dise weise meinen stoltzen sinn demütigen, das ich mich nicht
soll dir gleich halten, der du gerecht bist und alle dinge weysest[1].

Aus: Genesisvorlesung (1550) = WA Bd. 43, S. 195, 12—16 (deutsche Übersetzung).
Fundorte: G X, 1383.   R 475.   W¹ Bd. 1, 2207*.
1) weißt.

550   [Bl. Q 5ᵃ]   Gebett eyner Oberkeit inn Türckenzuge oder andern
hochnotwendigen geschefften.

Quod potui facere, feci, quod autem in me deficit . . .
[Das ist.]
Ich habe gethan, was ich vermöcht habe, das aber an mir und meinen vermögen
mangelt, das wöllestu, HERR, für mich erstatten und erfüllen, das deinᵃ wille
geschehen möge.

Aus: Genesisvorlesung (1550) = WA Bd. 43, S. 83, 2 f.
a) *deine* Druckf.

551   [Bl. Q 5ᵃ]   Gebettlin umb friede.

HErr Gott, Himlischer Vatter, der du heyligen mut, guten rath und rechte wercke
schaffest, gib deinen dienern friede, welchen die welt nit kan geben¹, auff das
unsere hertzen an deinen gebotten hangen und wir unser zeit durch deinen schutz
still und sicher für feinden leben durch Jesum Christum, deinen Son, unsern
Herrn.

Aus: Wittenberger Gesangbuch 1529 (J. Klug) (zu: Verleih uns Frieden gnädiglich) =
WA Bd. 35, S. 233 (und 557). Vgl. Gebet Nr. 8.
Fundorte: B 179.   R 391.   W¹ Bd. 10, 1753.   K 215.   Ferner: Trostbüchlein (Walther) 1558, Bl. S 3ᵃ (= Bibliographie II, 4).
1) Vgl. Joh. 14, 27.

552   [Bl. Q 5ᵇ]   Eyn anders umb friede.

Barmhertziger Gott, schicke deinen friedlichen Engel, der beyde zwischen Fürsten
und¹ Landschafften² rechte eynigkeyt erwecke, wie wir uns eynes glaubens und
Evangelij rhümen.

Aus: An Kurfürst Johann Friedrich und Herzog Moritz von Sachsen vom 7. April 1542
(1547) = WA Br. Bd. 10, S. 36, 167—169; vgl. Bd. 14, S. XXXV.
Fundorte: B 747.   R 477.   W¹ Bd. 17, 1815.
1) sowohl . . . als auch.   2) Landständen.

553   [Bl. Q 5ᵇ]   Umb gnädigen friede.

Lieber GOtt, behüte uns für krieg, der das Land und alle stende wüst machet, gib
uns eyne starcke Pestilentz dafür, darin doch die leute fromm sind und die Reli-

gion, policey[1], Oeconomey[2], die Kirche, die reyne lehre, weltlich und häußlich Regiment nicht so verwüstet und verstöret, Corumpieret und verfelschet werden.

Aus: Predigt vom 2. März 1539 (1566) = WA TR Bd. 4, S. 465, 1—4: Vgl. Gebet Nr. 64.

Fundorte: R 478.   W[1] Bd. 22, 815*.

1) „weltlich regiment" (s. u.).   2) „häuslich regiment" (s. u.); zur Trias ‚Religion, Policey, Oeconomey' vgl. RN 30[III], 504, 20.

554   [Bl. Q 5[b]]   Umb einigkeit.

Ach ‚VAtter aller barmhertzigkeyt und trosts'[1], verleihe uns zu beyden teilen[2] deinen H[eiligen] Geyst, der unsere hertzen zusammen schmeltze in Christlicher liebe und anschlegen, allen schaum und rost menschlicher und teuflischer boßheyt und verdacht[3] außfege zu lob und ehren seines heyligen Namens und zur seligkeyt viler seelen, zuwider dem Teuffel und Bapst sambt allen seinen anhengern.

Aus: An die Schweizer Städte vom 1. Dezember 1537 (1557) = WA Br. Bd. 8, S. 153, 102—107.

Fundorte: M 73.   R 475.   W[1] Bd. 17, 2598.

1) 2. Kor. 1, 3.   2) den Anhängern Luthers einerseits, den Schweizern andererseits. 3) Verdachts; zum Fortfall des Genitiv—‚s' vgl. Franke Bd. 2, S. 206.

555   [Bl. Q 6[a]]   Umb friede.

HERR Zebaoth, laß dich doch erbarmen, das alle andere gottlose König und lande sitzen im friede, alleyne aber dein eygen volck muß unfriede haben, so doch billicher[1] were, das jene unfriede und dein volck friede hette etc.; weil du dann gerecht bist inn deinen wercken und warhafftig inn deinen worten, so wöllest du doch dich selbst ansehen und an deine gerechtigkeyt und warheyt gedencken, wann du ja uns nicht wilt ansehen, und uns wider fride geben.

Aus: Der Prophet Sacharja ausgelegt (zu 1, 12) (1527) = WA Bd. 23, S. 515, 28—34. Fundorte: M 74.   B 747.   R 476.   W[1] Bd. 6, 3323*.

1) rechtmäßiger.

556   [Bl. Q 6[b]]   Eynes Juristen, Ambtmans oder Rath herrn gebett.

Allmächtiger, ewiger GOtt, himlischer Vatter, du hasts also geordnet und befohlen, das ich Jura studieren, lernen und sprechen soll, was recht ist; darumb gib du deine gnade und segen dazu, das ich alleyne die warheyt suche und finde und thu nur, was dir gefellig ist, dir zu ehren und land und leuten zu nutz umb Christus willen, deines lieben Sons, meines Herren und heylandes.

Aus: Predigt vom 3. Februar 1544 (1566) = WA TR Bd. 6, S. 342, 29—34. Vgl. Gebet Nr. 83.

Fundorte: B 909.   V 631.   R 478.   W[1] Bd. 22, 2196.

557   [Bl. Q 6ᵃ]   Eyn anders.

Lieber Gott, ich soll das Recht sprechen, hilff, das ich nicht feile[1] noch jemand zu nahe sei[2].

Aus: Tischrede 1542 (1566) = WA TR Bd. 5, S. 183, 19 f. Vgl. Gebet Nr. 70.
1) irre.   2) Unrecht tue, kränke, verletze (D. Wb. Bd. 7, Sp. 277; s. auch o. Nr. 480 Anm. 1.).

558   [Bl. Q 6ᵇ]   Eynes Kriegsmans Gebett.

Lieber GOtt, wider dich will ich nit streiten, will auch inn dem Hör[1] nicht sein, da man Gott raubet, was Gottes ist, sondern will gehorsam sein und dienen, da der Keyser hat, was deß keysers ist, und da Gott hat, was Gottes ist[2].

Aus: Hauspostille (1559) = E. A². Bd. 6, 205, 38—41 (WA Bd. 32, S. 185, 5—7; vgl. Bd. 52, S. XXIII).
Fundorte: R 482.   W¹ Bd. 13, 2229*.
1) Heer (gerundete Form); s. o. Nr. 116 Zl ... („Mör" = Meer).   2) Matth. 22, 21.

559   [Bl. Q 6ᵇ]   Gebett eynes Kriegsherren.

Lieber Herr, mein Gott, du sihest, das ich muß kriegen[1], wolts ja gerne lassen, aber auff die rechte ursache baue ich nicht, sondern auff deine gnade und barmhertzigkeyt; dann ich weyß, wo ich mich auff die rechte ursach verließ und trotzete[2], soltest du mich wol[3] lassen billich[4] fallen als den, der billich[4] fiel, weil ich mich auf mein Recht und nicht auff deine blosse gnade und güte verlasse.

Aus: Ob Kriegsleute auch in seligem Stande sein können (1526) = WA Bd. 19, S. 650, 2—7.
Fundorte: R 481.   W¹ Bd. 10, 606*.   K 228.   C 103.   Vgl. Preuß, S. 232.
1) Krieg führen; s. o. Nr. 375 Anm. 2.   2) vertraute; vgl. RN 32, 317, 19.   3) bestimmt.   4) zu Recht.

560   [Bl. Q 6ᵇ]   Gebet eynes Kriegßmanß, der innn gehorsam seiner Oberkeyt zu Feld zeucht.

Himlischer Vatter, hie bin ich nach deinem Göttlichen willen in disem äusserlichem werck und dienst meines Oberherren, wie ich schuldig bin dir zuvor und demselben Oberherrn umb deinet willen, und dancke deiner gnaden und barmhertzigkeyt, das du mich inn solch werck gestellet hast, das ich gewiß bin, das es nicht sünd ist, sondern recht und deinem willen eyn gefälliger gehorsam ist; weil ich aber durch dein gnadenreichs wort gelernet hab, das keyns unser guten wercke uns helffen mag[1] und niemand als eyn Krieger, sondern alleyn als eyn Christen[2] muß selig werden, so will ich mich gar nicht auff solch meinen gehorsam und werck verlassen, sondern dasselbige deinem willen frei zu dienst thun und glaub von hertzen, das mich alleyn das unschuldige blut deines lieben Sons, meines

Herrn Jesu Christi, erlöse und selig mache[3], welches er für mich (deinem gnädigen willen nach) gehorsamlich vergossen hat, da bleib ich auff, da sterb ich auff, da streitte und thue ich alles auff[4]. Erhalte, lieber Herr Gott Vatter, und stärcke mir solchen Glauben durch deinen Geyst, Amen. Dir befehle ich Leib und Seele inn deine hände[5].

Darauff das Vatter unser, und frisch und frölich von Leder gezogen und drein geschlagen inn Gottes Namen.

Aus: Ob Kriegsleute auch in seligem Stande sein können (1526) = WA Bd. 19, S. 661, 9—25 (26).
Fundorte: B 919.   G III, 1609.   V 632.   R 479.   W[1] Bd. 10, 621*.   K 228.
C 103.   Vgl. Preuß, S. 232.
1) kann.   2) ein Christ (s. o. Nr. 304 Anm. 1).   3) Vgl. 1. Petr. 1, 19.   4) dabei bleibe ich, dafür ..., dafür.   5) Luk. 23, 46 (= Ps. 31, 6).

561   [Bl. Q 7ᵃ] Gebet deren, so sich inn Ehestand zu begeben bedacht.

Sihe, lieber Gott, da hör ich, das der Ehestand dein geschaffen werck ist und dir wolgefällt; derhalben will ich mich auff dein Wort drein begeben, es gehe mir[a] darinnen, wie du wilt, so soll es mir alles gefallen und behagen.

Aus: Predigt vom 15. Januar 1525 (1564) = WA Bd. 17[I], S. 18, 7—10.
Fundorte: M 76.   B 934.   R 484.   W[1] Bd. 10, 779*.   C 104.
a) *wir* Druckf.

562   [Bl. Q 7ᵇ] Eyn anders.

Ach lieber Gott und Vatter unsers Herrn Jesu Christi, bescher und gib mir armen kinde eynen frommen Mann oder eyn frommes Weib, mit dem ich Göttlich[1] durch die gnade deß heyligen Geystes im Ehestand leben mag[2].

Aus: Predigt vom 15. Januar 1525 (1564) = WA Bd. 17[I], S. 19, 9—11.
Fundorte: G XII, 704 und 790.   R 484.   W[1] Bd. 10, 781*.   C 104.
1) Gott wohlgefällig, gottesfürchtig; vgl. RN 48, 94 (Nr. 125), 4.   2) kann.

563   [Bl. Q 7ᵇ] Umm ein ehrlichs Christliches Eheweib.

Domine DEUS, vides, me non posse carere Coniugio ...
Das ist.
Lieber Herre Gott, du sihest, das ich ohne sünde deß Ehestandes nit entraten kan, gib du mir guten raht und gib mir eyn frommes Gottfürchtiges und Ehrlich[1] Weib.

Aus: Genesisvorlesung (zu 24, 3) (1550) = WA Bd. 43, S. 297, 22—24 (deutsche Übersetzung).
Fundorte: R 485.   W[1] Bd. 1, 2471*.
1) züchtig, ehrsam.

564   [Bl. Q 7b]   Eyn anders.

Domine DEUS, da uxorem et Panem quotidianum ...
[Das ist.]
HErre Gott, gib mir eyn frommes weib und mein täglich brot.

Aus: Genesisvorlesung (zu 24, 3) (1550) = WA Bd. 43, S. 299, 7 f. (deutsche Über-setzung).
Fundort: W¹ Bd. 1, 2475.

565   [Bl. Q 7b]   Eyn anders.

Domine Deus, tu creasti me Masculum ...
Das ist.
HErr Gott, du hast mich zu eynem Manne geschaffen, du sihest, das ich nit keusch leben kan, ich ruffe dich an und bitte, du wollest mein fürhaben regieren und glück dazu geben, gib du guten raht und hilff mir, erwele du mir eyne, mit der ich Ehrlich¹ leben möge² und dir dienen und durch den Glauben und das Gebett das unglück und beschwärung, so sich im Ehestand mag³ zutragen, überwinden.

Aus: Genesisvorlesung (zu 24, 3) (1550) = WA Bd. 43, S. 312, 40−313, 1 (deutsche Übersetzung).
Fundorte: M 77.   G X, 1383.   R 485.   W¹ Bd. 1, 2512*.   K 231.   C 104.
1) züchtig, ehrsam.   2) könne.   3) kann.

566   [Bl. Q 8a]   Ein anders eines ledigen Gesellen umb eyne Jungfrau auß unsers Herrn Gottes Frauenzimmer¹.

Domine DEUS, hoc genus vitae Coniugalis ...
Das ist.
HErre GOtt, diser stand ist dein ordnung, ich bitte dich, das du mir eyn solch Mägdlin gebest, darmit ich fridlich und ehrlich², darzu auch inn rechter liebe leben möge³ und mein wille ihr wille sei und widerumb ir wille mein wille auch sei, wöllest mir auch durch deinen Segen kinder und Erben geben, die ich Christlich und wol möge³ aufferzihen.

Aus: Genesisvorlesung (1554) = WA Bd. 44, S. 407, 23−26 (deutsche Übersetzung).
Fundorte: B 932.   G X, 1384.   V 633.   R 486.   W¹ Bd. 2.
1) Frauengemach; vgl. WA Bibel Bd. 9II, S. 370−374 (Esther 2, 3. 9).   2) züchtig, ehrsam.   3) könne.

567   [Bl. Q 8b]   Umb eynen Christlichen frommen Ehemann.

Sihe, lieber Gott, ich bin nun zu meinen jaren kommen, das ich ehelich werden mag¹, sei du mein VAtter und laß mich dein Kind sein, Gib mir eyn frommen Knaben² und hilf mir mit gnaden zum Ehelichen stande oder, so es dir gefället, gib mir deinen Geyst, keusch zu bleiben.

Aus: Weihnachtspostille (1522) = WA Bd. 10[I, 1], S. 725, 11—15.
Fundorte: M 78.　B 933.　G XIII, 1556.　V 633.　R 487.　W[1] Bd. 11, 586.
1) kann.　　2) Jüngling.

568　[Bl. Q 8[b]]　Eyn Christlichs Haußgebett.

O HERR Jesu CHriste, du hast mein augen mir auffgethan, das ich sehe, wie du mich durch deinen Tod von sünden erlöset und durch dein aufferstehen eynen Erben deß Himmelreichs und ewigen lebens gemacht[1] hast. Nun, lieber Herr, ich dancke dir für solche grosse unaußsprechliche Gnade[2], will widerumb auch gerne thun, was ich weyß, das du von mir haben wilt[3], du hast mich geheyssen, ich soll meinem Herrn und meiner Frauen treulich dienen, fleisig arbeyten und gehorsam sein, ich wills auch gerne thun, du hast mich geschaffen zur Haußmuter, zum Haußvatter. Lieber Gott, ich will fromm sein, will thun mit lust und lieb, was ich soll, und ehe das leben drüber lassen, dan das ich dir nicht solt folgen und meinen Kindern und Gesind nicht treulich fürstehn oder sie ärgern[4].

Aus: Hauspostille (1559) = E. A[2]. Bd. 6, S. 8, 37—9, 13 (WA Bd. 37, S. 139, 30—35; vgl. Bd. 52, S. 461, 1—11).
Fundorte: G XI, 855.　R 320 und 497.　W[1] Bd. 13, 1923.　K 201.　C 105.
1) zu einem Erben ... gemacht (D. Wb. Bd. 6, Sp. 1379).　　2) 2. Kor. 9, 15.
3) willst.　　4) „Das ist, mit leren oder leben ohngefehr [= ohne böse Absicht] zur sünd vnd schuld vrsach gebe[n]" WA Bibel Bd. 8, S. 339 [Randgl. zu 3. Mose 4, 3]).

569　[Bl. R 1[a]]　Gebett für die Eheleute.

HERRE Gott, der du Man und Weib geschaffen und zum Ehestand verordnet hast, dazu mit früchten deß Leibes gesegnet[1] und das Sacrament[2] deines lieben Sons Jesu CHristi von der Kirchen, seiner braut, darinnen bezeychnet, wir bitten deine grundlose[3] Güte, du wöllest solch dein Geschöpff, ordnung und segen nicht lassen verrucken[4] noch verterben, sondern gnädiglich bewahren durch Jesum Christum, unsern Herrn.

Aus: Traubüchlein (1529) = WA Bd. 30[III], S. 80, 8—13. Vgl. Gebet Nr. 24.
Fundorte: R 488.　W[1] Bd. 10, 861*.　K 231.　C 105.
1) Vgl. dazu RN 48, 103 (Nr. 137), 5—7.　　2) Vgl. Eph. 5, (25-) 32 und dazu WA Bd. 30[III], S. 80 Anm. 3; Bibel Bd. 7, S. 206/107 (Randgl. zu Eph. 5, 32).　　3) unergründliche.　　4) verwirren (D. Wb. Bd. 12[I], Sp. 1022 f.).

570　[Bl. R 1[a]]　Gebet Gottseliger Eheleute.

Domine Deus, tu dicis ad me in verbo tuo ...
　　　　　　　　Das ist.
Lieber GOTT, du sagst mir inn deinem wort zu, du wöllest mein GOtt und HErr sein, und hast mich geschaffen zu eynem Man oder zu eynem Weibe, diß ist dein geschöpff, werck und ordnung, ich hab mich selbst also nit gemacht, bin auch nit

on als gefärde[1] also worden. Gib aber deinem geschöpff dein gedeien und verleihe gnade, das ich sei eyn glückseliger Mann, sie eyn glückselig Weib.

Aus: In XV Psalmos graduum (1540) = WA Bd. 40[III], S. 274, 15–20 (deutsche Übersetzung).
Fundorte: G IX, 1951. R 489. W¹ Bd. 4, 2730*.
1) rein („*als*" = alles) zufällig (lat. Vorlage: „*fortuito*"; D. Wb. Bd. 4[I], 1, Sp. 2075 f.).

571   [Bl. R 1ᵇ]   Eyn anders.

Domine, dedisti, ut essem Masculus . . .

Das ist.

Herre Gott, du hast gegeben, das ich soll eyn Man sein, hast mir auch diß Weib bescheret. Nun sein wir beyde inn diser welt, in disem gebrechlichem fleysch, ja mitten unter den Teuffeln, den zerstörern aller Ehelichen lieb und treu; darumb sei du mit deinem segen bei uns, auf das, so sich etwa beleydigung[1] zutrüge, das solchs alles dein segen und wunderbarliche Gaben, so im Ehestand sein, mögen überwinden.

Aus: In XV Psalmos graduum (1540) = WA Bd. 40[III], S. 275, 38–276, 17.
Fundorte: M 80. G IX, 1951. R 490. W¹ Bd. 4, 2733*. Vgl. Schulz Nr. 7.
1) Betrübnis, Widerwärtigkeit, Leid (lat. Vorlage: „*offensio*").

572   [Bl. R 2ᵃ]   Gebett umb Kinder.

Domine DEUS, si est nominis tui sanctificatio . . .

Das ist.

Lieber Herre Gott, wo es zur Heyligung deines Namens dienet, wo es zur erhaltung deines Reichs gehöret, so beschere mir Kinder.

Aus: Genesisvorlesung (zu 25, 21) (1550) = WA Bd. 43, S. 381, 24 f. (deutsche Übersetzung).
Fundorte: M 81. R 491. W¹ Bd. 2, 43.

573   [Bl. R 2ᵃ]   Für Weiber in Kindes nöten.

Domine Deus, respice afflictam istam mulierculam . . .

Das ist.

Lieber Herre Gott, sihe doch diß arm betrübt Weib an und gedencke an deine verheyssung.

Aus: Genesisvorlesung (zu 25, 21) (1550) = WA Bd. 43, S. 382, 38 f. (deutsche Übersetzung).
Fundorte: R 491. W¹ Bd. 2, 47.

574   [Bl. R 2ª]   Gebett der Haußvätter.

Domine DEUS, pater Coelestis, adiuva nos . . .

Das ist.

HERRE Gott, himmlischer Vatter, hilff, das die kinder wol gerahten mögen, gib, das daß Weib inn zucht und erbarkeyt lebe und das sie inn erkantnuß und forcht Gottes beharrenª.

Aus: Genesisvorlesung (zu 27, 11−14) (1552) = WA Bd. 43, S. 513, 37−39 (deutsche Übersetzung).
Fundorte: B 929.   R 494.   Vgl. Preuß, S. 232; Aland Nr. 232, 11.
a) *perseveret* Luther.

575   [Bl. R 2ᵇ]   Gebett eynes Vatters, so seinen Son noch vor seinem end
begert zu sehen.

O Pater, misericors Deus, mirabilis in consiliis tuis . . .

Das ist.

O Du lieber barmhertziger Vatter, O Gott, der du inn deinem Rath wunderbarlich bist, ich begere ja, meinen Son zu sehen, ehe ich von disem leben abscheyde; ich bin aber dessen noch ungewiß, ob ich daran auch sündige oder ob es dir auch also wolgefalle, darumb regiere und schicke du mein fürnemmen und meine werck nach deinem willen. Hilff, lieber Herre Gott.

Aus: Genesisvorlesung (zu 46, 3 f.) (1554) = WA Bd. 44, S. 636, 10−13 (deutsche Übersetzung).
Fundorte: R 495.   W¹ Bd. 2, 2578*.

576   [Bl. R 2ᵇ]   Der Eltern Gebett für irer Kinder Ehestand.

O Allmächtiger Gott und Vatter unsers Herrn Jesu Christi, der du mir den Son oder die Tochter gegeben hast, ich bitte dich, beschere und gib inen eyn from, gut und Christlichs Ehegemahl und hilf in durch deinen heyligen Geyst, das sie Göttlich¹ inn dem Ehestand mögen² leben, dann es ligt an dir alleyne, sonst an niemands.

Aus: Predigt vom 15. Januar 1525 (1564) = WA Bd. 17ᴵ, S. 19, 30−34.
Fundorte: G XII, 790.   R 488.   W¹ Bd. 10, 782*.   K 233.
1) gottgefällig; s. o. Nr. 562 Anm. 1.   2) können.

577   [Bl. R 3ª]   Wann Kinder oder jemands¹ kranck ist.

Lieber Vatter, scharf ist deine Rut, aber Vatter bleibestu, das weyß ich fürwar, und du, lieber Herr und Heyland Jesu Christe, der du eyn Fürbilde alles unsers leidens gewesen², tröste und trucke dich selbst inn unser hertz, auff das ich diß opffer dises betrübten Geystes³ vollbringen und dir unsern Isaac mit willigem Geyst übergeben möge⁴.

Aus: An Lorenz Zoch vom 3. November 1532 (1550) = WA Br. Bd. 6, S. 383, 31—36.
Fundorte: B 1123.   R 494.   W¹ Bd. 10, 2357.   C 105.
1) S. o. Nr. 351 Anm. 1.   2) Vgl. 1. Petr. 2, 21.   3) Vgl. Ps. 51, 19.   4) 1. Mose
22, 1 ff.

578   [Bl. R 3ᵃ]   Jacobs¹ Gebett.

Domine Deus, tu nos rege, ne sequamur carnem ...
                              Das ist.
Lieber Herre Gott, du wöllest uns regieren, das wir ja unserm fleysch und blut
nicht folgen, das wir jetzt sollen inn eyn frembd Land zihen, o lieber Vatter, das
wir ja nit verderben und das ich mich ja nicht dran versündige und darüber inns
verderben gerahte darumb, das mich nach meinem Son so gar seer verlangt.

Aus: Genesisvorlesung (zu 46, 1) (1554) = WA Bd. 44, S. 636, 23—25 (deutsche Übersetzung).
Fundorte: R 495.   W¹ Bd. 2, 2579*.   C 106.
1) Vgl. den Auslegungstext.

579   [Bl. R 3ᵇ]   Eynes Haußvatters gebett.

Domine, dedisti uxorem, domum, liberos ...
                              Das ist.
Lieber Gott, du hast mir gegeben Weib und Kind, Hauß und Hoff, derselben
nemme ich mich an auff dein geheyß und stehe inen für von deinet wegen, darumb will ich thun, so vil müglich, das es recht zugehe; geht es nit alles nach meinem sin, so will ich Patientiam haben und nach dem sprüchwort: ‚gehen lassen,
wie es gehet, dann es will doch gehn, wie es gehet‘¹; geraht es wol, so will ich dir
deo gratias sagen, ach Herr, es ist nit mein werck, müh noch arbeit, sondern dein
gab und geschenck.

Aus: In XV Psalmos graduum (zu 127, 1) (1540) = WA Bd. 40ᴵᴵᴵ, S. 212, 31—213, 14
(deutsche Übersetzung).
Fundorte: M 82.   R 499.   W¹ Bd. 4, 2641*.   C 106.   Ferner: Neues christliches
Betbüchlein (Magdeburg) 1587, S. 392 (Bibliographie II, 8). Vgl. Schulz Nr. 6.
1) Zu der Redewendung ‚*Mitte vadere, sicut vadit, quoniam vult vadere, sicut vadit*‘
vgl. WA Briefe Bd. 9, S. 632 Anm. 11 (und Bd. 13, S. 303).

580   [Bl. R 4ᵃ]   Eyn anders.

Domine Deus, Autoritate et inuocatione ...
                              Das ist.
HErre Gott, ich bin inn disen stand getretten nach deinem befehl und willen und
habe dich umb hülff angeruffen, du wirst mir nun auch gnade und segen geben,

das ich die last und beschwerung, so sich drinnen finden wird, tragen und dulden könne.

Aus: Genesisvorlesung (1550) = WA Bd. 43, S. 313, 35—37 (deutsche Übersetzung).

581 [Bl. R 4ᵃ] Eyn anders.

Domine mi, doce tu me, ut recte administrem domum ...
Das ist.
Lieber Herre GOtt, lehre du mich, meinem hauß und Regiment recht und wol für-zustehen, regire du und steh mir bei, das ich nit übel anlauffe[1], ich will thun, so viel ich kan und inn mir ist, geraht es, so will ichs als deine gabe erkennen und dir dafür dancken, geraht es nicht, so will ich es mit gedult überwinden, du bist der HErr, ich das Mittel, du bist der Schöpffer und alles inn allem, ich nur alleyn der Werckzeug[2].

Aus: In XV Psalmos graduum (zu 127, 1) (1540) = WA Bd. 40ᴵᴵᴵ, S. 214, 16—21 (deutsche Übersetzung).
Fundorte: G IX, 1951. V 633. R 468. T/Anh. 320. W¹ Bd. 4, 2643*. Ferner: Neues christliches Betbüchlein (Magdeburg) 1587, S. 368 (= Bibliographie II, 8).
1) anstoße, mir den Kopf einrenne (lat. Vorlage: *„impingere"*). 2) Die maskuline Form ist bis ins 18. Jh. neben dem Neutrum gebräuchlich; vgl. D. Wb. Bd. 14ᴵ, ², Sp. 419.

582 [Bl. R 4ᵇ] Eyn anders.

Tu Domine, creasti me, ut essem pater familias ...
Das ist.
Ach Herr, du hast mich geschaffen und zum Haußvatter verordnet und darzu bescheret, was zur notturfft der Haußhaltung gehört. Aber disem wol fürzustehen ist mir zu eyne schwere[1] last, darumb stelle du dich an meine statt und sei du Haußvatter, ich will dir inn aller demut weichen und gehorchen.

Aus: In XV Psalmos graduum (zu 127, 1) (1540) = WA Bd. 40ᴵᴵᴵ, S. 216, 27—30 (deutsche Übersetzung).
Fundorte: G IX, 1952. R 502. W¹ Bd. 4, 2648*. C 106. Ferner: Neues christ-liches Betbüchlein (Magdeburg) 1587, S. 388 (= Bibliographie II, 8).
1) eine zu schwere; zur Wortstellung vgl. D. Wb. Bd. 16, Sp. 159.

583 [Bl. R 4ᵇ] Eyn anders.

Domine, dedisti mihi uxorem, liberos ...
Das ist.
Lieber Herre Gott, du hast mir Weib, kinder und Gesinde gegeben, stehe mir bei mit deiner hülffe und regiere du selbst, es ist sonst all mein müh und arbeyt ver-geben[1].

Aus: In XV Psalmos graduum (zu 127, 1) (1540) = WA Bd. 40III, S. 216, 15 f. (deutsche Übersetzung).

Fundorte: R 502.   W¹ Bd. 4, 2647*.   K 232.   Ferner: Neues christliches Betbüchlein (Magdeburg) 1587, S. 391 (= Bibliographie II, 8).

1) vergebens, sinnlos (lat. Vorlage: *„frustra"*); zu dieser Form des Adverbs (mhd.: ,*vergebene*') vgl. D. Wb. Bd. 12I, Sp. 388.

584   [Bl. R 5ᵃ]   Eyn anders.

Domine, sequar vocationem tuam ...

Daß ist.

HErr, deinem beruff[1] will ich folgen und alles inn deinem Namen gerne thun, gib du eynen gnädigen fortgang.

Aus: In XV Psalmos graduum (zu 127, 2) (1540) = WA Bd. 40III, S. 234, 29 f. (deutsche Übersetzung).

Fundorte: R 437 und 503.   W¹ Bd. 4, 2673.

1) Berufung; vgl. RN 30III, 386, 3/20.

585   [Bl. R 5ᵃ]   Gebett eynes Haußvatters inn beschwärlichem zustande.

Domine Deus, ego sum in tua obedientia ...

Das ist.

HERRE Gott, jetzt gehe ich inn deinem gehorsam, soll diß und das außrichten auß deinem befelch[1] und wie du zu mir gesagt hast. Sihe nun, lieber HErr, wie so vil grosser verhindernuß[2] fürfallen, ich bin zwar[3] inn solche angst und beschwärung kommen, darauß ich mit meinen kräfften und rath mir nicht weyß zu helffen; darumb bedarff ich deiner hülff.

Aus: Genesisvorlesung (zu 32, 9—12) (1552) = WA Bd. 44, S. 81, 20—24 (deutsche Übersetzung).

Fundort: W¹ Bd. 2, 1102.

1) 1. Mose 32, 9 (Auslegungstext).   2) Hindernisse.   3) fürwahr.

586   [Bl. R 5ᵇ]   Wann man an Gütern schaden nimpt.

Domine Deus, eram possessor horum donorum ...

Das ist.

Lieber Herre GOtt, dise Güter habe ich inn meiner posseß und gewehr[1] gehabt, du hast mir sie ,gegeben', eben du hast mir sie ,wider genommen'[2]; dann schaden und verlust will ich gedultig tragen, hette ich sie sonst doch nicht ewig behalten können.

Aus: In XV Psalmos graduum (zu 127, 2) (1540) = WA Bd. 40III, S. 247, 22—25 (deutsche Übersetzung).

Fundort: W¹ Bd. 4, 2693.

1) rechtskräftig gesicherter Besitz; zu dieser Formel der Rechtssprache vgl. D. Wb. Bd. 4I, 3, Sp. 4793. 4795; auch RN 30II, 405, 12/28.   2) Hiob 1, 21.

587 [Bl. R 5ᵇ] Gebett eynes Ackermans.

Nun berahte[1], lieber Gott, nun gib Korn und frucht, lieber Herr, unser pflugen und pflantzen werdens nicht geben, es ist deine gabe.

Aus: Der 147. Psalm ausgelegt (zu v. 13) (1532) = WA Bd. 31^I, S. 436, 1—3.
Fundorte: R 507. W¹ Bd. 5, 1896*.
1) hilf, gib Gedeihen.

588 [Bl. R 5ᵇ] Gebett eynes Gesindes, knecht, Magd, Taglöner.

Lieber Herr Gott, ich dancke dir, das du mich inn disen Stand und Dienst geordnet hast, da ich weyß, das ich dir wolgefalle und dir diene mehr dan alle Mönch und Nonnen, die ires dienstes keynen befelch haben, ich aber habe Gottes befelch im vierten Gebott, das ich Vatter und Muter ehren, Herrn und Frauen mit allem fleiß und treu dienen und zu der haußhaltung helffen soll, will derhalben mit lust und lieb demselben nachkommen etc. Ich will gern thun, was ich thun soll, meinem Herrn, meiner Frauen zu gefallen sein und lassen, was sie wöllen, ob ich gleich zuweilen gescholten werd, was schadts, sintemal ich das fürwar weyß, das mein stand dir eyn dienst und wolgefällig leben ist. Mein Herr und erlöser Jesus Christus ist selbst zur hochzeit gangen und hat dieselb mit seiner gegenwertigkeyt und seiner muter Maria diensten geehret[1]. Solte ich nun solchem stand zu ehren und dienst nicht auch gern etwas thun und leiden?

Aus: Hauspostille (zu Joh. 2, 1—11) (1559) = E. A². Bd. 4, S. 249, 23—31; 248, 27—35 (WA Bd. 37, S. 12, 4—6; 11, 29—33; vgl. Bd. 52, S. 114, 34—37. 14—20).
Fundorte: M 83. R 508. W¹ Bd. 13, 376*. C 107. Vgl. Schulz Nr. 3.
1) Joh. 2, 1 f. (Predigttext).

589 [Bl. R 6ᵃ] Umb gedult und gnädige hilff.

O Domine, si ita mecum agis ...
                                    Das ist.
O lieber HERR, wann du ja mit mir also handelst ...

Duplikat zu Gebet Nr. 260.

590 [Bl. R 6ᵇ] Umb alle noturfft.

Lieber VAtter, ‚gib uns das täglich brot‘, gut wetter, gesundheyt, behüt für Pestilentz, krieg, teuer zeit[1] etc., wiltu aber mich eyn weil versuchen und nicht so bald geben , so ‚geschehe dein wille‘; ists die zeit und stündlein[2], so ‚erlöse mich von dem übel‘, wo nit, so gib mir sterck und gedult.

Aus: Das 16. Kapitel Johannis ausgelegt (zu v. 23, unter Bezugnahme auf das Vater unser) (1539) = WA Bd. 46, S. 84, 3—7.

Fundorte: G VII, 629.　　R 504.　　W¹ Bd. 8, 618.　　K 216.　　C 108.　　Vgl. Schulz Nr. 36.

1) Teuerung; vgl. RN 32, 421, 4.　　　2) Sterbestunde.

591　　[Bl. R 7ᵃ]　Umb vermerung der Narung.

O Herr, gefelt es dir, so geschehe es, gefelt es dir nicht, so bleib es anstehen.

Aus: Der 112. Psalm Davids gepredigt (1526) = WA Bd. 19, S. 306, 16.
Fundorte: W¹ Bd. 5, 1604.　　C 108.

592　　[Bl. R 7ᵃ]　Umbs täglich Brot.

HERR, ich weiß, das ich mir selbst nit eyn stucke meines täglichen Brots schaffen noch erhalten kan noch mich für eynerley not oder unglück¹ behüten, darumb will ichᵃ von dir warten² und bitten, wie du mich heysest und zu geben verheysest, als der du one mein gedancken zuvor kummst und dich meiner not annimbst.

Aus: Wochenpredigten über Matthäus 5—7 (zu 6, 7—13) (1532) = WA Bd. 32, S. 419, 19—23.
Fundorte: M 84.　　O/Anh. 323.　　C 108.
a) ichs Luther.
1) irgendwelche Not oder irgendein Unglück (Dietz Bd. 1, S. 502).　　　2) erwarten.

593　　[Bl. R 7ᵃ]　Für die lieben früchte.

Lieber Herre GOtt, behüte gnädiglich die früchte auff dem Felde, reynige die lufft, gib selige Regen¹ und gut gewitter², das die früchte wol geraten, das sie auch nicht vergifftet werden und wir mit dem Vieh daran essen und trincken möchten³ die Pestilentz, Frantzosen⁴, Fieber und andere kranckheyten; dann solche plagen kommen daher, das die bösen Geyster die lufft vergifften und darnach die früchte, Wein und Korn, das man durch dein verhengen⁵ den Tod und plagen essen und trincken muß an unsern eygen Gütern etc.; darumb laß sie, lieber Gott, gesegnet sein, das sie uns gesund und seliglich⁶ gedeien mögen, wir auch derselben nicht mißbrauchen⁷ zu schaden der Seelen oder vermehrung der sünden, füllerei und müssiggangs, darauß unkeuscheyt, Ehebruch, fluchen, schweren⁸, morden, Krieg und alles unglück folget etc., Sondern gib uns gnade, deiner Gaben zu brauchen⁹ zur seelen seligkeit und besserung unsers lebens und die früchte eyn ursach sein, deß leibes und der Seelen gesundheyt zu behalten und zu mehren.

Aus: Sermon von dem Gebet und Procession in der Kreuzwoche (1519) = WA Bd. 2, S. 178, 20—24. 26—29. 32; 179, 4—6. 22—24.
Fundorte: M 86.　　B 833.　　R 400.　　W¹ Bd. 10, 1717.　　C 108.　　Vgl. Schulz Nr. 4.
1) glückhafte Regenfälle.　　　2) Wetter; vgl. WA Bibel Bd. 11ᴵ, S. 337 (Randgl. zu Jer. 44, 17: *„wetter oder gewitter des Himels"*); Dietz Bd. 2, S. 120.　　　3) könnten.
4) Syphilis; vgl. RN 32, 237, 10/26.　　5) Einwilligung.　　6) zum Segen.　　7) Zum Genitiv vgl. Franke Bd. 3, S. 103.　　8) schwören.　　9) S. o. Nr. 85 Anm. 4.

594 [Bl. R 7b] Umb eynen gnädigen Regen.

Ach Herre, sihe doch an unser Gebett umb deiner verheyssung willen. Herr Gott, du hast durch den Mund Davids, deines dieners, gesagt: ,Der Herr ist nahe allen, die in anruffen inn der warheyt, er thut den willen derer, die in förchten, und erhöret ir Gebet und hilfft inen auß'[1]. Wie, das du dan nicht wilt[2] Regen geben? weil wir so lang schreien und bitten? Nun wolan gibstu keynen Regen, so wirstu ja etwas bessers geben, eyn geruhlichs und stilles leben, Frid und eynigkeyt. Nun wir bitten so sehr und haben nun so offt gebetten, thust du es nicht, lieber Vatter, so werden die gottlosen sagen, Christus, dein lieber Son, liege[3], da er spricht: ,Warlich, warlich sag ich euch, was ir den Vatter bitten werdet inn meinem Namen, das wird er euch geben[4]' etc. Also werden sie zugleich dich und deinen Son lugen straffen, ich weyß, das wir von hertzen zu dir schreien und sehnlich seufftzen, warumb erhörest du uns dann nicht?

Auf solch gebett Lutheri ist eyn guter fruchtbarer Regen erfolget.

Aus: Gebet vom 9. Juni 1532 (1566) = WA *TR* Bd. 2, S. 158, 18 f. 28—37. Vgl. Gebet Nr. 45.

Fundorte: B 834. R Vorwort 5*b 397. W[1] Bd. 22, 812*. Ferner: Geistliche Wasserquelle (Bas. Förtsch) 1619, S. 373.

1) Ps. 145, 18 f.   2) willst.   3) lüge.   4) Joh. 16, 23.

595 [Bl. R 8a] Gott zu gast laden.

O Domine Iesu, veni tu ad me, utere tu meo pane ...
Das ist.

Ach Herr Jesu, komm du zu mir und brauche meines brots[1], Silbers und Goldes; dan wie wol[a] ist doch solchs angewendt, wann ichs an dich wende.

Aus: Genesisvorlesung (zu 18, 3—5) (1550) = WA Bd. 43, S. 10, 32 f. (deutsche Übersetzung).

Fundort: C 109.

a) *wiewol* Druckf.

1) S. o. Nr. 85 Anm. 4.

596 [Bl. R 8a] Wider die Bauchsorge.

Lieber Gott, was soll ich für meinen bauch und Nahrung mich ängsten und sorgen, woher gibstu das Korn auff dem Feld und alle früchte, da die welt mit all irer weißheyt und Macht nit vermöchte eyn helmlin, eyn plettlin, eyn blümlin herauß zubringen; thustu dann, mein Herr Christe, solchs täglich, was soll ich dan sorgen oder zweifeln, ob du mich könnest oder werdest ernehren?

Aus: Sommerpostille (zu Mark. 8, 1—9) (1544) = WA Bd. 22, S. 122, 1—6.
Fundorte: M 85.   W[1] Bd. 11, 1867.   K 217.   C 109.

597   [Bl. R 8ᵃ]   Ein anders.

Lieber Herr Christe, ich weyß und hab es gelernet auß dem Heyligen Evangelio,
das ich an dir habe eynen solchen Herrn, der da kan auß eynem brot so vil, als
er will, machen und bedarf darzu weder Ackerbauerᵃ, Müller noch Becker, und
kanst mir geben, wann und wie vil mir not ist, ob ich gleich nit weyß noch verstehe, ja auch nicht dran dencke, wie oder wenn und woher es kommen soll.

Aus: Sommerpostille (zu Mark. 8, 1—9) (1544) = WA Bd. 22, S. 123, 16—21.
Fundort: W¹ Bd. 11, 1869.
a) *acker bawer* Vorlage.

598   [Bl. R 8ᵇ]   Eyn anders.

Lieber HErr, ich weiß, das du noch mer hast, du hast vil mer, dann du je ver-
geben¹ magst², es wirt mir inn dir nit mangeln; dann wann es not were, die
Himmel müßten noch gulden regnen, sei du mein kasten, keller und Soller³, inn
dirᵃ hab ich alle schätze; wann ich dich habe, so habe ich gnug.

Aus: Der 112. Psalm gepredigt (1526) = WA Bd. 19, S. 309, 35—310, 13.
Fundorte: R 504.   W¹ Bd. 5, 1608.   C 109.
a) *dich* Druckf.
1) fortgeben, austeilen, schenken (D. Wb. Bd. 12ᴵ, Sp. 381).   2) kannst.   3) Haus-
boden (D. Wb. Bd. 10ᴵ, Sp. 1502 f.).

599   [Bl. R 8ᵇ]   Eyn anders.

Ach Gott, ich bin dein Creatur und dein werck, du hast je mich erschaffen, ich
will dirs gar heym setzen¹, der du mer sorgest, wie ich unterhalten werde, dann
ich selbst; du wirst mich wol² erneren, speisen, kleyden und mir helffen, wo und
wann du es am besten erkennest.

Aus: Sommerpostille (1526) = WA Bd. 10ᴵ, ², S. 331 f.
Fundorte: M 87.   W¹ Bd. 11, 1851.   K 216.
1) ganz anheimstellen.   2) sicherlich.

600   [Bl. R 8ᵇ]   All vertrauen auff Gott zu setzen und nicht auff Menschen.

O Herr, du bist mein leben, mein seel und leib, mein gut und habe und alles,
was da mein ist, richte und ordene es alles nach deinem Göttlichen willen; dann
dir glaube ich, auff dich vertraue ich, du wirst mich nicht verlassen inn solcher
fährlicher handlung mit disem oder disem Menschen; dann den Menschen traue
ich nit, erkennest du es, das mirs gut ist, so verschaffe, das er mir glauben halte¹;
erkennest du es nicht, das mirs nutzet, so laß in mir keynen glauben halten², ich
binᵃ wol³ zufrieden, ,dein will geschehe‘.

Aus: Sommerpostille (1526) = WA Bd. 10$^{I, 2}$, S. 424, 31—37.
Fundorte: W^1 Bd. 11, 2416.   C 109.
a) *bins* Luther.
1) mir gegenüber zuverlässig sei; vgl. RN 48, 58 (Nr. 76a), 5.   2) mir gegenüber
unzuverlässig sein (s. Anm. 1).   3) sehr.

601   [Bl. S 1^a]   Klage über der Reichen undanckbarkeyt.

Ach lieber GOtt, wie groß ist doch die blindleyt, unwissenheyt und boßheyt an
eynem Menschen, der das nit bedencken kan, sondern thut das widerspiel[1] inn
den allerbesten und herrlichsten gaben Gottes, die Mißbraucht er zu allen sünden
und schanden nach all seim gefallen und wollust, singen dir, unserm Herrngott,
nicht eyn Deo gratias dafür.

Aus: Tischrede vom Sommer 1537 (1566) = WA *TR* Bd. 3, S. 458, 22—25. Vgl. Gebet
Nr. 59.
Fundort: W^1 Bd. 22, 226.
1) Gegenteil.

602   [Bl. S 1^a]   Dancksagung Reicher leute, so Christen sind.

Domine Deus, habeo aurum, habeo argentum . . .
                    Das ist.
Lieber Gott, ich hab gelt und gut, golt und silber, es ist aber nicht mein werck,
sondern, o Herr, dein geschenck, welchs du mir gegeben hast durch mein arbeit,
aber wie sehr ich mich bemühet hette und du nicht hetest geben wollen, so hette
ich doch gar nichts.

Aus: In XV Psalmos graduum (1540) = WA Bd. 40^{III}, S. 246, 30—32.
Fundorte: R 505.   W^1 Bd. 4, 2691*.

603   [Bl. S 1^b]   Eyn andere.

HErr, was ich habe, das ist dein, du hast mirs geben, kanst mirs auch wider
nemmen.

Aus: Hauspostille (1559) = E. A^2. Bd. 5, S. 441, 19—21 (WA Bd. 37, S. 133, 22; vgl.
Bd. 52, S. 450, 2 f.).
Fundorte: T/Anh. 333.   W^1 Bd. 13, 1897.

604   [Bl. S 1^b]   Dancksagung für allerley wolthaten.

Lieber Gott, du hast unser arm gebet barmhertziglich erhöret. Lieber Vatter,
gib auch weiter eyn danckbar hertz, das wir solche gnad erkennen, annemmen
und wol brauchen[1] mögen zu deinem lob und Ehren.

Aus: An Kurfürst Johann von Sachsen vom 29. Juni 1532 (1557) = WA Br. Bd. 6,
S. 327, 57—60.
Fundorte: M 88. O/Anh. 323. B 599. W¹ Bd. 10, 2711.
1) in richtiger Weise gebrauchen.

605 [Bl. S 1ᵇ] Eyn anders.

HErr, ich dancke dir für alle deine gnade, mir gegeben, und bitte weiter, du wöllest meiner noturfft noch mehr helffen.

Aus: Vermahnung zum Sakrament des Leibs und Bluts Christi (1530) = WA Bd. 30ᴵᴵ,
S. 623, 1 f.
Fundort: W¹ Bd. 10, 2711.

606 [Bl. S 1ᵇ] Eyn anders.

HERR, du hast mir alles gegeben und erheltests auch, das ichs mit friden brauchen kan, dir sei danck.

Aus: Predigt über den 65. Psalm (1534) = WA Bd. 37, S. 447, 11 f.
Fundort: W¹ Bd. 5, 959.

607 [Bl. S 2ᵃ] Gemeyne kurtze dancksagung inn 147. Psalm. versu primo[1].

GElobet seistu, barmhertziger Gott, ich dancke dir für deine güter und gaben,
du bist doch ja eyn frommer[2], treuer GOtt und milter[3] Vatter.

Aus: Der 147. Psalm ausgelegt (zu v. 12) (1532) = WA Bd. 31ᴵ, S. 433, 7—9.
Fundorte: M 89. W¹ Bd. 5, 1891.
1) In der Vulgata beginnt Ps. 147 mit diesem Vers.   2) gerechter; s. o. Nr. 119
Anm. 3.   3) freigebiger.

608 [Bl. S 2ᵃ] Gemeyne[1] gebett für alles, was beyde zum Geystlichen und[2] leiblichen Regiment nötig, und auß der vermanung Lutheri, am end der Hauß-
postillen zusammen getragen.

Allmächtiger, ewiger GOtt, wir bitten dich inn Namen deines lieben Sons, unsers
HERRN Jesu CHRISTI. Erstlich für das Geystliche Regiment und liebe predigampt, das du uns geben wöllest fromme und treue prediger, die den schatz deines
göttlichen worts lauter und rein fürtragen, wöllest uns gnädiglich behüten für
Rotten und ketzereien und nicht ansehen unsere grosse undanckbarkeyt, damit
wir wol[3] längest verdient hetten, das du dein heyliges wort wider von uns
nemest, du wöllest uns ja nit so greulich straffen, sonder lieber pestilentz und
andere strafen über uns kommen lasen dann uns deines lieben worts berauben,
wollest uns auch eyn danckbar hertz geben, das wir dein heyliges wort mögen
lieben, teur und wert halten und dasselb mit frucht hören und uns drauß bes-

sern, auff das wirs nicht alleyn recht verstehn, sonder auch darnach leben und
mit dem werck vollbringen, im Glauben und guten wercken täglich zunemmen,
das also ,dein Name geheyliget werde, dein Reich zu uns komme und dein wille
geschehe'.

Darnach laß dir befohlen sein das weltlich Regiment und alle Oberkeyt der gantzen Christenheyt, erleuchte ire hertzen durch deinen Heyligen Geyst und wort,
auff das dein wort und Ehre durch sie gefodert[4] und nicht gehindert werde und
wir unter inen eyn gerügliches[5] und stilles leben füren mögen inn aller Gottseligkeyt und Erbarkeyt.

Deßgleichen wöllestu unserm Keyser glück verleihen wider den Türcken und ansehen deine gnade und barmhertzigkeyt und uns inn deß grausamen Tyrannen
gewalt nicht fallen lassen, wöllest in, den Keyser, auch für dem Teuffel und
Bapst behüten.

Sonderlich aber unsern Landesherrn, unter welches schutz und schirm du uns
gesetzt hast, du wöllest bei seinem Regiment sein und glück und heyl dazu geben,
damit Gottes wort, zucht, Ehr und alle Erbarkeyt gefodert[4], allem ärgernuß,
deß noch vil ist, geweret und der gemeyn Nutz, wol und friedlich möge regiert
werden und wir auch mögen gehorsam und from sein.

Wöllest dir alle krancken, auch Weib und Kind mit allen betrübten leiblich und
Geystlich lassen befohlen sein, für dise und alle andere Not, auch für mich selbst
bete ich ,Vatter unser, der du bist im Himmel, geheyliget werde dein Name' etc.

Aus: Hauspostille (1559) = E. A². Bd. 6, S. 449, 5 f. 17—450, 18. 20—24 (vgl. WA
Bd. 52, S. 732, 33—733, 38).
Fundorte: R 510. W¹ Bd. 13, 2964. C 65.
1) allgemeine. 2) sowohl ... als auch. 3) bestimmt. 4) gefördert; vgl.
RN 30^II, 62, 25. 5) geruhsames. 6) können.

609 [Bl. S 3ª] Alle Gebett sol man mit eynem starcken Amen beschliessen.

Lieber Gott, ich weiß, das dir mein gebett, in namen und glauben ·deines lieben
Sohns gesprochen, wolgefellet und gewißlich erhöret ist.

Aus: Predigt vom 12. August 1545 (1545) = WA Bd. 51, S. 34, 31 f.
Fundorte: R 526. W¹ Bd. 12, 1861*. C 66.

610 [Bl. S 3ª] Vorbereytung zu folgenden Gebetten, in welcher die sterbenden zu
den stucken deß Heyligen Catechismi als zur besten Artzney wider den Tod
gewiesen werden.

Gnade du mir, barmhertziger Gott ...

= Gebet Nr. 94. Vgl. Gebet Nr. 334 (Duplikat).

611 [Bl. S 3ᵇ] Eyn anders inn forcht deß Todes und Hellen.

Lieber HERR CHriste, ob ich gleich das gesetz nicht erfülle und ob noch wol[1] sünde vorhanden ist und mich für dem Tod und für der Helle förchte, so weiß ich doch diß auß dem Evangelio, das du mir alle deine wercke geschencket und gegeben hast, deß bin ich gewiß, du leugest nicht, deine zusagung wirstu warhaftig halten, und deß zum zeychen hab ich die Tauff empfangen,* darauf verlasse ich mich etc.**

Weil du dan, lieber Gott, mein bist, will ich gerne sterben; dann also gefellet es dir, lieber Vatter, und der tod kan mir nit schaden, er ‚ist verschlungen im sig‘², und dir, lieber Herre Gott, ‚sei danck, der du uns den sig gegeben hast durch unsern Herrn Jesum Christum‘².

Aus: Sommerpostille (1526) = WA Bd. 10ᴵ, ², S. 235, 34—38; 236, 3. 20—24.

Fundorte: M 97. Po 314ᵇ. V 634. R 519. W¹ Bd. 11, 1013*. K 223. C 114. Vgl. Schulz Nr. 31.

Bei * und ** sind in K folgende Stücke zur Vervollständigung des Luthertextes eingefügt:

* *„Denn also spricht er (Marc. 16, 15. 16) zu seinen Aposteln und Jüngern: ‚Gehet hin in alle Welt, und prediget das Evangelium allen Kreaturen. Wer da glaubt und getauf wird, der wird selig werden, wer aber nicht glaubet, der wird verdammt werden‘.“*

** *„Denn das weiß ich, daß mein Herr Christus den Tod, die Sünde, Hölle und Teufel, Alles überwunden hat, mir zu gut. Denn er war unschuldig, wie Petrus (1. Petr. 2, 22) sagt: ‚Welcher keine Sünde gethan hat, ist auch kein Betrug in seinem Munde erfunden‘. Darum hat ihn die Sünde und der Tod nicht können würgen, die Hölle hat ihn nicht können behalten, und ist also ihr Herr worden, und solches geschenket Allen denen, die es annehmen und gläuben. Welches Alles geschieht nicht aus meinen Werken oder Verdienst, sondern aus lauter Gnade, Güte und Barmherzigkeit.“*

1) gewißlich.   2) 1. Kor. 15, 55. 57.

612   [Bl. S 4ᵃ]   Eyn anders.

Lieber VATter, wie wol ich nicht weiß, wo ich hinfaren soll oder wo die Herberge ist, doch weil ichs versucht habe, was der glaub ist, will ich wider an dem wort hangen, du hast mir vor¹ geholffen, da ichs auch nit sehen oder begreiffen konte, so wirstu aber² helffen.

Aus: Sommerpostille (1526) = WA Bd. 10ᴵ, ², S. 415 (Bd. 10ᴵᴵᴵ, S. 426, 30—427, 2).

Fundorte: Po 314ᵇ. W¹ Bd. 11, 2362. Vgl. Schulz Nr. 32.

1) vorher, früher.   2) abermals, wiederum.

613   [Bl. S 4ᵃ]   Wider anfechtung der Selen.

Lieber GOTT, inn deiner hand stehet meine sele, du hast sie erhalten inn meinem leben, und hab noch nie erkant, wo du sie hingesetzt hast; darumb will ich auch nicht wissen, wo du sie jetzund hin thun wirst; das allein weyß ich wol, sie steht inn deiner hand, du wirst ir wol¹ helffen.

Aus: Sommerpostille (1526) = WA Bd. 10ᴵ, ², S. 301, 17—20.

Fundorte: Po 315ᵃ. W¹ Bd. 11, 1562. Vgl. Schulz Nr. 33.

1) gewißlich.

614   [Bl. S 4a]   Umb eyn seliges stündlein.

Ich wolte nicht begeren, eyn stund lenger zu leben, lieber Herr Jesu Christe, kom, wann du wilt.

Aus: Genesisvorlesung (zu 25, 7 f.) (1550) = WA Bd. 43, S. 357, 38 f. (deutsche Übersetzung).
Fundorte: Po 315a.   W¹ Bd. 1, 2628.

615   [Bl. S 4b]   Lutheri gebettlin für seinem abscheid auß disem Jammerthal¹.

O mein Himlischer Vatter, eyn Gott und vatter unsers Herrn Jesu Christi ...

= Gebet Nr. 95. Vgl. Gebet Nr. 36.
1) Ps. 84, 7.

616   [Bl. S 4b]   Inn Todes nöten.

Ich bin eyn armer Sünder, das weist du mein lieber HERR ...

= Gebet Nr. 96.

617   [Bl. S 5a]   Eyn anders.

HERR, ich weyß niemand weder im Himel noch auff Erden ...

= Gebet Nr. 97.

618   [Bl. S 5a]   Umb erlösung von allem übel durch eyn fridsames sterbstündlein.

Lieber Herr Christe, sei uns gnädig, das wir nicht inn anfechtung fallen, sondern erhalte uns reyn, unsträfflich und eynfältig im rechten Glauben und erlöse uns von allem übel durch eynen seligen abscheyd von disem ‚jammerthal‘¹, das ist auß dem Reich deß leydigen Teuffels und seiner Welt, dir sei lob und danck mit dem Vatter und Heyligem Geyst inn ewigkeyt.

Aus: Vorrede zu Urbanus Rhegius, Widerlegung des Bekenntnisses (1535) = WA Bd. 38, S. 340, 31–35.
Fundorte: M 92.   Po 316a.   R 522.   W¹ Bd. 14, 327 und 14, 188.   K 223.
1) Ps. 84, 7.

619   [Bl. S 5b]   Gebett eynes, der gebunden¹ ist, zu bleiben² inn Sterbensläufften³.

HERR inn deiner hand bin ich, du hast mich hie angebunden ...

= Gebet Nr. 92 [A].
1) verpflichtet.   2) „seinem nehesten zu dienst" (WA Bd. 23, S. 351, 16).   3) Zeiten erhöhter Sterblichkeit; vgl. WA Bd. 23, S. 339, 7.

620 [Bl. S 5ᵇ] Gebet in sterbensläufften[1] eyner personen, so Amptshalben nicht verbunden[2].

HERR Gott, ich bin schwach und forchtsam ...

= Gebet Nr. 92 [B].
1) S. o. Nr. 619 Anm. 3.   2) verpflichtet; vgl. dazu Nr. 619 Anm. 2.

621 [Bl. S 5ᵇ] Gebett im letzten stündlein.

Ach HERR, hilff mir auß dem Tode, sei mein GOTT und Herr nach laut[1] deß ersten Gebotts.

Aus: Hauspostille (1559) = E. A[2]. Bd. 6, 222, 32 f. (WA Bd. 36, S. 348, 18; vgl. Bd. 52, S. XXIII).
Fundorte: Po 316ᵇ.   W[1] Bd. 13, 2260.
1) nach dem Wortlaut.

622 [Bl. S 6ᵃ] S. Bernardi Gebett[1] inn deß Todes stunde.

[I]

‚Ich habe übel gelebet‘ und bekenn, das ich durch mein verdienst das Himmelreich nicht erlangen kan. Aber mein HERR Jesus Christus hat das himmelreich durch zweyerley Recht, eynmal durch die Erbschafft deß Vatters, das er der eyngeborne Son Gottes ist, vom Vatter geboren inn ewigkeyt, und das himmelreich ererbet hat, Zum andern mal durch das verdienst seines leidens, das er der Jungfrauen Son ist und das Himmelreich durch sein Heylig unschuldig leiden erworben hat. Das erste recht zum Himmelreich, das er natürlicher Ewiger Erbe darzu ist, behalt er für sich, das ander Recht aber, das ers durch sein leiden erworben hat, schencket er mir, desselben geschenks neme ich mich an und werde nicht zu schanden.

[Bl. S 6ᵃ] Diß Gebett wird auf eyn andere weise Luthero erzelet, wie folget.

[II]

Lieber HERR Jesu, ich weyß, wann ich auffs beste gelebet habe, so hab ich doch verdamblich gelebet. Aber deß tröste ich mich[2], das du für mich gestorben und mich besprenget hast mit deinem Blut auß deinen Heyligen Wunden; dann ich ja auff dich getaufft und dein Wort gehört habe, durch welches du mich beruffen und mir gnad und leben zugesprochen und mich heyssest glauben, darauff will ich dahin faren, nicht inn dem ungewissen, ängstigen zweiffel und gedancken, ach, wer weyß, was Gott im Himmel über mich urtheylen will; dann ich lebe nun deß gnädigen urtheyls[3], das Gott über und wider deß Gesetzes urtheyl vom himel gegeben hat: ‚Wer an den Son GOttes glaubt, der hat das ewig leben‘, Joan. 3[4].

[I] Aus: Sommerpostille (1544) = WA Bd. 22, S. 228, 12—19. 22—25.

Fundorte: B 379.   W¹ Bd. 12, 1125.   C 115.

[II] Aus: Hauspostille (1559) = E. A². Bd. 6, S. 251, 31—252, 4 (WA Bd. 45, S. 265, 8—10; vgl. Bd. 52, S. XXIII).

Fundorte: Po 316ᵇ.   W¹ Bd. 13, 2315.   Vgl. Schulz Nr. 30.

1) Vgl. RN 32, S. 534, 20—25; ferner WA Bd. 24, S. 550, 24; Bd. 29, S. 427, 17 f.; Bd. 34ᴵᴵ, S. 441, 14; Bd. 45, S. 45, 33; 265, 8; WA TR Bd. 1, S. 45, 26.   2) Zum Genitiv vgl. Franke Bd. 3, S. 106.   3) Zum Genitiv vgl. Franke Bd. 3, S. 108.   4) Joh. 3, 36.

623   [Bl. S 6ᵇ]   Testament Doctoris Martini Lutheri.

Mein allerliebster GOtt, ich dancke dir von hertzen, das du gewolt hast, das ich auff Erden soll arm und eyn Bettler sein, kan derhalben weder Hauß, Aecker, ligende Gründ¹, Gelt noch gut meinem Weibe und Kindlin nach mir lassen; wie du mir sie geben hast, so bescheyde² ich sie dir wider, du reicher, treuer Gott, ernehre sie, lehre sie, erhalte sie, wie du mich bißher ernehret hast etc. ,O Vatter der Weysen und richter der Wittwen'³.

Aus: Aufzeichnung Bugenhagens über Luthers Erkrankung vom Juli 1527 (1556) = WA TR Bd. 3, S. 84, 6—10 (deutsche Übersetzung). Vgl. Gebet Nr. 46.

Fundorte: B 818.   R 523.   W¹ Bd. 21, 163*.   K 237.   C 115.   Ferner: Lehr- ... und Gebetbüchlein (Glaser) 1565, Bl. Z 3ᵇ (= Bibliographie II, 6). Trostbüchlein (Ortel) 1586, S. 441 (= Bibliographie II, 7).

1) Grund und Boden; vgl. Dt. Rechtswörterbuch Bd. 4, Sp. 1162. 1167 f.   2) vermache (testamentarisch); vgl. D. Wb. Bd. 1, Sp. 1554; WA Bibel Bd. 6, S. 5, 14. 16. 3) Ps. 68, 6.

624   [Bl. S 6ᵇ]   Eyn tröstlich Gebett in unser letzten stund Doct. Martin Luthers.

Allmächtiger ewiger, barmhertziger Herr und Gott, der du bist eyn Vatter unsers lieben Herrn Jesu Christi, ich weyß gewiß, das alles, was du gesagt hast, auch haben wilt¹ und kanst, dann du kanst nicht liegen², dein Wort ist warhafftig, du hast mir im anfang deinen lieben eynigen³ Son Jesum Christum zugesagt, derselbige ist kommen und hat mich vom Teuffel, Tod, Helle und Sünden erlöset, darnach zu mehrer⁴ sicherheyt auß gnädigem willen mir die Sacrament der Tauff und deß Altars geschenckt, darinnen mir angebotten vergebung der Sünden, ewiges leben und alle himmlische Güter; auff solches sein anbieten habe ich derselbigen gebrauchet und im glauben auff sein wort mich feste verlassen und sie empfangen, derhalben ich gar nicht zweiffele, das ich wol⁵ sicher und zufriden⁶ bin für dem Teuffel, Tod, Helle und Sünde. Ist diß mein stunde⁷ und dein Göttlicher wille, so will ich friedlich mit fräuden auff dein wort gern von hinnen scheyden⁸.

Aus: Gebet (1565) = WA TR Bd. 5, S. 320, 1—14 (WA Bd. 48, S. 267, Nr. 10). Vgl. Gebet Nr. 75.

Fundorte: M 49. Po 317ª. G XII, 791. R 524. W¹ Bd. 10, 1720. K 224. Ferner: Lehr-
... und Gebetbüchlein (Glaser) 1576, Bl. R 1ᵇ (= Bibliographie II, 6 B). Neues christliches Betbüchlein (Magdeburg) 1587, S. 284 (= Bibliographie II, 8). Geistliche Wasserquelle (Bas. Förtsch) 1619, S. 333.

1) willst. 2) lügen. 3) einzigen. 4) größerer; vgl. RN 32, 514, 31.
5) ganz. 6) in Frieden, in Ruhe. 7) Sterbestunde. 8) Vgl. das Lutherlied
„Mit Fried und Freud fahr ich dahin" (WA Bd. 35, S. 438, 14).

625 [Bl. S 7ª] Gebett umb den lieben jüngsten tag und die herrliche
zukonfft¹ deß Sons Gottes.

Hilf, lieber HERR Jesu Christe, das der selige² tag deiner herrlichen zukonfft¹
bald komme, das wir auß der argen Welt, deß Teuffels Reich, erlöset und von
der greulichen plage, die wir außwendig und innwendig beyde von bösen
leuten und³ unserm eygen gewissen leiden müsen, frei werden; würge⁴ immer hin
den alten sack⁵, das wir doch eynmal eynen andern leib kriegen, der nicht so
voll sünde und zu allem bösen und ungehorsam geneyget sei, wie er jetzt ist, der
nicht mehr dürffe⁶ kranck sein, verfolgung leiden und sterben, sondern der, von
allem unglück leiblich und geystlich erlöset, ehnlichª werde deinem verkläreten
leibe⁷, lieber HERR Jesu Christe, und wir also entlich kommen mögen⁸ zu unser
herrlichen erlösung.

Aus: Sommerpostille (1544) = WA Bd. 22, S. 54 (Bd. 41, S. 317, 12−21; vgl. WA TR
Bd. 5, S. 349, 25 − S. 350, 2). Vgl. Gebet Nr. 78.
Fundorte: B 1157. G XIII 1558 und 678. R 427. W¹ Bd. 12, 968* vgl. Bd. 22,
833 und Bd. 12, 968. K 225. Ferner: Geistliche Wasserquelle (Bas. Förtsch) 1619.
a) *ehrlich* Druckf.
1) Ankunft. 2) glückselige. 3) sowohl ... als auch. 4) töte. 5) sterblichen Leib; vgl. RN 32, 6, 8; s. auch o. Nr. 106 Anm. 2; Nr. 183 Anm. 2. 6) nicht
mehr krank zu sein brauchte. 7) Vgl. Phil. 3, 21. 8) können.

626 [Bl. S 7ᵇ] Eyn anders.

[A] HERR JESU Christe, eile doch und verzeuch nicht und bringe herzu den
seligen¹ Tage, da die Hoffnung unser herrlichen Erlösung soll erfüllet werden;
dann eben darumb hastu uns heyssen bitten im Vatter unser: ‚dein Reich komme';
weil du uns dann solches zu bitten befohlen hast, so gib auch gnad und hilff,
das wir fleissig darumb bitten und darneben festiglich glauben, das wir entlich zu
solcher herrligkeyt kommen werden.
[B] Gibe auch, das derselbige frőliche, selige¹ tag unser erlösung und herrligkeyt
bald komme und wir solches alles erfaren, wie wirs jetzt im Wort hören und
glauben.

Aus: Sommerpostille (1544) = WA Bd. 22, S. 54 (Bd. 41, S. 318, 8−13. 17−19). Vgl.
Gebet Nr. 662 cc.
Fundorte: M 93. B 1156. V 635. R 428. W¹ Bd. 12, 969. C 116. Vgl. Schulz
Nr. 27.
1) glückseligen.

627   [Bl. S 8ᵃ]   Umb rechte bereytung zum Jüngsten tage.

Lieber HERRE Gott, wecke uns auff, das wir bereytet[1] sein, wann dein Son kompt, in mit fräuden zu empfahen und dir mit reynem hertzen zu dienen durch denselbigen deinen Son Jesum CHRISTUM, unsern Herren.

Aus: Wittenberger Gesangbuch 1543 (J. Klug) (zu: Nu komm der Heiden Heiland) = WA Bd. 35, S. 552. Vgl. Gebet Nr. 10.
Fundorte: R 226.   W¹ Bd. 10, 1728.   C 67 und 116.   Ferner: Handbüchlein (Schemp) 1561, Bl. 27ᵃ (= Bibliographie II, 5).   Neues christliches Betbüchlein (Magdeburg) 1587, S. 48 (= Bibliographie II, 8).
1) gerüstet.

628   [Bl. S 8ᵃ]   Eyn anders.

Lieber Herre Gott und Vatter aller gnaden[1] und Weißheyt, verkürtze uns gnädiglich dise zeit. Begabe und bereyte uns mit weißheyt und stärcke, das wir dieweil weißlich[2] und manhafftig wandeln und der zukonfft[3] deines lieben Herren Jesu Christi frölich warten[4] und von disem ‚jamerthal‘[5] seliglich scheyden mögen[6].

Aus: Heerpredigt wider den Türken (1529) = WA Bd. 30ᴵᴵ, S. 197, 20−24.
Fundorte: V 636.   R 429.   W¹ Bd. 20, 2740.   K 225.   C 116.
1) Vgl. 1. Petr. 5, 10.   2) weise.   3) Ankunft.   4) S. o. Nr. 131 Anm. 2.
5) Ps. 84, 7.   6) können.

629   [Bl. S 8ᵃ]   Das der HERR Christus bald kommen wolte.

Domine noster Iesu Christe, perfice opus tuum ...
Daß ist.
Lieber Herr Jesu Christe, stärcke und ‚vollbring dein werck, das du inn uns angefangen hast‘[1], und eile ja herzu mit dem herrlichen tage unserer Erlösung, den wir von Gottes gnaden hertzlich begeren, drumb seuffzen und drauff warten inn eynem rechten glauben und guten gewissen, damit wir gedient haben der undanckbaren Welt, an welcher keyn besserung zu hoffen ist, sondern ist eyn feind zugleich seiner eygen und unser seligkeyt; ‚komm, lieber Herr Jesu‘[2], und wer dich liebet, spreche: ‚Komm, lieber Herr Jesu‘[2].

Aus: Genesisvorlesung (1544) = WA Bd. 42, S. 2, 30−35 (deutsche Übersetzung).
Fundorte: R 429.   W¹ Bd. 1, Bl. d 1ᵃ.   C 117.
1) Phil. 1, 6.   2) Offb. 22, 20.

630   [Bl. S 8ᵇ]   Seuffzen und sehnen der Christen nach dem jüngsten tage.

Ach Herr Christe Jesu, du hast den tag verheyssen, uns zu erlösen von allem übel, so laß in doch nur kommen noch dise stund, wo es sein soll, und mach deß jamers eyn ende.

318

Aus: Predigt von der Zukunft Christi (1532) = WA Bd. 34^{II}, S. 466, 33−35.
Fundorte: G V, S. 619.   R 430.   W^1 Bd. 7, 1366*.   K 225.   C 117.

631   [Bl. S 8^b] Lutheri seuffzen umb den Jüngsten tage.

Ach mein Herr Christe, komm doch bald mit Feur und Schwefel ...

= Gebet Nr. 98.

632   [Bl. T 1^a] Umb eilende zukonfft[1] deß Jüngsten tages.

Lieber Herr Jesu Christe, das Evangelium leidet, und dein Nam wird geschendet, die Christen verfolget und ermordet, die rechte Lehre untertruckt und deß Teuffels Regiment samt aller boßheyt nimpt überhand, und alle liebe toden Christen und Heyligen, da inn der Erden vergessen, sind zu staub und zu pulver worden. So komme doch und erzeyge deine ehre an dir selbst und an deiner Christenheyt, reche deinen Namen und ir blut und bring die wider herfür zu irer herrligkeyt.

Aus: Predigt von der Zukunft Christi (1532) = WA Bd. 34^{II}, S. 478, 17−23.
Fundorte: R 431.   W^1 Bd. 7, 1378.   C 116.
1) Ankunft.

633   [Bl. T 1^a] Aller Creaturen gebett.

Ach, Ach, will dann nicht schier[1] deß Jamers eyn end werden und die herrligkeyt der Kinder Gottes angehen?

Aus: Sommerpostille (1544) = WA Bd. 22, S. 54 (Bd. 41, S. 309, 31−33).
Fundorte: R 432.   W^1 Bd. 12, 955.   C 117.
1) bald.

634   [Bl. T 1^a] Gebettlin, wann der jüngste Tage herein pricht.

Sei mir, Gott, willkomm, mein lieber HErr und erlöser, und komm, wie ich offt gebettn habe, das ‚dein Reich zu mir kommen‘ soll.

Aus: Hauspostille (1559) = E. A². Bd. 4, S. 38, 24−26 (WA Bd. 37, S. 207, 30 f.; vgl. Bd. 52, S. 21, 27−29).
Fundorte: R 432.   T/Anh. 332.   W^1 Bd. 13, 55*.

635   [Bl. T 1^b] Folget die Letanei, darinnen die summarien dises gantzen Bettbüchleins kurtz zusammen gefasset.

Kyrie Eleison, Christe Eleison, Kyrie Eleison, Christe, erhöre uns.

Herr Gott Vatter im himel, Herr Gott Son der Welt Heyland, Herr Gott Heyliger Geyst	Erbarm dich über uns.

Sei uns gnädig. Verschon unser[1], lieber Herre Gott,
Sei uns gnädig. Hilff uns, lieber Herre Gott.

Für allen Sünden, Für allem Irrsal, Für allem übel Für deß Teuffels trug und list, Für bösem schnellen tod, Für Pestilentz und teurer zeit[2], Für Krieg und blut, Für Auffrur und Zwittracht, Für Hagel und Ungewitter, Für dem ewigen Tod	Behüte uns, lieber Herre Gott.
Durch dein heylig Geburt, Durch deinen todkampff und blutigen Schweyß[3], Durch dein Creutz und tod, Durch dein heyliges aufferstehen und Himmelfart, Inn unser letzten not, Am jüngsten Gericht	Hilff uns, lieber Herregott.

Wir armen Sünder bitten, Du wolst uns erhören, lieber Herre Gott,

Und dein Heylige Christliche Kirche regieren
und füren,
Alle Bischoff, Pfarrherr und Kirchendiener,
    im heylsamen wort und heyligem leben
    behalten,
Allen Rotten und ärgernussen wehren,
Alle irrige und verfürte widerbringen,
Den Satan unter unser füsse tretten[4],
Treue arbeyter in deine Ernde senden[5],
Deinen Geyst und krafft zum Wort geben,
Allen betrübten und blöden[6] helffen und trösten,
Allen Königen und Fürsten frid und eyntracht geben,
Unserm Keyser stäten Sieg[a] wider deine Feinde gönnen,
Unsern Landherren mit allen seinen gewaltigen[7]
    leyten und schützen,
Unsern Rath und Gemeyne segenen und behüten,
Allen, so inn Noht und fahr sind, mit hilff
    erscheinen,
Allen schwangern und Säugern[8] frölige frucht
    und gedeien geben,
	Erhör uns,
	lieber
	Herre Gott.

Aller Kinder und krancken pflegen und warten[9],
Alle gefangen loß und ledig lassen,
Alle Witwen und Weysen verthädigen[10] und versorgen,
Aller Menschen dich erbarmen,
Unsern Feinden, verfolgern und lästerern vergeben
    und sie bekeren,
Die Früchte auff dem Lande geben und bewahren
Und uns gnädiglich erhören.
O Jesu Christ, Gottes Son, Erhöre uns, lieber HERRE Gott,
O du ‚Gottes Lamb, das der Welt
    Sünde trägt‘[11],
O du Gottes Lamb, das der Welt
    Sünde trägt,
O du Gottes Lamb, das der Welt sünde trägt,
    Verleih uns stäten Frid.
Christe, Erhöre uns,
Kyrie Eleyson,
Christe Eleyson,
Kyrie Eleyson, Amen.

> Erbarm dich über uns.

Aus: Deutsche Litanei (1529) = WA Bd. 30[III], S. 29—34 (Bd. 35, S. 557). Vgl. Drews, S. 19—46.

Fundort: W[1] Bd. 10, 1758.

a) *Siege* Druckf.

1) S. o. Nr. 293 Anm. 1.   2) S. o. Nr. 590 Anm. 1.   3) Vgl. Luk. 22, 44.   4) uns unterwerfen; s. o. Nr. 356 Anm. 1; vgl. Röm. 16, 20.   5) Matth. 9, 38.   6) furchtsamen, verzagten.   7) Machthabern, Statthaltern.   8) stillenden Frauen; vgl. WA Bibel Bd. 6, S. 106/107 (Matth. 24, 19).   9) Zum Genitiv bei ‚*pflegen*‘ vgl. Franke Bd. 3, S. 103, bei ‚*warten*‘ s. o. Nr. 131 Anm. 2.   10) S. o. Nr. 408 Anm. 20.   11) Joh. 1, 29.

636   [Bl. T 3ᵃ]   Eyn Gebett auff die Letanei.

HERR ‚handele nicht mit uns nach unsern Sünden und vergelte uns nicht nach unser Missethat‘[1].

Oder.

‚Wir haben gesündiget mit unsern Vättern, wir haben mißgehandelt und sind Gottloß gewesen‘[2].

HERR Gott, himlischer Vatter, der du nicht lust hast an der armen sünder tod, lesest sie auch nicht gerne verderben, sondern wilt[3], das sie bekeret werden und leben, wir bitten dich hertzlich, du woltest die wolverdiente straff unserer sünde gnediglich abwenden und, uns hinfort zu bessern, deine Barmherzigkeyt miltiglich[4] verleihen umb Jesus CHristus, unsers Herren, willen.

Aus: Deutsche Litanei (1529) = WA Bd. 30[III], S. 35, 3—11, 38—50 (Bd. 35, S. 557). Vgl. Gebet Nr. 4.

Fundorte: W¹ Bd. 10, 1760.   K 212.   Ferner: Feuerzeug christlicher Andacht 1537, Bl. E 8ᵇ (= Bibliographie II, 1). Betbüchlein für allerlei gemein Anliegen 1543, Bl. A 4ᵃ, jedoch in Ich-Form (= Bibliographie II, 2). Trostbüchlein (Walther) 1558, Bl. S 3ᵃ und S 6ᵃ (= Bibliographie II, 4).   Lehr- ... und Gebetbüchlein (Glaser) 1565, Bl. Z 5ᵇ (= Bibliographie II, 6).

1) Ps. 103, 10.   2) Ps. 10, 6.   3) willst.   4) freigebig.

637   [Bl. T 3ᵃ] Eyn ander Gebett.

HERR, ,gehe nicht inns gericht mit deinem Knecht; dann für dir wird keyn lebendiger rechtfertig sein'¹.

Oder.

,Hilff uns, GOtt unsers Heyls, umb deines Namens willen. Errette uns und vergib uns unser Sünd umb deines Namens willen'².

Allmächtiger, ewiger Gott, der du durch deinen Heyligen Geyst die gantze Christenheyt heyligest und regierest, erhör unser bitt und gib uns gnädiglich, das sie mit allen iren gliedern inn reynem glauben durch deine gnade dir diene durch Jesum Christum, deinen Son, unsern Herren, Amen. Amen.

Aus: Deutsche Litanei (1529, 1533) = WA Bd. 30ᴵᴵᴵ, S. 35, 51—55; 36, 13—24 (Bd. 35, S. 577). Vgl. Gebet Nr. 9.
Fundorte: W¹ Bd. 10, 1761.   K 169.
1) Ps. 143, 2.   2) Ps. 79, 9.

638   [Bl. 108ᵇ] Gebett auß der Ersten Kirchenpostill Lutheri über das Evangelium am 18. Sonntag nach Trinitatis.

HErre Gott, ich bin deine Creatur, machs mit mir, wie du wilt¹, es gilt mir gleich, ich bin je dein, daß weyß ich, und wann du woltest, daß ich dise stunde sterben solte oder irgend eyn groß unglück leiden, so wolt ichs doch von hertzen gerne leiden. Ich will mein leben, ehr und Gut, und was ich habe, nimmermehr höher und grösser achten dann deinen willen, der soll mir allzeit mein lebenlang wolgefallen.

Aus: Sommerpostille (zu Matth. 22, 37) (1526) = WA Bd. 10ᴵ, ², S. 406, 24—30 (vgl. WA TR Bd. 5, S. 278, 30—279, 6). Vgl. Gebet Nr. 74. Das Gebet findet sich erstmals in der Ausgabe 1580 des Betglöckleins und danach in allen späteren Auflagen von T.
Fundorte: B 1108.   V 615.   K 219.
1) willst.

322

639   [Nr. 60]   Führ uns nicht in Versuchung.

Lieber HErr, laß mich nit durch Versuchung in Sünde fallen und erlöse mich von aller Anfechtung.

Nicht festgestellt.

640   [Nr. 79]   Schön Gebet eines züchtigen Jünglings und Jungfrawen.

HErr Gott Vater und HErr meines Lebens, behüt mich für unzüchtigem gesichte[1] und wende von mir alle böse lüste. Laß mich nicht in Schlemmen unnd unkeuschheit gerahten und behüte mich für unverschampten Hertzen.

Aus: Jesus Sirach 23, 4—6. Bis zur Wittenberger Bibelausg. 1546 kommen als Vorlage in Betracht die beiden zwiespaltigen Bibeln 1540 und 1543 (vgl. WA Bibel Bd. 12, S. 208 App. zu 23, 5 und 6).
1) Anblick.

641   [Nr. 100]   Beschlus aller Gebete soll geschehen mit einem starcken AMEN[1].

Wolan, mein lieber GOtt, Ich habe auff dein Gebot unnd Verheissung mein Gebet gethan[2], Das ist nu bey dir erhöret, das weis ich gewiß unnd fürwar. Darumb zweiffele ich gar nicht[3], diese dinge alle, die ich gebeten habe, werden gewiß geschehen eben darumb, daß du sie hast heissen bitten und gewißlich zugesagt, du wollest erhören und helffen. Nun bin ich gewiß, ‚daß du warhafftig‘[4] bist unnd kanst nicht lügen[5]. So hastu uns nicht allein geboten zu beten[6] unnd verheissen, du wollest uns erhören unnd gern geben, was wir bitten und bedürffen[7], sondern hast uns auch selbst durch deinen lieben Sohn form und weis fürgeschrieben zu beten[8] unnd darneben geboten, mit gewisser zuversicht zu glauben, du werdest unser Gebet gewis erhören[9]. Derhalben so thun wir dir billich[10] die Ehre, weil du es so haben wilt[11], daß wir an der erhörung nicht wollen noch sollen zweiffeln, damit wir dich nicht lügen straffen[12] in deiner zusagung, ach darfür behüte uns, du lieber Gott, und gib nur einen festen Glauben[13]. HErr, ich glaube, und weis gewiß, was ich jetzt im namen und Glauben deines lieben Sohns gebeten habe, daß es dir angenem sey und wolgefalle. Zweiffel auch nicht, es wird ein Amen[1] draus werden. Unnd es sey allbereit ein Amen[14]. HErr, stercke mich inn diesem Glauben und hilff meinem schwachen Glauben, Amen, Du lieber Vater, Amen.

Das Gebet ist eine kunstvolle Kompilation aus Bestandteilen der Luthergebete Nr. 109. 111. 112. 113. 121. 135. 144. 287.
1) S. o. Nr. 372 Anm. 4.   2) Nr. 111 und 112.   3) Nr. 121.   4) Matth. 22,16.
5) Nr. 144.   6) Nr. 135 und 287.   7) Nr. 121.   8) Nr. 109 und 135.   9) Nr. 113.
10) rechtmäßig, gebührenderweise.   11) willst. Nr. 109.   12) Nr. 109.   13) Nr. 113.
14) Nr. 144.

4. Himmelsleiter (Beck): Nr. 642—653

642   [180]   [Bitte um Vergebung].

Schone, HERR, schone unsern Sünden[1] unnd obwol wir arme und schwere Sünder
mit unsern unabläßlichen Sünden unauffhörliche Straffen wol[2] verschuldet haben,
So verleyhe doch, lieber Vatter, daß dasjenige, mit welchem wir das ewige Verderben verdienen, von uns genommen werde und zur Hilffe unser Besserung gereichen
möge durch denselbigen deinen lieben Sohn, unsern HERRN JEsum CHristum.

Aus: Latina Litania correcta (1529) = WA Bd. 30[III], S. 42, 6—8 (deutsche Übersetzung). Vgl. Gebet Nr. 6.
Fundort: W[1] Bd. 10, 1765.
1) S. o. Nr. 293 Anm. 1.   2) sehr.

643   [209]   Seufftzerlein ex Passionali Lutheri.

O HErr Allmächtiger GOtt, sey mir armen Sünder gnädig durch deine Heylige
Geburt, der du geboren bist von der reinen und keuschen Jungfrawen Maria, die
eine Jungfraw war vor der Geburt, in und nach der Geburt. Ich bitte dich, lieber
HERR JEsu CHriste, durch deine Gnadenreiche Menschwerdung, laß auch in mir
armen Sünder gebohren werden deine Gnad und Barmhertzigkeit.

Aus: [*rot*] Passio | unseres HERren | Jesu Christi, Auß [*schwarz*] den vier Euangeli- |
sten gezogen | Mit schö- | nen Figuren gezieret. | [*rot*] Auch mit schönen | Christlichen
andech- | [*schwarz*] tigen Gebeten, einem je- | den Christen sehr nützlich zu lesen. |.
Mit Titeleinfassung [*links Paulus mit Schwert, rechts Petrus mit Schlüssel; unten Kreu-
zigung, oben Auferstehung; oben Inschrift auf dem Portalbogen: Confidite ego vici mun-
dum Jo. 16*].
56 ungez. Bl. (A8—G8 [letztes Blatt leer]) in Oktav.
Am Ende (Bl. G 7b): Gedruckt zu Nürm | berg, bey Valen- | tin Geyßler. Im Jar |
M. D. LXIII. |.
Vorhanden: München SB (Asc. 3672). Frühere Ausgaben: Nürnberg 1552 und 1557 (vorh.
Nürnberg StB).
Das Gebet steht in der Ausgabe 1563 Bl. C 2a. In diesem Passional stammt nur die Vorrede von Luther (vgl. die Ausgabe seines Betbüchleins 1529: WA 10[II], Seite 458 f.). Die mit
VS signierten Holzschnitte stammen von Virgil Solis in Nürnberg (1514—1562). Die Gebete
(u. a. von J. Otter, V. Dietrich) sind den Bildern thematisch zugeordnet. Vgl. Beck S. 165 f.
und Althaus S. 24.

644   [221]   Ex passionali Lutheri.

O HErr JEsu CHriste, der du am achten Tage deiner Geburt hast nach dem Ge-
setz wöllen beschnitten werden[1] unnd dein heyliges Blut vergiessen umb uns arme
Sünder willen[2], Ich bitte dich, lieber HERR, du wollest mir deine hertzliche
Barmhertzigkeit erzeigen, das deine heylige bittere Marter unnd die erste schmertz-

liche Vergiessung deiner allerreinesten, zartesten Blutströpfflein[2] an mir nicht verlohren werden, sonder in aller Noth unnd an meinem letsten Ende mein einige[3] Labsal und Erquickung seyn mögen.

Wie Nr. 643, Bl. C 3ª.
1) Luk. 2, 21.   2) Vgl. Matth. 26, 28 par.   3) einzige.

645   [253]   Seufftzerlein auß dem Passionali Lutheri.

Ach Lieber HErr JEsu Christe, als du am dritten Tage nach deiner heyligen Verschidung[1] kräfftiglich von den Todten aufferstanden und deinen betrübten Jüngern und Maria Magdalena erschinen[2], welche du sehr erfrewt. Ich bitte dich, lieber HERR, erfrewe mich auch also in meiner Aufferstehung vom Tod, wann du kommen würst, ‚zu richten die Lebendigen und die Todten‘[3].

Wie Nr. 643, Bl. F 8ª.
1) Abscheiden, Tod.   2) Vgl. Mark. 16, 9−14; Joh. 20, 11−19.   3) 2. Tim. 4, 1; 1. Petr. 4, 5.

646   [279]   [Gebet zum dreieinigen Gott].

Allmächtiger, ewiger und lebendiger Gott, Vatter unsers HErrn JEsu Christi, ein Schöpffer und Erhalter aller Dinge, weiß, gütig, barmhertzig, starck und ein gerechter Richter, ach erbarme dich über mich armen Sünder wegen deines lieben Sohns Jesu Christi, welchen du in deinem wunderbahren, unerforschlichen Rahtschluß zu einem Versöhn-Opffer[1] verordnet[2] hast für die Sünde der gantzen Welt, und heylige, regiere und führe mich mit deinem Heyligen Geist biß an mein seeliges Ende zum ewigen Leben.

Aus: Phil. Melanchthon, In Danielem Prophetam Commentarius (1543) (zu 11, 30−32) = CR 13, 947, 12−18 (deutsche Übersetzung).
1) Vgl. 2. Mose 29, 36; 4. Mose 29, 11; 1. Joh. 4, 10.   2) bestimmt.

647   [320]   Wann ein armes Kind zur H[eiligen] Tauff getragen wirt.

Allmächtiger, ewiger GOtt, der du durch die Sündflut nach deinem gestrengen Gericht die unglaubige Welt verderbet und den frommen Noah selb acht[1] nach deiner grossen Barmhertzigkeit erhalten unnd den verstockten Pharao mit seinem gantzen Heer im roten Meer erseufft unnd dein Volck Israel trocken hindurch geführet[2], damit das Bad deiner Heyl[igen] Tauffe zukünfftig bezeichnet[3] unnd durch die Tauff deines lieben Sohns, unsers HErrns JEsu CHristi, den Jordan und alle Wasser zur seeligen Sündflut unnd reichlicher Abwaschung der Sünden geheiliget und eingesetzet hast. Wir bitten dich durch dieselbe deine grundlose[4] Barmhertzigkeit, du wöllest dieses arme Kind gnädiglich ansehen unnd mit rechtem Glauben im Geist beseligen[5], damit durch diese heylsame Sündflut an ihm erseuffe unnd untergehe alles, was ihme von Adam her angebohren ist, und es auß der unglaubigen Zahl gesöndert, in der Heyl[igen] Arch der werthen Christenheit trocken und sicher behalten, allezeit ,brünstig im Geist, frölich in Hoffnung'[6] deinem H[eiligen] Namen diene, auff daß es mit allen Glaubigen deiner Verheissung, ewiges Leben zu erlangen, würdig werde durch unsern HERRn JEsum CHristum.

Aus: Taufbüchlein (1523/1526) = WA Bd. 12, S. 43, 26−44, 7 = Bd. 19, S. 539, 18− 540, 4. Vgl. Gebet Nr. 22.

Fundorte: R 325. W[1] Bd. 10, 2634.

1) als achten (neben sieben anderen); vgl. 1. Mose 6, 10 und 18; 1. Petr. 3, 20. 2) 2. Mose 14, 21−29. 3) Vgl. 1. Kor. 6, 11. 4) unergründliche. 5) beglükken, segnen (D. Wb. Bd. 1, Sp. 1613 f.). 6) Röm. 12, 11 f.

648 [380] [Bitte umb Gnade im Gericht].

O Vatter, tröste uns unser Gewissen jetz und in unserm letsten Ende, welches für unsern Sünden und deinem Gericht grewlich[1] erschrickt und erschrecken wird. Gib unsern Hertzen deinen Frieden, daß wir deines Gerichtes mit Frewden erwarten[2] mögen[3]. ,Gehe nicht mit uns in die Schärpffe deines Gerichtes; denn da wird kein Mensch rechtfertig erfunden'[4]. Lehre uns, lieber Vatter, nicht auff unsere eigene gute Wercke oder Verdienst uns verlassen und trösten[5], Sondern auff deine grundlose[6] Barmherzigkeit lauter und vest uns wagen und ergeben. Desselben gleichen laß uns auch nicht verzagen umb unsers sträfflichen, sündlichen Lebens willen, sondern deine Barmhetzigkeit höher, breiter, stärcker achten denn all unser Leben.

Aus: Ein kurze Form der zehn Gebote … (zur 5. Bitte des Vaterunsers) (1520) = WA Bd. 7, S. 227, 1−10; Bd. 10[II], S. 404, 1−11. Vgl. Gebet Nr. 150.

1) fürchterlich. 2) S. o. Nr. 131 Anm. 2. 3) können. 4) Ps. 143, 2. 5) unsere Zuversicht setzen. 6) unergründliche.

649 [479] Stoß-Gebettlein.

Die Niessung[1] deines Leibs und Bluts, HERR Jesu CHriste, so ich Unwürdiger zu nemmen[2] gedencke, gedeye mir nicht zum Gericht und Verdamnuß[3], sonder nutze mir nach deiner Güte zum Schutz der Seelen und deß Leibes und deine Artzney[4] zu empfahen, wie du mir[5] geredt hast und heissen glauben, der du lebest unnd regierest mit GOTT dem Vatter in Einigkeit deß H[eiligen] Geistes immer und ewiglich.

Aus: Vom Greuel der Stillmesse (1525) = WA Bd. 18, S. 34, 14−20.

Fundort: W[1] Bd. 19, 1478.

1) Genießen. 2) Zum Doppel − ,m' (entsprechend ,genommen') vgl. V. Moser, Frühneuhochdeutsche Grammatik Bd. 1[I], S. 48 und 74. 3) Vgl. 1. Kor. 11, 27. 29. 4) Hier als Neutrum gebraucht. 5) Vgl. RN 48, S. 227, 13 f. 6) zu mir; zum Dativ der Person vgl. D. Wb. Bd. 8, Sp. 468; Franke Bd. 3, S. 125.

650 [620] Stoß-Gebettlein Lutheri.

O GOtt Vatter, diese Ding, die[1] ich dich gebetten habe, zweiffle ich nicht, sie seynd gewiß wahr unnd werden geschehen nicht darumb, das ich sie gebetten habe, sonder daß du sie hast heissen bitten und gewißlich zugesagt, so bin ich gewiß, daß du, GOTT, warhafftig bist, kanst nicht liegen[2], und also nicht meines Gebetts Würdigkeit, sonder deiner Wahrheit Gewißheit macht mich, das ichs fast[3] glaube, unnd ist bey mir kein zweiffel, es wird ein Amen darauß werden und ein Amen seyn[4].

Aus: Auslegung deutsch des Vaterunsers (zur 7. Bitte) (1519) = WA Bd. 2, S. 127, 21—27. Vgl. Gebet Nr. 144.
Fundort: B 620.
1) um die; zum Akk. der Sache bei ‚*bitten*‘ vgl. D. Wb. Bd. 2, Sp. 52; Franke Bd. 3, S. 159 f.; RN 30III, 278, 30 und 345, 12 f./30 f.   2) lügen.   3) fest.   4) S. o. Nr. 372 Anm. 4.

651 [738] Stoß-Gebettlein umb Frieden.

O HErr, gib uns einen seeligen Frieden in allen Landen, behüte für Krieg und Hader und allem Unfrieden, auff das wir deß täglichen Brots und täglicher Noth-turfft mit stiller Ruhe gebrauchen[1] mögen[2] zu deinem Lob. Gib allen Königen, Fürsten, Herrn und Räthen guten Verstand, trewen Willen, seliglich und Fried-lich ihre Underthonen zu regieren, behüte alle Underthonen für Auffruhr und Ungehorsamb umb deines Namens willen.

Aus: Betbüchlein (zur 4. Bitte) (1529) = WA Bd. 10II, S. 403 App. zu Zl. 1—3. Vgl. Gebet Nr. 149.
Fundort: B 738.
1) Zum Genitiv (wie mhd.) vgl. D. Wb. Bd. 4I, 1, Sp. 1826 f.; Dietz Bd. 2, S. 27; s. auch o. Nr. 85 Anm. 4.   2) können.

652 [834] Ein anders.

Ach lieber Herr Gott, du wilt[1] uns ein gut Jahr geben, warlich nicht umb unser Frombkeit willen, sondern umb deines heiligen Namens willen; gib, lieber Vat-ter, das wir uns bessern und in deinem Wort wachsen unnd zunemmen; dann das seynd nichts anders als Wunderwerck, das du auß der Erden, ja auß dem Sand, das zumalmete Kiselstein sind, bringest Halmen[2] und Ehren, lieber Vatter, gib uns, deinen Kindern, das tägliche Brodt.

Aus: Gebet vom Mai 1539 (1566) = WA TR Bd. 3, S. 366, 26—30 (vgl. Bd. 4, S. 467 Anm. 2). Vgl. Gebet Nr. 65.
Fundorte: B 834.   W1 Bd. 22, 2272.
1) willst.   2) Wie mhd. schwach flektiert.

653 [880] In Überdruß deß Lebens.

Ach Lieber HERR GOTT Vatter, es ist doch dieses ellende Leben so voll Jammers, Unglücks und Unsicherheit, so voll Untrew und Boßheit, daß wir billich[1] deß Lebens müd und deß Tods begierig seyn solten, wie dann offtmals unsere Hertzen von Ungedult und deß Lebens Überdruß angefochten werden, Das uns verdreust zu leben und wir uns selber den Tod wünschen, nur damit wir nichts leyden noch außstehen dörffen[2]. Aber, du lieber Vatter, kennest unser Schwachheit; darumb verleyhe uns Gedult in allem Leyden, laß uns die Müheseligkeit dises Lebens gerne tragen und hilff uns durch solch manigfaltig Übel und Boßheit sicher fahren unnd, wann die Zeit kompt, gib uns ein gnädigs Stündlein[3] und seeligen Abschied auß diesem ,Jammerthal'[4], daß wir für dem Tod nicht erschrecken noch verzagen, sonder mit festem Glauben unsere Seele in deine Hände befehlen.

Aus: Eine einfältige Weise zu beten (zur 7. Bitte) (1535) = WA Bd. 38, S. 362, 21—24. 24—29. Vgl. Gebet Nr. 161.

1) zu Recht.   2) zu ... brauchen.   3) Sterbestunde.   4) Vgl. Ps. 84, 7.

5. Lutherus Redivivus (Gruber): Nr. 654—662dd

654 [Bd. 1, S. 679 Nr. 1] Gebettlein in Anfechtung.

Weil, als[1] David sagt, in dem grossen Meer dieser Welt viel Gewürms ist[2], das ist viel Anfechtung und Anstoß, die uns wieder schuldig machen wollen, ist uns vonnöthen, daß wir ohn Unterlaß mit dem Hertzen sprechen: ,Vatter, führe uns nicht in Anfechtung'. Nicht begehre ich, aller Anfechtung ledig zu seyn; denn das wär erschrecklich und ärger denn zehen Anfechtungen, als[1] die Anfechtung zu der rechten Hand[3] ist, sondern daß ich nicht falle und wider meinen Nechsten oder dich sündige.

Aus: Auslegung deutsch des Vaterunsers (zur 6. Bitte) (1519) = WA Bd. 2, S. 125, 29—35. Fundorte: W[1] Bd. 7, 1168.   K 219.

1) wie.   2) Ps. 104, 25 (Vg: *„reptilia"*; in der Bibel übersetzt Luther nach dem Urtext: *„grosse vnd kleyne thier"* WA Bibel Bd. 10[I], S. 444/445).   3) Luther unterscheidet in seiner Auslegung der 6. Bitte *„czweyerley anfechtung, eyn auff der lincken seyten, das ist, die tzu tzorn, hassz, bitterkeyt, unlust, ungedult reytzet, als sein kranckheit, armut, unere, und alles was eynem wehe thut, sunderlich, wan eynem sein will, fuer nemen, gutduncken, radtschlag, wort und werck vorworffen und vorachtet wirt ... Die ander anfechtung auff der rechten seyten, das ist, die zu unkeuschheit, wollust, hoffart, geytz und eyteler ere reytzt und als was wol thut, sunderlich wan eynem seinen willen lest, lobt seyn wort, radt und that, eret und helt vil von ym"* (WA Bd. 2, S. 123, 30 ff.; 124, 33 ff.).

655   [Bd. 1, S. 679 Nr. 3]   Gebettlein, wenn man beichten wil.

Sihe, lieber Herr, ich weiß, daß ich nicht recht reuig erfunden werde für deinem Gericht und noch viel[1] böser Lust in mir ist, die verhinderen rechte Reu. Doch weil du zugesagt hast Gnade, so fliehe ich von deinem Gericht, und dieweil mein Reu nicht gnugsam ist für dir, verlasse ich und erwege mich[2] auff deine Zusagung in diesem Sacrament.

> Aus: Grund und Ursach aller Artikel (1521) = WA Bd. 7, S. 384, 29–34.
> Fundort: W[1] Bd. 15, 1813.
> 1) eine Fülle, viel an; zum Gen. vgl. D. Wb. Bd. 12[II], Sp. 105 ff.; Franke Bd. 3, S. 100.
> 2) vertraue.

656   [Bd. 1, S. 680 Nr. 4]   Gebettlein, wenn man gebeichtet hat.

Siehe, lieber Gott, das und das hab ich gebeichtet, Nun ‚sind deine Gerichte heimlich und schrecklich‘[1]; so du mit mir ins Gericht gehen wilt[2], werde ich nimmer für dir bestehen, ich thue ihm, wie ich ihm thue[3], wer erkennet seine Sünde alle? Darumb fliehe ich von deinem Gericht zu deinen Gnaden und bitte, mach mich rein von allen meinen unbekannten Sünden.

> Aus: Grund und Ursach aller Artikel (1521) = WA Bd. 7, S. 369, 17–21.
> Fundort: W[1] Bd. 15, 1800.
> 1) Weish. 2, 22; Tob. 3, 5.   2) willst. – Vgl. Ps. 143, 2.   3) ich kann machen, was ich will; zur Wendung ‚ihm tun‘ (*ihm* = Neutrum) vgl. D. Wb. Bd. 11[I, 1], Sp. 453; RN 32, 33, 28.

657   [Bd. 1, S. 680 Nr. 7]   Feines Gebettlein, den Oberkeitspersonen zu sprechen.

Sihe, mein Gott und Vatter, das ist dein Werck und Ordnung, daß ich in diesem Stand zu regieren bin geboren und geschaffen (gesetzt und erwehlt)[1], das kan niemand läugnen, und du selbs erkennests auch. Ich sey würdig oder unwürdig, so bin ich je[2], wie du und jederman sihet. Darumb gib mir, mein Herr und Vatter, daß ich deinem Volck möge fürwesen[3] zu deinem Lob und ihrem Nutzen. Laß mich nicht folgen meiner Vernunfft, sondern sey du meine Vernunfft.

> Aus: Das Magnificat (1521) = WA Bd. 7, S. 602, 35–603, 6.
> Fundorte R 308.   W[1] Bd. 7, 1317*.
> 1) Erläuternder Zusatz Grubers.   2) immer.   3) vorstehen.

658   [Bd. 2, S. 734]   Ein feines Gebettlein, so einer für seinen Feind sprechen mag.

Lieber Vatter, weil der Mensch so greulich in deinen Zorn fellet und sich so jämmerlich in das ewige Feuer hinein wirfft, bitte ich, daß Du es ihm vergebest und ihm auch also thust, wie du mir gethan hast, wie Du mich von dem ewigen Zorn hast errettet.

Aus: Epistel S. Petri ausgelegt (zu 3, 12) (1523) = WA Bd. 12, S. 356, 18—21.
Fundort: W¹ Bd. 9, 771.

659 [Bd. 5, S. 619 Nr. 1] Danckgebetlein für Gottes Wolthaten.

Wolan, du bist doch ja ein freundlicher, gütiger GOTT, der du ewiglich, das ist immer und immer ohn Unterlaß mir unwürdigen und undanckbaren so reichliche Güte und Wolthat erzeigest; Lob und Danck müssestu haben.

Aus: Auslegung des 118. Psalms (Confitemini) (zu v. 1) (1530) = WA Bd. 31ᴵ, S. 73, 21—23.
Fundort: W¹ Bd. 5, 1725.

660 [Bd. 6, S. 615 Nr. 2] Gebetlein wider die Last der Sünden.

Ach HERR, unsere Sünde drücket uns, und ob wir wol wissen, daß wir beten sollen und du gerne hörest, wir können aber für[1] dieser Last nicht dazu kommen; doch weil du wilt[2] gebeten seyn und heissest ,alles Fleisch zu dir kommen'[3], so komme ich eben damit und lege solche Last für dir nieder und bitte, daß du meine Sünde vergeben und mir gnädig seyn woltest.

Aus: Der 65. Psalm gepredigt (zu v. 4) (1534) = WA Bd. 37, S. 431, 29—34.
Fundort: W¹ Bd. 5, 930.
1) wegen.   2) willst.   3) Ps. 65, 3.

661 [Bd. 6, S. 615 Nr. 3] Umb Erhaltung des Worts.

Weil die Welt wider unsere Lehre und Wort, so in deinem Tempel (O GOTT) geprediget wird, strebet und uns darüber verdammt und verfolget, so magstu das beste thun, erhöre uns, die wir sind beruffen zu deiner heiligen Wohnung[1], da wir das Wort hören, und woltest auch dazu thun die andere[2] Krafft, daß wir auch dabey beschützt werden.

Aus: Der 65. Psalm gepredigt (zu v. 5 f.) (1534) = WA Bd. 37, S. 440, 10—14.
Fundort: W¹ Bd. 5, 946.
1) Vgl. Ps. 65, 5 (Predigttext).   2) weitere; vgl. WA Bibel Bd. 8, S. 56/57 (1. Mose 8, 10).

662 [Bd. 8, S. 631 Nr. 1] Gebetlein umb neuen Gehorsam nach empfangener Vergebung der Sünden.

Lieber GOtt, du hast mir auß grundloser[1] Gnade die Sünde vergeben, hilff auch, daß ich hinfort Lust zu deinem Wort und Sacramenten gewinne, dich und deinen Sohn mit Danckbarkeit preise und lobe, daß dein Name durch mich geheiliget werde, dein Reich zu mir komme, dein Göttlicher Wille in mir geschehe, also, daß ich auch möge dahin kommen, daß ich ein frölicher Mensch in Christo werde, alles mit Lieb und Lust zu thun und zu leyden, als die Märterer gewest sind, die nach dem Todte, Teuffel und Hölle nichts gefragt haben.

Aus: Predigt vom 7. Februar 1546 (zu Matth. 13, 24—30) (1546) = WA Bd. 51, S. 181, 33—39.

Fundort: W¹ Bd. 12, 1629.

1) unergründlicher.

662 a   [Bd. 9, S. 1935 Nr. 1]   Seuffzerlein wider Zorn und Ungedult.

HERR, daß ich mit meinem Nächsten nicht zörnen soll noch ungedultig über ihn werde, wenn er mir etwas zu leide thut, kan ich von mir selbst nicht thun. Gib du hie Gnad und Hülffe, daß ichs thun möge.

Aus: Galaterbriefkommentar (zu 5, 17) (1535) (deutsche Übersetzung) = Witt. A. Bd. 1, Bl. 300ª (zu WA Bd. 40ᴵᴵ, S. 90, 28).

662 b   [Bd. 9, S. 1935 Nr. 2]   Gebetlein umb ein frölichen Muth, wenn man zu Gast gehet.

Ach, lieber HErr, gib mir ein frölichen Muth, Lust und Freude; denn dieses Gut zu haben, ist deine Gab, die ich von mir selbst nicht haben kan, wenn du mir sie nicht gibst. Drumb bitte ich dich umb Christus willen, gib mir ein frölichen Muth, ein reine Freud und Lust, daß ich heut sampt andern Gesellen guter ding sey, doch ohne Sünde.

Aus: der 112. Psalm Davids gepredigt (zu v. 4) (1526) = WA Bd. 19, S. 313, 29—31.

662 c   [Bd. 9, S. 1935 Nr. 3]   Gebetlein umb Erhaltung der Warheit.

Lieber HERR Christe, hilff uns, sey du ein starcker Held, deine Warheit vertheidigen, welche auch in uns schwach ist, für der Welt aber für Ketzerey, Irrthum, Gotteslästerung, daß nichts so gottlos und schändlich, gehalten wird.

Aus: Praelectio in psalmum XLV (zu v. 5) (1533/34) (deutsche Übersetzung) = WA Bd. 40ᴵᴵ, S. 505, 28—30.

662 d   [Bd. 9, S. 1936 Nr. 4]   Gebetlein umb mehrere Stärck, die Gnade zu ergreiffen.

Lieber HERR, ich weiß, daß du Lust hast an der Warheit, die du in mir angefangen hast. Darumb, lieber HERR, verleihe Gnad, daß ichs gewisser und fester möge ergreiffen und je nicht¹ an deiner Gnaden zweifele.

Aus: Enarratio Psalmi LI (zu v. 8. 9.) (1538) (deutsche Übersetzung) = WA Bd. 40ᴵᴵ, S. 396, 32—33.

1) niemals (lat. Vorlage: *„ne dubitem"*).

662 e [Bd. 9, S. 1936 Nr. 5] Gebetlein daß das Hertz im Glauben mög rein seyn.

Das Waschen deß Hertzens, das verachten die Bader und Wascher deß Gesetzes, bekümmern sich allein damit, daß ihr Leib und Kleider rein seyen. Aber, du lieber HErr, du GOtt und Vatter unsers HErrn Jesu Christi, ,schaffe und mache du mein Hertz rein'[1], daß ich deinen göttlichen Willen möge erkennen, das ist, daß ich möge glauben, daß du mir gnädig und barmhertzig seyest, daß ich nicht durch närrische Gedancken auff Mißglauben und Irrthum geführt werde.

Aus: Ebda. (zu v. 12) = WA Bd. 40II, S. 423, 24—28.
1) Ps. 51, 12 (Auslegungstext).

662 f [Bd. 9, S. 1936 Nr. 6] Gebetlein umb Erhaltung im Guten, und daß man nicht wieder in Sünde fall.

,Mein Fleisch streitet wider den Geist'[1], derhalben bitte ich dich, du treuer GOTT, du wollest mir beystehen, mich stärcken und erhalten, auff daß ich nicht wiederumb in Sünde fall, wie ich zuvor gesündigt hab, da ich von dir verlassen war. ,Darumb verwirff mich nicht also von deinem Angesicht und nimm deinen heiligen Geist nicht von mir'[2], das ist, gib mir Gnad, daß ich beständig bleib und mein Geist gantz sampt der Seel und Leib erhalten werde unsträfflich[3] biß an mein Ende.

Aus: Ebda. (zu v. 12. 13) = WA Bd. 40II, S. 427, 24—27.
1) Gal. 5, 17.   2) Ps. 51, 13 (Auslegungstext).   3) untadelig.

662 g [Bd. 9, S. 1936 Nr. 7] Gebetlein umb Vergebung der Sünden, und daß man auch mit der Gemein möge außgesöhnt werden, nach Davids Exempel[1].

O lieber GOtt, der du mein GOtt und Heyland bist, erlöse und entbinde mich von der Sünde und Schande, so mir die Priester fürwerffen können. Ich hab mich an dir und an deinem Gesetz versündigt, weil du aber, lieber HERR, mir meine Sünde vergeben hast und mein Hertz mit Zuversicht auff deine Barmhertzigkeit erfüllet, so bitte ich dich, du wollest schaffen, daß auch die gantze Gemein, die durch mich geärgert[2] ist, erkenne, daß du mich von meinen Sünden loß gesprochen hast und ich für ihr auch also meiner Sünden entbunden werde, auff daß dadurch dein Wort nicht verhindert werde.

Aus: Ebda. (zu v. 16) = WA Bd. 40II, S. 443, 20—25.
1) Vgl. Ps. 51, 2 und 2. Sam. 12, 13.   2) S. o. Nr. 568 Anm. 4.

662 h [Bd. 9, S. 1937 Nr. 8] Gebetlein, daß man Gottes Gnade recht preisen, und anderen auch verkündigen möge auß Davids Worten.

,HERR, thue meine Lippen auff, daß mein Mund deinen Ruhm verkündige'[1], und verleihe mir Gnad, daß ich frey und getrost bekenne, auch ander Leute eben dasselbige möge lehren, welchs ich gelernt hab, nemlich, daß du allein zu rühmen und zu preisen bist in Ewigkeit von deßwegen, daß du den Sünder umbsonst auß lauter Gnad gerecht machest.

Aus: Ebda. (zu v. 17) = WA Bd. 40^{II}, S. 448, 21—24.
1) Ps. 51, 17 (Auslegungstext).

662 i   [Bd. 9, S. 1937 Nr. 10]   Ein anders.

Lieber GOTT, wollen die gottlosen, frechen und sichern[1] Geister, die rohen, wilden, wüsten Menschen ihre Tage nicht zehlen und ihres Lebens noch Sterbens nicht achten, auch umb ein seelig Stündlein[2] nicht bitten, so sey doch deinen Knechten gnädig, die ihre Tage ohn unterlaß zehlen und mit klugen Hertzen einher gehen, deinen grimmigen Zorn und Ungnad fürchten, sich stets nach dir sehnen und seuffzen und dich für den GOtt halten, der du allein Wunder thust, der, nach dem du verwundet hast, wieder heilen kanst und, nach dem du getödtet hast, wieder lebendig machen und, nach dem du in die Hölle gestossen hast, gen Himmel helffen kanst, zu denen kehre dich, HERR, und sey ihnen gnädig.

Aus: Enarratio Psalmi XL (zu v. 18) (1534/35) (deutsche Übersetzung) = WA Bd. 40^{III}, S. 578, 18—20.
1) selbstsichern.   2) Sterbestunde.

662 k   [Bd. 9, S. 1953 Nr. 43]   Gebetlein, wenn man durch eigene Unwürdigkeit will
am Gebet gehindert werden.

HERR, es stehet nicht in meinem Willen, daß ich bete oder nicht bete, du hasts gebotten, darumb so erkenne ich, daß ich auch dir gehorsamen[1] sein soll. Bin ich unwürdig, so ist aber dein Will und Gebott würdig, dem ich gehorsam seyn soll, so ist dein Verheissung würdig, auff die ich mich verlassen soll. Darumb so bitte ich nicht in meiner Würdigkeit, nicht in Würdigkeit Mariae, Petri, sondern in Würdigkeit deß Namens JEsu und in Gottes Namen, der mir gebotten hat und michs geheissen hat zu beten.

Aus: In XV psalmos graduum (zu ps. 120, 1) (1540) (deutsche Übersetzung) = WA Bd. 40^{III}, S. 23, 33—38.
1) Druckf.? Da es nur das Verbum „gehorsamen" (= gehorchen) gibt, ist entweder „sein" überflüssig, oder es muß vielmehr „gehorsam" heißen.

662 l   [Bd. 10, S. 1383]   Gebet einer Ambts-Person umb fruchtbare
Außrichtung ihres Ambts.

Lieber HErr Gott, du hast mich zu einem Fürsten, Richter, Haußvatter, Pfarrherrn oder Kirchendiener gesetzt. Darumb regiere und lehre du mich, gib mir Rath, Weißheit, Stärcke und Krafft, daß ich mein befohlen Ambt fleissig und wol außrichten möge.

Aus: Genesisvorlesung (zu 27, 11 ff.) (1550) (deutsche Übersetzung) = WA Bd. 43, S. 512, 23—26.

662 m [Bd. 10, S. 1384] Gebet umb fernere Gnad und Hilffe, auß 1. Cor. 4 [, 7].

Lieber HErr Gott, was du mir bißher gegeben hast, daß ist deine Verheissung und barmhertzigkeit. An mir ist gar keine Würdigkeit. Derhalben wie du bißher gethan und mir, wiewol ich dessen nicht werth bin, alles geben hast, also wollest mich unwürdigen hinfort auch erhören und mir gnädiglich helffen.

Aus: Genesisvorlesung (zu 32, 9—12) (1952) (deutsche Überetzung) = WA Bd. 44, S. 85, 9—12.

662 n [Bd. 11, S. 853 Nr. 1] Gebett umb Zukunfft[1] deß Jüngsten Tags.

[A] Wir wünschen, daß der Jüngste Tag komme umb der Sünden willen; dann GOttes Namen wird in diesem Leben nicht geheiliget, sondern vielmehr verlästert, sein Reich wird verhindert, sein Will geschiehet nicht auff Erden, das täglich Brod wird uns entzogen, unser Schuld wird immerdar mehr, und die Versuchung höret nicht auff,
[B] darumb bitten wir, Himmlischer Vatter, zukomm dein Reich[2], erlöse uns vom Übel, hilff, hilff, GOTT, schlag drein und mache es ein Ende[3].

Aus: Poachs Hauspostille (zu Luk. 21, 25—33) (1559) = E. A[2]. Bd. 4, S. 28 (WA Bd. 36, S. 382; vgl. Bd. 52, S. XIII).
1) Ankunft.   2) S. o. Nr. 135 Anm. 3.   3) S. u. Nr. 736 Anm. 2.

662 o [Bd. 11, S. 854 Nr. 3] Gebett eines frommen Ehhalten[1].

Ich dancke dir HERR, daß du mich in diesen Stand und Dienst geordnet hast, da ich weiß, daß ich dir wolgefalle und dir diene mehr dann alle Mönch und Nonnen, die ihres Dienstes kein Befehl haben, ich aber hab GOttes Befehl im vierten Gebott, daß ich Vatter und Mutter ehren, Herren und Frawen mit allem Fleiß und Trewen dienen und zu der Haußhaltung helffen solle, will derhalb mit Lust und Liebe demselben nachkommen.

Nicht festgestellt.
1) (eines, der die „ê“ [= das Gesetz, Gebot des Herrn] hält) Dieners, Dienstboten, Hausgenossen (Dietz Bd. 1, S. 483).

662 p [Bd. 11, S. 854 Nr. 6] Gebett umb die Liebe zu erhalten.

Laßt uns bitten, daß unser lieber Vatter im Himmel umb seines Sohns CHristi willen durch seinen Heiligen Geist uns allen gnädiglich verleihen wolle, daß wir rechte Schuler CHristi werden und ein solch Hertz haben, da ein unerschöpffte Quell der Liebe innen sey, die nimmermehr versiege.

Aus: Poachs Hauspostille (zu Luk. 6, 36—42) (1559) = E. A². Bd. 5, S. 313 (fehlt sowohl in Rörers Nachschrift [WA Bd. 37, S. 103, 18] als auch in Dietrichs Hauspostille [WA Bd. 52, S. 391, 10]).

662 q [Bd. 11, S. 855 Nr. 7 u. S. 563 Nr. 19] Danck-Gebet, daß GOtt einen in einen seeligen Stand gesetzet hat.

HERR, auff dein Wort will ich kranck seyn, auff dein Wort will ich ein Sünder seyn, auff dein Wort komme ich für dich und bette, auff dein Wort will ich sterben, an dein Wort halte ich mich. Du sagst, ich solle einen Fischzug thun[1]. Item, du sagst, ich solle mich nicht förchten[1], dabey bleibe ich, und alles, was solchem Wort zu entgegnen in meinem Hertzen gepredigt wird, das weiß ich, daß es nicht ist CHristus Wort, sondern bin gewiß, daß es der Teuffel rede.

Aus: Poachs Hauspostille (zu Luk. 5, 1—11) (1559) = E. A². Bd. 5, S. 333 (WA Bd. 36, S. 205, 14; fehlt WA Bd. 52, S. 401, 22).
1) Luk. 5, 4 und 10 (Auslegungstext).

662 r [Bd. 11, S. 855 Nr. 8] Abbitt deß Zorns gegen den Nächsten.

Lieber HERR GOTT, ich armer Sünder habe wider das fünffte Gebott gethan, ich bin zornig gewesen, ich hab mich unfreundlich mit Wort und Geberden gegen meinem Nächsten gehalten, das ist mir leid, vergib mir, lieber GOTT, meine Sünde, und hilff, daß ich ein anderer Mensch werde.
Das ist das rechte Confiteor[1], so GOTT gefället.

Aus: Dietrichs Hauspostille (zu Matth. 5, 20—26) (1544) = WA Bd. 52, S. 408, 21—25 (WA Bd. 27, S. 482).
1) Sündenbekenntnis (bes. als Teil der Liturgie).

662 s [Bd. 11, S. 855 Nr. 9] Gebett umb Gnade, dem Nächsten freundlich zu seyn.

Wer ein rechter Christ seyn will, soll zu GOTT sagen: Lieber GOTT, in diesem Gebott hastu dein Hertz und Willen außgeschütt, wie ich mich gegen meinem Nächsten halten soll, das ist dein Wort und Warheit. Wolan, lieber GOTT, ich will meinem Nächsten freundlich seyn, ihm helffen, verleihe du deine Gnade, Krafft und Geist darzu, daß ichs vollbringen möge.

Aus: Poachs Hauspostille (zu Matth. 5, 20—26) (1559) = E. A². Bd. 5, S. 365 (vgl. WA Bd. 52, S. XXI).

662 t   [Bd. 11, S. 855 Nr. 10]   Deß Phariseers corrigirt Gebett.

HERR, du hast mir viel Gnade gethan, daß du mich für dieser und andern Sünden so gnädiglich behütet hast, solches ist deine Gaab, der frewe ich mich[1], ich überhebe mich aber deß nicht[2], verachte auch derhalb niemand; dann du kanst es wider nemmen, wann du wilt.

Aus: Dietrichs Hauspostille (zu Luk. 18, 9—14) (1544) = WA Bd. 52, S. 448, 26—28 (WA Bd. 37, S. 133; vgl. WA Bd. 52, S. XXI).

1) S. u. Nr. 690 Anm. 5.   2) bin aber deswegen nicht übermütig (zum Genitiv vgl. Franke Bd. 3, S. 111).

662 u   [Bd. 11, S. 855 Nr. 11 u. S. 670 Nr. 2]   Gebett, darinn man GOttes Gaaben erkennet.

Mein GOTT, es ist dein und nicht mein, du hast es gegeben, sonst müßte ichs eben sowol als andere gerathen[1], ich dancke dir dafür, das wäre recht gethan, daß ein jeder sich demütige. Aber unsers HERRN GOTTS Güter soll man nicht klein noch gering achten, sondern erkennen und groß achten und doch nicht darbey stoltz werden noch andere verachten, sondern, wie nun offt gemeldet, sagen soltu, lieber GOTT, es ist deine Gabe, die du mir gegeben hast, so ein ander dieselbe nicht hat, das schadet nicht; dann er hat doch eben so einen gnädigen GOTT als ich, warumb wolte ich ihn dann verachten.

Aus: Dietrichs Hauspostille (zu Luk. 18, 9—14) (1544) = WA Bd. 52, S. 449, S. 20—28 (WA Bd. 37, S. 133; vgl. WA Bd. 52, S. XXI).

1) entraten, entbehren (zum Genitiv [„es"] vgl. Franke Bd. 3, S. 110).

662 v   [Bd. 11, S. 856 Nr. 14]   Gebet umb Gehorsam, das Wort GOttes zu hören.

Ein jeder Mensch solte billich sagen: Lieber GOTT, du erzeigest nu unzehlich viel Wolthaten täglich; darumb weil du es also haben wilt[1], daß ich dein Wort hören solle, so will ich dir auch wider zu Dienst und Ehren dasselb mit Fleiß und Ernst hören und mich hüten, daß ich es nicht verachte.

Aus: Poachs Hauspostille (zu Matth. 22, 2—14) (1559) = E. A². Bd. 6, S. 128 f. (WA Bd. 36, 346; vgl. WA Bd. 52, S. XXIII).

1) willst.

662 w   [Bd. 11, S. 856 Nr. 15]   Gebett umb den Glauben.

Unser lieber GOTT und Vatter im Himmel, verleihe uns Gnade durch seinen Heiligen Geist, daß wir lernen glauben, uns täglich im Glauben üben, darinnen wachsen und zunemmen und GOTT recht ehren in JESU CHristo, unserm HERRN.

Aus: Poachs Hauspostille (zu Joh. 4, 47—54) (1559) = E. A². Bd. 6, S. 166 (vgl. WA Bd. 52, S. XXIII).

662x [Bd. 11, S. 856 Nr. 16]   Gebett umb geistliche Augen,
wie das Unglück anzusehen.

GOTT gebe uns umb CHristi, unsers Erlösers und seines Sohns, willen, durch
seinen Heiligen Geist auch solche geistliche Augen, daß wir alles Unglück anders
dann die Welt ansehen und solchen Trost behalten und endlich mögen seelig
werden.

Aus: Dietrichs Hauspostille (zu Mark. 5, 21—43) (1544) = WA Bd. 52, S. 543, 35—38
(vgl. WA Bd. 52, S. XXIII).

662y [Bd. 13, S. 1556 Nr. 2]   Klag-Seuffzerlein zu GOtt wegen seines Zorns.

Allmächtiger GOtt, wo ist deine Barmhertzigkeit nun, die vor Zeiten so groß
war? Hast du dann alle Menschen umbsonst geschaffen?

Aus: Weihnachtspostille (zu Luk. 2, 33—40) (1522) = WA Bd. 10$^{I, 1}$, S. 439, 18. 19.

662z [Bd. 13, S. 1557 Nr. 5]   Kurtzes Seuffzerlein zu GOtt
umb Freudigkeit im Glauben.

GOtt helffe uns in Nöthen und Sterben zu solchem Muth und Glauben.

Aus: Fastenpostille (zu Matth. 15, 21 ff.) (1525) = WA Bd. 17^{II}, S. 202, 6. 7.

662aa [Bd. 13, S. 1557 Nr. 10]   Seuffzerlein zu GOtt umb Bewahrung
für der Sünde in den Heiligen Geist.

Behüte mich, lieber GOtt, für der Sünde in den Heiligen Geist, daß ich ja nicht
vom Glauben und deinem Wort falle und nicht werde ein Türck, Jud oder Münch
und Papsts Heilige[1], so wider diese Bruderschafft[2] glauben, lehren und leben,
Sondern doch ein klein Ziplin[3] an diser Brüderschafft behalte: Laß gnug seyn, daß
wir so lang dawider geglaubt und gelebt haben: Nun ists Zeit, GOtt zu bitten,
daß er solchen Glauben in uns gewiß und starck mache.

Aus: Crucigers Sommerpostille (zu Joh. 20, 17) (1544) = WA Bd. 21, S. 215 (Bd. 46,
S. 349, 23—29).
1) Heiliger (das substantivierte Adjektiv „*heilig*" ist hier trotz der vorangehenden
unbestimmten Artikels schwach dekliniert).   2) Vgl. Joh. 20, 17 (Auslegungstext).
3) Zipfelchen.

662bb [Bd. 13, S. 1558 Nr. 11 u. S. 1498 Nr. 16]   Kurtzes Seuffzerlein zu GOtt
in Verfolgung.

Lieber GOTT, dir sey die Sach befohlen, du wirst und kanst sie wol straffen und
leider allzuschröcklich.

Aus: Crucigers Sommerpostille (zu 1. Petr. 2, 20—25) (1544) = WA Bd. 21, S. 310, 36. 37.

662 cc [Bd. 13, S. 1558 Nr. 15 u. S. 411 Nr. 16] Seuffzerlein, daß der Tag unser Erlösung und ewiger Herrligkeit bald komme.

GOtt gebe, daß derselbige fröliche und seelige Tag unser Erlösung und Herrligkeit bald komme, und wir solches alles erfahren, wie wirs jetzt im Wort hören und glauben.

Aus: Crucigers Sommerpostille (zu Röm. 8, 18 ff.) (1544) = WA Bd. 22, S. 54 (Bd. 41, S. 318, 17—19). Vgl. Gebet Nr. 626 [B].

662 dd [Bd. 13, S. 1558 Nr. 17 u. S. 574 Nr. 52] Kurtzes Seuffzerlein zu GOtt, daß er [mich] nicht verlassen wolle.

Ach, GOtt, es ist waar, ich bin ja nichts, du wilt mich aber darumb nicht verlassen, das weiß ich und bins gewiß. Zum andern straffet GOTT äusserlich, so Er gleich nicht ins Hertz greifft und straffet, sondern außwendig durch Leuthe tadelt, dann Sein Gericht und Straffen seyn mancherley: Als wann Er uns Leuthe zuschicket, die unser Ding verdammen und gar zu nicht machen. Da soll man dencken, wolan, soll es nicht recht seyn, so sey es nicht recht, ich wills gern verworffen und verdampt haben, ich bins wol werth. So daß ich auch allda still stehe und falle nicht ab.

Aus: Roths Festpostille (zu Luk. 10, 38—42) (1527) = WA Bd. 10^{III}, S. 271, 4—9 und Bd. 17^{II}, 478.

6. Der verborgene ... Schatz (Thering): Nr. 663

663 [531] Gespräch zu Christo wegen Schwachheit des Glaubens.

Siehe, mein lieber HErr JEsu CHriste, es ist mir leid, daß ich so schwach und kranck bin, daß ich von wegen deiner unschätzlichen Liebe gegen uns nicht in einem so reinen Vertrauen stehe. Darumb, mein lieber HErr, nim mich an in dem Glauben der gantzen Christlichen Kirchen oder aber dieses Menschen; denn es halt sich mit mir, wie es wolle, so muß ich deiner Kirchen gehorsam seyn, welche mich heisset zu dem Sacrament gehen, und ob ich gleich nichts anders bringe, so komme ich doch zu dem Sacrament in solchem Gehorsam.

Aus: Sermo de digna praeparatione cordis (1518) = WA Bd. 1, S. 333, 18—23 (deutsche Übersetzung).

7. Der andächtig betende Lutherus (Reuchel): Nr. 664—713

664   [20]   Morgensegen.

Ich dancke dir, mein himmlischer Vater, durch JEsum Christum, deinen lieben
Sohn, daß du mich diese Nacht für allem Schaden und Gefahr behütet hast, Und
bitte dich, du wollest mich diesen Tag auch behüten für Sünden und allem Übel,
daß dir alle mein Thun und Leben gefalle; denn ich befehle mich, mein Leib
und Seele und alles in deine Hände, dein heiliger Engel sey mit mir, daß der
böse Feind keine Macht an mir finde.

Aus: Kleiner Katechismus (1529) = WA Bd. 30^I, S. 321, 6—20. Vgl. Gebet Nr. 25.

Fundorte: Luthers Betbüchlein, Ausgabe Nürnberg 1536, jedoch in Wir-Form. Vgl. WA
Bd. 10^{II}, S. 481.   Feuerzeug christlicher Andacht 1537, Bl. G 7^a (= Bibliographie II, 1).
Gebete des Kurfürsten Johann Friedrich (1557) 1560, Bl. 21^a (= Bibliographie II, 3).
Trostbüchlein (Walther) 1558, Bl. S 4^b (= Bibliographie II, 4).   Handbüchlein
(Schemp) 1561, Bl. 9^b (= Bibliographie II, 5).   Neues christliches Betbüchlein (Magde-
burg) 1587, S. 10. (= Bibliographie II, 8).   Sächsische Kirchenordnung 1555, jedoch in
Wir-Form (Sehling Bd. 1, S. 276).

665   [22]   Abendsegen.

Ich dancke dir, mein himmlischer Vater, durch JEsum Christum, deinen lieben
Sohn, daß du mich diesen Tag so gnädiglich behütet hast, Und bitte dich, du
wollest mir vergeben alle meine Sünde, wo ich unrecht gethan habe, und mich
diese Nacht auch so gnädiglich behüten; denn ich befehle mich, mein Leib und
Seele und alles in deine Hände, dein heiliger Engel sey mit mir, daß der böse
Feind keine Macht an mir finde.

Aus: Kleiner Katechismus (1529) = WA Bd. 30^I, S. 323, 4—17. Vgl. Gebet Nr. 26.

Fundorte: Feuerzeug christlicher Andacht 1537, Bl. G 7^b.   Trostbüchlein (Walther)
1558, Bl. S 5^a.   Handbüchlein (Schemp) 1561, Bl. 12^a.   Neues christliches Betbüchlein
(Magdeburg) 1587, S. 16.   Sächsische Kirchenordnung 1555, jedoch in Wir-Form (Sehling
Bd. 1, S. 276).

666   [84]   Tisch-Gebet vor dem Essen. Das Benedicite.

‚Aller Augen warten auff dich, HErr, und du giebest ihnen ihre Speise zu seiner
Zeit, du thust deine Hand auff und sättigest alles, was da lebet, mit Wohlgefallen‘[1].

Darnach das Vater Unser und diß folgende Gebet:

HErr GOTT, himmlischer Vater, segne uns und diese deine Gaben, die wir von
deiner milden[2] Güte zu uns nehmen durch JEsum Christum, unsern HErrn.

Aus: Kleiner Katechismus (1529) = WA Bd. 30^I, S. 325, 1—6. 14—20. Vgl. Gebet Nr. 27.

Fundort: Handbüchlein (Schemp) 1561, Bl. 10^a (= Bibliographie II, 5).

1) Ps. 145, 15 f.   2) freigebigen.

667   [85]   Nach dem Essen. Das Gratias.

‚Dancket dem HErrn, denn er ist freundlich, und seine Güte währet ewiglich'[1], ‚der allem Fleische Speise giebt'[2], ‚der dem Vieh sein Futter giebt, den jungen Raben, die ihn anruffen. Er hat nicht Lust an der Stärcke des Rosses noch Gefallen an iemandes Beinen. Der HErr hat Gefallen an denen, die ihn fürchten und auff seine Güte warten'[3].

Darnach das Vater Unser und diß folgende Gebet:

Wir dancken dir, HErr GOtt, himmlischer Vater durch JESUM Christum, unsern HErrn, für alle deine Wohlthat, der du lebest und regierest in Ewigkeit.

Aus: Kleiner Katechismus (1529) = WA Bd. 30^I, S. 325, 26—29; 327, 1—15. Vgl. Gebet Nr. 28.

Fundort: Handbüchlein (Schemp) 1561, Bl. 11^a (= Bibliographie II, 5).

1) Ps. 106, 1.   2) Ps. 136, 25.   3) Ps. 147, 9—11.

668   [227]   Am grossen Neuen-Jahrs-Tage[1].

Lieber GOTT, führe uns mit den Weisen durch den Stern deines heiligen Worts zu deinem Sohn Christo JEsu[2] und bewahre uns vor allem Anstoß[3] in Ewigkeit, so kommen wir recht in unser Vaterland, da wir herkommen sind, das ist zu GOtt, von dem wir geschaffen sind, und kommt das Ende mit dem Ursprung wieder zusammen wie ein güldener Ring. Das helff uns GOTT durch Christum, unsern König und Priester, in Ewigkeit.

Aus: Weihnachtspostille (zu Matth. 2, 1—12 (1522) = WA Bd. 10$^{I, 1}$, S. 727, 22—728, 4.

Fundorte: T/Anh. 291.   W^1 Bd. 11, 589.

1) In Nordfranken gebräuchliche Bezeichnung des Dreikönigstages (6. Januar); vgl. H. Grotefend, Zeitrechnung des deutschen Mittelalters und der Neuzeit Bd. 1 (Hannover 1891), S. 77; J. A. Schmeller—G. K. Frommann, Bayerisches Wörterbuch Bd. 1, Sp. 1210. 2) Matth. 2, 1 f. (Predigttext).   3) Anfechtung.

669   [229]   Ein anders.

Lieber GOtt und Vater, verleihe uns um JESU, deines Sohns, willen durch deinen Geist deine Gnade, daß wir dem lieben Simeon nachsingen und auch ‚im Friede fahren'[1] mögen.

Aus: Hauspostille (zu Luk. 2, 22—32) (1559) = E. A^2. Bd. 6, 334, 36—40 (WA Bd. 34^I, S. 153 App. zu Zl. 14; vgl. Bd. 52, S. XV).

Fundorte: W^1 Bd. 13, 2549*.   C 68.

1) Luk. 2, 29.

670   [230]   Am Fest der Empfängniß JEsu Christi oder der Verkündigung Mariä[1].

Gütiger GOTT, gnädiger Vater, wir dancken dir für deine Gnade, daß du deinen lieben Sohn in dem Jungfräulichen Leibe der Marien hast lassen einen wahren Menschen empfangen werden, daß er unsere unreine, unheilige Empfängniß und Geburt gereiniget, den Fluch von uns genommen[2] und den Seegen über uns bracht hat. Wir haben von Natur eine unflätige, sündliche Empfängniß und Geburt. Und durch seine heilige Empfängniß und Geburt wird unsere unreine Natur, Fleisch und Blut geseegnet und geheiliget. Darauff sind wir in die Tauffe gestellt[a], auff daß wir, durch das Mittel seines Worts, Sacraments und Geistes seiner heiligen Empfängniß und Geburt geniessen[3] mögen. Ach gib, daß wir dir für solche Gnade ewig danckbar seyn!

Aus: Hauspostille (zu Luk. 1, 26—38) (1559) = E. A². Bd. 6, 345, 18—30 (WA Bd. 36, S. 144, 14—145, 3; vgl. Bd. 52, S. 634, 9—12).

Fundort: W¹ Bd. 13, 2575.

a) *gesteckt* Luther.

1) 25. März.   2) Vgl. Gal. 3, 13.   3) Zum Genitiv vgl. Dietz Bd. 2, S. 77; Franke Bd. 3, S. 102.

671   [231]

Verleihe uns deine Gnade, daß wir bey diesem Articul[1] feste bleiben und durch Christum selig werden.

Aus: Hauspostille (zu Luk. 1, 26—38) (1559) = E. A². Bd. 6, 351, 31—33 (WA Bd. 37, S. 338, 25 f.; vgl. Bd. 52, S. XXV). Vgl. Gebet Nr. 717.

Fundort: W¹ Bd. 13, 2583.

1) des Glaubensbekenntnisses: *„qui conceptus est de spiritu sancto“*.

672   [233]   Ein ander Seuffzer.

Lieber GOtt, verleihe uns durch Christum deinen Heiligen Geist, daß wir solcher deiner Aufferstehung uns recht trösten[1] und in solchem Glauben und Zuversicht und Hoffnung von Tage zu Tage zunehmen und endlich dadurch seelig werden.

Aus: Hauspostille (zu Matth. 28, 1—10) (1544) = WA Bd. 52, S. 259, 20—23.

Fundorte: T/Anh. 295.   W¹ Bd. 13, 1127*.   C 70.

1) S. o. Nr. 622 Anm. 2.

673   [234]   Ein anders.

Lieber HErre GOtt, unser gnädiger Vater im Himmel, wir sehen, wie ein tröstlich und freundlich Fest wir an der Himmelfahrt unsers lieben HErrn Christi haben. Derohalben loben, dancken und preisen wir dich und bitten, du wollest uns in solcher Gnade erhalten und endlich um JEsu Christi, deines Sohnes, willen ein seelig Sterb-Stündlein bescheren, daß wir ihm seelig nachfahren und das ewige Leben und Seeligkeit samt ihm besitzen, das verleihe uns, lieber HErr.

Aus: Hauspostille (zu Luk. 24, 50—53) (1544) = E. A². Bd. 2, S. 284, 24—26 und 285, 7—11 (vgl. WA Bd. 52, S. XIX).
Fundorte: T/Anh. 295.   W¹ Bd. 13, 1320.   C 70.   Vgl. Schulz Nr. 41.

674   [235]   Ein anders.

Heiliger GOtt, himmlischer Vater, wir freuen uns über unsere Pfingsten von Hertzen, weil dieselben weit herrlicher sind denn der Jüden Pfingsten[1], Sintemahl der Heilige Geist durch Christum über alles Fleisch ist ausgegossen worden, daß wir durch das Evangelium GOtt erkennen und durch den Heiligen Geist heilig und fromm werden an Seel und Leib, so wir uns anders recht Christlich mit Beten, Predigt-hören und einem unärgerlichen[2] Wandel darzu schicken wollen.

Aus: Hauspostille (zu Apg. 2, 1—4) (1544) = WA Bd. 52, S. 320, 20—25.
Fundorte: T/Anh. 295.   W¹ Bd. 13, 1411.   C 71.   Vgl. Schulz Nr. 42.
1) Wochenfest (Fest der Erstlinge), das 50 Tage nach dem Passah gefeiert wird; vgl. 2. Mose 23, 16; 3. Mose 23, 15 ff.   2) unanstößigen.

675   [235]

Drum, gnädiger Vater, verleihe uns solche deine Gnade, daß wir Christum lieben und an seinem Worte bleiben und dasselbe durch seinen Heiligen Geist behalten und also mögen seelig werden, darzu helffe uns durch Christum der Heilige Geist.

Aus: Hauspostille (zu Joh. 14, 23—31) = WA Bd. 52, S. 325, 27—29; 320, 26.
Fundorte: T/Anh. 296.   W¹ Bd. 1397*.   C 71.   Vgl. Schulz Nr. 42.

676   [236]   Ein ander kurtzer Seuffzer.

Wir gläuben an GOtt Vater, GOtt Sohn und GOtt den Heiligen Geist. GOtt helffe uns allen, daß wir in solcher Lehre und Glauben biß an unser Ende beständig und rein erfunden werden.

Aus: Predigt vom 23. Mai 1535 (Trinitatis) (1535) = WA Bd. 41, S. 270, 4; 279, 37 f.
Fundorte: T/Anh. 296.   W¹ Bd. 13, 1523.   C 71.

677   [237]   Am Fest Johannis des Täuffers[1].

Wir dancken dir, lieber HErr GOtt, und loben dich, daß du uns den lieben Johannem gegeben und durch ihn das fröliche Wort und den seeligen Finger kommen lassen, welcher auff Christum, ‚das Lamm GOttes‘[2], gewiesen[3], daß wir wissen, wo wir Seeligkeit und ewiges Leben finden sollen, uns weder vor Sünde noch Tod fürchten dürffen[4], sondern GOttes Güte und Gnade uns in Ewigkeit trösten mögen, das verleihe GOtt uns allen.

Aus: Hauspostille (zu Luk. 1, 57—80) (1544) = WA Bd. 52, S. 654, 13—16. 19 f. (gleichlautend in der Hauspostille 1559 E. A². Bd. 6, S. 377, 5—9. 13—16).
Fundort: W¹ Bd. 13, 2663.
1) 24. Juni.   2) Joh. 1, 29.   3) Vgl. RN 48, 132 (Nr. 178), 6 f.   4) zu ... brauchen.

678   [237]   Am Tage Mariä Heimsuchung[1].

HErr, es sind deine Gaben, die du an uns beweisest, und ich dancke dir darum, dieweil ichs weiß, daß es deine Güter[a] und nicht mein sind. Wir sehen, daß das liebe Jungfräulein mit ihrem Exempel im Glauben, Zucht und Demuth[2] uns vorgehet zum Exempel. Gib uns Gnade durch deinen Heiligen Geist, daß wir nachfolgen und im Glauben, Liebe und allerley[3] Zucht zunehmen.

Aus: Hauspostille (zu Luk. 1, 54 f. (1559) = E. A². Bd. 6, S. 412, 37—40; 413, 1 (WA Bd. 36, S. 214, 14 f.; vgl. Bd. 52, S. 698, 20—24).
Fundorte: T/Anh. 298.   W¹ Bd. 13, 2753.   Vgl. Schulz Nr. 43.
a) Güte Druckf.
1) 2. Juli.   2) Diese drei Tugenden ergeben sich aus dem ausgelegten Text (Luk. 1, 39—56): „Glauben" insbes. aus v. 38 und 45 (vgl. WA Bd. 29, S. 444, 10—445, 2/21—23; 446, 15 f.), „Zucht" aus v. 39 (Luther übersetzt „μετὰ σπουδῆς/ cum festinatione" bis 1527 mit: „mit zuchten" [WA Bibel Bd. 6, S. 212/213]; vgl. dazu z. B. WA Bd. 17¹, S. 322, 7—27; Bd. 20, S. 450, 14—23; Bd. 36, S. 207, 16—210, 9; Bd. 47, S. 827, 23/36—828, 14/34), „Demut" aus v. 48 (in der Bibel übersetzt Luther „ταπείνωσις/humilitas" mit: „nydrickeyt" [WA Bibel ebd.]; vgl. dazu z. B. WA Bd. 7, S. 559, 31 ff.; Bd. 29, S. 453, 12 ff./27 ff.; Bd. 36, S. 210, 10—212, 26; Bd. 37, S. 95, 23 ff.; Bd. 41, S. 361, 22 ff.; Bd. 45, S. 105, 27 ff.).   3) jeder Art von.

679   [238]   [Ein anderes].

Verleihe uns um Christi willen deinen Heiligen Geist, daß wir auch lernen gottesfürchtig, demüthig und züchtig seyn[1] und endlich[2] der Barmhertzigkeit uns trösten[3], die dem Abraham zugesagt[4], uns aber durch Christum, den Sohn GOTTes, reichlich ist geleistet worden.

Aus: Hauspostille (zu Luk. 1, 54 f.) (1544) = WA Bd. 52, S. 699, 1—4.
Fundort: W¹ Bd. 13, 2753.
1) S. o. Nr. 678 Anm. 2.   2) endgültig.   3) S. o. Nr. 622 Anm. 2.   4) Luk. 1, 54 f. (Predigttext); s. auch o. Nr. 258 Anm. 1.

680   [238]   Am Michaelis oder Engel-Feste[1].

Lieber HERR und gütiger GOtt, wir dancken dir, daß du uns die lieben, heiligen Engel gegeben hast, die uns als ein Wall vertreten[2] und schützen wieder den Teuffel. Denn so uns die lieben Engel nicht stets bewachten, so würden wir wohl[3] in einer Stunde zehn mahl erwürget[4]. Drum weil sie uns also behüten und bewahren, daß uns der Teuffel nicht Schaden thun könne, laß deine Engel ferner mit uns seyn, daß sie uns regieren, führen und schützen wieder den Teuffel! Behüte uns auch für allem Ärgerniß und erhalte uns in rechtem Glauben bey deinem Wort ohne alle Ärgerniß gnädiglich und mache uns selig.

Aus: Hauspostille (zu Matth. 18, 1−10) (1559) = E. A². Bd. 6, 448, 20−27 (WA Bd. 37, S. 153, 22−25).
Fundorte: T/Anh. 298. W¹ Bd. 13, 2873.
1) 29. September.   2) beschützen, verteidigen.   3) sicher, bestimmt.   4) getötet; vgl. RN 48, 52 (Nr. 68), 23 f.

681   [249]   [Beichte zu Gott].

Das wilt du, lieber HERR, daß sich der Mensch für einen Sünder erkenne und sein gantz Leben nicht anders halte denn ein Gebet, eine Begierde, ein Seuffzen nach deiner Barmhertzigkeit. Drum, o HErr, vernimm und habe acht auff die Stimme meines Gebets, verachte nicht meine Wort, die du hörest und merckest[1].

Aus: Operationes in Psalmos (zu 5, 2) (1519) = WA Bd. 5, S. 127, 35−37; 128, 8 f. (deutsche Übersetzung).
Fundort: W¹ Bd. 4, 456.
1) Vgl. 5. Mose 27, 9; Ps. 55, 3.

682   [263]

Denn ob ich wohl auffs allerbeste gelebet habe für den Leuten, aber das alles, was ich gethan oder gelassen, bleibe dort unter dem Richter-Stuhl und gehe, wie ihm GOtt will[1]. Ich aber weiß keinen andern Trost, Hülffe, noch Rath meiner[2] Seeligkeit, denn daß Christus mein Gnaden-Stuhl[3] ist, der keine Sünde noch Böses gethan hat und für mich beyde[a] gestorben und[4] aufferstanden ist, zur Rechten des Vaters sitzet und mich zu sich nimmt unter seinen ‚Schatten[5]' und Schutz, daß ich deß[6] keinen Zweiffel habe, daß ich für GOtt durch ihn sicher sey für allem Zorn und Schrecken.

Aus: Predigt vom 24. November 1532 (zu 1. Tim. 1, 5) (1533) = WA Bd. 36, S. 370, 38−371, 6.
Fundorte: W¹ Bd. 9, 556*.
a) *für mich gestorben . . . mich beyde zu sich nimmt* Druckf.
1) S. o. Nr. 656 Anm. 3.   2) Hilfe für meine.   3) Vgl. Röm. 3, 25; Hebr. 4, 16.
4) sowohl . . . als auch.   5) Vgl. z. B. Ps. 17, 8; 36, 8; 91, 1 u. ö.   6) daran.

683   [277]   Noch ein Seuffzer.

Ich Gläube und bekenne, daß ich für GOtt ein armer Sünder bin und verdammt sey, und erschrecke dafür von Hertzen, daß ich meinem GOtt je und je[1] ungehorsam gewesen, seine Gebot nie recht angesehen und betrachtet. Jedoch verzweiffele ich nicht, sondern lasse mich zu Christo weisen, Gnade und Hülffe bey ihm zu suchen, und gläube auch fest, ich werde es finden. Denn er ist ‚GOttes Lamm', von Ewigkeit darzu versehen[2], daß er ‚aller Welt Sünde tragen[3]' und durch seinen Tod bezahlen soll. Darum bitte ich dich, wasche mich, absolvire mich um Christus willen[4], so weiß ich, daß du mir gnädig bist, ich Vergebung der Sünden habe und rein und Schnee-weiß bin.

Aus: Predigt vom 1. April 1540 (zu Matth. 3, 2) (1541) = WA Bd. 49, S. 119, 11—17; 122, 32—34; Vgl. Gebet Nr. 268.

Fundort: W[1] Bd. 7, 993.

1) immer.   2) vorherbestimmt.   3) Joh. 1, 29.   4) Vgl. Eph. 5, 26.

684   [302] Gebet, daß uns GOtt für fernern Sünden behüte und, so wir sündigen, uns dieselben nicht zurechne.

O du gütiger, barmhertziger GOtt, du lieber Vater im Himmel, du hast uns aus Gnaden und hitziger[1] göttlicher Liebe deinen lieben Sohn geschenckt und mit ihm alle Gnade, Heil und Seeligkeit; wir bitten dich, lieber Vater, erhalt uns solch seelig Geschenck und himmlische Gabe, den freundlichen Anblick deines lieben Sohnes JEsu Christi, daß wir ihn ja nicht durch Undanckbarkeit verlieren oder sonst darum kommen. Wir sind fürwahr arme, elende, schwache und gebrechliche Menschen, fallen aus einer Sünde in die andere, sündigen jetzt mit Gedancken, jetzt mit Worten, mit Wercken, und hat Mühe und Arbeit mit uns, daß wir bestehen. Da ist nimmer keine Ruhe, kein Fried, der Teuffel[2] lauret auff unsere Gedancken, schüret und bläset immer zu, die Welt[2] lauret auff unsere Wort und Werck, Wesen und Leben und giebt uns viel Ärgerniß[3] und Ursach zu Sünden, unser eigen Fleisch[2] feyret[4] auch nicht, ohne[5] was zufällige Sünde[6], Laster und Untugenden sind, die uns täglich überfallen[7], die unser Gewissen greulich[8] beschweren und die Freude unsers Hertzens gar[9] zu nichte machen und in eitel Trauren und Betrübnissen verwandeln. Darum bitten wir dich, du gütiger und barmhertziger GOtt, ob wir vielleicht versäumlich[10] und undanckbar worden sind und nicht so wandeln, wie wir billig[11] wandeln sollen, so bleib du doch unser gnädiger GOtt, sey uns freundlich, tröstlich, gütig und barmhertzig, laß uns unser mannigfältigen Sünden nicht entgelten, sondern reinige durch dein Wort unser Hertz und Gewissen, auff daß wir dir in Friede und Freude dienen mögen, dich loben, ehren und preisen zeitlich[12] und ewiglich.

Aus: Enarratio Psalmi XC (zu v. 17) (1541) = WA Bd. 40[III], S. 589, 36—590, 16 (deutsche Übersetzung). Vgl. Gebet Nr. 276.

Fundorte: T/Anh. 302.   W[1] Bd. 5, 1167.   Ferner: Neues christliches Betbüchlein (Magdeburg) 1587, S. 354 (= Bibliographie II, 8).

1) heißer (D. Wb. Bd. 4[II], Sp. 1584).   2) Zur Trias ‚Teufel — Welt — Fleisch' vgl. RN 48, 12 (Nr. 14), 5—8.   3) Anstoß.   4) ruht.   5) abgesehen von dem.
6) (im Gegensatz zur Erbsünde) *„zufällig"* im Sinne von *„überfallen"*   7) überraschend heimsuchen.   8) fürchterlich.   9) ganz.   10) säumig.   11) angemessener-, rechtmäßigerweise.   12) in diesem Leben; vgl. WA Bd. 30[I], S. 372, 1 f.

685   [346]   Dancksagung nach dessen Überwindung.

Lieber HErre GOtt, wie bin ich in so grosser Angst und Beschwerung gewest, darzu in grossem Schrecken, aber GOTT sey Lob und Danck, ich bin nun herauskommen und bin genesen, meine Seele ist erlöset und errettet aus aller dieser Angst. Nun dancke ich dem HErrn!

Aus: Genesisvorlesung (zu 32, 24–31) (1552) = WA Bd. 44, S. 108, 14–17 (deutsche Übersetzung).

Fundorte: T/Anh. 307.   W¹ Bd. 2, 1172*.   K 222.

686   [352]   Um Erhaltung der wahren Kirche.

Lieber GOtt, laß uns alle bey deinem Wort und der Policey¹ bleiben; ‚Barmhertzigkeit, Wohlthat, das bleibe bey mir mein Lebenlang‘², darum bitte ich, Psalm 68: ‚Stärcke uns das, so du an uns gewircket hast‘³, höre nicht auff und laß es bleiben bey denen⁴ vergangenen Wohlthaten, sondern vermehre dieselben mit den zukünfftigen, laß nicht ab, so lange ich hie auff Erden bin; sonderlich erhalte uns das Wort, wie du es uns gegeben, und ‚laß uns wohnen im Hause des HErrn‘², daß GOTTes Wort gehöret wird.

Aus: Coburgpsalmen (zu 23, 6) (1559) = WA Bd. 31ᴵ, S. 369, 26–31. 33–35. (deutsche Übersetzung).

Fundorte: T/Anh. 307.   W¹ Bd. 4, 2119*.   K 195.
    1) Regierung, weltlichem Regiment.   2) Ps. 23, 6 (Predigttext).   3) Ps. 68, 29.
4) Zu dieser Form des Dativ pluralis des bestimmten Artikels vgl. Dietz Bd. 1, S. 425.

687   [382]   Dancksagung für die Kirche GOttes.

[A] Gott sey gelobet und gebenedeyet, der nach unergründlichem Reichthum seiner Barmhertzigkeit uns zu diesen Zeiten wieder auffgerichtet sein heiliges Evangelium von seinem Sohne, unserm HErrn JEsu Christo, durch welchen wir zum rechten Erkenntniß¹ des ‚Vaters aller Barmhertzigkeit‘² kommen, die er durch ihn auff uns, die wir gläuben, reichlich überschüttet hat nach dem greulichen Finsterniß³ und Irrthum des Anti-Christs, darinnen wir alle ersoffen⁴ gewesen sind bißher und dem GOtt dieser Welt sauren⁵ und schweren Dienst geleistet haben mit Sünden und allerley ungöttlichem Wesen.
[B] Wir bitten den Vater aller Barmhertzigkeit ...

Aus: Epistel oder Unterricht von den Heiligen (1522)
[A] = WA Bd. 10ᴵᴵ, S. 164, 5–13. 15–165, 12.
[B] = Gebet Nr. 204.
    Fundorte: T/Anh. 308.   W¹ Bd. 19, 1194.   C 71.
    1) S. o. Nr. 177 Anm. 1.   2) 2. Kor. 1, 3.   3) S. o. Nr. 218 Anm. 2.   4) versunken; vgl. WA Bd. 30ᴵᴵ, S. 644, 12.   5) widerwärtigen.

688 [385] Ein anders.

Gelobet und gebenedeyet sey GOTT und der Vater unsers HErrn JEsu Christi,
der zu diesen letzten Zeiten so viel Hertzen erleuchtet und Christlichen Verstand
auch in den Läyen erweckt, daß man in aller Welt anfähet, den rechten Unter-
scheid zu sehen der gefärbten[1] und gleissenden Kirchen oder Geistlichkeit von der
recht grund-guten[2] Kirchen, die uns bißher so lange mit heiligen Kleidern, Geberden[3], Wercken und dergleichen äusserlichen Scheinen und Menschen-Gesetzen verborgen und versetzt[4] gewesen, daß wir auch zuletzt[a] mehr mit Geldgeben denn
mit gläuben seelig zu werden gelehret sind. Es will und mag[5] (als wir sehen und
billich[6] hoffen und bitten sollen) seine göttliche Güte solchen Greuel und Irrthum,
in seiner Kirchen wütend, nicht länger dulten, Amen, Amen[7]! GOtt wolle solch
sein Werck, angefangen nach seiner Barmhertzigkeit, vollziehen[8] und uns Gnade
geben, solche seine Gnade zu erkennen, bedancken[9] und um ein seeliges Ausführen
ernstlich bitten, daß die armen Seelen nicht mehr so kläglich durch solche Trügerey
und Gauckel-Kirchen[10] verführet werden.

Aus: Grund und Ursach aller Artikel (1521) = WA Bd. 7, S. 309, 7−17. 26−29.
Fundort: W[1] Bd. 15, 1752.
a) zuietzt Druckf.
1) trügerischen, heuchlerischen; s. o. Nr. 520 Anm. 1.   2) Zur Wortbildung vgl. Dietz
Bd. 2, S. 178.   3) Gehabe (Dietz Bd. 2, S. 17).   4) verstellt, verdeckt.   5) kann.
6) zu Recht.   7) S. o. Nr. 372 Anm. 4.   8) vollenden; vgl. Phil. 1, 6.   9) dafür
zu danken (D. Wb. Bd. 1, Sp. 1719).   10) falsche Kirchen.

689 [387] Dancksagung für erhaltene Schule.

Allmächtiger GOtt, ewiger Vater unsers HErrn JEsu Christi, wir dancken dir,
daß du diese Schule so lange Zeit erhalten und uns auch zur Gemeinschafft derselbigen beruffen hast, und bitten dich von gantzem Hertzen, daß du auch forthin unter uns dir eine Kirche und in diesen Landen die Versammlung derer, so
recht lehren und lernen, erhalten und die Regiment, so ihnen Herberge geben,
schützen wollest.

Aus: Melanchthon, *Argumentum concionum prophetae Haggai* = *Opera Melanchtho-
nis* II (Wittenberg 1562), S. 528[1] Witt. IV (1552), Bl. 666[a]−[b] (deutsche Übersetzung).
Fundort: T/Anh. 309.
1) CR Bd. XIII, Sp. 983, 8−14: *Tibi igitur, Deus omnipotens, aeterne pater Domini
nostri Iesu Christi, gratis ago, quod et illam scholam tam diu servasti et nos ad eius
societatem vocasti, et toto pectore te oro, ut et inter nos deinceps tibi Ecclesiam colligas
et serves in his regionibus coetus recte docentium et discentium et eorum hospitia pro-
tegas.*

690 [393] Trost-Gebet in Sterbens-Läufften[1] oder zur Pest-Zeit eines, der sich
fürchtet und so Amts halber verbunden[2] ist zu bleiben.

Hebe dich, Teuffel[3], mit dem Schrecken! Weil dichs verdreust, so will ich dir zu
Trutz nur desto eher hinzugehen zu meinem krancken Nechsten, ihm zu helffen,

und ich will dich nicht ansehen, sondern mich auff den HErrn, meinen GOtt, verlassen. Denn ich weiß fürwahr, daß diß Werck GOtt und allen Engeln wohlgefället und, wo ichs thue, daß ich in seinem Willen und rechtem Gottesdienst und Gehorsam gehe, und sonderlich, weil es dir so übel gefället und du dich so harte darwieder setzest, so muß es freylich[4] insonderheit GOtt gefallen. Wie willig wolte ichs thun, wenns nur einem Engel wohl gefiele, der mir zusähe und sich mein[5] darüber freuete. Nun[6] es aber meinem HErrn JEsu Christo und dem gantzen himmlischen Heere wohlgefället und ist GOttes, meines Vaters, Willen und Gebot, was solte mich dein Schrecken denn bewegen, daß ich solche Freude im Himmel und Lust meines HErrn solte hindern und dir mit deinem Teuffel[a] in der Hölle ein Gelächter und Gespött über mich anrichten und hofieren[7]? Nicht also, du sollsts nicht enden[8]. Hat Christus sein Blut für mich vergossen[9] und sich um meinet willen in den Tod gegeben, warum solte ich nicht auch um seinet willen mich in eine kleine Gefahr geben und eine ohnmächtige[10] Pestilentz nicht dürfen[11] ansehen? Kanstu schrecken, so kan mein Christus stärcken. Kanstu tödten, so kan Christus Leben geben. Hast du Gifft im Maul, Christus hat noch vielmehr Artzeney. Solte mein lieber Christus mit seinem Gebot[b], mit seiner Wohlthat und allem Trost nicht mehr gelten in meinem Geist denn du, leidiger Teuffel, mit deinem falschen Schrecken in meinem schwachen Fleische? Das wolte GOtt nimmermehr! Heb dich, Teuffel[3], hinter mich[12], hie ist Christus und ich sein Diener in diesem Werck, der solls walten[13].

Aus: Ob man vor dem Sterben fliehen möge (1527) = WA Bd. 23, S. 357, 11—359, 2. Fundorte: T/Anh. 310. W[1] Bd. 10, 2333*.

a) *deinen teuffeln* Luther.   b) *Gebet* Druckf.

1) S. o. Nr. 619 Anm. 3.   2) verpflichtet; s. auch o. Nr. 619 Anm. 1 und 2.   3) Vgl. Matth. 4, 10.   4) gewiß.   5) meiner; zum Genitiv vgl. Dietz Bd. 1, S. 711; Franke Bd. 3, S. 106.   6) Da (kausale Konjunktion wie mhd.; vgl. D. Wb. Bd. 7, Sp. 989 f.). 7) schmeicheln.   8) vollenden; zur trans. Form vgl. D. Wb. Bd. 3, Sp. 459 f.; Dietz Bd. 1, S. 532 f.   9) Vgl. Matth. 26, 28 parr.   10) machtlose.   11) zu ... brauchen.   12) Wörtliche Übersetzung des lateinischen Bibeltextes Matth. 4, 10 und 16, 23 („*vade post me*"); in der Bibel übersetzt Luther: „*Heb dich (weg) von mir*" (WA Bibel Bd. 6, S. 24/25; 76/77); vgl. auch ebd. Bd. 9[II], S. 34 f. (2. Kön. 9, 18 f.: „*Wende dich hinter mich*").   13) beschützen, sich dessen annehmen (D. Wb. Bd. 13, Sp. 1376 f.).

691   [402]   Gebet in und bey allgemeinen Straffen und Land-Plagen.

O du gütiger GOtt, barmhertziger HErr, hast du dich von uns durch deinen grimmigen Zorn um der Sünde willen abgewendet und unser Lebenlang mit Angst und Trübsal, auch mit der Hölle und ewigem Tode gedräuet und auffs höchste geängstet, so laß nun ab, lieber Vater, ‚kehre dich wieder zu uns', laß dich erbitten und ‚sey deinen Knechten gnädig, fülle uns frühe mit deiner Gnade, so wollen wir rühmen und frölich seyn unser Lebenlang'[1].

Aus: Enarratio Psalmi XC (zu v. 13 f.) (1541) = WA Bd. 40[III], S. 581, 11 f. (deutsche Übersetzung).

Fundort: T/Anh. 311.
1) Ps. 90, 13 f.

692   [403]   Ein anders.

O du gütiger, barmhertziger GOTT, du hast uns wie ‚das Graß, das frühe blühet‘, durch deinen Zorn und Grimm lassen ‚welck‘ und dürre werden[1], unser Leben verkürtzet und deine Ungnade über uns ausgeschüttet. Wir bitten dich, lieber, barmhertziger GOtt, ‚kehre dich wieder zu uns, fülle uns frühe mit deiner Gnade‘[2], nicht mit einer schlechten[3], geringen und eintzeln Gnade, dadurch die Haußhaltung[4], das weltliche Regiment oder Predigt-Amt oder Gesundheit des Leibes erhalten werde, sondern gib uns eine reiche, überschwengliche, ewige Gnade[5], durch welche wir ewig erhalten und vom Teuffel, Tod, Sünde und Hölle errettet werden.

Aus: Enarratio Psalmi XC (zu v. 13 f.) (1541) = WA Bd. 40[III], S. 581, 21–23 (deutsche Übersetzung). Vgl. Gebet Nr. 742.
Fundorte: G IX, 1938.   T/Anh. 312.   W[1] Bd. 5, 1158*.   K 212.
1) Ps. 90, 5 f.   2) Ps. 90, 13 f.   3) einfachen.   4) S. o. Nr. 553 Anm. 2.
5) Vgl. 2. Kor. 4, 15; 9, 14.

693   [404]   In grosser Noth und Gefahr.

Ich weiß gewiß, daß mich dennoch unser HErr GOtt hertzlich lieb hat, ob ich gleich jetzt in dieser grossen Noth stecke, und sehe nicht, wie mir geholffen könte werden. Ich befehle es aber meinem lieben GOtt, der jetzt in diesem Jammer auff mich siehet wie eine Mutter auff ihr Kindlein, das sie unter ihrem Hertzen getragen hat, der wird es wohl machen, den will ich auch drum bitten und gewißlich gläuben, daß er mich hören und erretten wird. Denn wenn die Gerechten schreyen, so erhöret der HErr und errettet sie aus aller ihrer Noth.

Aus: Bibeleinzeichnung (zu Ps. 34, 16) (1547) = WA Bd. 48, S. 40, 5–11 (Nr. 50).
Fundorte: T/Anh. 312.   W[1] Bd. 9, 1363*.

694   [405]   In langwierigem Leiden.

Ach lieber HErre GOtt, du hast uns fürwahr nun eine lange Zeit gerollet[1] und gepantzerfeget[2] und mit allerley Unfall[3], Angst und Trübsal, Jammer und Noth umgeben, hast uns auch Weißheit und Erkenntniß geben, daß wir deinen Grimm und Zorn über die Sünde erkennen, den ewigen Tod fühlen und für der Hölle uns fürchten und unser Leben in Todes-Ängsten zubringen. Nun, lieber GOtt, laß es genug seyn, höre auff von deinem grimmigen Zorn, du hast uns gnungsam gezüchtiget, genung gedemüthiget, ja genung unterdruckt, geängstet und getödtet, daß wir nicht viel[4] frölicher Tage und Stunden gehabt haben. Wir bitten dich, lieber GOtt, ‚kehre dich wieder zu uns und sey deinen Knechten gnädig‘[5], zeige uns deine Gnade und Barmhertzigkeit[6], auff daß wir einen gewissen Trost haben, damit wir uns in der Angst und Trübsal beyde hier und[7] dort trösten mögen.

Aus: Enarratio Psalmi XC (zu v. 13) (1541) = WA Bd. 40[III], S. 577, 20—24 (deutsche Übersetzung). Vgl. Gebet Nr. 420.

Fundorte: G IX, 1937.   T/Anh. 313.   W[1] Bd. 5, 1155.

1) (mit der Rolle) gequält, geplagt. Bei diesem Folterwerkzeug, dem sogenannten „gespickten Hasen", handelt es sich entweder um eine mit Stacheln besetzte Holzwalze, die mittels zweier Handhaben über den Rücken der auf dem Bauch liegenden zu folternden Person auf- und abwärtsgerollt wurde, oder um eine tischartige Bank, auf der mehrere solcher Walzen drehbar befestigt waren und auf die der an den Füßen Festgebundene mit Hilfe eines um die Arme geschlungenen Strickes gepreßt wurde. Vgl. L. Bechstein, im Archiv des Hennebergischen Altertumsforschenden Vereins Bd. 5 (Mainingen 1845), S. 90 und Tafel 1 Abb. 6; W. M. Schmid, Altertümer des bürgerlichen und Strafrechts, insbes. Folter- und Strafwerkzeuge (München 1908), S. 20 und Abb. 14. WA Bd. 17[I], S. 236, 15; Bd. 23, S. 32, 21 („gerollt, geplagt und gecreutzigt"); 510, 28 („gerollet und zuschlagen"); Bd. 36, S. 514, 19; Tischr. Bd. 1, S. 196, 9 f.; 520, 13 f.   2) geprüft, hart zugesetzt (eigentlich: den Panzer gründlich säubern; vgl. die ähnliche Wendung: „das Schwert fegen" in WA Bibel Bd. 11[I], S. 472/473 [Hes. 21, 9 f.]); vgl. WA Bd. 17[I], S. 236, 15 f.; Bd. 45, S. 41, 35 („gebantzerfeget und gemartert"); Bd. 51, S. 117, 14; 284, 37; Tischr. Bd. 1, S. 196, 9; 520, 14 („Pantzer fegen und plagen"); Briefe Bd. 6, S. 467, 10 (u.). 3) jeder Art von Unglück, Unheil.   4) S. o. Nr. 655 Anm. 1.   5) Ps. 90, 13 (Auslegungstext).   6) Vgl. Ps. 90, 14.   7) sowohl ... als auch.

695   [435]   Dancksagung vor rechtmäßigen Beruff[1] in einen ehrlichen[2] Stand.

Ich dancke dir, HErre GOtt, daß du mich in einen göttlichen[3] und seeligen Stand und Amt gesetzet hast, ich will gerne darinnen thun und leiden, was ich soll. Ich dancke dir, mein lieber HErr Christe, daß du mich also geführet und behütet hast, biß ich daher kommen[4] bin, du wirst mir auch zum seeligen Ausgang helffen. Dir sey Lob und Ehr samt dem Vater und dem Heiligen Geist in Ewigkeit.

Aus: Hauspostille (zu Luk. 5, 1—11) (1559) = E. A[2]. Bd. 5, 348, 33—36 (WA Bd. 37, S. 479, 20 f.; vgl. Bd. 52, S. XXI).

Fundorte: T/Anh. 314.   W[1] Bd. 13, 1733[*].

1) Berufung; vgl. RN 30[III], 386, 3/20.   2) ehrsamen.   3) Gott gefälligen; s. o. Nr. 561 Anm. 1.   4) hierher gekommen.

696   [439]   Ein anders.

Lieber GOtt, was ich jetzt thue, das will ich im Nahmen JEsu thun und in dem Gehorsam, darein ich von GOtt gesetzet bin, und wills mit Freuden thun; ob mir etwas drüber wiederfahre und der Teuffel mir zusetzet, was schadet mirs? Dennoch bin ich in dem Stande, da GOttes Wort mich lehret und tröstet, was ich thue oder leide, das sey wohlgethan, und GOTT wolle Wohlgefallen daran haben und mit Gnaden bey mir seyn.

Aus: Hauspostille (zu Luk. 5, 1—11) (1559) = E. A². Bd. 5, 344, 37—345, 4 (WA Bd. 37, S. 477, 29—33; vgl. Bd. 52, S. 396, 12—17).

Fundorte: T/Anh. 314.　W¹ Bd. 13, 1728*.　K 201.

697　[441]　Um GOttes Gnade.

Du lieber Vater im Himmel, du hast dich in deinen göttlichen Wercken gegen deine Knechte und Kinder erzeigt als ein rechter, getreuer Helffer und Heiland in dem, daß du in dem göttlichen Rath beschlossen hast, den mördlichen[1] Schaden der Erb-Sünde und ihre Straffe, den ewigen Tod, durch den Tod deines lieben Sohnes hinweg zu nehmen. Dieweil nun das wahrhafftig für Augen[2] ist, so bleib uns freundlich, ‚erfreue‘ die Seele deiner ‚Knechte‘, ja deiner armen elenden ‚Kinder‘[3], die ohne Unterlaß zu dir schreyen, mach unser Hertz frölich und stelle unser Gewissen zu frieden[4], auff daß wir uns für deinem Antlitz nicht fürchten, sondern sicher und gewiß seyn, daß du uns ‚freundlich‘ und gnädig seyst[5] und dir all unser Thun, Gedancken, Wort und Werck lässest gefallen und angenehm seyn.

Aus: Enarratio Psalmi XC (zu v. 17) (1541) = WA Bd. 40III, S. 588, 29—32 (deutsche Übersetzung). Vgl. Gebet Nr. 472 [B].

Fundorte: G IX, 1938.　T/Anh. 314.　W¹ Bd. 5, 1165.　Ferner: Neues christliches Betbüchlein (Magdeburg) 1587, S. 351 (= Bibliographie II, 8).

1) tödlichen.　　2) offenbar.　　3) Ps. 90, 15 f.　　4) bringe ... zur Ruhe; bringe unserm Gewissen den Frieden.　　5) Ps. 90, 17 (Auslegungstext).

698　[442]　Ein anders.

O du gütiger, barmhertziger GOTT, wir haben bißher gebeten, du wollest ‚uns freundlich‘ seyn und uns deine göttliche Wercke erzeigen, zu welchen wir nichts können thun noch helffen, sondern sind nur Anschauer ‚deiner Wercke‘[1] und können nicht anders, denn nur von deiner milden[2] Hand solche deine himmlische Gnade und Gabe nehmen und empfahen. Wir können dir nichts geben; denn es ist vorhin[3] alles dein. Psal. 24.: ‚Die Erde ist des HErrn, und was drinnen ist‘[4]. Nehmen müssen wir, sonst sind wir verlohren. Denn es heisset: ‚Aller Augen warten auff dich, HErr, und du giebst ihnen ihre Speise zu seiner Zeit‘[5] etc. Dieweil du denn solche deine göttliche Wercke an uns gnädiglich gewircket hast und uns vom Teuffel, Tod, Sünde und Hölle erlöset, so kommen wir nun auch für dich mit unsern armen, elenden Wercken, die du uns beyde im geistlichen und[6] weltlichen Regiment auffgelegt hast, und bitten, du wollest sie bey uns ‚fördern‘[1] und handhaben[7] also, daß sie dir wohl gefallen und angenehme seyn.

Aus: Enarratio Psalmi XC (zu v. 17) (1541) = WA Bd. 40III, S. 588, 21—28 (deutsche Übersetzung). Vgl. Gebet Nr. 472 [A].

Fundorte: G IX, 1939.　T/Anh. 315.　W¹ Bd. 5, 1165.　Ferner: Neues christliches Betbüchlein (Magdeburg) 1587, S. 357 (= Bibliographie II, 8).

1) Ps. 90, 16 f. (Auslegungstext).　　2) freigebigen.　　3) von vorneherein, ohnehin.
4) Ps. 24, 1.　　5) Ps. 145, 15.　　6) sowohl ... als auch.　　7) in Stand setzen.

699   [447]   Für unsere Theologen und Lehrer D. M. Lutheri.

Lieber GOtt, gib, daß unsere Theologen und Lehrer getrost Ebräisch studiren und
die Bibel uns wieder heim holen von den muthwilligen Dieben und alles besser
machen, denn ichs gemacht habe, das ist, daß sie den Rabbinen sich nicht gefangen
geben in ihre gemarterte Grammatica und falsche Auslegung, damit wir den
lieben HErrn und Heiland hell und klar in der Schrifft finden und erkennen.
Dem sey Lob und Ehr samt dem Vater und Heiligen Geist in Ewigkeit.

Aus: Von den letzten Worten Davids (1543) = WA Bd. 54, S. 100, 21—27.
Fundorte: T/Anh. 318.   W¹ Bd. 3, 2911*.

700   [448]   Gebet treuer Lehrer und Prediger.

Du gütiger und barmhertziger GOTT, du hast uns aus sonderlicher Gnade zum
Predigt-Amt beruffen und diese geistliche Wercke, lehren, predigen, tauffen, ab-
solviren, Sacrament-reichen, auffgelegt. Nun sind wir willig und bereit, wollens
auch von Hertzen gerne thun. Du siehest aber, wie schwach und unvermögend
wir darzu sind aus unsern Kräfften, siehest auch, wie greulich sie vom Teuffel
und seinem Hauffen werden angefochten. Darum, du lieber GOtt, ‚fördere‘ diese
‚Wercke‘¹, gib Stärcke und Krafft darzu, daß wir sie treulich vollbringen! Hin-
dere und wehre dem Teuffel und allen seinem Anhange, daß sie diese Wercke
nicht besudeln, daß das Gesetz und Evangelium durch falsche Lehre und Heuche-
ley nicht in einander gemenget, Tauffe und Sacrament durch Wieder-Täuffer und
Sacramentirer nicht geschmähet, die Absolution nicht durch falschen Ablaß und
Lügen des Pabsts verfälschet werde, sondern daß ein jeglicher in seiner Krafft und
Würden bleibe und dein Heiliger Geist, der in uns wohnet, durch unsere Sünde
nicht betrübt werde², sondern in allen diesen Stücken thätig und kräfftig sey,
auff daß wir als deine getreue Diener allezeit erfunden werden.

Aus: Enarratio Psalmi XC (zu v. 17) (1541) = WA Bd. 40III, S. 590, 24—591, 21
(deutsche Übersetzung).
Fundorte: G IX, 1939.   T/Anh. 318.   Vgl. Schulz Nr. 15.
1) Ps. 90, 17 (Auslegungstext).   2) Vgl. Eph. 4, 30.

701   [458]   Trotz¹ und Trost eines fleißigen Predigers bey seinem Studiren.

Ich schlaffe im Nahmen des HErrn und weiß, daß auch mein Schlaff GOtt wohlgefället; wenn ich aber erwache und meine gewöhnliche Arbeit thue in meinem
Beruff mit schreiben, lesen, meditiren oder betrachten und mit beten, zweiffelt
nur daran nicht, solche Arbeit ist GOTT auch angenehm, und wenn ich wüste,
daß es ihme mißfällig wäre, wolte ich mich dessen viel lieber enthalten. Ich bin
aber deß gewiß, daß ich GOTT wohlgefalle mit alle meinem Thun, nicht um
meinetwillen, der ich solches thue, sondern um GOttes willen, der sich mein²
erbarmet, mir die Sünde vergiebet, mich liebet, führet und mit dem Heiligen Geist
regieret.

Aus: Genesisvorlesung (zu 41, 32) (1554) = WA Bd. 44, S. 413, 30−36 (deutsche Übersetzung).
Fundorte: T/Anh. 319.   W¹ Bd. 2, 1986*.   Vgl. Schulz Nr. 22.
1) Zuversicht.   2) meiner (wie mhd.).

702   [483]   Gebet eines Kriegs-Mannes bey bevorstehender Schlacht.

HErr, in deiner Gewalt stehet alle Krafft und Sieg! HErr, hilff du mir! HErr, die Victorie und Triumph und der Sieg stehet in deiner Gewalt; so du mir sie geben wirst, will ich dir darum dancken. Wo du aber unsere Sünde mit einem solchen Schaden und Jammer straffen willst, HErr, so bin ich da und wills gedultig leiden.

Aus: In XV Psalmos graduum (zu 127, 5) (1540) = WA Bd. 40III, S. 263, 34−264, 16 (deutsche Übersetzung).
Fundorte: T/Anh. 321.   W¹ Bd. 4, 2714*.   K 229.

703   [491]   Gebete derer Gevattern oder Pathen, mit dem Priester bey der Tauffe eines Kindes zu sprechen.

O allmächtiger, ewiger GOTT, Vater unsers HErrn JEsu Christi, ich ruffe dich an über diesen (diese) N., deinen Diener (Dienerin), der (die) deiner Tauffe Gabe bittet¹ und deine ewige Gnade durch die geistliche Wiedergeburt begehret. Nimm ihn (sie) auff, HErr; und wie du gesagt hast: ‚Bittet, so werdet ihr nehmen, suchet, so werdet ihr finden, klopffet an, so wird euch auffgethan'², So reiche nun das Gute dem (der), der (die) da bittet, und öffne die Thüre dem (der), der (die) da anklopffet, daß er (sie) den ewigen Seegen dieses Bades erlange und das verheissene Reich deiner Gabe empfahe durch Christum, unsern HErrn.

Aus: Taufbüchlein (1526) = WA Bd. 19, S. 539, 10−16. Vgl. Gebet Nr. 21.
Fundort: W¹ Bd. 10, 2634.
1) S. o. Nr. 650 Anm. 1.   2) Joh. 16, 24 und Matth. 7, 7.

704   [496]   Gedultige Ergebung eines Ehe-Mannes bey Kranckheit und andern Unfall¹.

Lieber GOTT, daß ich ein fromm Weib, wohlgezogene Kinder, gehorsam Gesinde, Geld und Gut habe, Friede und ein gut Regiment führe, das sind GOttes Gaben; derselbigen will ich mit Dancksagung gebrauchen², so lange es GOTT gefället und er mirs verleihen wird. So mir aber das Weib oder Kinder absterben oder ein Unfriede im Lande sich erregen wird, so will ichs gedultig leiden. Denn du, HErr, hast mir das alles von deiner milden³ Güte verliehen; so bin ich auch zufrieden, daß du es wieder zu dir nehmest. Denn ich weiß wohl, daß ichs ohne das nicht ewig hätte können haben noch besitzen, sondern hätte es doch zum letzten müssen fahren lassen.

Aus: In XV Psalmos graduum (zu 127, 2) (1540) = WA Bd. 40III, S. 247, 19–25
(deutsche Übersetzung).
Fundorte: T/Anh. 321.   W¹ Bd. 4, 2692*.   K 232.
1) Unglück, Unheil.   2) S. o. Nr. 651 Anm. 1.   3) freigebigen, reichlichen.

705   [497]   Trost für Ehe-Leute, daß sie in einem Gott-gefälligen Stande leben.

GOTT Lob und Danck, ich bin und lebe ja in dem Stande, der nicht neu ist wie
der Münche und Nonnen Stand, welcher vor tausend Jahren nicht gewesen, aber
mein Stand ist gewesen vor sechste halb tausend Jahren¹, darinne die Ertz-Väter,
Priester und Propheten gelebet haben. Hats GOtt in den heiligen Leuten so wohl
gefallen, so wirds ohne allen Zweiffel GOtt auch wohl gefallen, wenn ich mit
meinem lieben Weibe (oder Manne) in diesem Stande lebe.

Aus: Predigt vom 15. Januar 1525 (zu Joh. 2, 1–11) (1560) = WA Bd. 17I, S. 14,
21–27.
Fundorte: T/Anh. 322.   W¹ Bd. 10, 773*.
1) 5½ tausend Jahre. Zu dieser Zeitrechnung vgl. WA Bd. 53, S. 22 ff.

706   [499]   Ein anders.

O du gütiger und barmhertziger GOtt, du hast mich aus Gnaden in den Stand
bracht, der dir gefällig ist und den du selbst gestifftet hast¹, und hast mir ein
fromm Gemahl, fromme Kinder und Gesinde bescheret und die Hauß-Sorge auff
den Halß gelegt². Nun befinde³ ich mich viel zu schwach zu solchen hohen
Sachen. Darum bitte ich dich, lieber GOTT, du wollest Vater mit seyn und diese
Wercke, so mir in der Haußhaltung aufferlegt sind, fördern und handhaben⁴, daß
sie von statten gehen und dir gefällig und angenehm seyn.

Aus: Enarratio Psalmi XC (zu v. 17) (1541) = Altenburg. Ausg. Bd. 8, Bl. 204ᵃ (deutsche Übersetzung).
Fundorte: G IX, 1940.   T/Anh. 322.
1) 1. Mose 2, 24.   2) (als eine Last) auferlegt; vgl. RN 32 S. 34, 17 f.   3) halte
... für.   4) in Stand setzen.

707   [500]   Ein anders.

O allmächtiger, ewiger und barmhertziger GOtt, dieweil du mit Worten und
Wercken genugsam beweiset hast, daß du als ein getreuer Vater für uns sorgest
und hast uns gnädiglich zu Kindern angenommen und einem jeden seinen Beruff
gegeben, darinnen er dir und dem Nechsten dienen soll, so bitten wir dich von
Hertzen, lieber Vater, gib Gnade, daß wir unsers Beruffs fleißig wahrnehmen¹
und im Gehorsam als deine treue Kinder allezeit erfunden werden. Fördere die
Wercke unsers Hauß-haltens also, daß wir ja unsere Hertzen nicht an die Güter
dieser Welt hengen noch jemand dadurch Ärgerniß geben, sondern laß uns alle
zeitliche Güter und Gaben, so wir durch deinen Seegen empfangen haben, in

stillem Wesen[2] mit täglicher Dancksagung geniessen und gebrauchen! Wollest auch von uns abwenden allen Müßiggang, übrige[3] Sorge der Nahrung und alles, was dir mißfället, und bey uns und in uns fördern alles, was dir wohlgefällt, auff daß wir in all unserm Thun deinem Befehl nachgehen und alle Sorge und ‚Anliegen' aus rechtem Glauben ‚auff dich werffen'[4]! Denn du weist allein, was uns mangelt und noth ist, das wollestu uns gnädiglich verleihen.

Aus: Enarratio Psalmi XC (zu v. 17) (1541) = Altenburg. Ausg. Bd. 8, Bl. 205ᵃ (deutsche Übersetzung).

Es handelt sich um die Kompilation zweier ursprünglich selbständiger Gebete aus dem 1537 in Straßburg erschienenen Betbüchlein von Jakob Otter, Bl. LVIIIᵇ und LIXᵃ. Der Bearbeiter der deutschen Ausgabe des 90. Psalms, Johann Spangenberg, muß das 1541 wieder aufgelegte Betbüchlein Otters gekannt haben.

Fundorte: G IX, 1940. T/Anh. 323. C 106. Ferner: Neues christliches Betbüchlein (Magdeburg) 1587, S. 361 (= Bibliographie II, 8). Vgl. Schulz Nr. 50.

1) Zum Genitiv vgl. Franke Bd. 3, S. 105. 2) in stiller Weise, ruhig. 3) überflüssige. 4) Ps. 55, 23.

708 [502] In und bey beschwerlichem Hauß-halten.

Lieber HErr, du hast mich zu einem Hauß-Vater gemacht, derohalben hilff mir! Wenn ich alleine soll regieren und haußhalten, so werde ich den Wagen also tieff in die Pfützen[1] führen, daß er drinnen wird stecken bleiben; will also haben, daß du mir hilffest.

Aus: in XV Psalmos graduum (zu 127, 1) (1540) = WA Bd. 40ᴵᴵᴵ, S. 323, 23−25 (deutsche Übersetzung).

Fundorte: W¹ Bd. 4, 2670*. K 231.

1) Sumpf, Pfuhl (D. Wb. Bd. 7, Sp. 1818 f.); zur Redewendung ‚in die Pfütze führen' vgl. WA Bd. 32, S. 436, 13 f. und RN 30ᴵᴵᴵ, 559, 2 f.

709 [503] [Ein anderes].

‚Ich stehe wohl frühe auff' und laß mirs sauer werden; es will aber doch gleichwohl mit mir nirgend fort[1], ‚muß gleichwohl mein Brod mit Angst und Sorge essen'[2]. Nun, HErr, ich warte[3] meines Amts und thue, das du mir befohlen hast, und will gerne alles arbeiten und thun, was du haben wilt[4]. Allein hilff du mir auch haußhalten, hilff du mir auch regieren.

Aus: In XV Psalmos graduum (zu 127, 2) (1540) = WA Bd. 40ᴵᴵᴵ, S. 233, 22 f.; 234, 29 f. (deutsche Übersetzung).

Fundort: W¹ Bd. 4, 2683.

1) voran. 2) Ps. 127, 2 (Auslegungstext). 3) S. o. Nr. 131 Anm. 2. 4) willst.

710 [503] Trost in Armuth und Mangel.

Ob ich gleich hie Armuth leide, schadet nicht; dennoch weiß ich, daß mich mein lieber GOTT nicht wird lassen Noth leiden. Denn er hat mir Christum gegeben und alle Seeligkeit in ihm. Er wird mir auch so viel zuwerffen[1], daß der Leib die kurtze Zeit seines Lebens seine Nothdurfft[2] haben wird.

Aus: Hauspostille (zu Luk. 5, 1—11) (1559) = E. A². Bd. 5, 341, 10—16 (WA Bd. 37, S. 110, 36—111, 1; vgl. Bd. 52, S. 404, 13—16).

Fundorte: T/Anh. 324.   W¹ Bd. 13, 1723*.

1) zukommen lassen; vgl. WA Bd. 10III, S. 378, 31.   2) das zum Leben Notwendige; vgl. WA Bd. 30I, S. 364, 1 f.; 374, 2.

711   [504]   Wieder die Bauch-Sorge.

Lieber HErre GOtt, was du mir geben wirst, will ich mit frölichem Hertzen zu Danck annehmen, was du mir aber nicht geben wirst, deß will ich gerne entrathen[1]; ich will mir genügen lassen gleich so wohl[2] an einem wenigen Gut als an grossem Reichthum.

Aus: Genesisvorlesung (zu 24, 1—4) (1550) = WA Bd. 43, S. 300, 1—3 (deutsche Übersetzung).

Fundorte: T/Anh. 324.   W¹ Bd. 1, 2477*.   K 216.

1) das ... entbehren, darauf ... verzichten; zum Genitiv vgl. D. Wb. Bd. 3, Sp. 580.
2) ebenso sehr.

712   [506]   Dancksagung vor alle von Mutter-Leibe an erzeigte Wohlthaten.

HErr, ehe ich noch war, lebete, webete[1] und etwas thun kunte, warest du über mir im Mutter-Leibe, nahmest dich meiner als deines Geschöpffs gnädiglich an, sorgtest hertzlich[2] für mich und erhieltest mich wunderbarlicher Weise. Vielmehr thust du solches, treuer ‚Menschen-Hüter‘[3], an mir, der ich nun ein Mensch, ‚zur Welt gebohren‘[4], lebe, gehe, stehe, schaffe und durch dein Wort dich kenne, obs wohl für Menschen-Augen viel anders scheinet und mein alter Adam[5], der mir am Halß biß in die Grube[6] henget, das Wiederspiel[7] fühlet. Es scheine aber und fühle sich[8], wie es wolle, kehre ich mich nicht dran, lasse michs auch nicht irren[9], sondern halte mich an dein Wort, daß du mein HERR von Mutterleibe an bist, das treugt und fehlet[10] nicht. Darauff verlasse ich mich, erwecke und stärcke dadurch meinen ‚Glauben, welcher nicht auffs sichtbare, das zugegen ist, siehet, sondern deß, das unsichtbar ist‘[11], durch Hoffnung in Gedult erwartet[12]. Gelobet seystu, mein GOTT und mein HErr, in Ewigkeit.

Aus: Bucheinzeichnung (zu Ps. 71, 6) (1548) = WA Bd. 48, S. 55, 5—16 (Nr. 71).

Fundorte: T/Anh. 324.   W¹ Bd. 9, 1369.   K 215.   C 64.   In K ist folgendes Stück zur Vervollständigung des Luthertextes vorangestellt:

„*Auf dich, Herr, hab ich mich verlassen von Mutterleibe an; du hast mich aus Mutterleibe gezogen, mein Ruhm ist immer vor dir.*"

1) Vgl. Apg. 17, 28.   2) von Herzen.   3) Hiob 7, 20.   4) ... gebracht;
Joh. 16, 21.   5) sterblicher Leib; s. o. Nr. 183 Anm. 2.   6) bis zum Tode.
7) Gegenteil.   8) mache sich (innerlich) bemerkbar; vgl. RN 48, 41 (Nr. 51), 9.
9) mich dadurch ... beirren; vgl. RN 48, 41 (Nr. 51), 9.   10) trügt und täuscht.
11) Hebr. 11, 1.   12) S. o. Nr. 131 Anm. 2.

713 [516] Ein schöner tröstlicher Spruch von Gewißheit unserer Seeligkeit.

[A] GOtt hat uns die Verheissung des Evangelii und der ewigen Seeligkeit nicht können höher, fester und gewisser machen denn mit dem Leiden und Sterben seines eingebohrnen Sohnes. Wenn wir nun von Hertzen gläuben, daß Christus, der Sohn GOttes, für uns gestorben ist[1], die Sünde und Tod überwunden hat, und trösten uns[2] der Verheissung des Vaters, so haben wir den Brief[3] vollkömmlich und die Siegel[4], die heiligen Sacrament der[a] Tauff und des Leibes und Bluts Christi, dran hangend, und sind wohl[5] versichert und versorget. Der Himmel ist uns umsonst gegeben und geschenckt; denn wir haben nichts darzu gethan noch können thun; Christus, unser HErr, hat ihn uns durch sein Blut theuer erkaufft[6]. Darüber haben wir Brieffe, die ewige, unwandelbare Verheissung des Evangelii, und Siegel[4], das ist, wir sind getaufft und empfahen nach Christus Befehl[7] seinen Leib und Blut im Abendmahl, wenn wir unsere Schwachheit und Noth fühlen[8].
[B] GOtt gebe nun Gnade . . .

Aus: Vieler schönen Sprüche aus göttlicher Schrift Auslegung (1548).
[A] = WA Bd. 48, S. 227, 2—14 (Anh. I, 3).
[B] = Gebet Nr. 220.
  Fundorte: R 209.   T/Anh. 325.   W[1] Bd. 9, 1460.
  a) *die* Druckf.
1) 1. Thess. 5, 10.   2) S. o. Nr. 622 Anm. 2.   3) Urkunde.   4) ,Brief und Siegel' gelten redensartlich als sichere Bestätigung; vgl. RN 48, 227, 7 f. 12—14.   5) gut.
6) Offb. 5, 9.   7) Matth. 26, 26 f. parr.; 1. Kor. 11, 24 f.   8) Vgl. dazu RN 48, 227, 13 f.

---

8. Anhang zum Betglöcklein (Schwedler): Nr. 714—741

714 [289] Dancksagung vor die Schöpfung.

Ich dancke dir, ewiger GOtt und Vater, von Hertzen, daß wir durch deine Gütte aus nichts geschaffen sind und aus nichts täglich erhalten werden, ein solch fein Geschöpff, das Leib und Seel, Vernunfft, fünff Sinne hat, und daß du uns zu Herren über die Erde, Fische, Vögel und Thiere gesetzet[1], und bitten dich umb rechten, gewissen Glauben, daß ich dich, meinen lieben GOtt, für meinen Schöpfer hinfort gläuben und halten möge.

Aus: Eine einfältige Weise zu beten (1535) = WA Bd. 38, S. 373, 33—374, 2. 6 f. Vgl. Gebet Nr. 171.
  Fundort: W[1] Bd. 1690.
  1) 1. Mose 1, 28.

715 [290] Neu-Jahrs-Gebeth.

Wir mögen solchen JEsus-Nahmen uns lassen lieb und befohlen seyn und in allerley[1] Anfechtung uns daran halten, daß der Sohn GOttes und unser HErr Christus JEsus[2] heisse und ein Heyland sey. Der Schlangen-Treter, 1. B[uch] Mos. 3.[3], der uns hilfft[2] wider den Teuffel und sein Reich. GOtt, der ‚Vater alles Trostes und Barmhertzigkeit'[4], wolle solchen Glauben und Zuversicht in uns täglich mehren und uns durch seinen Sohn JEsum CHristum, unsern Heyland, ewig erhalten.

Aus: Hauspostille (zu Luk. 2, 21) (1544) = WA Bd. 52, S. 87, 38—88, 6 (vgl. ebd. S. XIII).

Fundort: W[1] Bd. 13, 305.

1) jeder Art von.   2) Anspielung auf die Bedeutung des Namens Jesu (= „Gott hilft"); vgl. auch die Randglosse zu Sir. 46, 1 (WA Bibel Bd. 12, S. 274 f.   3) 1. Mose 3, 15; vgl. RN 48, 15 (Nr. 17), 3.   4) 2. Kor. 1, 3.

716 [292] Am Fest der Taufe Christi[1].

Es ist uns zum Trost geschehen, daß wir gewiß gläuben sollen, GOttes Zorn sey gestillet und unsere Sünde durch solche Tauffe Christi abgeleget, daß GOTT ferner mit uns will zufrieden seyn umb seines Sohnes willen. Gedencke, daß deine Tauffe dir ein Siegel[2] und gewiß Pfand sey, daß dir GOtt deine Sünde vergeben und das ewige Leben durch CHristum habe zugesagt. Derhalben mögen wir GOtt umb solche Gnade dancken und bitten, daß er uns dabey erhalten und seelig machen wolle.

Aus: Hauspostille (zu Matth. 3, 13—17) (1544) = WA Bd. 52, S. 100, 30—33; 103, 15—17; 104, 10 f.

Fundort: W[1] Bd. 13, 353.

1) 13. Januar.   2) Vgl. RN 48, 31 (Nr. 36), 20 f.

717 [293] Am Fest Mariä Verkündigung[1].

Solche Gnade begehet man heute, daß Christus unsere unreine, unheilige Geburth durch seine heilige Geburth gereiniget und den Seegen über uns alle bracht hat, daß wir durch ihn heilig und selig seyn sollen. Denn dazu dienet sein liebes Wort, die heilige Tauffe und das hochwürdige Sacrament, daß dadurch solcher Glaube und Trost in unsern Hertzen angezündet und gestärcket werde. GOtt, unser gnädiger Vater, wolle seinen H[eiligen] Geist in unsere Hertzen senden[2], daß wir solches gläuben und dadurch ewig mögen seelig werden.

Aus: Hauspostille (zu Luk. 1, 26—38) (1544) = WA Bd. 52, S. 634, 8—14. Vgl. Gebet Nr. 670.

Fundort: W[1] Bd. 13, 2603.

1) 25. März.   2) Vgl. Gal. 4, 6.

718 [294] Am Grünen-Donnerstage.

[A] Wir Christen sollen billig[1] solch Testament für einen hohen Schatz achten und alle Freude und Trost davon haben und uns offt und gern darzu finden, so thun wir den letzten Willen unsers HErrn Christi gnung[2],
[B] GOTT verleihe uns seine Gnade und Heiligen Geist durch Christum, daß wir dieses tröstliche Sacrament zur Ehre Christi und unser Seeligkeit empfahen mögen.

Aus: Hauspostille (zu 1. Kor. 11, 23—26) (1544) = WA Bd. 52, S. 212, 37—39 (vgl. ebd. S. XVII).
Fundort: W[1] Bd. 13, 663.
1) mit Recht.   2) kommen wir ... genügend nach, werden wir ... gerecht (D. Wb. Bd. 4[I, 2], Sp. 3494 f.).

719 [297] Am Fest der Heimsuchung Mariä[1].

Lucas mahlet die Jungfrau Mariam so schön in einem Krantze[2], der mit dreyen sondern[3], schönen und lieblichen Rosen geschmücket ist, indem er drey sonderliche Tugenden rühmet, deren wir uns auch befleißigen sollen. Die erste ist der Glaube, die andere Demuth, die dritte Zucht, welcher Schmuck übertrifft weit alle Königinne und Kayserinne in alle ihrem Gold, Edelgestein, Perlen, Sammet und Seiden. GOTT gebe seine Gnade durch seinen Heiligen Geist, daß solche seine Lehre nicht ohne Frucht abgehe, sondern wir uns alle daraus bessern und im Glauben, Liebe und allerley[4] Zucht zunehmen.

Aus: Hauspostille (zu Luk. 1, 39—56) (1544) = WA Bd. 52, S. 682, 33. 35—683, 3; 688, 29 f.
Fundort: W[1] Bd. 13, 2735.
1) 2. Juli.   2) Diese Vorstellung steht nicht in der Predigtnachschrift (WA Bd. 36, S. 207 ff.), sondern ist eine Hinzufügung Veit Dietrichs, des Bearbeiters der Hauspostille; zu den drei Tugenden s. o. Nr. 678 Anm. 2.   3) besonderen.   4) jeder Art von.

720 [298] Am Michaelis-Fest[1].

[A] ,Du hast sein Hauß und alles, was er hat, rings umher verwahret‘ und gleich[2] einem Wall umher geschüttet, Job. 1[3]. Mit diesen Worten meinet der Satan die lieben Engel, die musten umb den Hiob seyn und auff sein Weib, Kind, Acker und Vieh sehen[4]. Als wolte der böse Feind sagen: Ich wolte sonst wohl darzu kommen, wo du nicht wehretest. So du die heiligen Engel umb und bey dir haben wilt[5], so fürchte GOtt und sey fromm.
[B] Vor solchen herrlichen Schutz sollen wir GOtt lernen dancken und von Hertzen alle Tage bitten, daß GOtt ihn nicht von uns nehmen, sondern gnädig über uns wolle walten lassen.

Aus: Hauspostille (zu Matth. 18, 1—10) (1544) = WA Bd. 52, S. 717, 16—20; 721, 14 f. (vgl. ebd. S. XXVII).
Fundort: W¹ Bd. 13, 2856.
1) 29. September.   2) wie einem.   3) Hiob 1, 10.   4) achten.   5) willst.

721   [299]   Am Tage St. Andreä¹.

GOtt, der Vater aller Gnaden², der zu solchem seeligen Fisch-Fange³ (der Apostel) uns hat kommen lassen, wolle in solcher Gnade uns biß ans Ende durch seinen Heiligen Geist umb Christi willen gnädiglich erhalten.

Aus: Hauspostille (zu Joh. 1, 35—42) (1544) = WA Bd. 52, S. 571, 38—40 (vgl. ebd. S. XXIII).
Fundort: W¹ Bd. 13, 2357.
1) 30. November.   2) Vgl. 1. Petr. 5, 10.   3) Vgl. Matth. 4, 18 f.

722   [299]   Am Tage Pauli Bekehrung¹.

Wir mögen GOTT dancken, daß er uns so einen trefflichen Meister gegeben hat, und bitten, daß er uns in seiner Lehre erhalten und auch also zu Gnaden annehmen und seelig machen wolle. Das verleihe uns unser lieber HErr und Seeligmacher Christus JEsus.

Aus: Hauspostille (zu Apg. 9, 6) (1544) = WA Bd. 52, S. 617, 16—20 (vgl. ebd. S. XXV).
Fundorte: T/Anh. 299.   W¹ Bd. 13, 2533.
1) 25. Januar.

723   [299]   Am Tage Philippi und Jacobi¹.

Der HERR tröstet seine Jünger. GOTT verleihe uns seine Gnade, daß wir solches auch lernen und in aller Noth an solchen Trost gedencken mögen.

Aus: Hauspostille (zu Joh. 14, 1—14) (1544) = WA Bd. 52, S. 644, 20. 22 f.
Fundort: W¹ Bd. 13, 2623.
1) 1. Mai.

724   [300]   Am Tage Petri und Pauli¹.

GOtt verleihe uns seine Gnade, daß wir in solchem Bekantnus biß ans Ende verharren und ewig seelig werden durch Christum unsern lieben HErrn.

Aus: Hauspostille (zu Matth. 16, 16—19) (1544) = WA Bd. 52, S. 664, 13 f. (vgl. ebd. S. XXV).
Fundort: W¹ Bd. 13, 2718.
1) 29. Juni.

725   [300]   Am Tage Jacobi[1].

GOtt verleihe uns allen durch Christum seine Gnade, daß wir solche Lehre (der Apostel) behalten und uns daraus bessern.

Aus: Hauspostille (zu Mark. 10, 35—45) (1544) = WA Bd. 52, S. 680, 39 f. (vgl. ebd. S. XXV).
Fundort: W[1] Bd. 13, 2813.
1) 25. Juli.

726   [316]   Gebet bey Ordination oder Weyhe eines Predigers.

HErr GOtt, himmlischer, barmhertziger Vater, der du hast heissen ‚beten‘, ‚suchen‘ und ‚anklopffen‘, auch zugesetzt, du wollest uns erhören[1], so wir dich im Nahmen deines Sohnes anruffen[2]. Auff diese deine Verheissung lassen[3] wir uns und bitten, du wollest diesen Diener deines Wortes N. ‚in die Erndte senden‘[4], ihm beystehen, sein Ampt und Dienst segnen, den Gläubigen die Ohren auffthun zum seeligen Lauff deines Wortes, auff daß dein Nahme gepreiset und dein Reich gemehret werde und die Kirche wächst.

Dieses Gebethe hat Lutherus gesprochen bey Ordination M[agister] Benedict Schumanns[5] nach Verlesung Actor. 13, 1. seqq. c. 20, 28. seqq. 1. Tim. 3, 1. Tit. 1, 5. seqq[6].

Aus: Ordinationsgebet vom 22. April 1537 (1566) = WA *TR* Bd. 5, S. 112, 30—37. Vgl. Gebet Nr. 69.
1) Matth. 7, 7. 11.   2) Joh. 14, 13 f.; 16, 23.   3) verlassen.   4) Matth. 9, 38.
5) Zu Benedikt Schumanns Ordination (22. April 1539) vgl. WA Briefe Bd. 12, S. 466 f.
6) Zu den Bibelstellen vgl. das Ordinationsformular in WA Bd. 38, S. 424—426. 428.

727   [316]   Gebet eines Predigers, wenn er predigen soll.

Lieber HErre GOTT, ich will dir zu Ehren predigen, ich will von dir reden, dich loben, deinen Nahmen preisen, ob ichs wohl nicht kan gut machen etc., als ich wohl solte.

Aus: Tischrede vom Mai 1532 (1566) = WA *TR* Bd. 2, S. 144, 24 f. (und 26—30). Vgl. Gebet Nr. 44. Dem Text folgt ein Zusatz:

„So sprach D. M. L. zu einem Pfarrherrn[1], setzte auch dazu: Sehet weder Philippum, Mich noch keinen Gelehrten an und lasset euch düncken, ihr seyd der Gelehrteste, wenn ihr von GOtt redet auff der Cantzel. Ich habe mich nie entsetzt, daß ich nicht wohl[2] predigen kan. Darüber aber hab ich mich offt entsetzt und gefürcht, daß ich für GOttes Angesicht also habe reden sollen und müssen von der grossen Majestät und göttlichem Wesen, darumb seyd nur starck und betet."

1) Anton Lauterbach; vgl. WA *TR* Bd. 2, S. 144, 10 f.   2) gut.

728   [326]   Oratio Doct. Lutheri προαγωνιος[1].

O HErr GOtt, himmlischer Vater, ich ruffe dich an in dem Nahmen deines lieben Sohnes JEsu Christi, den ich durch deine Gnade bekand und geprediget, du wollest mich deiner Zusage nach in demselbigen zu deines heiligen Nahmens Ehre gnädig erhören in deme, nachdem du mir aus grosser Barmhertzigkeit nach deinem gnädigen Willen geoffenbaret den grossen Abfall, Finsterniß und Blindheit, so vor deinem herrlichen Tage, der nicht ferne, sondern nahe für der Thür ist, hergehen[2], und bald darauff das grosse Licht des Evangelii erfolgen[3] soll, so ietzo angehet[4] in aller Welt: Du wollest doch diese Kirche in meinem Vaterlande[5] biß zu Ende ohne Abfall in reiner Wahrheit und Beständigkeit wahrer Erkantnus deines Worts gnädiglich erhalten, auff daß die gantze Welt dadurch überzeuget werde und sehen möge, daß du mich daraus geruffen und gesand hast, Amen, mein lieber frommer[6] GOtt, Amen, Amen.

Aus: Nachschrift des J. Sickel in der handschriftlichen Geschichte M. Ratzebergers (vor 1558) (WA fehlt). Vgl. Gebet Nr. 38. Dem Text folgt ein Zusatz:
„Dieses Gebeth hat Herr M. Michael Emmerling[7], Mansfeldischer Superintendent, in seiner 1646 bey dem damahligen angestellten dreitägigem Synodo, den 18. Febr. gehaltenen Dissertatione Historico-Theologica de Statu Ecclesiae Seculari in Comitatu Mansfeldensi zu Ende statt eines Corollarii mit angehänget."

1) vor dem Todeskampf (zu ,oratio' gehörig).   2) Vgl. Matth. 24, 10—12; 2. Thess. 2, 3.   3) nachfolgen.   4) seinen Anfang nimmt.   5) Luther sprach dies Gebet in Eisleben (1546?).   6) gerechter, guter; s. o. Nr. 119 Anm. 3.   7) Michael Emmerling (1600/01—1670), *Dissertatio historico-theologica synodalis ... de statu Ecclesiae evangelicae in inclyto comitatu Mansfeldensi a Reformationis tempore per annos LX* (Eisleben 1646 [vorh. Halle ULB]), Bl. *G* 4[b]. Die Angaben bei: Chr. Schubart, Die Berichte über Luthers Tod und Begräbnis (Weimar 1917), S. 134 f. über Jahrhundertfeiern an Luthers Todestag sind somit durch Emmerlings Dissertatio von 1646 zu ergänzen.

729   [327]   Gebeth um das höchste Gutt und Vollziehung des Willens GOttes.

O HErr und gütiger Vater, ich will weder seyn noch nicht seyn, leben oder sterben, wissen oder nicht wissen, haben oder mangeln, ,dein Wille geschehe'. Ich will nicht das deine, ich will dich selber haben, du bist mir nicht lieber, wenn mir wohl ist, auch nicht unlieber, wenn mir übel. Es ist billich und recht, daß du wider mich bist; denn du hast Recht über mich und zu mir[1], ich nicht über dich.

Aus: Von zweierlei Menschen (1523) = WA Bd. 11, S. 468, 16—21.
Fundort: W[1] Bd. 10, 1496.
1) gegen mich.

730   [329]   Gebeth schwacher Zuhörer.

Ach GOtt, daß ich so gar nichts mercken kan, gib mir doch auch deine Gnade und thue mir mein Hertze auff, daß ich darauff möge Achtung haben und behalten könne, was ich in der Predigt deines Wortes höre.

Aus: Hauspostille (zu Luk. 8, 4—15) (1559) = E. A[2]. Bd. 4, S. 302, 19—23 (vgl. WA Bd. 52, S. 143, 38—144, 3).
Fundort: W[1] Bd. 13, 481.

731   [329]   Gebeth um den Heil[igen] Geist.

O lieber Vater, wir bitten dich nach deiner Verheissung und tröstlichen Zusagung Luc. 2. (‚der Vater wird seinen Heil[igen] Geist geben denen, die ihn darumb bitten‘[1]) um deinen Heil[igen] Geist, daß derselb die Stöck und Blöcke ausreuten[2] und Dorn und Disteln[3] aus dem Hertzen ausfegen[4] wolle, Auff daß wir GOttes Wort hören und behalten und die rechte Frucht, den Glauben an Christum, bringen können, durch welchen Glauben wir nicht allein im Gehorsam GOttes leben, sondern auch Kinder[a] und Erben werden[5].

Aus: Hauspostille (zu Luk. 8, 4—15) (1544) = WA Bd. 52, S. 146, 9—15 (vgl. ebd. S. XV).
Fundort: W¹ Bd. 13, 486.
a) *Gottes kinder* Postille.
1) Luk. 11 (!), 13.   2) Wurzelstöcke und Baumstümpfe ausroden; zu dieser reimenden Verbindung gleichbedeutender Begriffe vgl. auch WA Bd. 34II, S. 544; D. Wb. Bd. 10III, Sp. 12. Häufiger findet sich bei Luther die verbale Verbindung *„stöcken und blöcken"* (= ‚martern') z. B. WA Bd. 10III, S. 121, 5; Bd. 12, S. 684, 3; Bd. 36, S. 21, 10; Bd. 41, S. 313, 13.   3) Zu dieser Verbindung vgl. 1. Mose 3, 18; Hebr. 6, 8 (WA Bibel Bd. 8, S. 44/45; Bd. 7, S. 356/357).   4) ausräumen, wegschaffen; vgl. 1. Kor. 5, 7.   5) Vgl. Röm. 8, 17.

732   [329]   Gebeth um Christi Gerechtigkeit.

Für dir, HErr, ist mein bester Sammet, mein güldenes Stück ärger denn Hader-Lumpen[1]. Darumb richte mich nicht nach meinen Wercken, will sie gern dein alter Lumpen und Hader[1] seyn lassen, und wolte GOTT, daß ichs nur möchte wehrt seyn, ich wolte mir gern dran gnügen lassen.

Aus: Hauspostille (zu Joh. 1, 19—28) (1559) = E. A². Bd. 4, S. 80, 18—23 (WA Bd. 37, S. 229, 22—24; vgl. Bd. 52, S. 34, 19—22).
Fundort: W¹ Bd. 13, 119.
1) *hader* = Lumpen, Fetzen.

733   [330]   Ein anders.

HErr, hie kömmt ein arm Lümplein, ein alt zerrissen garstig Häderlein[1] oder, wie Paulus sagt, ein stinckender ‚Dreck‘[2]. Für der Welt mags wohl Bisam[3], Sammet und ein gülden Stück seyn, aber für dir, HErr, lasse mich ein alter Lumpen seyn, da ich deinem Sohn die Schuh mit wische, und er schencke mir seine Gerechtigkeit. Also fahre ich dann in den Himmel durch dieses Mannes Gerechtigkeit, da ich durch meine Gerechtigkeit müste in die Hölle fahren.

Aus: Hauspostille (zu Joh. 1, 19—28) (1559) = E. A². Bd. 4, S. 81, 25—33 (WA Bd. 37, S. 230, 1—4; vgl. Bd. 52, S. 35, 12—18).
Fundort: W¹ Bd. 13, 121.
1) S. o. Nr. 732 Anm. 1.   2) Phil. 3, 8 (WA Bibel Bd. 7, S. 220/221).   3) wohlriechende Essenz (mlat. *bisamum* aus hebr. בָּשָׂם).

734   [330]   Um GOttes Barmhertzigkeit.

HErr GOtt, ob ich gleich kein Ehebrecher, Dieb noch Mörder bin gewesen[1], so begehr ich doch, du wollest mir gnädig und barmhertzig seyn, ich muß sonst auch bey allen meinen guten Wercken verzweiffeln.

Aus: Hauspostille (zu Matth. 11, 2—10) (1559) = E. A². Bd. 4, S. 49, 18—22 (WA Bd. 36, S. 384, 12 f.; vgl. Bd. 52, S. 25, 12—14).

Fundort: W¹ Bd. 13, 74.

1) Vgl. Luk. 18, 11.

735   [331]   Gebeth für die Erhaltung der Kirchen und Erscheinung des Jüngsten Tages.

CHristus, unser lieber GOtt und ‚Bischoff unserer Seelen'[1], die er durch sein theuer Blut erkaufft hat[2], erhalte seine kleine Heerde bey seinem heiligen Wort, daß sie zunehme und wachse in der Gnade, Erkäntnis und Glauben an ihn. Tröste und stärcke sie auch, daß sie fest und beständig bleibe wider alle List und Anfechtungen beyde des Satans und[3] der argen Welt, und erhöre doch schier[4] ihr hertzlich Seufftzen und ‚ängstlich Harren' und Verlangen[5] nach dem frölichen Tage seiner herrlichen, seeligen Zukunfft[6] und Erscheinung, daß des mördlichen[7] stechens und beissens in die Fersen der grimmigen gifftigen Schlangen[8] doch einmahl ein Ende werde und endlich angehe die Offenbahrung der herrlichen Freyheit und Seeligkeit der Kinder GOttes[9], der[10] sie hoffen und in Geduld warten. Darzu spreche ein ieglich fromm Hertze, so Christi, unsers Lebens, Erscheinung lieb hat, Amen, Amen[11].

Aus: Vorrede zu Bd. 2 der Wittenberger deutschen Ausgabe (1548) = WA Bd. 54, S. 474, 29—475, 9.

Fundorte: Eisl. Bd. 2, Vorrede. Altenburg. Ausg. Bd. 8, Vorrede. V 317 (Vorrede). W¹ Bd. 14, 485.

1) 1. Petr. 2, 25.   2) 1. Petr. 1, 18 f.   3) sowohl ... als auch.   4) bald. 5) Vgl. Röm. 8, 19. 22.   6) heilsamen Ankunft.   7) tödlichen.   8) 1. Mose 3, 15; vgl. RN 48, 15 (Nr. 17), 3.   9) Röm. 8, (19—) 22.   10) auf die; zum Genitiv vgl. Franke Bd. 3, S. 105; s. o. Nr. 131 Anm. 2.   11) S. o. Nr. 372 Anm. 4.

736   [332]   Gebeth um den Jüngsten Tag.

Wir bitten, himmlischer Vater: ‚Zukomme[1] dein Reich, erlöse uns vom Übel.' Hilff, hilff, GOtt, schlag drein und machs[2] ein Ende.

Aus: Hauspostille (zu Luk. 21, 25—33) (1559) = E. A². Bd. 4, S. 28, 10—13 (WA Bd. 36, S. 382, 3 f.; vgl. Bd. 52, S. XIII). Vgl. Gebet Nr. 662 n [B].

Fundort: W¹ Bd. 13, 41.

1) S. o. Nr. 135 Anm. 3.   2) mache damit; zum Genitiv („es") vgl. Franke Bd. 3, S. 119 und 112.

737   [332]   Um Hülffe in allerley Noth.

HErr, ich stecke hie und da in grosser Gefahr und Noth Leibes und der Seelen, darff[1] derhalb deiner Hülff und Trost. Item, ich muß das und jenes haben, darumb bitte ich, du wollest mirs geben.

Aus: Hauspostille (zu Luk. 18, 31–43) (1559) = E. A². Bd. 4, S. 325, 23–26 (WA Bd. 37, S. 298, 8; vgl. Bd. 52, S. 169, 15 f.).
Fundort: W¹ Bd. 13, 535.
1) brauche; zum Genitiv vgl. Dietz Bd. 1, S. 470 f.; Franke Bd. 3, S. 109.

738   [333]   Ein anders.

O HErr, ich bin ein armer Sünder, gib, daß dein Reich auch zu mir komme, und vergib mir meine Schuld. Hilff hie, hilff da[1].

Aus: Hauspostille (zu Luk. 18, 31–43) (1559) = E. A². Bd. 4, S. 326, 3–5 (WA Bd. 37, S. 298, 14–16; vgl. Bd. 52, S. 169, 28–30).
Fundort: W¹ Bd. 13, 536.
1) S. o. Nr. 514 Anm. 2.

739   [333]   Um Vergebung der Sünden.

O lieber Vater, du lässest die Sünde gewiß nicht ungestrafft, so verleihe mir deine Gnade und Heiligen Geist, daß ich mich möge bessern und der wohlverdienten Straffe entlauffen.

Aus: Hauspostille (zu Luk. 19, 41–48) (1559) = E. A². Bd. 5, S. 418, 33–36 (WA Bd. 36, S. 227, 30 f.; vgl. Bd. 52, S. 441, 13–15).
Fundort: W¹ Bd. 13, 1862.

740   [333]   Gebeth eines Verfolgers, der zur Erkäntnüs der Sünden kommt
                    und Busse thut.

Lieber GOtt, wir haben ja unrecht gethan, daß wir so böse Buben gewest und deine liebe Knechte, die Propheten, gewürget[1] haben. Nu[2] du hast uns jetzt durch deinen Sohn das heilige Evangelium gegeben, gib Gnade, daß wir uns bekehren und frömmer mögen werden.

Aus: Hauspostille (zu Luk. 19, 41–48) (1559) = E. A². Bd. 5, S. 418, 39–419, 3 (WA Bd. 36, S. 227, 32 f.; vgl. Bd. 52, S. 441, 17–21).
Fundort: W¹ Bd. 13, 1863.
1) getötet; vgl. RN 48, 52 (Nr. 68), 23 f.   2) nachdem (temporale Konjunktion wie mhd.); vgl. D. Wb. Bd. 7, Sp. 989 f.; WA Bd. 6, S. 416, 27.

741   [334]   Preiß der wunderlichen Hülffe GOttes.

Bist du nicht ein wunderlicher[1], liebreicher[a] GOtt, der du uns so wunderlich[2] und so freundlich regierest. Du erhöhest uns, wenn du uns niedrigst; Du machest uns gerecht, wenn du uns zu Sündern machst; Du führest uns gen Himmel, wenn du uns in die Hölle stössest; Du giebest uns Sieg, wenn du uns unten liegen[b] lässest; Du tröstest uns, wenn du uns trauren lässest; Du machst uns frölich, wenn du uns heulen lässest; Du machst uns singend, wenn du uns weinen lässest; Du machst uns starck, wenn wir leiden; Du machst uns weise, wenn du uns zu Narren machst; Du machst uns reich, wenn du uns Armuth zuschickst; Du machst uns zu Herren, wenn du uns dienen lässest.

Aus: Auslegung des 118. Psalms (Confitemini) (zu v. 21) (1530) = WA Bd. 31[I], S. 171, 13—23.

Fundort: W[1] Bd. 5, 1797.

a) *lieblicher* Luther.   b) *unterligen* Luther.

1) wunderbarer.   2) wunderbar.

9. Luthers sämtliche Schriften, 1. Ausgabe (Walch): Nr. 742—745

742   [Bd. 5, Sp. 1158; vgl. Bd. 10, Sp. 1775]   Um göttliche Barmherzigkeit.

O HErr, thue überflüßige[1] Barmherzigkeit; nicht eine sondere, dadurch das Königreich oder die Gesundheit erhalten wird. Wir bitten die Fülle und den Ueberschwall deiner Barmherzigkeit. Denn in diesem Jammer, so das ganze menschliche Geschlechte druckt, ist nicht genug die particulare oder sonderliche Barmherzigkeit, und die gleichsam (also zu reden) tröpfleinsweise Barmherzigkeit ist; sondern wir bedürfen[2] einer ganzen Sündfluth und ein Meer, daß uns genugsam sei. Alsdenn wollen wir rühmen und fröhlich seyn. Denn allein die Barmherzigkeit, so uns von der Sünde erlöset und der ewigen Seligkeit versichert, gebiert ewige und wahrhaftige Freude, Dankbarkeit und Danksagung.

Aus: Enarratio Psalmi XC (zu v. 14) (1541) = WA Bd. 40[III], S. 581, 21—28 (deutsche Übersetzung). Vgl. Gebet Nr. 692.

Fundorte: W[1] Bd. 5, 1158.   W[1] Bd. 10, 1775*.   Text nach W[2] Bd. 10, Sp. 1510.

1) überreichliche (lat. Vorlage: „abundans"). 2) Zum Genitiv vgl. Dietz Bd. 1, S. 222; Franke Bd. 3, S. 110.

743   [Bd. 5, Sp. 1162; vgl. Bd. 10, Sp. 1775]   Ein anderes.

O lieber HErr, laß deine Werke erscheinen, das ist, mache uns wieder lebendig, die wir im Tode gedemütiget seyn: mache uns gerecht oder fromm, die wir durch die Sünde geplaget sind, und also zeige uns denn dein eigen Werk, das ist, Leben und Gerechtigkeit.

Aus: Enarratio Psalmi XC (zu v. 16) (1541) = WA Bd. 40[III], S. 585, 24—26 (deutsche Übersetzung).

Fundorte: W[1] Bd. 5, 1162.   W[1] Bd. 10, 1775*.   Text nach W[2] Bd. 10, Sp. 1510.

744   [Bd. 11, Sp. 829; vgl. Bd. 10, Sp. 1775]   Um Würdigkeit.

Ey, ich armer und elender Mensch, der ich in Sünden ersoffen bin, soll ich nun
würdig seyn, daß GOttes Sohn mein Bruder[1] sey? Ey, wie komme ich elende,
arme Creatur dazu?

Aus: Sommerpostille (1526) = WA Bd. 10[I, 2], S. 216, 16—18.
Fundorte: W[1] Bd. 11, 829.   W[1] Bd. 10, 1775*.   Text nach W[2] Bd. 10, Sp. 1514.
1) Vgl. Joh. 20, 17; Hebr. 2, 11 f.

745   [Bd. 13, Sp. 705; vgl. Bd. 10, Sp. 1776]   Vor der Genießung[1].

Ich will auch hingehen zu dem rechten Osterlamm[2], und meines lieben HErrn
JEsu Christi Leib und Blut essen und trinken, sein Gedächtniß halten[3], und ihm
für seine Erlösung danken; auf daß ich nicht erfunden werde unter den Ver-
ächtern und Undankbaren, die solch theure Erlösung in Wind schlagen und vergessen.

Aus: Hauspostille (1559) = E. A[2]. Bd. 4, S. 497, 31—37 (WA Bd. 37, S. 350, 25 f.; vgl.
Bd. 52, S. XXVII).
Fundorte: W[1] Bd. 13, 705*.   W[1] Bd. 10, 1776*.   Text nach W[2] Bd. 10, Sp. 1514.
1) Einnehmen (von Speisen, hier: des Abendmahls).   2) 1. Kor. 5, 7.   3) 1. Kor.
11, 24 f.; Luk. 22, 19 f.

10. Luthers sämtliche Schriften, 2. Ausgabe (Walch): Nr. 746—747

746   [Bd. 10, Sp. 1699; vgl. Sp. 1496]   Gebet für treue Lehrer.

GOtt, der liebe Vater, wolle uns bei seinem heiligen Wort erhalten und dasselbe
nicht von uns nehmen um unserer Sünde, Undankbarkeit und Faulheit willen.
Wolle uns behüten für Rottengeistern[1], und falschen Lehrern; sondern ‚sende‘ uns
treue und rechte ‚Arbeiter in seine Ernte‘[2], das ist treue und fromme Pfarrherren
und Prediger. Gebe uns allen auch Gnade, daß wir derselben Wort als sein selbst
Wort demütiglich hören, annehmen und ehren, dazu auch von Herzen dafür
danken und loben.

Aus: Eine einfältige Weise zu beten (1535) = WA Bd. 38, S. 367, 8—14. Vgl. Gebet
Nr. 164.
Fundorte: W[1] Bd. 10, 1699.   W[1] Bd. 10, 1768 ff. fehlt.
1) S. o. Nr. 206 Anm. 2.   2) Matth. 9, 38.

747   [Bd. 22, Sp. 1972; vgl. Bd. 10, Sp. 1521]   Um den jüngsten Tag und Christi
              Zukunft[1] zum Gericht.

O lieber GOtt, komm schier[2] einmal; ich warte[3] stets des Tages, frühe um den
Lenzen, wenn Tag und Nacht gleich ist, und wird eine sehr klare, helle Morgen-

röthe werden. Aber das sind meine Gedanken, und ich will davon predigen: Bald aus der Morgenröthe wird kommen eine schwarze, dicke Wolke, und werden drey Blitzen geschehen, darnach wird ein Schlag kommen, und alles in einem Nun auf einen Haufen schlagen[4], Himmel und Erden. GOtt sey aber Lob, der uns gelehret hat, daß wir nach dem Tage seufzen, und ihn begehren sollen.

Aus: Tischrede vom September 1540 (1566) = WA *TR* Bd. 5, S. 22, 7–13. Vgl. Gebet Nr. 68.
Fundorte: W[1] Bd. 22, 1972. W[1] Bd. 10, 1768 ff. fehlt.
1) Ankunft.   2) bald.   3) S. o. Nr. 131 Anm. 2.   4) zusammenschlagen, zerschmettern.

11. Das Betbüchlein Lutheri (Kraußold): Nr. 748–752

748   [190]   Um Glauben und Erkenntniß.

Ich nenne dich ja meinen Vater, und soll dich also nennen nach deinem Wort und Befehl; ich habe aber leider Sorge, daß mein Herz läuget[1]. Und das wäre zwar noch nicht das größte, daß ich für mich selbst lüge, wenn ich nur nicht auch dich Lügen strafe! Hilf, lieber Herr Gott Vater, daß ich dich nicht zum Lügner mache.

Aus: Predigt vom 22. April 1538 (1538) = WA Bd. 46, S. 345, 16–20.
1) lügt.

749   [193]   Um göttliche Regierung.

Ach lieber Vater! Dein Name werde geheiliget in uns! das ist: Gieb Gnade, daß wir also leben und so fromm seien, daß dein göttlicher Name in unserm Leben von uns nicht geunehret werde; sonst ohne deine Hülfe schänden wir und unehren deinen Namen. — Darum durch deine Gnade hilf mir, daß in mir mein Name abgehe[1] und zunichte werde, auf daß du allein, und dein Name und Ehre in mir sey.

Aus: Auslegung und Deutung des Vaterunsers (zur 1. Bitte) (1518) = WA Bd. 9, S. 133 14–18.
1) abnehme, zugrunde gehe.

750   [193]   Um göttliche Regierung.

O Vater! ich finde in mir, daß meine Natur von Art[1] zu dem Bösen geneigt ist, daß sie allezeit das Ihre, ihr Gerüchte[2], Nutzen, Frommen sucht an weltlichen oder äußerlichen und den innerlichen oder geistlichen Dingen. Ich bitte dich, brich meine Natur, meinen Willen, es gehe mir, wie es wolle, daß es alleine dir gefalle.

Aus: Auslegung und Deutung des Vaterunsers (zur 3. Bitte) (1518) = WA Bd. 9, S. 137, 31—35.

1) Von ihrer Art her.   2) S. o. Nr. 94 Anm. 1.

751   [194]   Um göttliche Regierung.

O Vater! Gib uns Gnade, dadurch wir unsern Willen brechen mögen, auf daß wir uns ganz frei in dich verlassen, deinen Willen geduldig geschehen lassen, er düncke uns böse oder gut. O, Gott Vater, ,dein Wille geschehe', und alsdann wird zukommen[1] dein Reich, und so wird auch in uns werden Ehre und Gloria, auch Heiligmachung deines göttlichen Namens.

Aus: Auslegung und Deutung des Vaterunsers (zur 3. Bitte) (1518) = WA Bd. 9, S. 140, 31—36.

1) S. o. Nr. 135 Anm. 3.

752   [218]   In Kreuz und Anfechtung.

Herr, ich bin ein armer Mensch. Es geht mir übel, aber dennoch glaube ich an dich, es gehe mir, wie es wolle[1]. Hast du mein[2] vergessen, so hast du mein vergessen, zürnest du, so zürne. Ich will aber darum kein Unchrist seyn und aufhören zu glauben, sondern will fest halten an dem, daß Christus für mich gestorben sei. Solches kann mir nicht fehlen[3], ob es gleich sonst Alles fehlet; Ursach: das Hauptstück, Gottes Verheißung, muß bleiben, ob schon Alles zu Trümmern gehet[4].

Nicht festgestellt.
1) S. o. Nr. 94 Anm. 1.   2) meiner; s. o. Nr. 529 Anm. 2.   3) mich nicht irreführen.   4) S. o. Nr. 86 Anm. 3.

12. Betbüchlein . . . (Calw): Nr. 753—757

753   [67]   Advent.

Ja nimm, Herr Jesu, unsere Geburt von uns und versenke sie in deiner Geburt und schenke uns die deine, daß wir darin rein und neu werden, als wäre sie unser eigen, daß ein jedes von uns sich deiner Geburt nicht weniger freuen und rühmen möge, denn als wäre er auch wie du leiblich von Maria geboren. Stärke uns den Glauben, daß du ganz unser seiest, ein Kind uns geboren, ein Sohn uns gegeben.

Aus: Weihnachtspostille (1522) = WA Bd. 10[I, 1], S. 72, 13—17 (bearb.).

754   [68]   Neujahr.

Himmlischer Vater, lehre uns, daß dein Sohn Jesus heiße und sei ein Heiland, der von dem höchsten und größten Jammer, nämlich von Sünden, helfe[1]. Laß alle Sünder diesen Namen erkennen, daß er Jesus heiße, daß er von Sünden, dem ewigen Tod und des Teufels Reich helfen wolle; dazu bedürfen sie ja sein[2]. Wenn er uns dazu hilft, so hat er uns genug geholfen; kann doch dazu weder Kaiser, Vater, Mutter, Arzt noch jemand anders, auch kein Engel helfen. So laß uns denn genügen an deiner ewigen Hilfe, es gehe mit dem Zeitlichen, wie es wolle.

Aus: Hauspostille (1544) = WA Bd. 52, S. 83, 10 f.; 35—37; 84, 10 f.; 83, 29 f.; 84, 13 f.
1) S. o. Nr. 715 Anm. 2.   2) S. o. Nr. 742 Anm. 2.

755   [68]   Epiphanias.

Weil du beschlossen hast, daß alle natürliche Weisheit, aller Menschen Vernunft, aller Heiden Kunst[1], alle menschliche Lehren und Gesetze eitel Finsternis sind, dieweil dieses Lichtes Zukunft[2] not war, so laß deine göttliche Klarheit aufgehen über der armen Welt, auf daß, ,wer da rühmet, der rühme sich des Herrn'[3].

Aus: Weihnachtspostille (1522) = WA Bd. 10[I, 1], S. 527, 16—18; 528, 12 f. (bearb.).
1) Gelehrsamkeit.   2) Ankunft.   3) 2. Kor. 10, 17.

756   [89]   Um Bewahrung und Ausbreitung des Reiches Christi.

Du wollest auch forthin unter uns die eine Kirche und die Versammlung derer, so recht lehren und lernen, erhalten und die Regimente, so ihnen Herberge geben, gnädiglich schützen.

Nicht festgestellt.

757   [96]   In Trübsal und Anfechtung.

In diesem Jammer siehest du auf mich wie eine Mutter auf ihr Kindlein, das sie unter ihrem Herzen getragen hat. Darum wollest du mich erhören und mich erretten.

Nicht festgestellt.

13. Weitere Luthergebete: Nr. 758—773

758   [Um Brechung des eigenen Willens.]

Hilff, das wir alle unßer Glid ... ewiglich und tzeytlich.

Aus: Eine kurze Form der zehn Gebote (1520) = WA Bd. 7, S. 224, 26—225, 3. Vgl. Gebet Nr. 148.
Vgl. Vorwerk, S. 201.

759   [Beichtgebet.]

O Christe, ich befinde in mir ... alle hilffe gebricht.

> Aus: Auslegung des heiligen Vaterunsers (1519) = WA Bd. 9, S. 130, 18—20.
> Vgl. Vorwerk, S. 192.

760   [Um Brechung des eigenen Willens.]

Ach lieber vatter, ich neme mir vor ... las es tzu rucke gehen.

> Aus: Ebda. = WA Bd. 9, S. 132, 32—35.
> Vgl. Vorwerk, S. 201.

761   [Gebet um Christi willen.]

Last uns dem vatter dancken ... menschen gleich ist.

> Aus: Predigt über Joh. 3, 16—21 (1522) = WA Bd. 10III, S. 161, 21—23.
> Vgl. Vorwerk, S. 231.

762   [Um Ergebung.]

Mein lieber Gott, Ich bin blind ... abendmal.

> Aus: Daß diese Worte Christi ... Schwarmgeister (1527) = WA Bd. 23, S. 246, 35—247, 1.
> Vgl. Vorwerk, S. 159.

763   [Fürbitte für die Geistlichen zu Augsburg.]

Der Gott des friedens vnd trostes ... Gaben ynn Ewigkeit.

> Aus: Vermahnung an die Geistlichen ... Augsburg (1530) = WA Bd. 30II, S. 356, 1—4.
> Vgl. Vorwerk, S. 102.

764   [Um Beständigkeit.]

Gott helff uns allen, bey der reinen warheit ... ans ende.

> Aus: Vorrede zu Alexius Krosner (1531) = WA Bd. 30III, S. 409, 11—13.

765   [Gebet um Glauben.]

Ach lieber vater, du hast mir das leben geben ... erhoren.

> Aus: Predigt über Luk. 10, 23 ff. (1530) = WA Bd. 32, S. 102, 22—24.

766   [Abendgebet.]

-Gott, mein Herr und Vater, Ich befehle mich . . . mich behüten.

Aus: 3 Predigten von Engeln (1531) = WA Bd. 34^{II}, S. 281, 16—18.

767   [Allgemeines Kirchengebet.]

Orare debemus pro omni necessitate . . . und leiplich.

Aus: Predigt über Luk. 16, 1 ff. (1532) = WA Bd. 36, S. 313, 25—314, 4.

768   [Um Bekehrung.]

Lieber Herr Gott, Bekehre die, so noch sollen . . . heiligem leben.

Aus: Eine einfältige Weise (1535) = WA Bd. 38, S. 360, 23—28. Vgl. Gebet Nr. 155.
Vgl. Vorwerk, S. 202.

769   [Um Bekehrung.]

Lieber Herr Gott Vater, Bekehre die, so noch . . . reich kommen.

Aus: Ebda. = WA Bd. 38, S. 360, 38—361, 5. Vgl. Gebet Nr. 156.
Vgl. Vorwerk, S. 202.

770   [Um Bekehrung.]

Bekehre, die deinen guten Willen . . . prüfen und erfaren.

Aus: Ebda. = WA Bd. 38, S. 361, 13—20. Vgl. Gebet Nr. 157.
Vgl. Vorwerk, S. 202.

771   [Um rechte Führung des Ehestandes.]

Domine Deus, ego sum tua creatura . . . expectem.

Aus: Genesisvorlesung cap. 28, 1. 2. (1544 ff.) = WA Bd. 43, S. 561, 1—5.

772   [Einweihung der Torgauer Schloßkirche.]

Last uns Gott anruffen und beten . . . ernstlich bitte.

Aus: Predigt zu Torgau (1544) = WA Bd. 49, S. 613, 29; 614, 6—9.

773   [Um Beistand im Predigtamt.]

Gott und der Vater Jesu Christi . . . sein Wille geschehe.

Aus: Brief an Buchholzer (4./5. 12. 1539) = WA Br. Bd. 8, S. 626, 52—54 (Nr. 3421). Vgl. Vorwerk, S. 103.

Die Gebetsparaphrasen Luthers

Die einzelnen Gebetsparaphrasen: Nr. 1—10

1

Das Vaterunser vor sich und hinter sich 1516.
WA Bd. 2, S. 78 und Bd. 6, S. 21.

Lateinischer Text in ZKG Bd. 48 (1929) 205 f.; deutsch in Spalatins Betbüchlein: WA Bd. 10II, S. 498, 33—499, 28. Vgl. Walch[1] Bd. 7, Sp. 1178—1181.

2

Auslegung des heiligen Vaterunsers 1519, hsg. durch Johann Agricola.
WA Bd. 9, S. 124—159. Vgl. die Gebete Nr. 759. 760. 749. 750. 751.

3

Christliche Vorbetrachtung des Vaterunsers 1519, hsg. von Nikolaus von Amsdorf.
WA Bd. 9, S. 223—225; Bd. 10II, S. 429, 8—432, 16.

Diese Vaterunserparaphrase erscheint lediglich in einer Nürnberger Ausgabe von Luthers Betbüchlein, vgl. WA Bd. 10II, S. 366 Nr. 8 (J). Darnach in folgenden Gebetbüchern des 16. Jahrhunderts: Feuerzeug (Nürnberg 1537 ff.), Bl. F 4a (= Bibliographie II, 1); Betbüchlein für allerlei gemein Anliegen (Leipzig 1543 ff.), Nr. 33 (= Bibliographie II, 2); Gebett des Kurfürsten Johann Friedrich (Wittenberg 1557 ff. 1561), Bl. 70a (= Bibliographie II, 4). Vgl. Althaus, S. 52 und R. Buchwald, Ein Gebet D. Martin Luthers, in ThStKr Bd. 63 (1890), S. 757—762, wo neben dem 1519 im Druck erschienenen deutschen Text auch der handschriftliche Text der durch G. Spalatin hergestellten lateinischen Fassung abgedruckt ist.

4

Auslegung ... des Vaterunsers für die Laien 1519.
WA Bd. 2, S. 80, 1—130, 19. Vgl. die Gebete Nr. 358. 454. 418. 183. 426. 367. 368.

5

Kurzer Begriff des Vaterunsers (Schlußstück des Vorigen: Gespräch der Seele mit Gott).
WA Bd. 2, S. 127, 21—130, 13; Bd. 9, S. 789; Bd. 10II, S. 429, 10—432, 16. Vgl. die Gebete Nr. 136—144 und Nr. 650.

Dieser Text findet sich auch in einer Nürnberger Ausgabe von Luthers Betbüchlein, vgl. WA Bd. 10II, S. 366 Nr. 9 (J).

6

Kurze Form ... des Vaterunsers 1520.
WA Bd. 7, S. 220, 12—229, 17; Bd. 6, S. 9; Bd. 10[II], S. 395, 9—407, 7. Vgl.
die Gebete Nr. 145—152 und Nr. 648. 651. 758.

Dieser Text steht auch in Luthers Betbüchlein 1522 ff., vgl. WA Bd. 10[II], S. 366 Nr. 2
(A ff.).

7

Vaterunserparaphrase aus der Deutschen Messe 1526.
WA Bd. 19, S. 95, 22—96, 26; Bd. 10[II], 367 Nr. 31. Vgl. Gebet Nr. 153.

Diese Vaterunserparaphrase erscheint, kombiniert mit Melanchthons kurzem Begriff des
Vaterunsers (vgl. unter Nr. 11), im Betbüchlein für allerlei gemein Anliegen. 1543 ff.
(= Bibliographie II, 2 A) als Nr. 34. Die Zusammenstellung geht zurück auf Caspar
Huberinus, Vom Zorn und der Güte Gottes (Augsburg 1529, Philipp Ulhart [vorh.
Dresden LB; Wolfenbüttel HAB]; vgl. WA Bd. 38. S. 315 a). Huberinus scheint die Erfurter Ausgabe 1528 von Luthers Betbüchlein (WA Bd. 10[II], S. 359: Y) benützt zu haben,
wo Melanchthons Vaterunserparaphrase neben Luthers Paraphrase aus der Deutschen
Messe erstmals aufgenommen ist (ebda. S. 457 Nr. 33), jedoch ohne Angabe der Verfasserschaft Melanchthons. Zu Huberinus vgl. G. Franz, Huberinus-Rhegius-Holbein, Bibliotheca Humanistica et Reformatorica Volume VII (Nieuwkoop 1973), besonders S. 15 f.,
wo die Rezeption dieser kombinierten Vaterunserparaphrase in das Betbüchlein von
Michael Weinmar (vgl. u. S. 379 zu Nr. 1005 ff. und Bibliographie II, 1 P) und in das
Betbüchlein für allerlei gemein Anliegen 1543 ff. (vgl. oben Bibliographie II, 2) erwähnt
ist. Die bibliographischen Angaben bei Franz, a. a. O. S. 16 sind nach unserer Bibliographie zu ergänzen (unsere Nr. B. D. H. K. L. N. Q. T. Y). Franz führt umgekehrt aus
E. Stevenson, Inventario dei libri stampati Palatino-Vaticani (Rom 1886 ff.) Bd. 2, 1 und
2 weitere Ausgaben an, kann aber nur für die Ausgabe Nürnberg 1550 (Detmold und
Leipzig 1576 (München) einen Fundort nachweisen.

8

Vaterunserauslegung des Großen Katechismus 1529.
WA Bd. 30[I], S. 194—211. Vgl. die Gebete Nr. 112. 178. 457. 262. 490. 495.

Kombiniert mit einer Vaterunserparaphrase Melanchthons (vgl. unter Nr. 11) erscheinen
Abschnitte aus der Vaterunsererklärung des Großen Katechismus Luthers im Betbüchlein
für allerlei gemein Anliegen (Leipzig 1543 u. ff.), Bl. G 1a (= Bibliographie II, 2) als
Nr. 43. Vgl. Althaus, S. 41.

9

Vaterunserparaphrase in der Predigt über Matth. 6 aus den Wochenpredigten über
Matth. 5—7 1530/32.
WA Bd. 32, S. 420, 21—421, 18. Vgl. Gebet Nr. 154.

Diese Vaterunserparaphrase erscheint in anderer Redaktion auch in: Gebett des Kurfürsten Johann Friedrich (Wittenberg [1557 ff.] 1561), Bl. 50ᵃ bis 54ᵇ (= Bibliographie II, 4 D). Vgl. Althaus, S. 104.

10

Eine einfältige Weise zu beten für Meister Peter 1534.

Vaterunser WA Bd. 38, S. 360, 14—362, 29. Vgl. die Gebete Nr. 155—161 und Nr. 653. 768. 769. 770. 771.

Dekalog WA Bd. 38, S. 365, 6—372, 25. Vgl. die Gebete Nr. 162—170 und Nr. 746.

Glaube WA Bd. 38, S. 373, 18—375, 8. Vgl. die Gebete Nr. 171—173 und Nr. 714. Vgl. WA Bd. 10ᴵᴵ, S. 367 Nr. 36.

Luther fälschlich zugeschriebene oder mit Luthertexten vermischte, z. T. anonym gedruckte Gebetsparaphrasen von Melanchthon: Nr. 11—12

11

Ein kurzer Begriff des Vaterunsers 1527, aus: Büchlein für die Kinder (Wittenberg 1529), Bl. B 6ᵇ ff. F. Cohrs, Die Evang. Katechismusversuche vor Luthers Enchiridion Bd. 1 (Berlin 1900), S. 239, 15—240, 19; 180 ff.; 199; ferner F. Cohrs, Philipp Melanchthons Schriften zur praktischen Theologie Teil 1 (Leipzig 1915), S. 76 f.; XXV ff.; CXXX. Ohne Angabe des Verfassers abgedruckt: WA Bd. 10ᴵᴵ, S. 457, 9—458, 12.

Dieser Text ist nur in die Erfurter Ausgabe von 1528 von Luthers Betbüchlein (WA Bd. 10ᴵᴵ, S. 359 : Y) aufgenommen worden. Ohne Angabe eines Verfassers ist er WA Bd. 10ᴵᴵ, S. 457 f. als Nr. 33 abgedruckt; vgl. oben zu Nr. 7 und 8.

12

Kurze Auslegung des Vaterunsers 1542 (Deutsche Fassung aufgrund des lat. Textes in den Loci 1535 [C. R. XXI, Sp. 541 f.]); abgedruckt in: Hortulus Animae, hsg. von Georg Rhaw (Wittenberg 1547), Bl. R 4ᵃ—S 2ᵃ. F. Cohrs, Philipp Melanchthons Schriften zur praktischen Theologie (Leipzig 1915), S. 337 ff.; XCIII ff.; CXL ff.

Dieser Text erscheint im Betbüchlein für allerlei gemein Anliegen (Leipzig 1565) (= Bibliographie II, 1 U) als Nr. 44. (auch in der Ausgabe Nürnberg 1569 [V] als Nr. 31, hinter der oben zu Nr. 8 genannten kombinierten Vaterunserparaphrase.

13

Viel heilsamer ... Gebet. (Augsburg [um 1523]).

Vil haylsa- | mer vnd trôstlicher | Gebett, mitt sampt ainer | Euangelischen Beycht, | gezogen auß den sechs | Doctorn, hernach | benennet. Fleyssig Corrigiert, Ge- | mert vnd gebessert. | Mathei 21. | Alles was jr bittet im Gebett, | glaub jr, so wert jrs empfahen. |.

Mit Titeleinfassung. 88 Bl. (A—L8 [letzte Seite leer]) in Oktav.

Am Ende (L 8ᵃ): Getruckt zu Augsburg, durch | Philipp Vlhart. |. o. J. [1531].

Vorhanden: Wolfenbüttel HAB (1197. 17 Th)*.

Die „6 Doctores" sind: Luther, Urbanus Rhegius (1489—1541; vgl. RGG³ Bd. 5, Sp. 1081 f.), Joh. Oecolampad (1482—1531; vgl. RGG³ Bd. 4, Sp. 1567 f.), Jakob Strauß (1480/85 — ca. 1533; vgl. ADB Bd. 36, S. 535), Joh. Speyser (aus Forchheim, Studium und Promotion in Basel, seit 1515 in Augsburg, zeitweise Pfarrer an St. Moritz, zwischenzeitlich Aufenthalt in Leipheim, dann wieder Augsburg, wo er 1533 resignierte und nach Bayern ging, Lebensdaten unbekannt) und Joh. Böschenstein (1472 — ca. 1540; vgl. ADB Bd. 3, S. 184). Das Buch enthält von Luther die Gebetsparaphrasen Nr. 6 (einschließlich der Auslegungen des Dekalogs und des Glaubens), Nr. 5 und 3. Dazu die Auslegung des Ave Maria (WA Bd. 10ᴵᴵ, S. 407 ff.). Nr. 3 erscheint mit Nr. 5 zusammen nur (und erstmals) in Luthers Betbüchlein, Ausgabe J (Nürnberg 1522), Nr. 5 letztmals in der Ausgabe N (1523). Daraus, sowie aus dem Namen der übrigen Verfasser und des Druckers ist zu schließen, daß die 1. Ausgabe in den frühen zwanziger Jahren anzusetzen ist. Vgl. Althaus, S. 20, der eine verbesserte Ausgabe von 1531 eingesehen hat (vermutlich identisch mit dem vorliegenden Titel).

14

Heiliges ... Betbüchlein (Dinckel) 1595.

[rot] Heiliges lehr | vnd trostreiches Bett- | [schwarz] büchlein D. Martini | Lutheri. | Das ist, | [rot] Viererley Vnterricht D. M. | L. Darinnen grûntlich ange-zeiget | [schwarz] wirdt, Was ein Gottseliges Hertze in dem | Gebett betrachten, vnd wie es darauff frucht- | barlich beten soll, | Auß seinen Schrifften | jetzundt insonderheyt zum Trucke | verordnet. | Von | [rot] M. Johan Dinckeln, Pfarr-herrn zu Co- | [schwarz] burg vnd G. S. daselbsten. | [rot] Die vrsachen dieses Truckes sind in der | [schwarz] Vorrede verzeichnet. | ANNO | [rot] M. D. XCIIII. |.

Ohne Titeleinfassung. 240 gez. und 48 ungez. Bl. (Bl. A—Z8 a—f4 [letzte 4 Bl. fehlen]) in Oktav.

Am Ende: Getruckt zu Erffurdt, | Durch Zachariam Zimmern, | in verlegung Otthonis von | Rißwigk. | ANNO | M. D. XCV. |.

Vorhanden: Wolfenbüttel HAB (990. 120 Th; Signatur auf Buchrücken falsch, sie muß heißen: 990. 123 Th)*.

Enthält die Gebetsparaphrasen Nr. 1. 5. 6. 10. Zum Herausgeber vgl. Kurzbiographien Nr. 2.

Spätere Luthergebetbücher: Nr. 15

15
Von den Gebetsparaphrasen Luthers haben übernommen:
Otto (= Bibliographie I, 1): Nr. 10.
Treuer (= Bibliographie I, 2): Nr. 5. 6. 7. 9. 10.
Beck (= Bibliographie I, 5): Nr. 7. 9. 10.
Gruber Bd. 9 (= Bibliographie I, 6): Nr. 6. 10.
Veiel (= Bibliographie I, 7): Nr. 6. 10.
Reuchel (= Bibliographie I, 9): Nr. 5. 6. 7. 10.
Kraußold (= Bibliographie I, 11): Nr. 6. 10.
Betbüchlein, Calw (= Bibliographie I, 12): Nr. 7. 8. 9. 10.

Unechte Luthergebete

1001   Gebet beim Abendmahl.

o du alderbarmhertigeste here Jhesu Christi, de du . . .
O du allerbarmherzigster Herre Jesu Christe, der du . . .

Aus: Luthers Betbüchlein (Ausgabe Hamburg 1523 = N) = WA Bd. 10^{II}, S. 441, 27 —
42; vgl. S. 366 Nr. 17.

1002   Bußgebet.

Och leve here, dar bekaereth my de hoverdicheyt . . .
Ach lieber Herr, bekehre in mir die Hoffärtigkeit . . .

Aus: Luthers Betbüchlein (Ausgabe Hamburg 1523 = N) = WA Bd. 10^{II}, S. 442, 15 —
23; vgl. S. 366, Nr. 17.

1003   Ain Gebett von der hailigen Dreyhait.

O Gott, du allerheiligste Dreiheit . . .

Aus: Luthers Betbüchlein (Ausgabe Augsburg 1523 = O) = WA Bd. 10^{II}, S. 452; vgl.
S. 367 Nr. 21.

1004   Eyn tröstlich Gebet bei einem Sterbenden.

O du allergütigster Herr Jesu Christe . . .

Aus: Luthers Betbüchlein (Ausgabe Nürnberg 1527 = X) = WA Bd. 10^{II}, S. 455; vgl.
S. 367 Nr. 29.

1005   Ein Gemeine Beicht.

Ich armer sündiger mensch bekenne . . .

Aus: Luthers Betbüchlein (Ausgabe Nürnberg 1536 = b) = WA Bd. 10^{II}, S. 470; vgl.
S. 367 Nr. 35.
Zuerst in: Ein schön gemain Bettbüchlein, darinnen . . . mengel der welt, Auch andechtige Bekantnus der sünden . . . zusammenbracht durch D. Michaeln Weinmar, . . . Augsburg M. D. XXXII, vgl. WA Bd. 10^{II}, S. 348. Weinmars Quelle ist die (nicht erhaltene)
1. Auflage eines schlesischen Gebetbuchs, dessen 2. Auflage vorliegt: Bekantnis der sünden,
mit etlichen und nützlichen gepetten. Jetz auffs new ubersehen und gedruckt. 1537. Nürnberg, Jobst Gutknecht. Vgl. Bibliographie II, 1 P und WA Bd. 10^{II}, S. 347. Vgl. H. Weigelt,

Das Schwenckfeldische Gebetbüchlein ‚Bekenntnis der Sünden' ..., in: Jahrbuch für frän-
kische Landesforschung Bd. 34/34 (1974/75), S. 603–616. Die folgenden Gebete 1006 bis
1026 stammen aus der gleichen Quelle.

1006   Eine andere kurtze Beicht.

Herr Jesu Christe, der du bist ein eyniger gesundmacher ...

Aus: Luthers Betbüchlein (Ausgabe Nürnberg 1536 = b) = WA Bd. 10^{II}, S. 471.

1007   Zů Gott dem vater ein gebåt.

ALmechtiger Gott, hymelischer vater, du schöpffer hymels ...

Aus: Luthers Betbüchlein (Ausgabe Nürnberg 1536 = b) = WA Bd. 10^{II}, S. 471.

1008   Zů Gott dem sun ... ein gebåt.

Herr Jesu Christe, du eyniger ewiger sun Gottes ...

Aus: Luthers Betbüchlein (Ausgabe Nürnberg 1536 = b) = WA Bd. 10^{II}, S. 471.

1009   Zů Gott dem heyligen geyst ein gebet.

KVm heyliger geyst, du einiger trost aller betrübten, ein ...

Aus: Luthers Betbüchlein (Ausgabe Nürnberg 1536 = b) = WA Bd. 10^{II}, S. 472.

1010   Umb ware bůß ... ein gebet.

O Unser Herr unnd Gott Jesu Christe, seinte mal ...

Aus: Luthers Betbüchlein (Ausgabe Nürnberg 1536 = b) = WA Bd. 10^{II}, S. 472.

1011   Zu der heyligen Dreyfaltigen eynigkeyt ... ein gebåt.

O Allmechtiger barmhertziger Got, schöpfer hymels ...

Aus: Luthers Betbüchlein (Ausgabe Nürnberg 1536 = b) = WA Bd. 10^{II}, S. 473.

1012   Umb zůnemen und bestand im rechten glauben ... ein gebåt.

ALmechtiger ewiger gůttiger Gott unnd Herr ...

Aus: Luthers Betbüchlein (Ausgabe Nürnberg 1536 = b) = WA Bd. 10^{II}, S. 474.

1013   Umb bas erkantnis Christi ... ein gebåt.

ACh Herre Gott, Allmechtiger hymlischer vater ...

Aus: Luthers Betbüchlein (Ausgabe Nürnberg 1536 = b) = WA Bd. 10^{II}, S. 475.

1014   Zů Gott dem Sun.

DIr sey lobe, preyß, danck und eer ...

Aus: Luthers Betbüchlein (Ausgabe Nürnberg 1536 = b) = WA Bd. 10^{II}, S. 475.

1015   Zů Gott dem heyligen Geist.

KVmm heyliger geyst, du eyniger trost aller betrübten, du geist ...

Aus: Luthers Betbüchlein (Ausgabe Nürnberg 1536 = b) = WA Bd. 10^{II}, S. 476.

1016   Ein gemeine dancksagung ... gottes.

WIr armen důrftigen menschen, Herr almechtiger ...

Aus: Luthers Betbüchlein (Ausgabe Nürnberg 1536 = b) = WA Bd. 10^{II}, S. 476.

1017   Ein dancksagung fůr die wolthat ... ein gebåt.

Barmhertziger ewiger Gott, hymlischer vatter ...

Aus: Luthers Betbüchlein (Ausgabe Nürnberg 1536 = b) = WA Bd. 10^{II}, S. 477.

1018   Umb getrewe diener ... ein gebåt.

Laß dich Herr Jesu Christe gegen uns ...

Aus: Luthers Betbüchlein (Ausgabe Nürnberg 1536 = b) = WA Bd. 10^{II}, S. 477.

1019   Umb eynigkeyt des sinnes ... in gŏtlichen sachen.

O Du ewiger barmhertziger Gott, der du bist ein gott ...

Aus: Luthers Betbüchlein (Ausgabe Nürnberg 1536 = b) = WA Bd. 10^{II}, S. 477.

1020   Umb ein ware Christliche liebe ein gebåt.

HErr almechtiger Gott, der du bist die lieb ...

Aus: Luthers Betbüchlein (Ausgabe Nürnberg 1536 = b) = WA Bd. 10^{II}, S. 478.

1021   In leyden, Kranckheyten ... ein gebåt.

O Barmhertziger vatter, gib uns dein genad ...

> Aus: Luthers Betbüchlein (Ausgabe Nürnberg 1536 = b) = WA Bd. 10^{II}, S. 478.

1022   In anligender not sich Gott zubefelhen.

Herr Allmechtiger Got, der du wol weyst ...

> Aus: Luthers Betbüchlein (Ausgabe Nürnberg 1536 = b) = WA Bd. 10^{II}, S. 479.

1023   Bey dem Krancken wann man jn heymsuchet.

ALmechtiger ewiger gůtiger Gott, der du ...

> Aus: Luthers Betbüchlein (Ausgabe Nürnberg 1536 = b) = WA Bd. 10^{II}, S. 479.

1024   Wider die anschlege der feinde gottes ... ein gebåt.

ACh Herr du starcker Got, der du zu nichte machst ...

> Aus: Luthers Betbüchlein (Ausgabe Nürnberg 1536 = b) = WA Bd. 10^{II}, S. 480.

1025   Ein Gebåt für die Obrigkeyt.

ALmechtiger ewiger Gott, von welchem geordnet ist ...

> Aus: Luthers Betbüchlein (Ausgabe Nürnberg 1536 = b) = WA Bd. 10^{II}, S. 480.

1026   Ein gebåt vor dem schlaffen.

O Herr Jesu Christe, du erlőser der welt ...

> Aus: Luthers Betbüchlein (Ausgabe Nürnberg 1536 = b) = WA Bd. 10^{II}, S. 480.

1027   [Lateinisches Gebet um Regen.]

Deus, in quo viuisnus, movemur et sumus ...

> Aus: Rörers Jenaer Handschriftenband (*Bos o* 17^d, Bl. 1^a u. 189^a). *Sacr. Ver. (saec.* VI), Ausgabe Mohlberg (Rom 1956) Nr. 1111, vgl. WA Bd. 20, S. 803.
> Dieses und das folgende Gebet ist von Rörer ohne Verfasserangabe aufgezeichnet, stammt aber nicht von Luther.

1028   [Lateinisches Gebet um gutes Wetter.]

Ad te domine clamantes exaudi et aeris ...

Aus: Rörers Jenaer Handschriftenband (*Bos o* 17ᵈ, Bl. 1ᵃ u. 189ᵃ). *Sacr. Gelas. (Saec.* VII), Ausgabe Mohlberg (Rom 1960) Nr. 1413; vgl. WA Bd. 20, S. 803.

1029   [Lateinisches Gebet um Heiligung.]

Omipotens aeterne Deus, pater Domini nostri ...

Aus: Bugenhagens Psalter (etwa 1540, ohne Verfasserangabe) = WA Bd. 48, S. 246.

1030   [Gebet um den heiligen Geist.]

Gott, der Allmächtige wolle die Frommen ...

In: Elias Veiel, Ein gülden Kleinod (Ulm 1669, S. 318) = aus: Die Häuptartikel, durch welche die gemeine Christenheit ... verführet worden ist, Nürnberg 1522, Hsg. anonym (L. Spengler?); als Lutherschrift aufgeführt in Eisl. Bd. 1 (1564), Bl. 130ᵇ und Altenburg Bd. 2 (1661), Sp. 237.

1031   [Gebet um Gnade.]

O Gott, verleihe uns, was du heißest, und gib uns ...

Aus: Anhang des Gesangbuchs für Elsaß-Lothringen 1902, S. 507 (mit Verfasserangabe: Luther) = WA Bd. 10ᴵᴵ, S. 498, 27—32 = Spalatins Betbüchlein 1522.

Verteilung der Gebete auf Luthers Schriften

Vorbemerkungen

1. *Ziffern in eckigen Klammern:* nur das Initium des Gebets ist in unserer Sammlung abgedruckt.

2. *Ziffern mit vorangesetztem „vgl.":* das gleiche Gebet in anderer Abgrenzung oder Textfassung.

3. *Ziffern mit dazwischengesetztem Gleichheitszeichen:* das gleiche Gebet ist an verschiedenen Stellen aufgeführt.

4. *Ziffern mit nachgestelltem „var.":* der Text des Gebets ist in WA als Variante aufgeführt.

Verteilung der Gebete

Weimarer Ausgabe Bd. 1
Die sieben Bußpsalmen   414. 130. 131. 433. 522. 434. 267. 233. 240. 399. 453.
Sermo de digna praeparatione   324. 663.
Ein deutsch Theologie, Vorrede   517.
Eine Freiheit des Sermons   351.
Decem Praecepta   451.
Resolutiones disputationum   283.
Auslegung des 110. Psalms   393.

Weimarer Ausgabe Bd. 2
Auslegung ... des Vaterunsers f. d. Laien   183. 358. 454. 418. 426. 367. 368.
654. 493. [136] bis [144]. 650.
Ein Sermon von dem Gebet   246. 593.
Ein Sermon von der Bereitung zum Sterben   332. 319. 333. [113] = 287.

Weimarer Ausgabe Bd.5
Operationes in Psalmos   228. 681. 398. 509.

Weimarer Ausgabe Bd. 30 I
Der große Katechismus   112. 178. 457. 262. 490. 495.
Der kleine Katechismus   664 = [25]. 665 = [26]. 666 = [27]. 667 = [28].

Weimarer Ausgabe Bd. 30 II
Von heimlichen und gestohlenen Briefen   408.
Von Kriege wider die Türken   386 = [126].
Eine Heerpredigt wider die Türken   301. 628.
Vermahnung an die Geistlichen ... Augsburg   534. [763].
Vermahnung zum Sakrament   98 = [631]. 605. 198.

Weimarer Ausgabe Bd. 30 III
Deutsche Litanei   635. 355 = [3]. 636 = [4]. 308 = [5]. 637 = [9]. 642 = [6].
Traubüchlein   569 = [24].
Warnung an seine lieben Deutschen   375 = [43].
Glosse auf das ... Edikt   374. 373.
Vorrede zu Alexius Krosner   [764].
Exemplum theologiae ... papisticae   371.
Der Segen ... nach der Messe   218. 460. 175.

Weimarer Ausgabe Bd. 31 I
Das schöne Confitemini   659. 339. 741. 470.
Der 117. Psalm ausgelegt   284. 289.
Die ersten 25 Psalmen   347. 400. 546. 402. 404. 401. 403. 378. 686.
Der 147. Psalm   607. 587.
Dictata super psalterium   211.
Enarratio psalmorum LI et CXXX   237.

Weimarer Ausgabe Bd. 32
Predigten 1530   [765]. 487. 489. 488. 87 = [486 A]. 486 B.
Wochenpredigten über Matth. 5–7   452. 592. [154]. 88 = [508]. 307 var.

Weimarer Ausgabe Bd. 33
Predigten über Joh. 6–8   253. 311. 252. 313. 298. 303.

Weimarer Ausgabe Bd. 34 II
Predigten 1531   [766]. 630. 365. 632.

Weimarer Ausgabe Bd. 35
Die Lieder Luthers   437 = [37]. 99 = [33] = [439]. 551 = [8]. 199 = [1].

448 = [7]. 277 = [11]. 627 = [10]. 309 = [12]. 293 = [13]. 278 = [14].
286 = [15]. 196 = [16]. 305 = [17]. 459 = [19]. 355 = [3]. 308 = [5].
328 = [18]. 329 = [2]. 34.

Weimarer Ausgabe Bd. 36
Predigten 1532   312. [767]. 251. 682.

Weimarer Ausgabe Bd. 37
Predigten 1533   317. 660. 101. 661. 606. 96 = [616]. 185. 417.

Weimarer Ausgabe Bd. 38
Vorrede zu Kaspar Aquila   346.
Vorrede zu Ägidius Faber   212 = [219].
Vorrede zu Catalogus   501.
Vorrede zu Urbanus Rhegius   618.
Eine einfältige Weise   135. [155] bis [161]. vgl. [768]. vgl. [769]. vgl. [770].
    653. [162] bis [170]. vgl. 746. [171] bis [173]. vgl. 714.
Das Ordinationsformular   29.

Weimarer Ausgabe Bd. 40 I
In epistulam S. Pauli ad Galatas   191. 449. 242.

Weimarer Ausgabe Bd. 40 II
In epistulam S. Pauli ad Galatas   662 a. 520.
Psalm 51   245 = [91]. 662 d. 662 e. 662 f. 662 g. 662 h.
Psalm 45   662 c.

Weimarer Ausgabe Bd. 40 III
In XV psalmos graduum   662 k. 127. 391. 274. 290. 505. 579. 581. 583. 582.
    708. 602. 704. 586. 702. 570. 571. 250. 266. 536.
Enarratio psalmi XC   337. 542. 420 vgl. 694. 662 i. 742 vgl. 692. 275. 360.
    743. 472 vgl. 698 und 697. 276 vgl. 684.

Weimarer Ausgabe Bd. 41
Predigten 1535   633. 412. 625 = [78]. 626. 662 cc.

Weimarer Ausgabe Bd. 42
Genesisvorlesung cap. 1–17   629. 485. 209. 259. 382.

Predigten 1546   194. 662. 86 A = [518]. 86 B. 203 var.
Der 23. Psalm   192. 340.
An die Pfarrherrn wider den Wucher   467.
Vorrede zu Robert Barnes   445.
Vermahnung zum Gebet wider die Türken   84 = [133]. 85 = [387].

Weimarer Ausgabe Bd. 52
Dietrichs Hauspostille   634. 734. 525. 732. 733. 282. 754. 715 var. 716. 588.
  730. 731 var. 737. 738. 102. 103. 425. 107. 108. 464. 718. 477. 327. 672. 231.
  674. 675. 195. 297. 676. 662 r. 247. 739. 740. 662 t. 662 u. 603. 568. 479. 662 x.
  721. 722 var. 717. 723. 249. 677. 724. 725. 719 var. 678. 679. 720. 608.

Weimarer Ausgabe Bd. 53
Vorrede zu Erasmus Alberus   383.

Weimarer Ausgabe Bd. 54
Von den letzten Wochen Davids   699.
Vorrede Luthers vor seinem Abschied   735.
Bericht vom christlichen Abschied   95 = [36] = [615].

Weimarer Ausgabe Tischreden Bd. 1
42. 375 = [43].

Weimarer Ausgabe Tischreden Bd. 2
727 = [44]. 594 = [45].

Weimarer Ausgabe Tischreden Bd. 3
623 = [46]. 279 = [47]. 93 = [48] = [424]. 49. 594 = [45]. 50. 51. 652 = [65].
  52. 429 = [82]. 53. 54. 55. 429 = [82]. 56. 57. 58. 601 = [59]. 540 = [80].
  428 = [60]. 363 = [61]. 484 = [62].

Weimarer Ausgabe Tischreden Bd. 4
226 = [63]. 553 = [64]. 652 = [65]. 500 = [66]. 352 = [67].

Weimarer Ausgabe Tischreden Bd. 5
747 = [68]. 726 = [69].   557 = [70].   241 = [71]. 72. 73. 638 = [74].
  624 = [75]. 76. 77. 625 = [78]. 388 = [79]. 540 = [80].

Weimarer Ausgabe Tischreden Bd. 6
81. 429 = [82]. 556 = [83].

Wittenberger Ausgabe, deutscher Teil (1539 ff.)
Bd. 1
In epistolam S. Pauli ad Galatas (deutsche Übersetzung)   662 a.

Bd. 8
Argumentum concionum ... Haggai (deutsche Übersetzung)   689.

Altenburger Ausgabe (1661 ff.)
Bd. 8
Enarratio psalmi XC (deutsche Übersetzung)   691. 700. 706. 707.

Erlanger Ausgabe, 2. Auflage (1862—1885)
Bd. 4
Hauspostille   338. 292. 736. 662 u. 104. 435. 326. 745.

Bd. 5
Hauspostille (Fortsetzung)   221. 121. 673. 413. 300. 478. 662 p. 514. 502. 662 q.
710. 696. 695. 662 s.

Bd. 6
Hauspostille (Fortsetzung)   463. 662 v. 662 w. 568. 621. 421. 622. 669. 670.
671. 680.

Erlanger Ausgabe, lateinischer Teil (1829—1886)
Bd. 25
Praelectiones in Joel   197. 350. 385.

Bd. 26
Praelectiones in Micha   498.

Initien-Register

Vorbemerkungen

1. *Ziffern in eckigen Klammern:* nur das Initium ist in unserer Sammlung abgedruckt.

2. *Lateinisches Initium in runden Klammern:* ursprünglich lateinischer Gebetstext, der jedoch in der Vorlage fehlt.

3. *Deutsches Initium in runden Klammern:* Anderer Textanfang bei Duplikaten.

4. *Initium in spitzen Klammern:* das Gebet stammt nicht von Luther.

5. *Lateinisches Initium ohne Klammern:* Die Vorlage hat den zugrundeliegenden lateinischen Gebetstext abgedruckt, jedoch ist in unserer Sammlung nur das Initium abgedruckt.

6. *Initium ohne Klammern:* der vollständige (originale oder übersetzte) Gebetstext ist in unserer Sammlung abgedruckt.

Abkürzungen

Deutsche Texte		Lateinische Texte	
a.	= allmächtiger	Ch.	= Christus, Christe
b.	= barmherziger	D.	= Deus
e.	= ewiger	Do.	= Domine
Ch.	= Christus, Christe	p.	= pater
G.	= Gott		
H.	= Herr(e)		
hi.	= himmlischer		
J.	= Jesu(s)		
l.	= lieber		
m.	= mein		
u.	= und		
V.	= Vater		

Ach, ach, will dann nicht schier 633.

Ach Ch., siehe wie ich da liege u. 369.

Ach du b. G., wie ein freundseliger 314.

Ach du hi. V., bist du mir so 444.

Ach du hi. V., wie herzlich 57.

Ach du l. G. hi. V., gib Glück u. Heil 344.

Ach du l. H. G., der du uns bei diesen 328. [18].

Ach du l. hi. V., dein Wille ist 55.

Ach du m. G., du willst das Beten 113.

Ach du m. G., ob ich wohl ein armer 335.

Ach du süsser Herzog J. Ch. 184.

Ach G., da sind deine Wort, daß aber einen 255.

Ach G., daß ich sogar nichts 730.

Ach G., der du also schöne feine 288.

Ach G., du siehest, daß sie allzumal 523.

Ach G., es ist wahr, ich bin ja nichts 662 dd.

Ach G., gib uns deinen Geist, daß wir 471.

Ach G., hi. V., wende 411.

Ach G., ich bekenne, daß ich 235.

Ach G., ich bin dein Creatur u. 599.

Ach G., ich siehe, daß der ein Sünder 483.

Ach G., kein Mensch noch Creatur 267.

Ach G., straf mich nicht im Zorn 414.

Ach G., V. aller Weisheit u. 456.

Ach G. V., gib uns gnädiglich, was zu Leib 175.

Ach G., V. im Himmel, du wollest uns [153].

Ach G. vom Himmel, ist das nicht zu hoch 374.

Ach G., ziehe dem Satan schnell die Haut ab 361.

Ach H. Ch. J., du hast den Tag verheissen 630.

Ach H., daß du in die ganze Welt 404.

Ach H., daß es dir nur nicht mißfalle 271.

⟨Ach H., du starker G., der du⟩ 1024.

Ach H., der du ein G. der Rache bist 406.

Ach H., du hast mich geschaffen 582.

⟨Ach H. G., a. hi. V.⟩ 1013.

Ach H., es ist ja kein ander G. 353.

Ach H., gib mir ein friedlich freundlich 477.

Ach H., gleich wie sie den Fluch 528.

Ach H. G., daß ich auch möcht unter 339.

Ach H. G., der Blindheit, der Sicherheit 381.

Ach H. G., laß dichs erbarmen über das 500. [66].

Ach H. G. vom Himmel, wo sind die 362.

Ach H. G., was sollt ich doch mit 237.

Ach H., hilf mir aus dem Tode, sei m. G. 621.

Ach H., ich bin dein Ton, du bist m. Töpfer 245 b. [91].

Ach H., ich bin ein großer Sünder 327.

Ach H., ich hab leider viel u. oft 247.

Ach H., ich sehe, daß ich nicht kann aufhören 464.

Ach H. J. Ch., du weißt, wie oft 230.

Ach H. J., komm du zu mir u. 595.

Ach H., siehe doch an unser Gebet um 594.

Ach H., unsere Sünde drücket uns 660.

Ach H., wiewohl du billig mit uns 337.

Ach hilf, G., daß m. Leben recht 461.

Ach hi. V., du l. G., ich bin ein 135.

Ach ja, H. G., l. V., heilige doch deinen [155] vgl. [768].

Ach l. G., gefällt es dir, durch mich 512.

Ach l. G., stärke u. erhalte uns in 207.

Ach l. G. u. H., stärke u. behalte uns 212.

Ach l. G. u. V. unsers 562.

Ach l. G., wie groß ist doch die Blindheit 601.

⟨Ach l. H. bekehre in mir⟩ 1002.

Ach l. H. Ch., zukomme dein Reich 365.

Ach l. H., gib mir einen fröhlichen 662 b.

Ach l. H. G., du bist m. l. V. 128.

Ach l. H. G., du hast uns fürwahr 694. vgl. 420.

Ach l. H. G., du willst uns ein gut 652. [65].

Ach l. H. G., erledige uns von der rechten 395.

Ach l. H. G. V., du siehest wie [156] vgl. [769].

Ach l. H. G. V., du weissest wie die Welt [157] vgl. [770].

Ach l. H. G. V., erhalt uns [160].

Ach l. H. G. V., es ist doch dieses elende Leben 653. [161].

Ach l. H. G. V., gehe nicht mit uns ins Gericht [159].

Ach l. H. G. V., gib auch deinen [158].

Ach l. H. G. V., verzeihe mir meine 510.

Ach l. H. J. Ch., als du am dritten Tage 645.

Ach l. H. J. Ch., halt du selber 89. [532].

Ach l. H., laß dich doch jammern 446.

Ach l. V., dein Name werde geheiligt 749.

Ach l. V., du bist ja m. l. 422.

Ach l. V., du hast mir das Leben geben [765].

Ach l. V., ich nehme mir vor [760].

Ach l. V., nimm das liebe Seelchen 52.

Ach l. V., vergib mir u. hilff 264.

Ach m. allerliebster hi. V., du hast gesagt 56.

Ach m. G., ich armer elender Mensch 228.

Ach m. G., ich bitte, verleihe 509.

Ach m. G., siehe dein Gesetze ist 256.

Ach m. G., von dem höre ich, daß er 482.

Ach m. H. Ch., all m. Vermögen 232.

Ach m. H. Ch., komm doch bald 98. 631.

Ach m. l. H. J. Ch., du erkennest m. arme 31.

Ach siehe m. G., du hast mir da 476.

Ach V. aller Barmherzigkeit u. G. 423.

Ach V. aller Barmherzigkeit u. Trosts 554.

Ach V. aller Gnaden, du wollest 539.

Ach V., das laß dich erbarmen [141].

Ach V., es ist je wahr, niemand kann stark sein [140].

Ach V., ich bitt für den Haufen 481.

Ach V. u. G. alles Trosts, verleihe 496.

Ach V. unsers Herrn J. Ch., der du das Werk 208.

⟨Ad te Do. clamantes exaudi⟩ 1028.

Aeterne D. et p. Do. nostri J. Christi, reuisa 372.

Aeterne p. Do. nostri J. Christi, dona 197.

Aerterne p. Do. nostri J. Christi, rogamus te, 385.

Ah, Do. D., ignosce infirmitati 510.

Ah, H. G., laß dichs erbarmen 500. [66].

A. e. b. H. u. G., der du bist 624 [75].

A., e. G., der du durch die Sintflut 467. [22].

A., e. G., der du uns gelehret 305. [17].

A., e. G., hi. V. 556. [83].

A., e. G., V. unsers Heilands 392.

⟨A. E. G., von welchem geordnet ist⟩ 1025.

A., e. G., wie ist es nur ein Ding 437. [37].

A., e. G., wir bitten dich herzlich 309. [12].

A., e. G., wir bitten dich im Namen deines 608.

⟨A., e. gütiger G., der du⟩ 1023.

⟨A., e. gütiger G. u. H.⟩ 1012.

A., e. u. lebendiger G. 646.

A. G., der du bist ein Beschützer 199. [1].

A. G., der du durch den Tod deines 286. [15].

A. G., erleuchte die Oberkeit 537.

A. G., e. V., der du uns 289.

⟨A. G. hi. V., du Schöpfer⟩ 1007.

A. G., wo ist deine Barmherzigkeit 662 y.

A. H. G., erleuchte u. bewege 534.

A. H. G., verleihe uns, die wir glauben 459. [19].

A. V., e. G., der du für uns hast 278. [14].

⟨Appareat opus tuum hoc est⟩ 743.

Auf dich, H., habe ich mich verlassen 712.

Auf dich trau ich, H. m. G., hilf 408.

Aus mir bin ich verdorben, dein 240.

B. e. G., der du deines eigen 293. [13].

⟨B. e. G., hi. V.⟩ 1017.

B. G., der du uns wiederum 466.

B. G., du hast mir gegeben 304.

B. G., hi. V., Du hast durch den Mund 29.

(B. G., ich bin ja ein) [334].

B. G., regiere u. behalte 209.

B. G., schicke deinen friedlichen Engel 552.

Behalte deinen Sieg u. Triumph 357.

Behüte mich l. G., für der Sünde 662 aa.

(Bekehre, die deinen guten Willen) [770] vgl. [157].

Benedico te, et gratias ago tibi 451.

Bist du nicht ein wunderlicher 741.

(Bone Christe, iuves nos, sis tu) 662 c.

(Bone D., in quantis fui angustiis) 685.

Ch., der du den Teufel überwunden 359.

(Ch. donet spiritum orandi) 531.

Ch. J., habe Geduld mit uns 494.

Ch. J., tolera nos, et libera nos 494.

Ch., l. H., du selige liebe Wahrheit 214.

Ch., l. H., hilf uns in dein Reich 366.

Ch., l. H. u. Meister, du hast 452.

Ch., l. H. u. Trost, tröste u. stärke 415.

Ch., tibi gratia, suavissime 384.

Ch., donet spiritum orandi nobis 531.

Ch., unser l. G. u. Bischof 735.

Confirma, D., hoc in nobis, quod 72.

Converte captivitatem nostram, o 290.

(Da abundantem misericordiam) 692 vgl. 742.

Da Do., ut haec recte intelligam 513.

Dank, Lob u. Ehr sei dir V. 445.

(Dann das ist dein Ruhm) 486 B.

Das Brot ist unser H. J. Ch., der [149] vgl. 651.

Das ist uns leid, daß wir dein heilsam Hand [139].

Das Waschen des Herzens 662 e.

Das willst du, l. H., daß sich der Mensch 681.

Der G. des Friedens u. des Trostes [763].

Derhalben mögen wir G. um 716.

Der H. erfülle euch mit seinem Segen 54.

(Det igitur D., ut in fide et) 485.

⟨D., in quo vivimus, movemur⟩ 1027.

E. G. u. V. unsers Herren J. Christi, verleihe 181.
E. G. u. V. unsers Herrn J. Christi, wir bitten 385.

Für dir, H., ist mein bester Samt 732.

Geheiliget u. geehret werde 174.
Geheiliget werde dein Name 343.
Gelobet seist du, b. G., ich 607.
Gelobet u. gebenedeit sei G. 688.
Gib, l. H. G., deine Gnade 513.
Gib mir jetzt H. der ich bitte, nicht Gold 48 G Anm.
Gnade mir, du b. G., ich bin 610.
(G. der A. wolle die Frommen) 1030.
(G., der liebe V., wolle uns bei) 746 vgl. [164].
G., der V. aller Gnaden, der 721.
G., der V. alles Trostes u. 715.
G. gebe, daß derselbige frölige u. seelige 662 cc.
G. gebe seine Gnade durch seinen 719.
G. gebe uns um Christi unseres Erlösers 662 x.
G. hat uns die Verheißung des 713.
G. helff uns in Nöthen 662 z.
G. helf uns allen bei der reinen Wahrheit [764].
G., hilf uns, daß wir mögen gewiß 303.
G. Lob u. Dank, ich bin u. lebe 705.
G., m. H. u. V., ich befehle mich [766].
G. sei gelobet u. gebenedeiet 687.
G. u. der V. J. Christi, seines Sohnes [773].
G., unser gnädiger V. wolle 717.
G., verleihe uns allen durch Christum 725.
G., verleihe uns seine Gnade, daß 723.
G., verleihe uns seine Gnade, daß 724.
G., verleihe uns seine Gnade u. 718.
Gratias agimus tibi, D. p., pro 450.
Gratias agimus tibi, o D., quod 382.
Gratias ago tibi, Ch., fili Dei 440.
Gratias Ch. tibi ago, qui me 441.
Gratias Deo ago, dedit mihi 333.
Guberna nos, D., ut spiritualibus [63]. 226.
Gütiger G., gnädiger V., wir 670.

(Habeo carnem, quae luctatur) 662 f.
(Haec omnia belli isti balneator) 662 e.
Hebe dich, Teufel, mit dem 690.
Heiliger G., hi. V. 674.

⟨H. a. G., der du bist die Lieb⟩ 1020.

H. a. G., der du der elenden 355. [3].

⟨H. a. G., der du wohl weißt⟩ 1022.

H., auff dein Wort will ich kranck sein 662 q.

H. Ch., der du alle Anfechtung 425.

H. Ch., ich bleib bei dir u. hange 311.

H. Ch., ich geh zum Sakrament 330.

H., da ist das Jammer u. Unglück 129.

H., daran fehlet mirs, du gibst 475.

H., daß ich mit meinem Nächsten 662 a.

H., deinem Beruf will ich folgen 584.

H., dies u. dies Werk hab ich 473.

H., du bist zwar reiner Augen 438.

H., du hast die Sach angefangen 340.

H., du hast mich einmal aus allem 274.

H., du hast mir alles gegeben 606.

H., du hast mir viel Gnade 662 t.

H., du tust recht, ob du uns gleich 417.

H., ehe ich noch war, lebete, webete 712.

H., erhalte du dein Volk, Gericht 536.

H., es ist deine Ehre u. dein 102.

H., es sind deine Gaben, die du 678.

H., es stehet nicht in meinem Willen 662 k.

H. G., der du in uns angefangen hast 187.

H. G., der du Mann u. Weib 569. [24].

H. G., diese Güter stehen nicht in 505.

H. G., dieser Stand ist dein Ordnung 566.

H. G., du hast gegeben, daß ich soll ein 571.

H. G., du hast mich durch einen 336.

H. G., du hast mich in deiner Kirchen 515.

H. G., du hast mich zu einem Manne 565.

H. G., erbarme dich unser 272.

H. G., erhalte uns in deiner Gnade 307.

H. G., gib mir ein frommes Weib 564.

H. G., hilf mir in dieser Not 426.

H. G., hi. b. V., der du hast heißen 726. [69].

H. G., hi. V., der du deinen 122.

H. G., hi. V., der du heiligen Mut 551. [8].

H. G., hi. V., der du nicht Lust hast 636. [4].

H. G., hi. V., der du uns durch deinen 484. [62].

H. G., hi. V., der du uns u. 428. [60].

H. G., hi. V., du weißest 308. [5].

H. G., hi. V., hilf 574.

H. G., hi. V., ich bitte u. 84. [133].

H. J. Ch., eile doch u. verzeuch nicht 626.

H. J. Ch., erhalte uns dein kleines 346.

H. J. Ch., ich glaube an dich, du bist 421.

H., im Gesetz ist eitel Tod u. 258.

H., in deiner Gewalt stehet 702.

H., in deiner Hand bin ich, du 92. [619].

H., mehre uns den Glauben, Herr, hilf 296.

H., sei mir gnädig, ich erkenne mich 231.

H., straf mich nicht in deinem Zorn 259.

H., tue meine Lippen auf 662 h.

H., wahr ists, daß ich nicht würdig bin 323.

H., wann du es nicht machest, so 519.

H., was ich habe, das ist dein, du 603.

H., was ists? Ich bin ein armer 104.

H., weil du willst u. heißest, daß ich 101.

H., wir haben gebeten um dein Werk 472.

H., zähle meine Flucht, fasse meine 529.

H. Zebaoth, laß dich doch erbarmen 555.

Hie komm ich, l. V., u. bitte 112.

Hie lehrest du mich abermal, l. G. [167].

Hie lehrest du mich erstlich: daß [166].

Hie lehrest du mich, e. G., mit [171] vgl. 714.

Hie lehrest du mich, l. G., daß ich [163].

Hie lehrest du mich, l. G. wie wir [172].

Hie lehrest du uns erstlich, l. G. [170].

Hie lehrest du uns, l. V., erstlich [169].

Hie lerne ich erstlich: dich G. [165].

Hiemit lehrest du mich, l. G. u. [173].

Hierinnen lehrest du mich, l. G. [164] vgl. 746.

Hilf, daß wir alle unsre Glieder [148] vgl. 758.

Hilf, G., daß wir einmal rechten Glauben 285.

Hilf, G., der Wahrheit allein u. 351.

Hilf, l. H. G., daß wir der neuen leiblichen 277. [11].

Hilf, l. H. J. Ch., daß der selige Tag 625. [78].

Hilf mir, l. G., m. Königreich 546.

Hilf uns. G., allen, daß wir zu uns 246.

Hi. V., das ist die geringste 397.

Hi. V., der du alle Ding 116.

Hi. V., du bist je 507.

Hi. V., hie bin ich 560.

Hi. V., ich bitte dich von 306.

Hi. V., lehre uns, daß dein Sohn 754.

Hi. V., wir habens ja wohl verdienet 85. 387.

⟨Ich armer sündiger Mensch bekenne⟩ 1005.

Ich befehle m. allerliebste Käthe [49] vgl. [46]. [623].

Ich bin ein armer Sünder, das weißt du 96. [616].

Ich bin ein armer Sünder, ich darf 326.

Ich bin ein armer Sünder, o Gott 261.

Ich bin froh, lobe u. danke 123.

Ich bin unerschrocken, dann ich habe Gottes Sohn 297.

Ich bitte dich, l. G., für dies Übel 275.

Ich danke dir, b. G., du 280.

Ich danke dir, du e. b. G. u. V. 315.

Ich danke dir, e. G. u. 714 vgl. [171].

Ich dancke dir, H. Ch., du Sohn 440.

Ich dancke dir H., daß du mich 662 o.

Ich danke dir, H. G., daß du mich 695.

Ich danke dir, J. Ch., m. H., daß 396.

Ich danke dir, m. G., daß ich um 517.

Ich danke dir, m. H. Ch., mit Herz u. Mund 317.

Ich dancke dir, m. H. hi. V., für alle 176. [32].

Ich danke dir m. hi. V. 664. [25].

Ich danke dir m. hi. V. 665. [26].

Ich danke dir m. l. G., daß ich 298.

Ich danke dir m. l. H. Ch., daß du mich 501.

Ich danke dir m. l. H. J. Ch., daß du mir auch 441.

Ich danke u. preise dich 451.

Ich fühle wohl rechte Sünde, die mir 284.

Ich glaub an Christum, der von der 253.

⟨Ich glaube nicht an meinen Pfarrherrn⟩ 86 B.

Ich glaube u. bekenne, daß ich 683 vgl. 268.

Ich hab gelebet wie ich kann, so 263.

Ich habe getan was ich vermöcht habe 550.

Ich habe übel gelebet u. bekenn 622.

Ich leide viel u. geht mir übel 434.

Ich nenne dich ja meinen V. 748.

Ich schlafe im Namen des Herrn 701.

Ich sei wer ich wolle, so frag ich 107.

Ich stehe wohl frühe auf 709.

Ich weigere das Leiden u. strafe nicht 522.

Ich weiß, daß du unser l. G. u. 99 [33]. [439].

Ich weiß gewiß, daß mich dennoch 693.

Ich weiß wohl, o gnädiger G., daß 105.

Ich will auch hingehen zu dem 745.

Ich wollte nicht begehren ein Stund 614.

Impleat vos Do. benedictione 54.

In diesem Jammer siehest du auf mich 757.

Ist er zu bekehren, m. H. J. Ch. 409.
Ists nicht Zeit zu richten u. zu 407.

Ja nimm, H. J., unsere Geburt 753.
J. Ch., du allerliebster Heiland 384.
J. Ch., du Sohn des lebendigen 516.
J. Ch., Fili Dei, qui es propitiatorium 516.

Komm, H. J. Ch. u. erlöse 376.
⟨Kumm heiliger Geist, du einiger Trost aller Betrübten, du Geist⟩ 1015.
⟨Kumm heiliger Geist, du einiger Trost aller Betrübten, ein⟩ 1009.
Kyrie eleison, Ch. eleison 635.

⟨Laß dich, H. J. Ch., gegen uns⟩ 1018.
Laß nicht gelten noch helfen 527.
Laßt uns dem V. danken [761].
Laßt uns G. anrufen u. beten [772].
Laß uns bitten, daß unser l. V. 662 p.
⟨Laudemus igitur Deum Patrem⟩ 191.
Lieben Freund, laßt uns G. bitten, daß er 50.
L. G., behüte mich für denen, die 378.
L. G., behüte uns für Krieg, der das 533.
L. G., das Cananeisch Weiblein war 108.
L. G., daß ich ein fromm Weib 704.
L. G., der du mir neben deine heiligen Wort 319.
L. G., dieweil es um dies Leben also 542.
L. G., dir sey die Sach befohlen 662 bb.
L. G., dir sei Lob u. Dank 499.
L. G., du bist ein G. des Lebens, ein 427.
L. G., du erzeigest nu unzehlich 662 v.
⟨L. G., du hast einen Titel⟩ 540 B. [80 B].
L. G., du hast mir aus grundloser 662.
L. G., du hast mir gegeben Weib 570.
L. G., du hast mir Haus u. Hof 431.
L. G., du hast mir zugesagt u. ein 332.
L. G., du hast unser arm Gebet barmherziglich 604.
L. G., du sagest mir in deinem Wort 570.
L. G., du sprichst durch deinen lieben Sohn 186.
L. G., du weißt, was der Feind 77.
L. G., du weysest was der böse 488.
L. G., du wollest diesem Kinde 318.
L. G., erbarme dich des elenden 393.
L. G., erhalte uns bei dem Hauptstück 300.

L. G., erhalte uns u. unser 341.

L. G., fäll du ein Urteil für mich 521.

L. G., führe uns mit den Weisen 668.

L. G., gib daß die armen Seelen 193.

L. G., gib, daß unsere Theologen 699.

L. G., gib deine Gnad, daß wir das 338.

L. G., gib Gnade, daß wir auch wie 192.

L. G., gib Gnade, daß wir dein 203.

L. G., gib uns allen, daß wir auch 465.

L. G., gib uns deine Gnade u. 410.

L. G., gib uns den Heiligen Geist, der 194.

L. G., hie ist Angst u. Not 127.

L. G., hilf daß die Obrigkeit erkenne 535.

L. G., hilf uns in dieser fährlichen Zeit 354.

L. G., ich bekenne mich für dir einen großen Sünder 248.

L. G., ich bin dein Creatur, darumb will 76.

L. G., ich bin deine Creatur u. Geschöpf 412.

L. G., ich danke dir, daß dein l. 442.

L. G., ich danke dir, daß du uns 487.

L. G., ich hab Geld u. Gut 602.

L. G., ich habe angefangen zu predigen 514.

L. G., ich soll das Recht sprechen, hilf das 557. [70].

L. G., ich weiß, daß mir m. Gebet 609.

L. G., in deiner Hand stehet meine 613.

L. G., in diesem Gebet hastu 662 s.

L. G., in meinem Beruf ist dein 502.

L. G., laß heute deinen Heiligen 489.

L. G., laß uns alle bei deinem 686.

L. G., laß uns in die Sünde nicht 225.

L. G., mache der Lästerung des Papsttum 373.

L. G., o daß wir so fleißig wären zu 110.

L. G., regiere du mich, daß ich mit 226.

L. G., schicke uns dein lebendiges 180.

L. G., schicke Werkleute in deine Ernt 370.

L. G., sehe hin, nimm hin 453.

L. G., sei uns gnädig u. mache 467.

L. G., so fromm die Papisten sein für dir 375.

L. G. u. V. aller Barmherzigkeit 198.

L. G. u. V., ich weiß gewiß 121.

L. G. u. V., schreibe durch deinen 447.

L. G. u. V., wir loben u. danken 191.

L. G. u. V., verleihe uns, um 669.

L. G., verkläre dein Wort in unsern Herzen 195.

L. G., verleihe deine Gnade u. hilf 220.

L. G., verleihe mir Gnade, daß ich durch 279.

L. G., verleihe uns, durch Christum deinen Heiligen Geist 650 vgl. [144].

L. G., verleihe uns auch ein friedlich 460.

I. G., was ich jetzt tue, das will 696.

L. G., was soll ich für meinen Bauch 596.

L. G., wende von ihnen deinen Zorn 380.

L. G., wider dich will ich nicht streiten 558.

I. G., wie ist doch das so ein 533.

L. G., wie soll ich mich so hoch erheben 106.

L. G., wir haben ja Unrecht getan 740.

L. G., wir sind mit Sünden wohl geplagt 360.

L. G., wir wollen gerne lehren 391.

L. G., wollen die gottlosen 662 i.

I. H. Ch., der du m. Herz mit 201.

L. H. Ch., der du uns bisher treulich 356.

L. H. Ch., du bist meine Sünde 242.

L. H. Ch., du wollest gnädiglich in 541.

L. H. Ch., erhalte u. stärke uns 294.

L. H. Ch., erhalte uns bei reinem 217.

L. H. Ch., gib Stärk u. Weisheit 503.

L. H. Ch., gib uns deinen Geist 200.

L. H. Ch., hilff uns, sey du 662 c.

L. H. Ch., ich weiß keine heiligen 313.

L. H. Ch., ich weiß u. hab es 597.

L. H. Ch., ist dir solchs widerfahren 525.

L. H. Ch., mach aus uns Menschen 470.

L. H. Ch., ob ich gleich das Gesetze 611.

L. H. Ch., sei uns gnädig, daß wir 618.

L. H., du hast mich zu einem 708.

L. H., durch deinen allerliebsten Sohn 125.

L. H., für der Welt bin ich wohl 251.

L. H., gib Gnade, wider die Rotten 389.

L. H. G., behalte u. bekräftige uns 210.

L. H. G., behüte gnädiglich die 593.

L. H. G., bekehre die, so noch sollen [768] vgl. [155].

L. H. G., bring u. gib dein Reich 345.

L. H. G., das müssen wir hören 401.

L. H. G., diese Güter habe ich 586.

L. H. G., du hast mich zu einem 662 l.

L. H. G., du hast mir befohlen 504.

L. H. G., du hast mir Weib, Kinder 583.

L. H. G., du siehest, daß ich ohne Sünde 563.

L. H. G., du weißt, daß ich ja nicht 109.

L. H. G., du wollest uns regieren 578.

L. H. G., erhöre doch unser Gebet, nach 440 A. [80 A].

L. H. G., fahre gnädiglich fort, u. 188.

L. H. G., gib uns deine Gnade, daß 221.

L. H. G., gib uns deine Gnade unser Leben 469.

L. H. G., hilf mir durch Christum 492.

L. H. G., hilf uns zur Erkenntnis Christi 177.

L. H. G., ich armer Sünder 662 r.

L. H. G., ich bekenne u. glaube 268 vgl. 683.

L. H. G., ich bin ein Fürst, Regent 545.

L. H. G., ich bitte dich, du wollest 485.

L. H. G., ich danke dir, daß du mich in 588.

L. H. G., ich habe ja dein Wort 88. 508.

L. H. G., ich weiß von keiner Frommheit 229.

L. H. G., ich will dir zu Ehren predigen 727. [44].

L. H. G., ich will dir zu Lob u. Ehren 435.

L. H. G., ists möglich, daß noch etliche 405.

L. H. G., laß es so gehen, wir können 42.

L. H. G., laß uns dein gnädig Wort hören 347.

L. H. G., lehre du mich meinem Haus 581.

L. H. G., ob ich wohl gesündiget habe 265.

L. H. G., regiere des Kaisers Herz 538.

L. H. G., sei du H., regiere du Menschen 402.

L. H. G., siehe doch dies arm betrübt Weib an 573.

L. H. G., stärke uns, u. verleihe 458.

L. H. G. u. V. aller Gnaden u. 628.

L. H. G. u. V. im Himmel 331.

L. H. G., unser gnädiger V. im Himmel 673.

L. H. G., bekehre die, so noch sollen 768.

L. H. G., quanta ignorantia 601. [59].

L. H. G. V., bekehre die, so noch [769] vgl. [156].

L. H. G., verleihe deine Gnad, daß die 316.

L. H. G., verleihe deine Gnad, daß in uns 371.

L. H. G., was du mir bisher 662 m.

L. H. G., was du mir geben wirst 711.

L. H. G., was ists, es geschieht mir Unrecht 479.

L. H. G., was wir haben u. brauchen 282.

L. H. G., wecke uns auf, daß wir bereitet 627. [10].

L. H. G., wie bin ich in so großer 685.

L. H. G., wie gar stehet unser Leben nicht 58.

L. H. G., wir bekennen, daß wir gesündiget 273.

L. H. G., wo es zur Heiligung 572.

L. H., ich fühle mich so schwach, so 322.

L. H., ich kann dich leider nicht recht 185.

L. H., ich komm eben darum, daß du mich 462.

O D., fac oro, ut populorum turba 509.

O D., oppressisti nos calamitatibus 420.

O D., pauperculus ego, plenus omni 228.

O D., prohibe tu ne succedat 364.

O D., qui signum et verbum 319.

O D., quis similis est tibi 498.

O D., totum hoc quod sum, vivo, ago 236.

O Do., dedisti nobis filium tuum 276.

O Do., ecce hic tribulatio et angustia 127.

O Do., habeo tuam promissionem 266.

O Do., Hypocritae illi mane venientes 398.

O Do. J., qui dixisti petite 93 G. [48 G]. [424 G].

O Do., J., quotiens et graviter 230.

O Do. J., veni tu ad me 595.

(O Do., libera me ab eo crimine) 662 g.

O Do., non possumus tecum in iudicio 250.

O Do., nos quidem libenter docebimus 391.

O D., quanquam merito irasceris 337.

O Do., si ita mecum agis, feram 260.

O D., sum ego lutum tuum, tu 91. [245 a].

⟨O du allerbarmherzigster J. Ch.⟩ 1001.

⟨O du allergütigster H. J. Ch.⟩ 1004.

⟨O du e. b. G., der du bist ein G.⟩ 1019.

O du gütiger, b. G., du hast uns 684 vgl. 276.

O du gütiger, b. G., du l. V. 692 vgl. 742.

O du gütiger, b. G., wir haben bisher 698 vgl. 472.

O du gütiger G., b. H., hast du dich 691.

O du gütiger u. b. G., du hast mich 706.

O dulcis Dux et Lux nostra J. Ch. 184.

O du l. b. V., o G. der du 575.

O du m. allerliebster G. u. V., du hast 93 H. [48 H]. [424 H].

O du treuer G., m. H. J. Ch. 429. [82].

O G., alles was ich bin, lebe, tue 236.

O G., der du bist ein G., meines Heils 399.

O l. G., der du mein G. 662 g.

(O G., du allerheiligste Dreiheit) 1003.

O G., du Schöpfer u. Regierer 544. [40].

O G., du unsterblicher Trost 703. [21].

O G., ein Schöpfer Himmels u. 114.

O G., strafe alle die, so da sich 377.

O G., V. aller armen elenden Seelen 182.

O G., V. aller Barmherzigkeit, gib uns 455.

O G., V. aller Barmherzigkeit, wir danken 190.

O G. V., diese Ding, die ich 650. [144].

O G. V. in Ewigkeit, du wollest heute 239. [35].

O G. V., siehe wie werd ich 367.

⟨O. G., verleihe uns, was du heißest⟩ 1031.

O G., wie blind, ja unsinnig 348.

O G., wo ist ein solcher G. wie du 498.

O gütiger Heiland, wie weislich hast 281.

O H. a. G., sei mir armen Sünder 643.

O H. Ch., was will für ein wüst 349.

O H., diese Heuchler kommen wohl 398.

O H., du bist m. Leben, m. Seel 600.

O H., gefällt es dir, so geschehe es 591.

O H., gib uns einen seeligen Frieden 651. [149].

O H. G., allzusehr zerrissen, allzusehr 388. [79].

O H. G., das Werk ist dein, das 474.

O H. G., du weißt was wir 34.

O H. G., ein Schöpfer Himmels u. 118.

O H. G., hi. V., ich bin dein Kreatur 638. [74].

O H. G., so wir ja sündigen sollen 224.

O H. G., was sind wir, wann du 202.

O H. G., wir können für dir 250.

O H., hilf uns, mehre uns den 299.

O H., ich bin ein armer Sünder 738.

O H., ich habe deine Verheißung 266.

O H. J. Ch., der du am achten Tage 644.

O H. J. Ch., der du beides Teils Herzen 352. [67].

O H. J. Ch., der du sitzest zur 413.

O H. J. Ch., du bist meine Gerechtigkeit 243.

⟨ O H. J. Ch., du Erlöser der Welt⟩ 1026.

O H. J. Ch., du hast m. Augen mir 568.

O H., mehre uns den Glauben, ich 291.

O H., tue überflüssige Barmherzigkeit 742 vgl. 692.

O H. u. gütiger V., ich will 729.

O H., wenn wir miteinander rechten 119.

O H., wiewohl ich nicht würdig bin 124.

O hi. V., dieweil 183.

O J. du Sohn Gottes, der du für uns 530.

O komm H. J. Ch., u. hilf uns 468.

O l. G., komm schier einmal, ich 747. [68].

O l. G., wehre u. verhüte, damit 364.

O l. H. G., dein Name sei heilig 549.

O l. H. G., ich bin dein Creaturichen 53.

O l. H. J. Ch., hilf uns durch deinen 310.

O l. H., laß deine Werke 743.

O l. H., wann du ja also mit mir 260.

O l. V., du lässest die Sünde 739.
O l. V., hilf u. halte uns 216.
O l. V., wir bitten dich nach 731.
O m. hi. V., ein G. u. V. 95. [36]. [615].
⟨Omnipotens aeterne D., p. Do. nostri⟩ 1029.
O P. misericors D., mirabilis 575.
Optime D. amove bellum 553. [64].
Oramus Do., ne nos inducas 491.
⟨Oro autem Do. J. Ch.⟩ 188.
O schrecklicher u. ernster Richter 223.
Orare debemus pro omni necessitate totius [767].
⟨O unser H. u. G., J. Ch., sintemne⟩ 1010.
O V. aller Barmherzigkeit 204.
O V., das ist gewiß ein Anfechtung 368.
O V., das ist leider wahr [138].
O V. der Waisen und Richter der Witwen 49 Anm. vgl. [46]. 623.
O V., gib uns Gnade dadurch wir 751.
O V., ich finde in mir, daß meine Natur 750.
O V., laß mich nicht dahin 454.
O V., tröste u. stärke mich 418.
O V., tröste uns unser Gewissen jetzt u. an 648. [150].
O V. unser, der du bist in [136].
O V., wir erkennen unser [137].

⟨Parce Do. parce peccatis⟩ 642. [6].
⟨Peccavimus, imique egimus⟩ 272.
Pro hoc malo te oro, o D., quo nos 275.

⟨Quam autem iniquum est, cum regna⟩ 533.
Quid tandem fiet, si nos omnes 436.
⟨Quid tecum contenderem, D., cum⟩ 237.
Quod potui facere feci, quod 550.

Sanctificetur Nomen tuum, hoc est 343.
⟨Sanctificetur nomen tuum O D., cur enim⟩ 549.
Schone, H., schone unsern Sünden 642. [6].
Schwach und krank sind wir [142].
Scio Do. additurum te mihi 506.
⟨Scio te deligere istam veritam⟩ 662 d.
Scio te patrem et Do. nostrum 99. [33]. [439].
Sed tamen hoc quoque est ex gratia 472 B.
Sei mir G. willkomm, m. 634.
Serva, Do., populum tuum, ius 536.

416

(Si alii noluntnumerare) 662 i.
Siehe doch an H., daß die Widersacher 400.
Siehe H., bin ich doch Fleisch u. 234.
Siehe H., hie ist ein leer Faß, das 205.
Siehe H., so war ists, daß ich für dir 233.
Siehe l. G., da hör ich, daß der 561.
Siehe l. G., das u. das hab ich 656.
Siehe l. G., ich bin nun zu meinen 567.
Siehe l. H., ich weiß, daß ich nicht 655.
Siehe m. G. u. V., das ist 654.
Siehe m. H. Ch., da hat mich m. 480.
Siehe m. l. H. J. Ch., es ist mir leid 663.
So gute Sach ihr habt 375. [43].
Stehe auf, H., u. erzeige deine 509.
(Sufficit mihi dulcis redemptor) 283.
Sumus vexati peccatis et oppressi 360.

Te Fili Dei, drucifixe pro nobis 73.
Tibi gratia, o D. qui nos conservas 449.
Tu, Ch., es peccatum et maledictum 242.
(Tu, D. meus, ego autem nihilum) 211.
Tu, D. meus, praecepisti orationem 113.
Tu, Do., creasti me ut essem p. 582.
Tu, D., J., es iustitia mea, ego 243.
Tue H. wohl an mir um deines 526.
Tu nosti multos esse quibus 93 D. [48 D]. [424 D].
Tu, p. coelestis, adsis mihi 543.
Tu scis quod Sathan varie 93 E. [48 E]. [424 E].
Tust du das H., (das du uns nicht) 134.

Unser l. G. u. V. im Himmel 662 w.
Unser Will gegen deinem [148] vgl. 758.
(Uxor, liberi, familia, opes, pax) 704.

Verleihe uns deine Gnade, daß wir 671.
Verleihe uns, um Ch. wille 679.
Vor solchem herrlichen Schutz sollen 720.

(Wäre nun ein Finsternis drinnen) 394 B.
Was hast du für, l. H.? was meinst du 436.
Weil, als David sagt, in dem 654.
Weil die Welt wider unsere Lehr 661.

Weil du beschlossen hast, daß alle 755.

Weil m. Hoffnung in dir ist 433.

⟨Wir armen dürftigen Menschen⟩ 1016.

Wende, o H. unser Gefängnis 290.

⟨Wer aber will seliglich sterben⟩ 94. [334]. [610].

Wir bitten dich du treuer G. 491.

Wir bitten, hi. V. 736.

Wir danken dir, a. H. G., daß du 329. [2].

Wir danken dir, H. G. V. für deine 450.

Wir danken dir, H. G. V., für alle 667. [28].

Wir danken dir, l. H. G., daß du uns 443.

Wir danken dir, l. H. G. u. loben 677.

Wir glauben an G. V., G. 676.

Wir mögen G. danken, daß er 722.

Wir sind umgeben hinten u. vornen 426.

Wir wünschen, daß der Jüngste Tag 662 n.

Wohlan, du bist doch ja ein freund- 659.

Wohlan m. l. G., ich habe auf 641.

Personenregister

Auf den mit *kursiven* Ziffern bezeichneten Seiten finden sich biographische Hinweise.

420

424